CONSTANTINE, DISCIPEL VAN DE DUIVEL

Glenn Meade

Constantine, discipel van de duivel

VAN HOLKEMA & WARENDORF
Unieboek BV, Houten/Antwerpen

www.hwspanning.nl

Oorspronkelijke titel: The Devil's Disciple
Oorspronkelijke uitgave: Hodder & Stoughton
Copyright © 2006 by Glenn Meade

Copyright © 2007 Nederlandstalige uitgave:
Uitgeverij Unieboek BV,
Postbus 97, 3990 DB Houten

www.unieboek.nl

Vertaling: Theo Horsten
Omslagontwerp: Edd, Amsterdam
Omslagfoto: Corbis
Opmaak: ZetSpiegel, Best

ISBN 978 90 269 8594 2 / NUR 332

Voor Carolyn Mays

DEEL EEN

1

Greensville, Virginia

Geen nacht zou zo koud mogen zijn, geen winter zo wit, geen sterven zo angstaanjagend.

Het sneeuwde toen ik stopte op de volle parkeerplaats buiten het Greensville Correctional Center. Toen ik uit de auto kwam brandde de ijzige januarilucht als vuur in mijn longen. Ik sloot mijn acht jaar oude Bronco af en liep naar de ingang van de gevangenis.

Sneeuwvlokken stoven over de televisieploegen van de nieuwszenders; hun reportagewagens en satellietschotels waren bedekt met ijskristallen. Hard geworden sneeuw kraakte onder mijn voeten. Mijn wollen jas en das waren maar nauwelijks voldoende om me tegen de tot op het bot snijdende kou te beschermen. Ik droeg een paar halflange, leren laarzen en mijn jas was bleekbeige en niet nachtzwart. Ik was hier om getuige te zijn van een executie, maar ik treurde niet om het ophanden zijnde verlies van een mensenleven – ik celebreerde de dood.

Een moordenaar zal zo dadelijk sterven door een dodelijke injectie en ik verheug me op zijn executie.

Maar het was dan ook geen gewone moordenaar. Een televisieverslaggever herkende me en riep: 'Kate, wil je soms iets tegen de kijkers van Kanaal Twaalf zeggen?'

Ik negeerde de vraag en liep door.

'Mevrouw Moran, een paar woorden maar. *Alstublieft*. Jezusmina, Constantine Gamal wordt zo dadelijk ter dood gebracht!'

Verslaggevers van de schrijvende pers zwaaiden om mijn aandacht te trekken, maar ik negeerde de media en kwam bij een helverlichte ingang. Naast de deur stonden een paar gevangenbewaarders met dassen om en dikke uniformjassen aan, hun adem als rook in de vrieskou. Een van hen deed de deur open en liet me binnen in de warme ontvangstruimte. Er stonden rijen plastic stoelen voor wachtende bezoekers en in een van de hoeken stonden automaten voor snoep en frisdranken. Aan het eind van de gang zag ik een bureau en een detectiepoort waar je doorheen moest voordat je bij de ingang van de gevangenis kwam. Achter het bureau zat ook weer een gevangenbewaarder. Ik liep erheen en toonde mijn legitimatie en de door de gevangenisdirecteur, Lucius B. Clay, getekende brief. Ik had hem persoonlijk gebeld om toestemming te vragen om vanavond getuige te zijn van de executie.

'*Geachte mevrouw Moran, hierbij wordt u toestemming verleend om de executie bij te wonen van Constantine Gamal, op vrijdag, 13 januari te 21.00 uur.*'

Geen postscriptum met: '*Er zullen hapjes en drankjes worden geserveerd terwijl u er getuige van bent hoe de smerige schoft gillend naar de hel gaat. We wensen u veel plezier.*' Vergeet het maar, hoewel ik vermoedde dat een aantal van de getuigen een morbide grapje ten koste van Constantine Gamal wel op prijs zou hebben gesteld.

De bewaker bekeek mijn papieren heel nauwkeurig en bestudeerde vervolgens mijn gezicht, alsof hij niets zomaar aannam, zelfs mijn FBI-legitimatie niet of de uitnodiging van de gevangenisdirecteur.

'Special agent Katherine Moran?'

Eigenlijk wilde ik de bewaker corrigeren en hem vertellen dat ik hier op persoonlijke titel was, als Kate Moran, *ambteloos burger*, en niet als federaal agent, maar ik liet het maar zo. 'Dat ben ik.'

'De andere getuigen zijn al met gevangenisbusjes naar de executieruimte in Unit L gebracht, agent Moran.'

'Ik heb net buiten Richmond vastgezeten in het verkeer.'

'Ja, dat kan ik begrijpen. Door de sneeuw is vrijwel iedereen vanavond te laat. Maakt u zich geen zorgen, ik laat u door een ander busje wegbrengen. Maar laat ik eerst de directeur even bellen om te zeggen dat u er bent, mevrouw.'

De bewaker gaf me mijn papieren terug, draaide een nummer, sprak even en legde de telefoon weer neer. 'Alles geregeld. De directeur komt eraan en er is een busje onderweg voor u. Zal hooguit vijf minuten duren.'

'Dank u.' *Mijn god, wat verheug ik me hierop. Constantine Gamal staat op het punt om naar de hel te gaan en ik zit als toeschouwer op de eerste rij.*

Ik keek over mijn schouder uit het raam naar de televisieploeg op het bevroren parkeerterrein. Ze dronken hete koffie en stampten met hun voeten om warm te blijven. Daarbij bliezen ze witte wolken uit. Het winterlandschap was oogverblindend wit onder de felle lampen die het parkeerterrein verlichtten. En dat was het moment waarop het tot me doordrong dat er vanavond iets vreemds aan de hand was. Iets dat zo afweek van het gebruikelijke beeld dat mijn radar het had moeten registreren, maar dat om een of andere reden niet had gedaan – waarschijnlijk doordat ik laat was en gespannen.

Drie kwartier voor de terechtstelling, en geen antidoodstraflobbyisten die zich voor de gevangenis hadden verzameld. Niet één, wat heel uitzonderlijk was. Gewoonlijk was er een heel leger demonstranten, voor het merendeel goedwillende mensen, die kaarsjes brandden en een wake hielden, of anderen die met borden zwaaiden waarop teksten stonden als STOP HET MOORDEN en DE DOODSTRAF IS MOREEL LAAKBAAR terwijl ze baden en psalmen zongen. Maar niet op deze koude januariavond.

Eerlijk gezegd zou het me ook hebben verbaasd als er onder de antidoodstraflobbyisten zelfs maar eentje was die de aanstaande terechtstelling van Constantine Gamal als een tragedie zou hebben beschouwd. Ik was er haast van overtuigd dat een aantal van hen zijn aderen graag persoonlijk vol vergif zou hebben gespoten. *Maar dit is geen gewone terechtstelling. En de man die op het punt staat ter dood te worden gebracht, is geen gewone man.*

Waarom houden we het eigenlijk niet op de naam die een verslaggever uit Washington hem gaf en dat niet zonder reden – de Discipel van de Duivel. De dag, nu een jaar geleden, dat ik hem in Arizona te pakken kreeg, betekende een mijlpaal in mijn leven. Die zal ik nooit vergeten. In feite gebeurden er die dag twee opmerkelijke dingen. De eerste was dat ik me voor mijn kop probeerde te schieten.

2

Arizona

Het was twee uur 's nachts, een ongebruikelijk koude en stormachtige nacht aan de rand van Sedona. Ik staarde naar buiten over de door de regen doordrenkte woestijn, met mijn dienstpistool tegen mijn hoofd gedrukt. De regen roffelde op het dak van het Comfort Inn motel. Elk bot in mijn lichaam deed pijn van pure uitputting en mijn ogen waren gezwollen en rooddooraderd door gebrek aan slaap.

Het uitgedroogde, donkere landschap buiten mijn raam werd gegeseld door een van die zware donderbuien die je in Arizona vaker had, waarbij het werkelijk leek of de wereld verging, met bliksemschichten die sissend langs de horizon schoten. Mijn eigen wereld voelde broos en breekbaar en op het punt van instorten. Werkelijk alles was fout ge-

11

lopen. Ik streek met de loop van mijn Glock langs mijn wang en het koude staal voelde zacht aan. Het deed me denken aan Davids vingers die mijn huid streelden. *O god, waarom moet ik zo lijden? Het is zo'n moeilijk jaar geweest zonder hem en er komt geen eind aan de kwelling. Alstublieft, god, laat dit ophouden.*

Mijn ogen waren vochtig toen ik het pistool opnieuw tegen mijn slaap zette. Ik had onrustig geslapen en was tien minuten daarvoor wakker geworden, ten prooi aan een allesoverheersende wanhoop die me volkomen vreemd was. Vier jaar hard werken had me niets anders opgeleverd dan pijn en frustratie. Een stem in mijn hoofd zei me dat ik er een eind aan moest maken en me bij David en Megan voegen, de twee mensen van wie ik boven alles had gehouden, maar een andere stem zei: *Je bent het aan ze verplicht om hun moordenaar te pakken.*

Mijn ex-echtgenoot Paul zei vaak dat ik keihard was, maar een heel enkele keer kwetsbaar werd. Op dat moment voelde ik me kwetsbaar. Maar zo was ik helemaal niet. Plotseling werd er op de deur gebonkt en ik schrok zo dat ik bijna de trekker had overgehaald.

'Wie is daar?' riep ik en legde mijn Glock op het nachtkastje.

'Kate, ik ben het, Lou.'

Het horen van die bekende stem was een enorme opluchting. Ik veegde mijn ogen af, stond op van het bed en deed de deur open. Daar stond Lou Raines, gebruind maar vermoeid, zijn overhemd verfomfaaid en zijn das scheef. Lou de brombeer, mijn baas, een vent bij wie je altijd terecht kon voor een hard woord en een bijtende opmerking. Hij had de leiding van het plaatselijke bureau van de FBI in Washington DC, een man met vijfentwintig dienstjaren en een huid zo dik als een olifant. Maar hij was vanaf de dag dat ik bij de dienst was gekomen als een vader voor me geweest en ik hield van hem. Ik had zelfs de indruk dat dit gevoel wederzijds was.

'Het weer is goed klote, matroos. Hé, neem me niet kwalijk dat ik zomaar binnen kom vallen. Je kijkt zo verbaasd.'

Ik liet Lou binnen. Sinds David en ik hem een keer hadden uitgenodigd voor een zeiltocht met de boot die vroeger van Davids broer Patrick was geweest, was 'matroos' zijn koosnaam voor me.

'Ik dacht dat jij en Mags drie weken met vakantie naar Hawaï waren?'

Lou schudde de regen van zijn jas, gromde wat en deed de deur achter zich dicht. 'We zijn gistermorgen teruggekomen. Mijn vrouw zei dat als we zelfs nog maar één dag langer samen zouden doorbrengen, een van ons gegarandeerd een moord zou begaan, dus het leek me goed om

12

haar niet langer te ergeren en eens te gaan kijken hoe het onderzoek liep. Op het bureau wisten ze me te vertellen waar ik je kon vinden.'

'Wanneer ben je aangekomen?'

'Ik was gisteravond in Phoenix, met de enige lastminutevlucht die ik kon krijgen. Daar huurde ik een auto en zo ben ik hierheen gereden. Je ziet er aardig afgepeigerd uit. Heb ik je wakker gemaakt?'

Het was niets voor Lou om zomaar onaangekondigd te verschijnen en daarom was ik op mijn hoede. 'Ik lag alleen maar wat te rusten. Is er iets aan de hand, Lou?'

Hij keek de kamer rond, zag mijn koffiekopje en de Glock op het nacht-kastje, het bed niet opengeslagen, maar de dekens wel verkreukeld. 'Ik kom in de verleiding om te vragen wanneer jij voor het laatst goed hebt geslapen.'

Ik had de hele week nog geen nacht meer dan drie uur geslapen. 'Je weet hoe het gaat als je op een doorbraak hoopt.'

Lou fronste zijn voorhoofd. 'We hopen al vijf jaar op een doorbraak. Volgens mij moet ik iets hebben gemist terwijl ik weg was. Vertel eens?'

'Herinner je je die theorie die we over onze moordenaar hadden?'

Lou trok zijn natte jas uit, hing hem over een stoel en streek met zijn hand over zijn kalende hoofd. 'We hadden zoveel theorieën, Kate. Welke bedoel je?'

Lous aanwezigheid luchtte me op en ik ging op het bed zitten. 'Alle achtentwintig slachtoffers die we tot dusver met de Discipel in verband hebben gebracht, zijn in paren vermoord en hun lijken waren verbrand. Het waren hoofdzakelijk vaders en dochters, of het leeftijdsverschil was zodanig dat ze dat hadden kunnen zijn – een oudere man met een jon-gere vrouw – behalve in drie gevallen, waarbij de jongste van het twee-tal een mannelijke puber was. De meesten werden in de VS gedood, maar tien slachtoffers werden in buitenlandse steden vermoord: Parijs, Londen, Rome, Wenen, Istanbul. Reden waarom we aanvankelijk reke-ning hielden met de mogelijkheid dat onze moordenaar een verkeers-vlieger was, een internationaal zakenman of iets dergelijks. Of iemand met een medische of veterinaire achtergrond omdat hij zijn slachtoffers eerst met benzodiazepine verdoofde.'

Lou knikte. 'Dat leek toen een gerechtvaardigde veronderstelling om-dat we in de lichamen van een aantal slachtoffers die niet helemaal wa-ren verbrand sporen van benzodiazepine hadden gevonden. Behalve dat we daar ook geen stap verder mee kwamen, Kate. Maar zoals dat bij alle seriemoordenaars gaat, was ook in dit geval elke nieuwe moord een poging om de zaak te verfijnen, te perfectioneren, of toch in elk geval zo perfect te maken als de gestoorde moordenaar meende dat die behoorde te zijn. Waar wil je dus heen?'

'Omdat we geen nieuwe aanwijzingen hadden, besloot ik alles opnieuw te bekijken, maar dan vanuit een ander gezichtspunt.'

'En dat was?' vroeg Lou.

'De moorden van de Discipel vonden ruwweg om het halfjaar plaats. Ik nam dus aan dat we tussen nu en twee maanden weer twee moorden konden verwachten. Direct nadat jij met vakantie was gegaan besloot ik om elke internationale conferentie die in de komende zes weken ergens in het land werd gehouden, na te trekken. Dat bleken er tweeënvijftig te zijn. Ik heb de taskforce opgesplitst in vijf teams die ze allemaal onderzoeken. Die waar we hier nu voor zijn, is alleen deze week al de achtste.'

Lou trok een wenkbrauw op. 'Dat is een hoop werk. Wat is dat hier in Sedona voor iets?'

'Een symposium in het Sheraton voor mensen in de geestelijke gezondheidszorg. Er zijn honderdtwintig deelnemers uit dertig landen.'

'Dus, hoe pak je dat aan?' vroeg Lou.

'Om te beginnen werd het merendeel van de slachtoffers vermoord en afgeslacht in afgelegen, ontoegankelijke ondergrondse locaties, voornamelijk grotten of tunnels, verlaten mijnschachten, ondergrondse metrostations, kelders, overal waar het maar donker en afgesloten is. Hij verbrandde de lijken van zijn slachtoffers in een bizar ritueel en liet een klein, zwarthouten crucifix achter. Het duurde vaak lang voordat de lijken werden gevonden, met als gevolg dat eventuele sporen van het vervoermiddel dat hij had gebruikt, inmiddels door weer een wind waren uitgewist. De twee vage bandensporen die we hebben gevonden, leverden door de hevige regenval op de plaats delict niets op. Op geen enkele van de kruisen die we hebben gevonden, zaten vingerafdrukken.'

Lou knikte. 'We konden geen speciale betekenis voor die kruisjes vinden, behalve dat ze duidelijk iets met religie te maken hadden. Je gaat me toch niet vertellen dat je je hebt gefocust op de deelnemers die een auto hebben gehuurd? En mensen met een religieuze achtergrond? Voormalige priesters, of dominees, pastors?'

Ik schudde mijn hoofd. 'Het kost te veel tijd om in iemands religieuze achtergrond te duiken, Lou. Tenzij die er werkelijk uitspringt en de verdachte een priesterboord draagt, maar verder zullen we daar in een later stadium naar moeten kijken. Maar wat die auto's betreft heb je gelijk. Van de deelnemers aan de conferentie hebben er vierentwintig een auto gehuurd. Een derde daarvan bestaat uit vrouwen. Zij vielen al direct af omdat we volgens de *profilers* naar een man moeten zoeken. En we konden nog een derde uitsluiten, die buiten de leeftijdsgroep valt.'

Lou knikte. 'Ik volg het helemaal. Ga verder.'

'We nemen aan dat de moordenaar tussen de vijfentwintig en veertig jaar oud moet zijn en Amerikaans staatsburger, omdat de meeste moorden in Amerika zijn gepleegd. Uiteindelijk bleven er van alle mensen die een auto hebben gehuurd nog vier over. Van hen hebben er twee een cabriolet gehuurd. Die hebben over het algemeen te weinig kofferruimte om lijken te vervoeren. Daarbij valt dat type auto te veel op. Uiteindelijk bleven er maar twee over die we in het oog moeten houden. Ik heb al een tweede team naar het Hilton in Chicago gestuurd waar vanavond een tandartsencongres wordt gehouden.'

Lous lippen krulden zich in een glimlach en hij trok een wenkbrauw op. 'Dat kan nog leuk worden als de baas al die manuren ziet, maar ik ben werkelijk onder de indruk. Je hebt het druk gehad.'

'Het leek me ook goed om de parkwachters van de natuurreservaten in de omgeving van Sedona waar grotten zijn in te lichten omdat dit het soort locatie is waar onze moordenaar zijn daden mogelijk gaat plegen. We hebben de parkwachters gevraagd om in de komende dagen extra scherp op te letten en ons of de politie te waarschuwen als ze iemand zien die zich verdacht gedraagt. Ze hebben beloofd dat ze het aan elke ploeg zullen doorgeven.'

'Goed werk. Waar is Vance Stone? Weet die hiervan?'

'Nee, die is een paar dagen vrij.'

Lou fronste zijn wenkbrauwen. 'Heb je die er niet bijgehaald? Stone is een verdomd goeie rechercheur, Kate.'

Vance Stone was een collega van me, maar hij en ik hadden een verschil van mening. 'Dat is hij zeker, maar je weet hoe het tussen Stone en mij gaat, we vechten als kat en hond. Het leek me beter om bij elkaar uit de buurt te blijven.'

Lou schudde zijn hoofd. 'Ik weet niet of dat nu wel zo'n goed idee is. Hoe zit het met die twee kerels die je in de gaten houdt?'

'Dat is interessant. De ene heeft een donkerrode Toyota Camry gehuurd, de andere een donkerblauwe Ford Taurus. Degene die de Taurus heeft gehuurd, lijkt veelbelovend.'

'Waarom dat?'

'Het is een psychiater, een zekere Constantine Gamal; een Armeense immigrant die vijftien jaar geleden hierheen is gekomen om te studeren en daarna besloot te blijven. Zijn achternaam was oorspronkelijk Gamalyan, maar toen hij het staatsburgerschap aanvroeg, heeft hij dat ingekort tot Gamal. Hij is opgegroeid in Istanbul. Hier, ik heb alle informatie laten faxen.'

Ik gaf Lou een kopie van het aanvraagformulier. Hij bestudeerde het, keek toen mij aan. 'Daar kon best eens iets inzitten. Stel je even voor. Een psychiater die zo verknipt is dat hij zelf in een moordenaar verandert. Ga verder.'

'Er is nog iets dat te toevallig is om te negeren. Twee van de moordpartijen van de Discipel vonden in Virginia plaats en een in Istanbul. Gamal heeft een binding met beide gebieden.'

Lous ogen begonnen te glinsteren. 'Wat is zijn connectie met Virginia?'

'Je zult het niet geloven, maar hij werkt in de psychiatrische inrichting Bellevue, vlak bij Angel Bay, op nog geen tien minuten van mijn huis. Verder voldoet hij grotendeels aan het profiel: hoogopgeleid, achter in de dertig, ongetrouwd, geen naaste familie voor zover wij kunnen nagaan. Zo zou ik nog wel even door kunnen gaan. En over toeval gesproken: ik heb de man zelfs ontmoet.'

Lou trok een diepe rimpel. 'Meen je dat nou?'

'Voordat mijn huwelijk met Paul op de klippen liep, moesten we op bezoek bij een vriend van hem, een politieman die aan een posttraumatische stressstoornis leed en op eigen verzoek in Bellevue was opgenomen. Gamal was zijn psychiater en Paul en ik hebben hem toen even gesproken.'

'Wat is het voor een vent?'

'Een beetje een nerd. Een vriendelijke boekhouder. Tenger, bril, totaal onopvallend. Het soort man dat opgaat in het geheel.'

Lou gaf me het aanvraagformulier terug. 'Heeft de surveillance wat hem betreft iets opgeleverd?'

Ik schudde mijn hoofd en deed het formulier terug in de map. 'Dat is het probleem juist. Hij heeft nog geen stap buiten de deur gezet. Waarschijnlijk ligt hij in bed. Na de lezing van vanmiddag over de behandeling van schizofrenie heeft hij vroeg gegeten en om negen uur de gordijnen dichtgetrokken, waarna hij zijn kamer niet meer uit is geweest. We moeten de man langer blijven volgen. Misschien wel veel langer.'

'Shit. Hoe zit het met die vrijer die de Toyota had gehuurd?'

'Dat heeft ook niks opgeleverd. Die heeft vier uur geleden een temeier laten komen. Een vrouw met grote borsten, een hoop haar, lange benen en hoge hakken. Ze vertrok na een uur weer — en wat dacht je?

Even later wordt de man op een brancard door de lobby naar een wachtende ambulance gereden. Pijn op de borst, vermoedelijk een hartaanval. Hij ligt nog steeds in het ziekenhuis.'

'Fantastisch,' zei Lou met een vermoeide zucht. 'Ik begin te geloven dat we die schoft nooit te pakken krijgen. Dat wordt weer net zoiets als de Green River killer, die pas gepakt wordt als hij oud is en al lang opgehouden is met moorden.' Hij liet zich in de stoel naast mijn bed vallen. 'Ik geloof dat het tijd wordt om je iets te vertellen, Kate.'

Het leek alsof ik nu de werkelijke reden voor Lous bezoek te horen zou krijgen. 'Ga je gang.'

Er schoot een bliksemschicht langs de hemel. Even wendde hij zijn hoofd af en keek uit het raam, alsof hij de juiste woorden trachtte te vinden voor datgene wat hij wilde zeggen voordat hij me weer aankeek. 'Het bureau doet nu al zeseneenhalf jaar zijn uiterste best om de Discipel van de Duivel te pakken, vanaf de eerste dag dat hij op onze radar verscheen nadat we twee van zijn dubbele moorden in Chicago en DC met elkaar in verband hadden gebracht, waarna we de speciale recherche-eenheid hadden opgezet om te proberen hem te pakken. De afgelopen vier jaar heb jij de leiding van die eenheid gehad, vanaf het moment dat ik promotie had gemaakt en ik iemand anders op de zaak wilde hebben. In die tijd heeft niemand meer voor het onderzoek gedaan dan jij. Vanaf de dag dat je de leiding overnam, heb je vierentwintig uur per dag en zeven dagen in de week gewerkt. Persoonlijk begrijp ik niet hoe je het doet. Als ik het was geweest of wie dan ook van het team, dan zou die lang geleden al zijn afgeknapt en de handdoek in de ring hebben gegooid.'

Ik was op mijn hoede. 'Waarom krijg ik het gevoel dat er zo dadelijk een "maar" komt?'

Lou slaakte een zucht. 'Kate, ik geloof dat het tijd wordt dat jij terugtreedt en iemand anders de teugels laat overnemen.'

Ik staarde Lou ongelovig aan. Mijn trots was gekrenkt en mijn zwarte wanhoop van even geleden maakte plaats voor woede. 'Je gaat me vervángen?'

'Kate, je hebt een van de moeilijkste onderzoeken geleid die het bureau Washington ooit bij de hand heeft gehad, maar voor je eigen bestwil moet je nu stoppen. Je zit niet alleen maar achter een seriemoordenaar aan die achtentwintig mensen om het leven heeft gebracht. Het afgelopen halfjaar heb je op de man gejaagd die je verloofde en zijn veertienjarige dochter heeft vermoord. Dit is uiterst persoonlijk. Daarom beul je jezelf af om die vent te pakken.'

17

Ik keek naar mijn Glock op het nachtkastje en vroeg me af wat Lou zou zeggen als hij wist hoe ik er tien minuten geleden aan toe was geweest. Ik droeg nog altijd de verlovingsring die David me had gegeven: een eenvoudige diamant gezet in een platina ring. Die herinnerde me eraan dat ik nog altijd niet over de dood van hem en Megan heen was. Soms had ik het gevoel dat dit ook nooit zou gebeuren.

Ik keek Lou strak aan. 'We weten allebei dat het de Discipel was die er een persoonlijke zaak van heeft gemaakt. Door de aandacht die de media aan de zaak besteedden, wist hij dat ik hem steeds dichter op de hielen zat en dat ik vastbesloten was om hem te pakken. Daarom vermoordde hij David en Megan, omdat hij hoopte dat hij me daardoor van mijn stuk zou brengen. Maar het heeft me alleen nog maar vastberadener gemaakt. Begrijp je dan niet dat je hem door mij van de zaak te halen alleen maar geeft wat hij wil? Dan heeft hij gewonnen.'

'Kate...' Lou schudde zijn hoofd. 'Kate, je moet het feit onder ogen zien dat er ondanks je inspanningen geen schot in de zaak zit. We moeten iemand anders aan het roer zetten om de moordenaar te vinden. Als je niet oppast, werk je jezelf dood.'

Ik wist deels dat Lou gelijk had: de stress werd merkbaar en dat maakte me bang. Met mijn dienstpistool spelen zoals ik even geleden had gedaan, was helemaal niets voor mij. De gedachte aan zelfmoord paste absoluut niet in mijn karakter. 'Lou, als je me nu nog een paar maanden zou kunnen geven.'

'Ik wou dat ik het kon, maar mijn besluit staat vast.'

'Wat nou als ik het hogerop zoek?'

'Dat zou tijd verknoeien zijn. De baas steunt me hierin.'

'Dan zoek ik het nog hoger.'

'Kate, wees nou verstandig...'

'Wie gaat me vervangen?'

'Ik zat aan Vance Stone te denken. Als hij onze moordenaar pakt, zou hem dat de kans geven om de promotie te verdienen die hij zo graag wil.'

Ik had geen problemen met een promotie van Stone, maar Lous afwijzing was zo'n klap in mijn gezicht dat ik geen woorden meer had.

Er werd op de deur geklopt. Toen ik opendeed, stond er een agent van de *taskforce* op de stoep, zijn haar doorweekt van de regen. 'Neem me niet kwalijk dat ik je stoor, Kate...'

'Wat is er aan de hand?' snauwde ik.

'We zijn zojuist gebeld door de parkwachters van een natuurreservaat buiten Sedona. Ze hebben gegil gehoord en geprobeerd een verdacht persoon aan te houden in de buurt van een stel grotten. De politie is ter plaatse en heeft hem ingesloten. We denken dat het onze man is, Kate. Het slechte nieuws dat hij een tiener, een meisje in gijzeling houdt.'

3

De jagers zaten hem op de hielen en maakten zich gereed om hem te bespringen. De Discipel rende door de kalksteengrotten, het meisje achter zich aan sleurend. Hij hoorde de honden blaffen en rende nog harder terwijl het zweet uit elke porie van zijn lichaam gutste. Aan een koord om zijn nek bungelde een zware zaklamp en zijn linkerhand omklemde een gekarteld mes dat onder het bloed zat.

Blijven rennen.

Hij probeerde zo ver mogelijk van zijn achtervolgers weg te lopen, maar het strompelende dertienjarige meisje hield hem op. Haar naam was Melanie Colleen Jackson; dat was hij aan de weet gekomen toen hij haar spullen doorzocht nadat hij haar en haar vader had ontvoerd. Hij had haar handen met breed, grijs plakband vastgebonden en dat ook over haar mond geplakt, maar ze slaakte nog steeds gesmoorde kreten van angst. Hij wilde haar kwijt, haar met zijn mes afmaken, maar hij voelde instinctief dat hij een gijzelaar nodig zou hebben.

Op een tweesprong in de grot zag hij een tunnel naar links en een naar rechts. Vertwijfeld probeerde hij zich te herinneren of hij hier al eerder langs was gekomen, maar in het kille licht van de tl-buizen zagen de spelonken en de grillige kalkstenen wanden er allemaal hetzelfde uit. De Discipel had het afgetrainde, magere lichaam van een hardloper en hij bleef maar heel even staan om op adem te komen. Hij wist zeker dat hij verdwaald was, maar hij moest verder en dacht alleen nog maar aan overleven.

Hij nam het gezicht van het meisje in een ijzeren greep. Ze jammerde zachtjes toen hij het bebloede mes tegen haar wang drukte. 'Je houdt je mond en je loopt door of ik maak je op dezelfde manier af als je vader, heb je dat begrepen, Melanie?'

Ze knikte, haar betraande ogen groot van pure angst. Hij nam het mes weg en het liet een vuurrode veeg op haar gezicht achter. 'Brave meid. En nu weer rennen met die mooie beentjes van je.'

19

De Discipel begon weer te rennen en sleurde het meisje mee. Hij hoorde het geblaf van de politiehonden, wist dat hij liep voor zijn leven en vroeg zich maar één ding af: *Hoe had het allemaal zo fout kunnen lopen?*

De avond was vlekkeloos begonnen toen hij het Sheraton Hotel om elf uur verliet. Hij was vermomd met een pruik en een snor en gekleed in een zwart Dockers-windjack en een zwartkatoenen broek. Hij droeg dunne, bruine imitatieleren handschoenen en goedkope tennisschoenen die hij ver van de moordplek zou kunnen achterlaten voor het geval hij voetsporen achterliet. Zijn zwarte doktersstas bevatte alles wat hij nodig had: de bruinleren slagersgordel met een assortiment messen, zagen en hakmessen om zijn slachtoffers aan stukken te snijden, latex handschoenen, zeep en flessen met water om zichzelf na afloop schoon te maken.

Hij had alles tot in het kleinste detail gepland voordat hij het hotel verliet. Zoals gewoonlijk had hij twee kamers naast elkaar willen hebben en tegen Reserveringen gezegd: 'Ik wil graag twee suites die met elkaar in verbinding staan. Er komen later nog twee leden van mijn gezin.'

Die kwamen nooit, maar het stelde hem in staat om in vermomming vanuit die aangrenzende kamer te gaan en te komen zonder argwaan te wekken en zonder dat een getuige hem ooit zou kunnen identificeren. Zijn huurauto gebruikte hij alleen om zich vertrouwd te maken met de stad en zijn vluchtroutes te plannen, maar voordat hij zijn slachtoffers ontvoerde, zette hij de auto in de garage van het hotel.

Daarna had hij een taxi genomen naar het oosten van de stad. Daar was hij door de straten gaan lopen tot hij in een straatje naast een biljartzaal een zes jaar oude, blauwe Pontiac met een grote kofferruimte zag staan. De deur was open en de sleutels staken in het contactslot. Hij stal de Pontiac.

Drie straten verder stopte hij om er een stel magnetische, vals nummerplaten op te zetten. Toen reed hij door naar het zuiden van de stad, waar hij bij een benzinestation een plastic jerrycan kocht die hij vulde met twintig liter benzine en in de kofferbak zette. Een gestolen auto bood bescherming als iemand hem zag.

Naast hem op de voorbank stond zijn doktersstas met daarnaast een stethoscoop, een plattegrond van de stad en een klein zaklampje, de injectiespuit en de dunne, met dik leer beklede ijzeren staaf – zijn moordwapens, klaar voor gebruik.

Toen begon hij door de straten van Sedona te rijden om zijn volgende slachtoffers uit te zoeken, de moordlust brandend als honger in zijn binnenste.

Hij zag minstens twee stel potentiële slachtoffers, maar het was of te druk op straat, of er waren getuigen in de buurt. Tegen middernacht hadden zich zware onweerswolken aan de hemel samengepakt en waren de straten verlaten. Hij had de hoop al opgegeven om die avond nog slachtoffers te vinden en stond op het punt om de Pontiac tien straten van het Sheraton achter te laten en de valse nummerplaten weer mee te nemen, toen zijn kansen keerden. Hij reed stapvoets langs een flikkerend, roze neonreclame met het woord DANSSTUDIO toen hij een man en een jong meisje naar buiten zag komen. De man sloot de deur van de nu donkere studio af en het meisje maakte aanstalten om in een voor de deur geparkeerde Toyota te stappen. De Discipel zag dat de meeste straatlantaarns uit waren en de straat verlaten – geen voetgangers, geen passerende auto's. Zijn hart begon sneller te kloppen bij het vooruitzicht van een prooi en zijn hele lichaam tintelde van opwinding.

Hij stopte de Pontiac, draaide het raampje naar beneden en bekeek zijn potentiële slachtoffers. Het meisje was hooguit dertien, met muiskleurig haar, zachte lippen en onschuldige ogen. Onder haar jas ving hij een glimp op van een groene maillot. *Vader en dochter?* Hij hoopte het. Een dergelijke nauwe verwantschap maakte het doden altijd des te meer opwindend. De Discipel pakte de stethoscoop van de plaats naast hem en hing die om zijn nek. Het instrument was een simpel foefje. Hij wist uit ervaring dat de mensen hierdoor minder op hun hoede waren omdat ze in de veronderstelling verkeerden dat ze met een dokter te maken hadden. Hij stak zijn hoofd uit het raam.

'Goeienavond. Kunt u me zeggen hoe ik bij het St. Catherine's Hospitaal kom? Ik geloof dat ik verdwaald ben.'

De man sloot de deur af terwijl de eerste krakende donderslag door de nacht klonk. Hij zag de stethoscoop om de hals van de vreemdeling en kwam hoofdschuddend op de Pontiac toegelopen. 'Nooit van gehoord, meneer. Weet u zeker dat u de naam goed hebt?'

De Discipel bekeek de slanke, fit uitziende gestalte van de man. Waarschijnlijk danste hij, net als het meisje. Hij leek geen probleem op te leveren. 'Ja, het is een particulier ziekenhuis. Ik ben dokter en moet er dringend heen voor een spoedgeval. Ik ben hier helemaal onbekend, maar ik heb wel een kaart. Hebt u daar soms iets aan?'

De Discipel gaf de man de kaart en het kleine zaklampje en stapte uit de auto. Hij was blij te zien dat het meisje vijf meter verderop naast de auto was blijven staan – die zou geen enkel probleem opleveren – en keek nog een keer door de verlaten straat voordat hij zich helemaal met de ontvoering van zijn slachtoffers zou gaan bezighouden. Er liep een siddering door hem heen bij de gedachte aan wat er te gebeuren stond.

Het begon licht te regenen terwijl de man de kaart bekeek. 'Ik kan hier in de buurt nergens een St. Catherine's vinden, dokter.'

Zonder iets te zeggen hief de Discipel zijn arm op en stak de injectie-naald in de hals van de man.

'Wat is...' De man drukte zijn hand tegen zijn hals, strompelde ver-doofd achteruit en viel als een zak zand op de grond.

Het meisje sloeg dodelijk geschrokken haar hand voor haar mond. *'Pappa...!'*

De Discipel greep haar ruw bij de keel en stak de naald in haar arm. Ze jammerde even en viel op de grond. *Fantastisch spul, benzodiazepine.* Een krachtig narcoticum waarvan iemand onmiddellijk in slaap viel, vaak gebruikt om weerbarstige psychiatrische patiënten mee te verdoven.

De Discipel zweette toen hij zijn beide bewusteloze slachtoffers in de kofferbak van de Pontiac tilde, hun handen met tape vastbond en tape over hun mond plakte. Hij sloot de kofferbak af, raapte de kaart en de autosleutels van de man op en stak die in zijn zak, maar het kleine zak-lampje niet. Het was harder gaan regen. Met behulp van het zaklampje speurde hij over de grond voor het geval een van zijn slachtoffers iets had laten vallen. Maar toen hij niets vond, stapte hij in de Pontiac en reed weg.

Het was één uur toen hij bij de grotten kwam. Hij zette de auto ach-ter de bomen, trok dikke plastic hoezen over zijn schoenen en sleurde het bewusteloze tweetal vijftig meter de grot in, eerst de een, toen de ander, terwijl de regen met bakken uit de lucht viel en het onweer nog in hevigheid toenam. Hij was helemaal doorweekt toen hij zijn verdoof-de slachtoffers naast elkaar neerlegde.

Tijdens drie eerdere bezoeken had hij zijn moordtoneel bekeken. Volgens de toeristeninformàtie waren hier vroege kunstwerken van de Apache-indianen te zien en na zonsondergang kwam hier niemand, be-halve tieners die hier met hun pick-ups kwamen om aan de rand van het park bier te lurken. Maar op dit uur en in dit weer was het hier volledig uitgestorven.

De Discipel veegde de regen van zijn gezicht. Het was tijd om met slachten te beginnen.

Hij was halverwege het werk toen hij het meisje hoorde kreunen en wakker worden. Het lichaam van de man was veranderd in een bloede-rig geheel en de Discipel had juist een zwarthouten kruis ter grootte van een hand naast het lijk gelegd, de jerrycan met benzine ernaast, alles in gereedheid om de lichamen te verbranden zodra hij klaar was met het meisje.

De Discipel voelde zich nooit meer levend dan in de momenten nadat hij een slachtoffer had gedood en geslacht. Dit moment vormde daarop geen uitzondering. Hij voelde zich opgewekt en zijn lichaam gloeide van opwinding. Het assortiment messen en hakmessen dat hij had gebruikt om de man te slachten, lag keurig op de stenen uitgestald, de organen die hij met chirurgische precisie uit het lichaam van zijn slachtoffer had verwijderd, lagen in een bloederige hoop op de grond: hart en longen, alvleesklier en milt, lever, darmen en maag. Hij liep naar het meisje, klaar om met haar aan het werk te gaan, toen ze met haar ogen knipperde. Ze kwam bij bewustzijn en keek verbijsterd om zich heen.

Hij had er niet op gerekend dat ze wakker zou worden of dat het plakband voor haar mond los zou laten – op de een of andere manier moest hij zich hebben vergist in de hoeveelheid benzo die hij had gebruikt. Op het moment dat het meisje het opengereten lichaam van haar vader naast zich zag liggen, slaakte ze een doordringende gil die als een sirene door de grot galmde. De Discipel rommelde in zijn zwarte tas om meer plakband te vinden en plakte haar mond haastig weer dicht. Nu was ze stil en zo te zien verlamd van schrik.

Toen hij even later een mes uitzocht om zijn slachtpartij voort te zetten, hoorde hij het geluid van neervallende stenen. Hij fronste zijn wenkbrauwen en luisterde scherp, maar hoorde niets meer. Had de gil van het meisje de aandacht van iemand getrokken of een of ander wild dier opgeschrikt? Hij moest zekerheid hebben en dus liet hij haar vastgebonden liggen, pakte zijn zaklamp en liep de vijftig meter terug naar de ingang van de grot, het gekartelde mes in zijn hand geklemd, al zijn zintuigen op scherp en met elke stap alleen nog maar scherper. Plotseling stond hij tegenover twee geüniformeerde parkwachters die uit het niets waren verschenen en de felle bundels van hun zaklampen om hem richtten.

'Halt! Blijf waar u bent!'

Iemand deed de tl-balken aan die op regelmatige afstanden langs de wanden waren aangebracht en de grotten baadden in het licht. In blinde paniek rende de Discipel terug naar het meisje en sleurde haar met zich mee. Zo rende hij een kwartier door de grotten, maar eindigde toen op het punt waar hij begonnen was, in de open ruimte met de dode vader van het meisje. Hij draafde in cirkels rond.

Hij gooide het meisje op de grond en liet zich op een hoop stenen vallen. Hij hijgde en het zweet droop van zijn armen en gezicht. Hij had maar zelden een pistool bij zich omdat hij de voorkeur gaf aan de messen en de injectiespuiten, maar nu wenste hij dat hij een pistool had. De parkwachters waren verdwenen, maar hun stemmen echoden door de kalkstenen kamers en de schaduwen van zijn achtervolgers schoven tegen de wanden. In de verte klonk het geblaf van honden. Ze kwamen dichterbij, kwamen hem pakken. *Hoe hadden ze hem gevonden?*

Hij zat in de val, maar het was nog niet voorbij, bij lange na nog niet. Hij had nog steeds een troef in handen. Hij sloeg zijn arm om de hals van het meisje en drukte het mes tussen haar ontluikende borstjes. Iets meer druk en het mes zou tussen haar ribben glijden en haar hart doorboren. *Ze was zijn gijzelaar. Zijn uitreisvisum.* Ze snikte achter het plakband. Zwetend fluisterde hij haar in het oor: 'Je doet precies wat ik zeg, Melanie. Hou je stil, dan komen we hier allebei levend vandaan. Anders snij ik je hart uit je lijf. Heb je dat begrepen?'

Het meisje werd stil. Hij voelde haar jonge lichaam beven en haar angst wond hem op. Maar hij mocht zich nu niet laten afleiden. Hij moest zijn achtervolgers een voorstel doen, een voorstel dat ze wel zouden moeten aanvaarden of zijn gijzelaar zou sterven. Hij zette het mes goed tegen de borst van het meisje en wachtte op de vijand.

Er verschenen drie mannen en een vrouw. Ze waren gewapend en droegen donkerblauwe FBI-windjacks. Ze richtten hun wapens op hem terwijl ze stapje voor stapje verder de grot binnenkwamen. Het gezicht van de vrouw herkende hij onmiddellijk omdat hij haar op de televisie en in kranten had gezien: *Kate Moran,* het kreng dat al jaren achter hem aan zat en had verklaard dat ze op hem zou blijven jagen tot ze hem te pakken had; ze zou zorgen dat hij zijn gerechte straf kreeg. Hij zag de haat in haar ogen, een emotie zo intens dat het aan haar vrat. Hij hield het mes tussen de borsten van het meisje. 'Geen stap verder of ze sterft net zo als haar vader.'

De agenten wierpen zijdelingse blikken op het opengereten lichaam op de plaat kalksteen. Gamal zei tegen Moran: 'Jij. Steek je pistool in de holster en kom verder naar voren. De anderen blijven waar ze zijn. Leg je wapens neer, maar haal eerst de magazijnen eruit en gooi die weg of ik dood het meisje. Geen verdere discussie mogelijk.'

De agenten weifelden. Een wat oudere, gebruinde man, die de leiding leek te hebben, zei: 'Kate, laat mij dit doen...'

Maar daar wilde Moran niet van horen. 'Het is nog steeds mijn beslissing, Lou. Leg allemaal je wapen neer.' Ze stak haar pistool in de holster en wachtte tot haar collega's de magazijnen uit hun pistolen hadden verwijderd en weggegooid, waarna ze hun legen wapens op de grond legden.

In de verte hoorde de Discipel honden blaffen. 'Zo te horen staat er een heel leger klaar.'

'Elke uitgang van de grotten is geblokkeerd,' zei Moran toonloos. 'Je kunt geen kant meer op, Gamal.'

De Discipel schudde zijn hoofd en liet de punt van het mes langzaam over de borsten van het meisje glijden. 'Ik denk dat die prognose onjuist zal blijken te zijn. Kom tien passen naar voren, Moran. De rest verroert zich niet.'

Moran keek om zich heen, naar de wanden en het plafond van de grot, en sloot even haar ogen voordat ze tien passen naar voren zette.

De Discipel glimlachte toen hij zag dat haar gezicht baadde in het zweet, dat haar handen beefden en haar adem snel ging. 'Je bent bang voor benauwde ruimtes, is het niet Moran?'

'Waarom… waarom zeg je dat?'

'Na jaren met patiënten te hebben gewerkt kan ik de symptomen van claustrofobie gemakkelijk herkennen. Oppervlakkige ademhaling, trillende handen en je kijkt alsof je in de hel zit. Ik durf te wedden dat je bang bent dat de grot zal instorten.'

'Misschien maakt alleen jouw aanwezigheid me wel nerveus, Gamal.'

De Discipel lachte schor. 'Dat betwijfel ik. Zo staan we dan toch eindelijk oog in oog. Maar waarom heb ik het gevoel dat we elkaar al eerder hebben ontmoet?'

'Bellevue. Vijf jaar geleden.'

'Kijk, dat is interessant. Had je problemen met je fobieën?'

'Nee. Dat is ook niet relevant. Waarom laat u het meisje niet gaan, dokter?'

De Discipel sloeg zijn ogen naar haar op. 'Denk je dat ik niet goed wijs ben? Het was moedig van je om ondanks je angst toch de grot binnen te gaan, maar misschien was die beslissing toch eerder dom dan moedig.'

'Hoe bedoel je dat?'

'Daar kom je gauw genoeg achter. Hoe heb je me gevonden, Moran? Nee, niets zeggen, althans nog niet. Hoe langer we talmen, hoe meer collega's van je er zullen komen en dat betekent alleen maar meer risico's bij mijn ontsnapping.'

'Welke ontsnapping?' zei Moran. 'Je gaat helemaal nergens heen. Buiten staat de plaatselijke politie en de FBI en we hebben helikopters. Het enige wat daar nog aan ontbreekt, is de Nationale Garde.'

De Discipel schudde zijn hoofd en keek naar Morans collega's. 'Je vergist je schromelijk als je denkt dat ik niet kan ontsnappen. Ik zal je vertellen wat je moet doen. Anders dood ik Melanie. Allereerst haal je je pistool heel voorzichtig uit de holster en legt het voor je op de grond. Daarna ga je achteruit tot ik zeg dat het ver genoeg is. Doe het nú, of ik snij haar open.'

De Discipel drukte de punt van het mes in de borst van het meisje en ze kneep haar ogen dicht van de pijn. Moran aarzelde, haalde toen haar wapen uit de holster en schoof het over de grond naar voren voordat ze achteruitging.

'Dat is ver genoeg,' zei de Discipel. Hij knielde en boog zich naar voren, nog steeds met zijn arm klemvast om het meisje, pakte Morans Glock op, kwam overeind en keek haar grijnzend aan terwijl hij het wapen op haar richtte. 'Zal ik je eens iets vertellen? Je kunt Freud en Maslow aanhalen over menselijke motivatie zoveel je wilt, maar ik geef toch de voorkeur aan datgene wat een vroegere Amerikaanse president hierover zei. Als je ze eenmaal bij de ballen hebt, volgen hun hoofden en harten vanzelf.'

'U vermomde uzelf voor elke moord, is het niet, dr. Gamal? Dat was slim. Ik durf te wedden dat u er zelfs een gewoonte van maakte om uw huurauto bij het hotel achter te laten, een auto te stelen en daar valse nummerplaten op te zetten, net als bij de auto die we buiten hebben gevonden.'

'Wat maakt dat uit?'

'Ik kom hierop omdat ik vragen heb waar ik al jaren antwoord op wil hebben. *Waarom?* Waarom al die mensen vermoorden? Waarom ze in paren afslachten? Was dat om dezelfde reden als waarom u David en Megan hebt vermoord? Een soort wraak?'

De Discipel zag de woede in Morans uitdrukking en zei laatdunkend: 'Dat zou je nooit begrijpen, Moran. Ik heb trouwens geen tijd voor psychoanalytische discussies. Je hebt tien minuten om een helikopter te regelen en dan wandel ik hier weg en jij gaat mee. Als je geen helikopter krijgt, is het meisje dood. Hetzelfde geldt in het geval iemand ons volgt of als er iets niet klopt. Iets, wat dan ook, en ze is dood. Duidelijk? Nog negen minuten. Je verknoeit je tijd.'

'Er is maar één probleem,' zei Moran. 'Ik kan niet doen wat je zegt.'

De Discipel zweette terwijl hij de loop van het pistool tegen de slaap van het meisje drukte. 'Ik heb de troef in handen, Moran. Je doet wat ik zeg of je kunt gedag zeggen tegen de lieve kleine Melanie. Wil je dat ik haar nu open begin te snijden? Om aan te tonen dat het menens is? Je weet dat ik het doe.'

Moran haalde een keer diep adem. 'Voordat je die trekker overhaalt of dat mes gebruikt, kun jij ook maar beter iets weten, want wat ik nu ga zeggen beslist of *jij* leeft of sterft.'

De Discipel fronste zijn wenkbrauwen. 'Waar heb je het verdomme over?'

'Je hebt niet veel verstand van vuurwapens, is het wel? De veiligheidspal, dat kleine rode knopje bij de hamer. Die zit erop. Je kunt niet schieten.'

De Discipel schrok en bekeek het wapen dat hij in zijn hand had. De afleiding duurde nauwelijks twee seconden, maar dat was voor Moran genoeg om achter haar rug te tasten en een klein automatisch pistool tevoorschijn te halen. 'Die heb ik graag bij de hand voor noodgevallen. Ik vergat trouwens nog iets te vertellen. Een Glock heeft geen veiligheidspal. Leg je wapen neer. *Nú, of ik schiet.*'

'Vuile teef!' De Discipel drukte de Glock tegen het hoofd van het meisje.

Een fractie van een seconde later knalde er een schot.

4

Virginia

Greensville Correctional Center is een extra beveiligde gevangenis. Hekken van zes meter hoog, wachttorens met felle schijnwerpers en overal dikke rollen prikkeldraad met scheermesjes. Bezoekers worden bij binnenkomst en vertrek elektronisch gescand.

Op deze dag heb ik een jaar gewacht.

Aan de andere kant van de met sneeuw bedekte binnenplaats lag Unit L, een vrijstaand grijsbetonnen gebouw waarin zich de executiekamer bevindt. Daar brengen de ter dood veroordeelden de laatste vijf nachten van hun leven in een cel door voordat ze naar hun terechtstelling worden gebracht, in een ruimte van vierenhalf bij zes meter waar een roestvrijstalen brancard of een elektrische stoel op hen wacht. De veroordeelde mag kiezen hoe hij wil sterven, maar als hij niet van die mogelijkheid gebruikmaakt, voert de staat de executie met een dodelijke injectie uit. Vanavond was Constantine Gamal aan de beurt.

Het grootste deel van mijn leven was ik geen groot voorstander van de doodstraf geweest, maar als je meer dan tien jaar bij justitie werkt kom je gaandeweg tot de overtuiging dat er inderdaad moordenaars onder ons zijn die het recht om te leven hebben verbeurd. Gamal was daar een van. Hij was zonder enige twijfel de meest boosaardige, brute moordenaar die ik in mijn tien jaar als federaal agent ooit was tegengekomen. Hij had negenentwintig mensen vermoord – sommigen nog maar nauwelijks tieners – die stuk voor stuk mensen achterlieten die zielsveel van hen hadden gehouden. Hun dood had onnoemelijk veel leed veroorzaakt.

Er was nog iets dat de slachtoffers gemeen hadden – geen van hen had ook maar op een greintje genade mogen rekenen. Evenmin had de moordenaar ook maar een spoor van spijt getoond. Ik voelde geen enkel verdriet bij de gedachte dat hij op het punt stond te worden geëxecuteerd – sterker nog: ik hoopte dat hij een heel pijnlijke dood zou sterven. Ik had nooit gedacht dat ik dat als vrouw ooit zou zeggen, maar ik was er vrijwel van overtuigd dat alle nabestaanden van de slachtoffers het net zo voelden: *Afmaken en weg ermee en dat hij mag branden in de hel.*

Een paar minuten nadat de gevangenbewaarder had gebeld, kwam er een man uit een kantoor aan het eind van de gang links van me. Ik herkende de gevangenisdirecteur van krantenfoto's. Lucius Clay was een lange, elegante man van achter in de vijftig, met bleekblauwe ogen en de zijdeachtig bleke huid van iemand die zijn leven lang geheelonthouder is geweest. Op dat moment zag hij er echter uit als iemand die de volle last van de wereld op zijn schouders torste – maar dan wel met de morele zekerheid dat God aan zijn zijde stond.

'Mevrouw Moran?'

Clay gaf me een slap handje, alsof hij me liever niet zou ontmoeten.

'Zijn we er klaar voor, directeur?' Wat ik eigenlijk wilde zeggen, is: *Zijn we er klaar voor om die schoft een hoop vergif in zijn donder te spuiten?* Ik voelde me uitgesproken vrolijk, al had ik dan ook nooit verwacht dat het vooruitzicht van iemands dood me zo zou aanspreken, maar het was werkelijk waar.

Toen drong het tot me door dat er iets niet in orde was: Lucius Clay werd enigszins rood en leek zich niet erg op zijn gemak te voelen. 'Ik vrees dat er enig oponthoud is, mevrouw Moran.'

Mijn hart begon sneller te kloppen. Ik wilde Gamal zo snel mogelijk van deze wereld hebben, zonder vertragingen. 'Wat voor oponthoud?'

'Er is kans dat ik de gouverneur om een tijdelijk uitstel van executie zal moeten vragen.'

Ik kon mijn oren niet geloven. 'Waarom dat?'

Lucius Clay zucht. 'Ik zeg met nadruk dat die *kans* bestaat, mevrouw Moran. Gamal beweert dat hij opzienbarende informatie heeft.'

'Informatie waarover?'

'Een kwartier geleden heeft hij tegen de chef van de wacht gezegd dat hij nog twee moorden wil bekennen.'

Ik wist niet hoe ik het had. Het was me bekend dat er vaker bekentenissen werden gedaan vlak voor executies, en Gamal kennende hoefde het me niet te verbazen als hij nog meer slachtoffers had gemaakt. Maar ik had niet verwacht dat hij dit op het laatste moment zou prijsgeven. Plotseling kreeg ik argwaan. 'Denkt u dat hij de waarheid spreekt?'

'Ik weet het werkelijk niet, mevrouw Moran.'

'Ik maak me zorgen over dat uitstel van executie waar u het over hebt. Heeft Gamal daar om gevraagd?'

Gamal zat al bijna achttien maanden in de dodencel en had beroep aangetekend. Wettelijk gezien kon hij geen nieuw bewijs meer inbrengen. Hij zou volgens plan vanavond sterven. Hij kon alleen nog blijven leven als de gouverneur hem gratie verleende – en die kans was ongeveer even groot als de kans op een sneeuwstorm in juli – of als het hof of de gouverneur hem dertig dagen uitstel gaf.

'Dat is het vreemde van de zaak,' zei Clay. 'Gamal heeft niet om uitstel gevraagd. Hij zegt dat hij de feiten op een rijtje wil zetten en dat de executie daarna door kan gaan. Ik ben degene die zegt dat uitstel misschien noodzakelijk is tot mogelijk nieuw bewijsmateriaal is verzameld. Ik zei dat de *kans* aanwezig is, maar dat het misschien niet nodig is.'

'Wat bedoelt hij met "de feiten op een rijtje zetten"?'

'Ik weet het niet. Hij weigerde daar nader op in te gaan. Maar dat waren zijn woorden, mevrouw Moran.'

De directeur stond me aan te staren en dat zat me niet lekker. 'Waarom krijg ik het gevoel dat er meer is dan u me hebt verteld?'

Clay zuchtte. 'Hij zegt dat hij alleen met u wil praten en met niemand anders. Alleen u tweeën, oog in oog, dat is wat hij verlangt als we willen dat hij ons vertelt waar de lijken begraven zijn.'

'Dat kunt u niet menen! Met zijn tweeën, *alleen*?' Constantine Gamal was de meest slechte, sluwe moordenaar die ik ooit was tegengekomen en ik was bang voor die schoft. Na de gedenkwaardige morgen in Arizona, toen ik op hem had geschoten en hem had verwond voordat hij gearresteerd werd, had ik zijn boosaardige, onrustig makende aanwezigheid tijdens het verhoor en de berechting moeten verduren. De man zag kans om *iedereen* met wie hij in aanraking kwam van zijn stuk te brengen. Kon ik met een dergelijke moordenaar alleen in een kamer verkeren? Iemand wiens handelsmerk het was om zijn slachtoffers net zo te bewerken als een slager dat met varkens en koeien doet – uitbenen en in stukken hakken? Ik wilde hem zien sterven. Nu.

De directeur leek met me mee te voelen. 'Persoonlijk zou het nooit bij me opkomen om een ter dood veroordeelde alleen te laten met een bezoeker, nooit, en vooral niet met iemand die zo gevaarlijk is als Gamal. Maar daar staat hij op, anders neemt hij zijn geheim mee het graf in.'

'Zei hij dat?'

Clay knikte. 'Dat waren zijn woorden, mevrouw Moran.'

Ik dacht even na voordat ik antwoord gaf. 'Als hij ons inderdaad een bekentenis en nieuw bewijsmateriaal aanbiedt, zijn we naar mijn mening verplicht om hem aan te horen, vooral als je bedenkt wat dit voor de nabestaanden van de slachtoffers kan betekenen.'

Clay knikte. 'Dat ben ik met u eens, maar ik moet u wel zeggen dat de gedachte om u met deze man alleen te laten me helemaal niet aanstaat, zelfs niet als we de kamer volledig beveiligen. Maar de beslissing is aan u. Als u besluit om het gesprek niet aan te gaan, zal niemand u een lafaard noemen.'

'Hoe lang denkt u de executie uit te stellen?' vroeg ik.

'Daar overleg ik nog over met het kantoor van de gouverneur. Maar ik heb een advocaat gereed om eventueel een verklaring op te nemen. Wat denkt u, mevrouw Moran? Wilt u dit doen? Als u het niet doet, heb ik daar alle begrip voor.'

Ik moest nadenken. Ik nam aan dat de familieleden die uit alle delen van het land hierheen waren gekomen om de executie bij te wonen, het uitstel niet zouden kunnen waarderen. Maar wat nu als ik door met Gamal te praten de nabestaanden van zijn onbekende slachtoffers uitsluitsel zou kunnen geven? Dat leek me ook belangrijk.

'U bent ervan overtuigd dat de kamer veilig is?'

Clay knikte. 'Absoluut. Bovendien heeft Gamal handboeien en beenkettingen om. Maar nogmaals, u moet dit helemaal zelf beslissen. Ik ben er niet voor.'

'Ik doe het. Hebt u de nabestaanden al op de hoogte gesteld?'

'Dat ga ik nu doen,' zei Clay. 'Ik krijg de indruk dat ze het vonnis maar wat graag voltrokken zien worden. Om u de waarheid te zeggen heb ik in al die jaren dat ik gevangenisdirecteur ben nog nooit een publiek meegemaakt dat er zo naar uitkijkt. U moet het me niet kwalijk nemen dat ik het zeg, maar ik krijg bijna het gevoel dat ik popcorn en frisdrank uit zou moeten delen.' Hij keek op zijn horloge. 'Als u me nu dan wilt volgen, mevrouw Moran, dan breng ik u naar de kamer waar u met Gamal kunt praten.'

5

De directeur en ik reden met een busje over de met sneeuw bedekte en door felle lampen verlichte binnenplaats, waarna we door een stel zware stalen deuren die door gevangenbewaarders werden bewaakt Unit L binnengingen.

We kwamen bij de deur van een kamer met grijs geschilderde betonnen wanden. Een witte hardplastic tafel met acht groene stoelen eromheen, een telefoon aan de muur en een tl-balk aan het plafond. De kamer had twee stalen toegangsdeuren en lag vlak bij de executiekamer, waarvan hij door een raam was gescheiden. Daarachter zag ik twee mannen bezig met het opstellen van videoapparatuur, alsof ze van plan waren de terechtstelling te filmen.

Lucius Clay ging zitten. Ik zag dat hij bleke handen had, geen eelt, geen ruwe huid, geen afgebeten nagels. Ondanks zijn verfijnde voorkomen verrieden zijn staalblauwe ogen dat hij beroepshalve getuige was geweest van alle menselijke zwakheden, iedere tekortkoming en elke verdorvenheid die de mens kent. Ik nam aan dat hij dit leven alleen met Gods steun aankon.

'Gaat u zitten, mevrouw Moran. Ik ben helemaal vergeten te vragen of u koffie wilde.'

'Nee, dank u.'

Hij glimlachte verontschuldigend. 'Koffie houdt mij op de been. Ik heb minstens twaalf koppen gehad sinds ik vanmorgen om zes uur ben opgestaan en ik lust er nog wel een.'

'Zenuwen?'

Clay trok een keurig bijgeknipte grijze wenkbrauw op. 'Nee, dat niet. Ik vrees dat ik een cafeïneverslaving heb.'

Voor iemand die aan koffie verslaafd was, leek hij me toch niet zo erg nerveus, tot ik zag dat hij met zijn slanke vingers op tafel zat te trommelen. 'Wilde u soms nog iets zeggen?' vroeg ik.

Clay leek niet op zijn gemak, wendde zijn hoofd af en staarde even met een nietsziende blik naar de kale muur voordat hij me weer aankeek. 'Ik denk dat u net zo verrast bent als ik over Gamals aanbod om op het laatste moment nog een bekentenis af te leggen. Waarom zo lang gewacht, zou je dan denken. Hij heeft lang voor zijn terechtstelling alle gelegenheid gehad om een verklaring af te leggen.'

'Ik meende dat het niet ongebruikelijk was dat iemand in de dodencel alsnog een bekentenis aflegde?'

'Dat gebeurt wel eens. Ik had het alleen niet verwacht van deze brute moordenaar.'

Ik ook niet. Wat me op de gedachte bracht of Gamal soms nog een verrassing achter de hand had. Maar voordat ik kon antwoorden, keek Clay me recht aan.

'Zou het mogelijk zijn,' zei hij zacht, 'dat hij zich op de een of andere manier met God heeft verzoend? Dat hij vergeving wil?'

Daar was ik absoluut niet van overtuigd. De man die op het punt stond ter dood te worden gebracht, was waarschijnlijk een van de meest kwaadaardige seriemoordenaars sinds John Gacy of Ted Bundy. Het enige dat ik samen met mijn team in het afgelopen jaar aan de weet was gekomen, was dat Constantine Gamal vijftien jaar geleden, toen hij drieëntwintig jaar oud was, naar Amerika was geëmigreerd en aan een internationale moordpartij was begonnen die aan negenentwintig mensen het leven had gekost.

Gamals modus operandi ging twintig jaar terug, toen hij in Istanbul zijn vader en zijn jongere zuster had vermoord. Hij had kans gezien om de schuld voor deze misdrijven te ontlopen – de Turkse politie had geen verdachte kunnen aanwijzen – en zijn motieven waren altijd vaag gebleven. Ik wist dat zijn vader een Armeense immigrant was geweest die een slagerij had. Hij slachtte aan huis, in de kelder. Als kind had Gamal stiekem toegekeken terwijl zijn vader aan het werk was. Er was iets in dat donkere, ondergrondse slachthuis geweest, in het zien van de brute manier waarop de dieren aan hun eind kwamen, dat een zaadje in Gamals verknipte geest had geplant. In alle moorden die hij daarna pleegde, herleefde hij de duistere momenten in die kelder toen hij zijn vader en zusje had vermoord. Na de moord was hij in paniek geraakt. Hij had de kelder in brand gestoken om zijn misdaad te verbergen. Het was een wanhopige, kinderlijke poging om de lijken en de bewijzen van zijn daad te vernietigen, maar de buren hadden de brand ontdekt en die geblust voordat het vuur zich kon verspreiden. Deze moorden hadden bij Gamal een moordlust teweeggebracht die hij niet meer was kwijtgeraakt.

'Mensen als Gamal behoren tot een afwijkende menselijke soort, meneer Clay. Ze vertegenwoordigen de duistere, boosaardige kant van de menselijke natuur en ze staan dichter bij het kwaad dan ze ooit tot God zullen komen. Dat geldt ook voor deze man, vooral gezien de wrede manier waarop hij zijn slachtoffers doodde. Ik zie hem zich niet plotseling bekeren, u wel? Of hebt u in uw gevangenispraktijk soms wél meegemaakt dat een luipaard zijn vlekken op het laatste moment toch nog verandert?'

De bittere ondertoon in mijn stem ontging Clay niet. Hij moet hebben gezien dat hij me op een pijnlijke plek had geraakt, want hij legde zijn hand even op de mijne. Zijn melkwitte huid voelde niet zacht aan, maar verrassend hard.

'Zo ongewoon is het nu ook weer niet dat moordenaars op het laatste moment vergiffenis willen hebben voor hun misdaden of bekennen dat ze er nog meer hebben gepleegd. Hoewel ik moet toegeven dat ik me sinds Gamal hier zit vaak heb afgevraagd wat het met hem is. Ondanks wat u me hebt verteld heeft deze zaak voor mij toch iets tragisch.'

'Hoe bedoelt u dat?'

'Het is toch wel bijzonder ironisch dat een man met een dergelijke begaafdheid, iemand die alles weet van verwrongen geesten, zelf in een wrede moordenaar verandert. Maar het spijt me werkelijk als mijn opmerking u pijn heeft gedaan. Dat was niet mijn bedoeling. Ik weet dat u zelf een groot persoonlijk verlies hebt geleden, mevrouw Moran, en hoewel het u waarschijnlijk maar weinig troost kan bieden, zal een klein deel van dat leed vanavond toch worden gewroken.' Clay klonk oprecht, maar toen ik mijn hand onder de zijne vandaan trok, leek hij niet bepaald overtuigd van de waarheid van zijn opmerking.

Plotseling ging de deur achter hem open; er kwam een geüniformeerde bewaker binnen. Clay knikte naar hem en stond op. 'We zijn er klaar voor om Gamal binnen te brengen. Nog iets dat u enigszins op uw gemak moet stellen, mevrouw Moran: we houden alles van achter een doorkijkspiegel in het oog en uw gesprek wordt opgenomen. Er staan zes gewapende bewakers klaar. Maar als u zich toch nog zorgen maakt, dan kan ik u verzekeren dat hij u geen kwaad kan doen. Werkelijk niet.'

6

De directeur verliet de kamer. Vier bewakers kwamen binnen met Constantine Gamal tussen hen in, gekleed in een oranje gevangenisoverall. Zijn polsen en enkels waren geboeid. Met veel gerammel van stalen kettingen ging hij tegenover me zitten. We keken elkaar aan en ik voelde me misselijk worden. Zijn ogen waren gevaarlijke, zwarte poelen en ijskoud. Een van de bewakers moest hebben gezien hoe ik me voelde want hij zei zacht: 'Gaat het, mevrouw Moran?'

'Ja.'

Gamal nam de bril met een dun stalen montuur die hij droeg af en keek me vanaf de andere kant van de tafel aan. Hij staarde alleen maar naar me, zonder een woord te zeggen of een gebaar te maken. Ik wist dat dit een machtsspelletje van hem was – kijken wie het eerst met de ogen knipperde, het eerste iets zei, wie het spelletje zou verliezen.

De eerste indruk die je van Gamal kreeg, was dat het zo'n gewone vent was: mager, gladgeschoren, in een bijzonder goede conditie – ik had gehoord dat hij zelfs in de gevangenis nog hardliep en mediteerde. Een hoog, intelligent voorhoofd met een overigens onopvallend uiterlijk. In zijn appartement in Alexandria hadden we bewijzen gevonden dat hij zijn onopvallende uiterlijk met groot succes had ingezet voor de simpele vermommingen die hij bij het plegen van zijn gruwelijke misdrijven gebruikte en waardoor hij zo lang op vrije voeten had weten te blijven. In zijn slaapkamer, maar ook in zijn Ford SUV, troffen we een enorme selectie pruiken, valse snorren en haarkleurmiddelen aan, een uniform van de posterijen, een legeruniform, een priestergewaad, een collectie brillen en gekleurde contactlenzen, rekken met kleding en potten vol schmink.

Als geoefend psychiater zag Gamal er totaal niet als een moordenaar uit, tot je zijn ogen zag – donkere, diepliggende ogen die brandden van moordlust en me aan Charles Manson deden denken. Ik wist dat hij op zijn beide onderarmen een kleine tatoeage had, een zwarte slangenkop met rode duivelshoorntjes. Vandaag echter waren zijn armen bedekt door de oranje overall.

De bewakers verlieten de kamer en sloten de deur achter zich. Gamal zei niets, bleef me alleen maar aanstaren en bekeek me van top tot teen: mijn gezicht, mijn handen, mijn lichaam. Tot hij na ongeveer een minuut zijn messcherpe lippen bewoog en met een heel vaag Oost-Europees accent begon te praten. 'Hoe gaat het, Kate? Is het leven nog een beetje aangenaam?'

De familiaire manier waarop hij me bij mijn voornaam noemde, trof me onaangenaam, wat ongetwijfeld ook zijn bedoeling was, maar ik gaf geen antwoord. Van de verhoren van Gamal had ik geleerd dat hij de gewoonte had om een gesprek met een paar indringende vragen te beginnen. Het duurde dan ook niet lang of daar kwam er weer een, zijn stem kalm en beheerst: 'Heb je al eens eerder een executie bijgewoond?'

Ik bleef zwijgen en hij zei zacht: 'Ik neem aan dat het een prettige ervaring voor je moet zijn? Iets waar je naar uitkijkt? Nee?'

Ik negeerde zijn schimpscheuten. 'Als je me iets te vertellen hebt, moet je dat nu doen.'

'Je vergeet iets, Kate.'

'Wat?'

Gamal was op een kalme manier uitdagend. 'Dat stukje dat je er nog achteraan wilde zeggen. Het had moeten zijn: "Als je me iets te vertellen hebt, moet je dat nu doen, *stuk vullis dat je bent!*" Had je dat niet willen zeggen, Kate?'

Ik begon mijn geduld te verliezen. Ik was niet van plan om met me te laten spelen en ik had er meer dan genoeg van. Ik stond op. 'Veel plezier in de hel, Gamal.'

De uitdagende uitdrukking op zijn gezicht vervaagde geen moment. 'In tegenstelling tot zo velen die me zijn voorgegaan, kijk ik er werkelijk naar uit. Maar voordat ik Satans boezem betreed, wil ik iets weten, Kate.'

Ik gaf geen antwoord. Ik was ervan overtuigd dat Gamal een spelletje met me speelde en ik wist niet waarom. Hij was totaal gestoord, dus misschien was dat reden genoeg – maar ik was niet van plan om hem dat plezier te gunnen. Ik was bijna bij de deur toen hij me verraste.

'Hé, ik zie dat je nog steeds een verlovingsring draagt. Is dat de ring die je van David hebt gekregen? Mooie ring. Zijn dat echte diamanten? Vast wel.' Gamals toon was nu quasi-troostend. 'Mis je David en Megan? Dat zal best. Het doet pijn om aan ze te denken, is het niet? Elke dag weer en elke nacht opnieuw. Een pijn diep in je binnenste en geen pijn zoals dit.'

Hij trok zijn rechterschouder op alsof hij me de schotwond onder zijn overall wilde tonen, de wond die ik hem had toegebracht. 'Mooi zuiver schot, Kate. Voldoende om me met een gat in mijn schouderblad van de sokken te blazen. Mooi trucje, dat met die veiligheidspal. En ons beider vriendinnetje Melanie bracht het er levend vanaf.'

'Als je dat, na wat jij haar hebt aangedaan, nog een leven kunt noemen. Ik denk niet dat het kind ooit weer normaal zal worden,' zei ik.

De Discipel glimlachte. 'We hebben allen een kruis te dragen. Maar we dwalen af. Wat ik wil zeggen is dat veel van mijn collega's in de psychiatrie Freud als passé beschouwen, maar ik ben altijd van mening geweest dat hij de reden voor verdriet perfect samenvatte toen hij zei dat alle menselijke neerslachtigheid zijn oorzaak vindt in het verlies van iemands liefde. Vind jij dat ook niet?'

Ik draaide me om en zag dat Gamal me strak aanstaarde, zonder zelfs maar met zijn ogen te knipperen.

'Jij vuile, smerige, ongevoelige schoft dat je er bent,' zei ik.

'Je mag me noemen wat je wil, Kate, maar ik heb ze niet vermoord.'

Ik keek hem weifelend aan. 'Wie niet vermoord?'

'David en Megan. Ik heb ze geen van beiden afgeslacht.'

'*Wat...?*'

'Voor die moorden dood je de verkeerde man.'

7

Ik bleef als aan de grond genageld staan. Mijn mond werd droog. Zeven maanden geleden was hij na een proces dat vijf weken had geduurd schuldig bevonden aan vier moorden met voorbedachten rade, waaronder die op David en Megan. Halverwege het proces had Gamal zijn advocaat weggestuurd en nooit ook maar enige betrokkenheid bij een van de moorden toegegeven, ondanks het feit dat hij was gepakt nadat hij een van zijn slachtoffers zojuist had afgeslacht. Eigenlijk had hij in de rechtszaal vrijwel niets gezegd, had daar alleen maar met een uitdrukkingsloos gezicht gezeten. Hij had toen al een hele reeks psychologische onderzoeken ondergaan en was voldoende toerekeningsvatbaar bevonden om terecht te staan.

Gamal leunde met een zelfvoldaan gezicht achterover in zijn stoel en liet zijn kettingen rammelen. 'Je hebt me gehoord. Ik heb ze niet vermoord. Ik heb al die moorden gepleegd waarvan ik beschuldigd werd, en ook al die andere die je in het dossier hebt maar waarvoor ik niet ben aangeklaagd, maar deze twee misdrijven heb ik niet gepleegd.'

Ik staarde hem ongelovig aan en dacht: *Hier zit de een of andere strategie achter, maar ik zou bij god niet weten wat dat zou kunnen zijn*. Ik wist dat Gamal iets van plan was, iets wreeds en wanhopigs, een laatste poging om zijn macht te laten gelden en mensen pijn te doen, omdat hij nu eenmaal zo was, omdat hij daar een kick van kreeg. Maar ik had geen idee wat zijn motief kon zijn. Ik keek naar de doorkijkspiegel. *Ik vraag me af wat de directeur en de bewakers en de advocaat die aan de andere kant zitten van Gamals woorden maken. Zijn zij net zo verbijsterd als ik?*

'Als dit de een of andere list is...' begon ik.

Gamal keek me met zijn diepliggende ogen heel kalm aan. 'Absoluut niet, Kate. Ik wilde alleen dat je eindelijk de waarheid zou horen. Ik vond dat het tijd werd dat je het uit de eerste hand zou horen. Toen jij en je vriendjes me verhoorden, vroeg je onder andere naar een aantal onstandvastigheden op de plaats delict van Bryce. Zoals het feit dat het crucifix ergens anders lag dan waar ik het gewoonlijk tussen mijn slachtoffers legde en het feit dat je verloofde, in tegenstelling tot alle anderen die ik had gedood, in het hoofd was geschoten. Zou dat geen aanleiding voor je zijn om te denken dat het mogelijk waar is wat ik zeg? Je weet dat ik aardig consistent was in mijn manier van moorden. Misschien verbrandde ik de lijken niet altijd, maar dat was telkens weer afhankelijk van hoeveel tijd ik had. Maar ik heb nooit een pistool gebruikt. Ik gaf de voorkeur aan mijn messen.'

Gamals woorden brachten me in verwarring en ik haalde een keer diep adem. 'Waarom geloof ik nog steeds geen woord van wat je zegt?'

'Vraag me hoe ik kan aantonen dat ik ze niet heb vermoord.'

Ik gaf geen antwoord.

Gamal was griezelig kalm. 'Toe dan, vraag het me dan, Kate.'

'Hoe?'

'Omdat ik op het moment dat ik jouw geliefden vermoord zou hebben, ergens anders aan het moorden was.'

Gamal zei het zo achteloos, zo zonder enig gevoel, dat mijn knieën slap werden. Ik wist nu waarom hij de meest slechte mens was die ik ooit had ontmoet – hij had geen greintje menselijke emotie.

Hij staarde me strak aan. 'Je gelooft me nog steeds niet, is het wel? Toch is het zo. Het was diezelfde dag, Thanksgiving, en ongeveer op dezelfde tijd, maar dan in DC, dat ik mijn slachtoffers doodde.'

'Je liegt,' zei ik.

'Denk je dat werkelijk?'

Ik keek hem aan, niet overtuigd. 'Waarom heb je dat niet aan je advocaat verteld?'

Gamal maakte een minachtend gebaar. 'Dat was een waardeloze vent. Ik ben hem niets schuldig.'

'Waarom vertel je het aan *mij*, waarom *nu*?' vroeg ik.

Even wendde hij zijn hoofd af, keek me toen weer aan. 'Wil je dat weten? Omdat ik je veracht. Omdat de gedachte dat jij me hebt gepakt, me pisnijdig maakt. Ik wil dat je daarvoor betaalt.'

Ik wist dat er iets achter moest zitten en het daagde me voor een deel wat dat was, maar ik begreep nog niet alles. 'Dus daar gaat dit allemaal om? Om wraak?'

Gamal zei niets en zijn gezicht was volkomen uitdrukkingsloos.

'Dus hoe ga ik dan betalen?' drong ik aan.

Gamal keek me kalm aan. 'Je begrijpt het nog steeds niet, is het wel? Je gaat betalen omdat je het nu allemaal opnieuw moet doormaken. Op jacht gaan naar de werkelijke moordenaar, hem proberen te pakken, hem voor de rechter te brengen en proberen hem veroordeeld te krijgen. Dat wordt weer dikke pret, denk je ook niet? Al die slapeloze nachten, al die weekenden die je door moet werken. Je zenuwen aan rafels, hoofdpijn en je doorlopend afvragen of je de schuldige te pakken krijgt. Maar... je moet het ook van de zonnige kant bekijken... al dat overwerk, de extra airmiles...'

Mijn maag trok samen van woede en het kostte me moeite om me te beheersen. Maar ik geloofde hem nog steeds niet. *Wat was hij werkelijk van plan?*

'Ik geloof er helemaal niets van, Gamal. Ten eerste ben je een leugenaar en ten tweede vertoonden de moorden op David en Megan overduidelijk jouw kenmerken. Die bewezen jouw betrokkenheid bij het misdrijf.'

Opnieuw haalde hij zijn schouders op, alsof hij mijn beschuldigingen alleen maar een tikje irritant vond. 'Kenmerken bewijzen niets en betekenen niets. Hoe vaak moet ik dat nou zeggen, of ben je werkelijk zo stom? Ik spreek de waarheid. Ik heb het niet gedaan. Ik was elders aan het moorden.'

Gamals totale ongevoeligheid maakten me misselijk. 'Wie waren je slachtoffers?'

Hij haalde zijn schouders op. 'Het soort dat niemand mist en de politie al helemaal niet. Waardeloze mensen van de straat – een thuisloze zwarte kerel met zijn dochter. Zij was een jaar of elf, misschien twaalf. Ik heb ze op mijn gebruikelijke manier gedood.'

Ik slikte mijn walging weg. 'Waar?'

'Ik heb ze allebei in een tunnel in de buurt van het metrostation Chinatown afgemaakt en daar heb ik ze ook begraven. Ik had geen tijd om ze te verbranden zoals ik dat bij de meeste anderen deed.'

'Waarom niet?'

'Er kwamen wat mensen van de onderhoudsdienst aan en ik ben ervandoor gegaan voordat ze me in de gaten kregen.'

'Daar heb ik niks aan. Waar precies in de metro?'

'Dat zoek je zelf maar uit, Moran. Of anders moet je wachten tot we elkaar in een volgend leven weer tegenkomen.'

Van het feit dat hij zomaar kil twee moorden bekende, schrok ik niet, maar ik wist nog steeds niet of zijn bewering nu waar was of niet. 'Waarom had je juist die twee uitgezocht?'

Gamal zakte nog wat verder onderuit. 'Ze waren op het verkeerde moment op de verkeerde plaats. Zo simpel was het, Kate. En ik heb ze om dezelfde reden vermoord als waar ik acht jaar geleden mijn slachtoffers uitkoos – om te zien of ik het nog een keer ongestraft kon doen en of ik er dan hetzelfde plezier aan zou beleven als de eerste keer, toen ik mijn zuster en mijn vader om zeep hielp. Is je vraag daarmee beantwoord, Kate?'

Hij noemde me weer bij mijn voornaam, maar ik kon me er niet druk over maken. Zijn verklaring klonk zo verschrikkelijk wreed. Ik zei: 'Ik weet niet of er voor moordenaars als jij wel een volgend leven is.'

'Kijk, en daar vergis je je nu in,' zei Gamal schor. 'Dat heb je helemaal fout, Kate. De Duivel bestaat namelijk echt. Ik wéét dat er voor mij een volgend leven is.'

'Zolang dat dan maar in de hel is, vind ik het prima.'

'Spot niet met de hel. De reis erheen is de prijs meer dan waard.' Gamal bekeek zijn vingers. 'Wat denk je, zou er voor mij ooit een gedenkteken worden opgericht?'

'Ik zou er maar niet op rekenen.'

De man was hartstikke gek. Ze mochten hem dan misschien in de zin van de wet toerekeningsvatbaar hebben bevonden, dichter op het randje van de krankzinnigheid dan hij was nauwelijks mogelijk. En ik wist nog steeds niet of hij de waarheid sprak of een spelletje met me speelde. 'Ik heb geen zin meer in jouw spelletjes.'

'Denk je dat dit een spelletje is?' zei Gamal zacht. 'Denk je dat ik hier voor de grap zit? Daar zul je pas achter komen als je de lijken hebt gevonden.'

Ik werd niet goed van Gamals houding. Ik was het zat en verloor mijn geduld. 'Ik word helemaal ziek van je. Je hebt geen greintje menselijk fatsoen. En weet je wat ik denk? Volgens mij waren die duivelsrituelen van jou alleen maar komedie. In de grond van de zaak ben je niets anders dan een laffe, brute, verachtelijke seriemoordenaar.'

Ik zag de aderen in Gamals hals opzwellen en paars worden. 'Mensen zoals jij onderschatten de macht van het occulte. Er zijn dingen die jij nooit zult begrijpen, Kate.'

Ik stond op. '*Bullshit*. Er zijn dingen die *jij* nooit zult begrijpen. Zoals normaal menselijk fatsoen en liefde en respect. Omdat je nooit ook maar iets menselijks hebt gehad. Weet je wat ik in al die jaren dat ik jacht maak op ongedierte zoals jij onder andere heb geleerd? Dat is dat er mensen zijn die het echt niet verdienen om te leven, en daar ben jij er een van. Als jij er niet meer bent, is de wereld een klein beetje beter en ik ben blij dat ik daaraan mee heb kunnen werken.'

Gamal zei: 'Kijk, daar kan ik me nu juist zo kwaad over maken. Over het feit dat ik een lange en heel mooie carrière had kunnen hebben als jij je er niet mee had bemoeid. Daarom ga je betalen – en heel duur ook.'

Deze keer bracht ik de moed op om hem recht in de ogen te kijken. 'De enige die gaat betalen, ben jij, Gamal. Je bent verleden tijd.'

'Daar zou ik maar niet op rekenen, Kate.'

'Ik wel,' zei ik. 'Die hele reeks moorden was voor jou in zeker opzicht niet meer dan een spelletje, is het niet? Een spel om te zien wie de hersens en de sluwheid had om de race te winnen. Nou, jij hebt dus verloren, Gamal. En weet je waarom? Omdat je achter die arrogantie van je, ondanks dat zelfingenomen intellect, altijd een loser bent geweest. Ik dacht dat je psychiater was, *dokter* Gamal. Maar je was niet eens in staat om je eigen tekortkomingen te herkennen en er iets aan te doen. Een gedenkteken? Voor jou? Over een halfjaar ben je vergeten. Een hoop botten in een naamloos graf, meer niet.'

Het gebeurde zo vlug dat ik nauwelijks tijd had om te reageren. Gamal stond al overeind, greep de tafel vast en schoof die met veel geratel van kettingen onder de deurknop, waardoor de deur niet meer open kon. Ik paniek probeerde ik weg te springen, maar Gamal stormde op me af en gooide zich met zijn volle gewicht tegen me aan. De klap sloeg alle adem uit me en we vielen samen op de grond, Gamal boven op me, in een kluwen van armen en benen en kettingen.

'*Bitch!*' Hij spuwde het woord uit en keek me met een waanzinnige blik aan. '*Vuil, smerig kreng!* Ik maak je kapot, godverdomme!'

Ik probeerde te schreeuwen, maar het gewicht van zijn lichaam drukte te zwaar op mijn borst en ik kon zijn zure adem ruiken. De bewakers probeerden de stalen deur met geweld open te duwen en ik hoorde de directeur roepen: 'Trap die deur in!' Toen voelde ik Gamals tanden in mijn schouder. Hij beet zo hard door dat hij tot op het bot leek door te dringen. Het deed afschuwelijk pijn, alsof er een stroomstoot door mijn lichaam ging. Gamal kronkelde als een dolle hond terwijl hij probeerde een stuk vlees uit mijn schouder te bijten. Het deed zo ondraaglijk veel pijn dat ik bang was het bewustzijn te zullen verliezen. *Mijn god, waar blijven die bewakers? Waarom komen ze me niet helpen?*

Ik zag dat de tafel nog steeds onder de deurknop stond. Ik verzamelde al mijn krachten en schopte een paar keer met mijn hiel tegen de poot. De tafel verschoof een heel klein stukje en het volgende moment werd de deur opengesmeten. Ik hoorde opnieuw het gerammel van kettingen toen Gamal werd vastgegrepen. Het geluid van een gummiknuppel die op Gamals hoofd neerkwam, en nog eens en nog eens. Eindelijk lieten zijn tanden los. Ik voelde opluchting en onmiddellijk daarop een golf van pijn. Gamal was nog steeds bij kennis, zijn lippen met bloed besmeurd en hij keek me met een ijskoude blik aan. Hij was alweer gekalmeerd en zei met een schorre stem: 'Geniet maar van de voorstelling, want je gaat ervoor betalen. Geloof je me niet? Wacht maar af. Ik overwin de dood en kom terug om je met me mee te nemen naar de hel, Kate. Dat beloof ik je.'

Het laatste wat ik zag voordat ik van mijn stokje ging, waren de bewakers die Gamal de kamer uit sleurden.

8

In de daaropvolgende minuten leek het alsof de hel was losgebroken. Drie bewakers brachten me naar een kamer verderop in de gang en zetten me voorzichtig op een stoel. Een van hen klikte een verbandtrommel open en een ander hielp me mijn met bloed bevlekte blouse los te knopen. Hij bekeek de wond. De pijn was bijna ondraaglijk. 'Dat is een lelijke beet, mevrouw.'

Hij keek nog eens goed en toen hij mijn schouder voorzichtig aanraakte, deed dat zo'n pijn dat ik mijn nagels in zijn arm zette. *'Jezus...'*

'Sorry, mevrouw. De dokter komt zo.'

Even later ging de deur open. Tot mijn verbazing kwam directeur Clay binnen met een elegant geklede vrouw. Ze droeg een antracietkleurig kostuum en rook naar citroenzeep. Brogan Lacy was Davids ex-echtgenote, een slanke, knappe brunette van achter in de veertig en de assistent-lijkschouwer van Richmond. Ze begroette me met een kort knikje voordat ze de wond bekeek. 'Directeur Clay zei dat u een ongeluk had gehad en vroeg me om hulp.'

'Ik hoop dat u er geen bezwaar tegen hebt, mevrouw Moran?' zei Clay. 'Dr. Lacy was de arts die het dichtst bij de hand was. Ze is hier als getuige bij de terechtstelling.'

Ik had Brogan Lacy nooit echt gesproken – toen ik David leerde kennen was hij al een jaar gescheiden – maar tijdens het proces tegen Gamal hadden we elkaar vrijwel elke dag in de rechtszaal gezien. Onze relatie was gereserveerd; hoe ik mijn best ook had gedaan contact met haar te leggen, zij had steeds afstand gehouden. Ik begreep dat ze veel verdriet moest hebben gehad – ze had haar enige dochter verloren.

'Waarom zou ik daar bezwaar tegen hebben? Overigens was het geen ongeluk, maar een aanval,' corrigeerde ik Lacy.

'Ja, dat heb ik verteld,' zei Clay zacht. 'Maar als u me nu even wilt excuseren, ik moet het een en ander regelen. U bent bij dr. Lacy in goede handen.'

Clay liet een van de bewakers bij ons achter en verdween. Lacy trok een paar rubberhandschoenen uit de verbandtrommel aan en onderzocht mijn schouder. Ze ging bijna ruw te werk en ik vroeg me af of dit kwam doordat ze gewend was lijken te onderzoeken of doordat ze een hekel aan mij had. Ik kromp ineen.

'Au.'

'Het is niet zo erg als het eruitziet,' zei Lacy koeltjes. 'Gewoon een lelijke, diepe vleeswond.'

'Moet het gehecht worden?'

'Nee, het is niet verstandig om mensenbeten te hechten, dan genezen ze niet goed. Dit doet pijn. Even de tanden op elkaar.'

Lacy ging met een ontsmettingsmiddel aan het werk terwijl ik mijn best deed om de pijn te vergeten. Toen ze klaar was, deed ze er gaas op en hechtpleister en gaf me een injectie. 'Dat is Diclofenac, tegen de pijn. Toch kunt u beter naar uw eigen dokter gaan zodat die u uit voorzorg antibiotica kan geven. De beet van een mens is zelfs gevaarlijker dan een hondenbeet.'

Ik legde mijn hand voorzichtig op mijn pijnlijke schouder. 'Dat meent u niet.'

Lacy trok de rubberhandschoenen uit en gooide ze in een afvalbak. 'Ja, dat meen ik wel, mevrouw Moran. De mond van een mens zit vol gevaarlijke bacteriën. Maar het goede nieuws is dat u het overleeft en de man die u aanviel niet.'

De deur ging open en Clay kwam binnen. Zijn voorhoofd was bedekt met zweetdruppeltjes. 'Hoe is het met haar, dokter?'

'De beet was bijna tot op het bot, maar ik ben er vrij zeker van dat ze er geen blijvende lichamelijke gevolgen aan zal overhouden.'

'Dank u,' zei ik tegen Lacy. 'Te zijner tijd hebt u een kop koffie van me tegoed.'

Ze trok licht haar wenkbrauwen op. 'Dat is werkelijk niet nodig, mevrouw Moran.'

Lacy vertrok. Clay zag eruit als iemand die bang is dat ik hem en zijn gevangenis voor de rechter zou sleuren.

'Het was mijn eigen beslissing om in die kamer te gaan zitten, dus maakt u zich geen zorgen. Ik dien geen claim in, directeur Clay, maar ik meende toch dat u zei dat het veilig was.'

Clay bette zijn voorhoofd met een papieren zakdoekje en zei verontschuldigend: 'Het spijt me buitengewoon, mevrouw Moran. Ik had er werkelijk geen vermoeden van dat zoiets zou kunnen gebeuren. Gamal was geketend en ik had niet verwacht dat hij u kwaad zou willen doen. Bovendien ging het zo vlug...'

Ik werd kwaad. 'Dat is geen excuus. Het had mijn dood kunnen worden.'

'Dat zou niet zijn gebeurd. We waren binnen een paar seconden binnen, hoewel ik ervan overtuigd ben dat het voor u veel langer moet hebben geleken. Een aanval als deze is een van de redenen waarom ik zei dat we een bezoeker normaal gesproken *nooit* met een gevangene alleen laten. Daarom aarzelde ik zo.'

Het klonk oprecht en daarom liet ik het er verder maar bij. 'Wat is er met Gamal gebeurd?'

'Die zit in zijn cel.'

'Hebt u alles gehoord wat hij zei?'

'Ja, en het is opgenomen.' Clay zuchtte en bette opnieuw zijn voorhoofd. 'Het is natuurlijk erg verontrustend. Hij wilde u met die beweringen duidelijk persoonlijk treffen omdat u degene bent die hem gepakt heeft. Maar is het ook waar?'

Ik kwam met veel moeite overeind en er ging een felle pijnscheut door mijn schouder. 'Ik weet het niet. Misschien vindt hij het alleen maar leuk om me op een dwaalspoor te zetten, maar bij Gamal is alles mogelijk. Wat gebeurt er nu verder?'

'Ik heb met de gouverneur gesproken. Hij staat op het standpunt dat zelfs als Gamal David en Megan niet heeft vermoord, zoals hij beweert, hij altijd nog veroordeeld is voor drie andere moorden. Bovendien heeft hij die tijdens de opname die we hebben gemaakt bekend, terwijl hij voordien nooit ook maar iets had toegegeven. Maar afgaande op Gamals zwijgen in het verleden, betwijfelt de gouverneur dat we nog meer uit hem zullen krijgen.'

'Wat bedoelt u precies te zeggen, meneer Clay?'

'De executie gaat door.'

9

Het is net een klein theater. Vier rijen stoelen en een podium. Het publiek neemt plaats en wacht tot het doek opgaat en de voorstelling begint. Alleen zullen ze geen getuige zijn van een toneelstuk of een schooluitvoering, maar van de terechtstelling van een mens.

De gevangenis van Greensville heeft twee aparte zalen voor dat 'podium'. Een daarvan is voor de twaalf door de staat aangewezen getuigen, maar de zaal waarheen ik werd gebracht zat vol familieleden van de slachtoffers, allemaal mensen die ik tijdens het proces tegen Gamal had leren kennen. Drie plaatsen verderop zat Gaby Stenson, een moeder van drie kinderen uit Oregon en nu weduwe. Ik wist dat ze zesendertig jaar was, maar het verdriet had haar tien jaar ouder gemaakt. Gamal had haar man Mack en zijn zeventienjarige nichtje Marie vermoord.

Melanie Jackson zat met haar moeder op de derde rij – het enige slachtoffer dat ik had kunnen redden, en ik was blij haar te zien. Melanie zwaaide naar me. Ze leek in het jaar dat was verstreken een stuk volwassener te zijn geworden, maar ook magerder. Ik wist dat het trauma dat ze had opgelopen toen ze getuige was van de moord op haar vader haar vroegtijdig ouder had gemaakt. Maar er was nog iets aan Melanie dat me deed huiveren. Het was me pas opgevallen in de dagen na de gebeurtenissen in de grot, toen ik haar ondervroeg: ze leek zo sprekend op Megan dat het bijna griezelig was: dezelfde amandelbruine ogen, het ravenzwarte haar, de bleke huid en de beugel in haar mond; dat en haar warme, spontane manier van doen, waardoor het een genoegen was om samen met haar te zijn. Nu ik haar weer zag, moest ik opnieuw aan Megan denken. Ik huiverde.

Brogan Lacy zat op de achterste rij; haar gezicht was strak en uitdrukkingsloos. Ik denk dat iedereen die door Gamals hand had geleden er wat verloren uitzag. Het verdriet sleet dan misschien wel, maar de sporen waren onuitwisbaar. Sommige getuigen knikten of fluisterden 'Hallo, Kate.'

Ik knikte en wuifde terug. We waren bijna familie van elkaar geworden. Allemaal hadden we de verschrikking van het verlies van geliefden meegemaakt, en daarna de spanningen van het proces, en ik denk dat ze dit, net als ik, op de een of andere manier wilden afsluiten en verdergaan met hun leven.

Maar nu het bijna zover was dat Gamal geëxecuteerd zou worden, betrapte ik mezelf erop dat ik gemengde gevoelens had. Ik was er absoluut van overtuigd dat ik hem dood wilde hebben en dat zijn terechtstelling gerechtvaardigd was. Maar hoe slecht Gamal ook was en hoezeer ik hem ook haatte en hem zijn misdaden nooit zou kunnen vergeven, toch voelde ik me op de een of andere manier bezoedeld door het feit dat ik bereid was getuige te zijn van zijn executie.

Een functionaris van de gevangenis sprak het publiek toe: 'Dames en heren, mijn verontschuldigingen voor de vertraging, maar we zijn nu zover dat we kunnen beginnen. Ik wil u er nog wel op wijzen dat als iemand de zaal tijdens de executie wil verlaten, daar geen enkel bezwaar tegen is. Dank u.'

Ik had zo goed als alles over de dood door middel van een injectie gelezen. Ik had geprobeerd om me geestelijk op de feitelijke gebeurtenis voor te bereiden, maar ik denk niet dat dit ook werkelijk mogelijk was. De blauwe plastic gordijnen aan de andere kant van het raam waren al open en toonden een steriel aandoende ruimte die voor de operatiekamer van een ziekenhuis door had kunnen gaan.

Er stond een roestvrijstalen tafel, eigenlijk meer een brancard, in de vorm van een crucifix waarvan de 'armen' enigszins omlaag waren gericht. Van achter een dik blauw gordijn waarin een kijkgat van doorzichtig plastic zat, kwamen zes infuusslangen tevoorschijn. Achter dat gordijn stonden de beulen met hun dodelijke chemicaliën en elektronische hartmonitoren. Ik wist dat het doden van de veroordeelde met verschillende vloeistoffen in drie stappen gebeurde.

De veroordeelde werd eerst op de brancard vastgesnoerd. Vervolgens werden de infuusnaalden en de elektrodes voor de monitoren aangebracht, waarna de infuusslangen op de naalden werden aangesloten, drie stel in elke arm. Zodra de zoutoplossing begon te lopen, werd de veroordeelde tot aan zijn borst met een laken bedekt. Dan werd de zoutoplossing afgesloten en de toevoer van sodiumthiopental geopend waardoor de veroordeelde in een diepe slaap viel. De tweede vloeistof, pancuroniumbromide, werkt spierverslappend. Die deed de longen inklappen, met als gevolg het stoppen van de ademhaling. Ten slotte zou dan kaliumchloride worden geïnjecteerd dat zijn hart zou doen stoppen.

Gewoonlijk nam het hele proces ergens tussen de drie en tien minuten in beslag. Na de terechtstelling werd het lichaam met een label aan de teen in een lijkzak gedaan en – in Gamals geval – direct naar het bureau van de lijkschouwer in Richmond gebracht. Daar werd de volgende morgen een autopsie gedaan, waarna hij werd begraven.

Een dodelijke injectie mocht dan als de meest humane vorm van terechtstelling worden beschouwd, sommige dokters beweerden dat de procedure soms moeilijk uitvoerbaar was. Veel veroordeelden hadden beschadigde aderen als gevolg van drugsgebruik of diabetes. Ik had de griezelverhalen gelezen over wat er allemaal mis kon gaan, zoals het geval van een geestelijk gehandicapte moordenaar in Arkansas, waarbij de verplegers bijna een uur nodig hadden om een ader te vinden en de infuusnaald aan te brengen; en de terechtstelling in Texas, waarbij de naald er juist uit schoot en de omstanders met de dodelijke vloeistof besproeide. Ook wist ik dat sommige veroordeelden heel heftig reageerden op de middelen die werden toegediend en lang niet allemaal rustig stierven.

Maar ik probeerde die verontrustende gedachten van me af te zetten en hoopte dat de executie van vanavond door niets verstoord zou worden. We hadden, zoals we hier bijeen waren, allemaal genoeg meegemaakt. Dit was geen theater en we zaten geen van allen op een drama te wachten.

Maar zoals altijd zou Constantine Gamal ons ook nu weer verrassen.

10

Terwijl ik wachtte tot het gordijn open zou gaan, moest ik aan iets denken dat mijn moeder vroeger zei — dat elke zonde zijn eigen wraakengel heeft. Als dat waar was, zouden er straks negenentwintig wraakengelen op Constantine Gamal neerdalen.

Maar naarmate de tijd verstreek en er niets gebeurde, begonnen de getuigen steeds luider te kuchen en met hun voeten te schuifelen. Niemand voelde zich op zijn gemak; iedereen wilde dat het maar gebeurd zou zijn.

Toen ging de stalen deur rechts open. Gamal werd door zes grote, brede bewakers de executiekamer binnengebracht. Er voer een schok door het publiek en ik wist niet goed of dat een schok van voldoening was of van afschuw nu ze op het punt stonden getuige te zijn van de terechtstelling. Daarna ging het snel.

Gamal werd op de brancard vastgesnoerd, met zijn handen, armen en benen stevig vastgebonden. Het blauwe gordijn ging een poosje dicht en toen het weer openging, waren de infusen aangebracht, drie in elke arm.

Ik had gehoord dat er veroordeelden waren die hun dood kalm tegemoet gingen, maar daar hoorde Gamal niet bij. Hij kromde zijn rug en rukte in een uiterste poging tot verzet aan de leren riemen, zijn gezicht paars van inspanning terwijl hij met uitpuilende ogen om zich heen keek. Ik dacht: *hij gedraagt zich niet bepaald als een man die zich geen zorgen maakt over de dood.* Tot hij mij aankeek en het tot me doordrong dat het geen angst was wat ik op zijn gezicht zag, maar razende woede.

Gamal keek me met een doordringende blik vol haat aan en ik herinnerde me wat hij had gezegd: '*Geniet maar van de voorstelling, want je gaat ervoor betalen. Geloof je me niet? Wacht maar af. Ik overwin de dood en kom terug om je met me mee te nemen naar de hel, Kate. Dat beloof ik je.*'

Ik vroeg me af wat hij met die ogenschijnlijk dwaze uitspraak had bedoeld, maar op dat moment begon de dodelijke cocktail te werken. Gamals ogen flikkerden als gloeilampen die de geest gaven en zijn hoofd viel terug op de brancard. Zo te zien raakte hij snel in een coma en hij begon luid te snurken. Ik nam aan dat hij door de sodiumthiopental in een diepe slaap was geraakt.

Een paar minuten later kreeg hij een hoestbui, waarschijnlijk als gevolg van de pancuroniumbromide die zijn longen verlamde. Hij vocht werkelijk om adem te krijgen en zijn lichaam schokte zo hevig dat hij, als hij niet vastgesnoerd was geweest, zijn rug gebroken zou hebben. Toen begonnen zijn lippen te trillen, even schudde zijn lichaam heftig en hij hapte nog een keer naar adem, maar bleef stil liggen. De kaliumchloride had zijn hart doen stoppen.

Het werd doodstil in de getuigenzaal terwijl een van de bewakers achter het gordijn verdween en weer terugkwam. Hij liep naar directeur Clay, die vanaf het moment dat Gamal was binnengebracht met de rode telefoon in zijn hand had gestaan, en fluisterde hem iets toe. Clay luisterde, knikte even, keek op zijn horloge en sprak door de telefoon met de directeur van het Gevangeniswezen.

'Meneer de directeur, de gedetineerde Constantine Gamal is om eenentwintig uur negentien doodverklaard.'

Ik zou me die woorden die Gamals dood bevestigden altijd blijven herinneren. *Altijd*. Omdat zoveel wat er daarna gebeurde me aan de waarheid ervan deed twijfelen.

Maar wat op dat moment het allerbelangrijkste was, dat was dat ik een vreemd gevoel kreeg: het was alsof de lucht uit de kamer was verdreven en dat het gevoel van het *kwaad* daarmee ook verdreven was. Ik kan het niet anders beschrijven. Ik hoorde een geluid dat op een collectieve zucht van opluchting leek terwijl de getuigen opstonden en de zaal enigszins verdoofd begonnen te verlaten. Melanie Jackson liep bij haar moeder weg, kwam naar me toe en legde haar hand op mijn arm. Haar moeder zwaaide naar me en ik zwaaide terug.

'Hoe is het ermee, Kate?' vroeg Melanie.

'Wel goed, eigenlijk,' zei ik en zag de bezorgde uitdrukking op haar gezicht.

'Zeker weten?' vroeg ze zacht.

Weer zag ik Megan in haar gezicht, dezelfde warme, amandelbruine ogen, en ik raakte dankbaar haar hand aan terwijl ik moeite had om mijn tranen in te houden. 'Het gaat echt goed, Melanie. Een tikje overstuur, dat is alles. Hoe is het met jou?'

Ze haalde haar smalle schouders op. 'Ik had gedacht dat na een jaar wachten, dit mijn verdriet in een keer zou doen verdwijnen. Dat is niet zo, maar hem doden was juist, dat geloof ik oprecht. Op het moment dat hij stierf, kreeg ik een gevoel alsof er een boze geest uit de kamer verdwenen was. Begrijp je wat ik bedoel?'

Melanie klonk zo volwassen en ik begreep precies wat ze bedoelde. Ze gaf me een stukje papier. 'Pas goed op jezelf, Kate. Als je ooit in Arizona bent, moet je langskomen, beloof je dat? Ik wil je graag nog eens ontmoeten.'

Ik voelde me geroerd. 'Dank je, Melanie. Dat wil ik ook graag.'

We gaven elkaar een knuffel en Melanie ging terug naar haar moeder. Andere familieleden huilden en omhelsden elkaar. Opeens werd het me te veel; ik wilde weg. Bovendien kreeg ik het idee dat de gevangenisdirecteur me weer zou willen spreken en daar voelde ik niets voor. Graag had ik Brogan Lacy nog even gesproken om haar nogmaals te bedanken voor het verzorgen van mijn wond en ook om er voor haar te zijn op dit toch wel heftige moment, maar ik zag haar nergens meer. Zou ze al zijn vertrokken?

Ik ging naar buiten, vastbesloten om de wachtende pers te ontwijken – ik wilde niet met ze praten omdat het geen enkele zin had om verder nog over Gamals dood door te praten. De nachthemel werd verduisterd door heel kleine sneeuwvlokjes die als spookachtige vingers over mijn gezicht streken. Achter me kwamen nog wat getuigen naar buiten, met grimmige gezichten. Ze praatten op gedempte toon. De sfeer was zonder meer onbehaaglijk en plotseling wist ik ook waarom: we waren allemaal nog van slag door datgene waarvan we getuige waren geweest. De gevangenisdirecteur had gelijk: het is beestachtig om een ander menselijk wezen te zien sterven, zelfs als het slachtoffer zo slecht is als Constantine Gamal. Ik moest denken aan iets dat ik ergens had gelezen. *Als je lang genoeg naar het kwaad kijkt, kijkt het kwaad naar jou.* Ik was blij dat onze beproeving voorbij was en Gamal eindelijk de dood gevonden had. Maar de ironie ontging me niet dat we door hem terecht te stellen hij ons gedwongen had om medeplichtig te worden aan zijn verdorvenheid en dat maakte me een beetje boos.

Toch was ik boven alles blij; blij dat het allemaal voorbij was.

11

Eenmaal buiten de gevangenispoort negeerde ik de televisieploegen en andere media en stapte in mijn Bronco. Ik reed over Interstate 95 naar het noorden, langs Richmond en Fredericksburg. Net voor Quantico nam ik de afslag naar Widewater Beach. Het was een bitterkoude avond, maar hoe noordelijker ik kwam, hoe schoner de wegen waren.

In de zomer is Widewater een prachtig breed strand aan de oever van de Potomac, daar waar de rivier uitloopt in Chesapeake Bay, met inhammen en kreken waarlangs jachthavens en mooie huizen liggen. Op deze koude winteravond was het een wat spookachtige, winderige plaats. Net voor middernacht stopte ik voor het hek van een grijsstenen cottage die uitkeek op een klein haventje met een houten steiger. Dit was tweeënhalf jaar lang, vanaf het moment dat ik bij David en Megan was ingetrokken, mijn thuis geweest.

Ik dacht aan de eerste keer dat ik met David vanuit Washington hierheen was gereden. Ik kende hem toen nog maar net vier maanden en in die tijd hadden we elkaar voornamelijk getroffen in zijn galerie in Georgetown waarboven hij een appartement had, maar hij wilde me de plaats laten zien waar hij was opgegroeid. Honderd meter van de cottage lag Manor Brook, een prachtig neogotisch victoriaans huis op vijf hectare grond. Het was aan het eind van de negentiende eeuw gebouwd door Davids overgrootvader, een plaatselijke dokter, in de toen veel voorkomende vanderbiltstijl, met dikke granieten muren, stenen gargouilles, een wachttoren en een zware deur zoals je die ook bij kerken zag.

Het huis was lang geleden al in verval geraakt, maar op het terrein stond de cottage, een eenvoudige woning met twee slaapkamers waar David met zijn dochter Megan woonde. Je had er een prachtig uitzicht op de haven.

Ik herinnerde me nog hoe David uit de Bronco was gestapt en naar het water had gekeken, een losse lok haar over zijn voorhoofd. Vanaf het eerste moment dat ik hem had ontmoet, had ik hem aantrekkelijk gevonden, met zijn atletische figuur, sierlijke handen en blauwe ogen. Hij was een beeldend kunstenaar die het erg goed deed en een aantal grote opdrachten had gekregen. In de kantoren van grote bedrijven door het hele land – hij had zelfs in Londen geëxposeerd – hingen tientallen van zijn schilderijen; vergeleken bij veel andere schilders was hij een daverend succes. Maar ik hield vooral van David om de drie eigenschappen waardoor ik me van het begin af aan tot hem aangetrokken had gevoeld: zijn vriendelijkheid, zijn kalme, pretentieloze zelfvertrouwen en het feit dat hij zo gemakkelijk glimlachte. Hij was bovendien een van de meest sexy mannen die ik ooit had ontmoet, maar die eigenschap bleef verborgen tot ik hem beter had leren kennen. 'Vind je het niet mooi, Kate?'

'Het ziet er fantastisch uit. Kun je me ook vertellen waar we zijn?'

David hield zijn ene hand boven zijn ogen, tegen de zon, en liet met de andere een steentje over het water scheren. 'Dit is Angel Bay. Hier heb ik als kind schilderen geleerd, toen ik havengezichten begon te tekenen. We woonden in het grote huis, maar na de dood van mijn ouders ben ik in de cottage getrokken — aan de achterkant heb ik een kantoor annex atelier laten bouwen dat ik gebruik als ik hier ben. Ik had plannen om het grote huis op te knappen, maar door gebrek aan tijd en geld is dat er nooit van gekomen. Na mijn scheiding van Brogan was de cottage groot genoeg voor Megan en mij. Kom, dan laat ik het je zien.'

Ik deelde in die tijd een appartement in Falls Church met een andere vrouwelijke agent. Daarbij vergeleken leek Manor Brook, zelfs in de staat waarin het verkeerde, een paleis. We liepen over het terrein, door de tuinen die vroeger goed onderhouden moesten zijn maar nu overwoekerd waren en langs de beekjes die om het geheel stroomden. Het moest vroeger een prachtig oud huis zijn geweest.

'Het is fantastisch,' zei ik en dat meende ik ook.

'Met wat zorg en hard werken zou het weer mooi kunnen worden. Ik weet dat het een beetje afgelegen is, maar het is hier altijd nog een stuk veiliger dan dat appartement van jou in de stad. De meeste mensen doen hier de deur niet eens op het nachtslot.

'Hé, je gaat me toch niet vertellen dat je je zorgen om mij maakt? Zo slecht is de buurt waarin ik woon nu ook weer niet. En ik kan goed op mezelf passen. Ik draag dan misschien geen uniform meer, maar ik heb nog steeds een pistool en een penning.'

David sloeg zijn arm om mijn middel en zei met glinsterende ogen: 'Dat is zo. Je bent een grote meid en ik weet zeker dat jullie van de FBI op vijftig meter afstand een vlieg in zijn ogen kunnen schieten.'

'Veertig, hooguit. Maar dan moet het wel een grote vlieg zijn.'

Hij grijnsde. 'Weet je wat ik me net bedenk?'

'Wat dan?'

'Eigenlijk jammer dat ik je nooit in uniform heb gekend. Dat zou misschien best leuk zijn geweest.'

Ik kuste hem op de lippen. Mijn god, wat hield ik van die lippen. Om voor te sterven waren ze. 'Je hebt me nooit verteld dat je op vrouwen in uniform viel!'

Hij glimlachte en kuste me terug. 'Een man mag toch wel een paar geheimen hebben?'

Ik beet zachtjes op zijn onderlip. 'Ik zal speciaal voor jou een keer een uniform huren. En dan geen platte schoenen, maar hoge hakken en kousen. Lijkt je dat wat?'

David straalde. 'Heeft iemand ooit tegen je gezegd dat je een plaaggeest bent?'

Nee, dat had niemand ooit gedaan, maar met David leek flirten zo normaal. Ik maakte me van hem los, maar hield wel zijn hand vast. 'Je weet maar nooit, misschien zou ik zelfs mijn handboeien gebruiken.'

'Schei uit of ik neem je mee naar bed. Goed, geen geflirt meer. Ik laat je de rest zien.'

David nam me mee over een grindpad naar de cottage. Ik kreeg echt het gevoel dat we al een paar waren. Voor het eerst na mijn mislukte huwelijk hoopte ik dat ik nu de juiste man had gevonden.

De cottage werd door een groepje dennenbomen beschermd tegen de wind vanaf de Potomac en vlak erachter lag een vrijstaande studio die door een overdekt pad met het huis was verbonden. Honderd meter verderop liep het terrein glooiend af naar een zandstrand. David maakte de voordeur open en we liepen een kort gangetje door naar een gezellige voorkamer. Aan de wanden hingen houtskooltekeningen van schoeners en fregatten. Er hingen en stonden allerlei nautische spullen. Voor het raam — dat een adembenemend uitzicht over de baai bood — stond een oude, koperen telescoop op een statief.

'Nou, wat denk je ervan?'

Ik keek eens rond. Het was er brandschoon, maar het deed allemaal wat ouderwets aan en had absoluut een vrouwenhand nodig.

Ik kneep hem in zijn arm. 'Met al die nautische spullen zou je waarschijnlijk erelid van de bond van zeelieden kunnen worden.'

'Zonder gein: vind je het niet mooi, Kate?'

'Het is prachtig.'

'Ik zwom hier 's zomers met mijn broer, Patrick, of we gingen bessen plukken met mijn moeder. Manor Brook was echt mooi. Ik mis die tijd nog vaak.'

'En je vader? Had je daar een goeie band mee?' vroeg ik.

Davids gezicht betrok. 'Niet echt. Hij kon soms heel moeilijk zijn, streng, gedisciplineerd en met sombere buien. Te streng voor twee drukke kinderen. Hij was twintig jaar arts bij de marine geweest toen hij besloot te trouwen en een gezin te stichten.'

'Konden jullie het niet met elkaar vinden?'

'We verdroegen elkaar, laat ik het zo zeggen. Mijn moeder maakte goed waar het mijn vader aan ontbrak en met haar had ik een veel hech-

52

tere band. Ik denk dat ik ook medelijden met haar had. Hoe ouder ze werd, hoe ongelukkiger ze zich in haar huwelijk voelde. En die ontevredenheid probeerde ze dan met drank weg te nemen. Desondanks heb ik goede herinneringen aan mijn kinderjaren.'

'Misschien was je gewoon een gelukkig kind?'

David glimlachte. 'Misschien wel. Ik praat niet zo vaak over mijn vader. Zie je nu wat je met me doet?'

Hij liet me zijn atelier zien en een aantal van zijn favoriete schilderijen. 'En hoe was dat bij jou? Wanneer krijg ik iets over Kates verleden te horen?'

Ik herinnerde me nog hoe hij mijn hand had gepakt en hoe onze vingers zich hadden verstrengeld. Zijn ontboezemingen hadden het tot een heel speciaal, intiem moment gemaakt. 'Ik wou dat ik ook kon zeggen dat ik uit een gelukkig, hecht gezin kom, maar dat is helaas niet zo,' zei ik.

'Vertel.'

Ik vertelde David over mijn verleden. Dat mijn vader een gokverslaafde ex-rechercheur was die ons in de steek had gelaten toen ik elf jaar was. Mijn moeder had het gezin met harde hand bijeen weten te houden, maar ze was twaalf jaar geleden aan kanker overleden en daarna waren we uiteen geraakt. Mijn twee jongere zusjes waren na de middelbare school naar Californië getrokken. Ons contact beperkte zich tot een telefoontje met Thanksgiving en Kerstmis. Met mijn oudste broer Frank had ik een hechtere band, maar die had genoeg aan zijn eigen zorgen. 'Het volmaakte gezin bestaat niet. Het is altijd wel op de een of andere manier verstoord, al zijn sommige gezinnen meer verstoord dan anderen, maar het is wel het enige wat we hebben.'

'Ik begrijp wat je bedoelt.' David keek me aan. 'Je hebt gelijk wat dat gezin betreft. Misschien zouden we er te zijner tijd zelf een moeten stichten.'

Ik keek hem geschrokken aan. Hij had met zoveel overtuiging gesproken dat ik wist dat het hem ernst was en ik kreeg een kleur. 'Pas op, anders ga ik nog denken dat je het meent.'

'Dat doe ik ook. Wil je kinderen?'

'Natuurlijk wil ik kinderen.'

'Ik wil ook graag meer kinderen. Maar niet alleen omdat ik vind dat Megan zich deel van een gezin moet voelen.' Hij dacht even na alvorens verder te gaan. 'Ik weet dat we nog maar vier maanden samen zijn, maar voor mij is dat lang genoeg om te weten wat voor vrouw je bent.

Ik heb een goed gevoel over ons, Kate. Heel goed, zelfs. Wil je met me trouwen?'

Dat was precies wat ik wilde en voor het eerst in jaren wist ik dat ik een man had ontmoet met wie ik een serieuze relatie wilde hebben. Toch wilde ik niet de indruk wekken dat ik halsoverkop aan een huwelijk begon omdat ik vijfendertig jaar was en mijn biologische klok doortikte. 'Kan... Mag ik er een paar dagen over nadenken?'

'Natuurlijk mag dat. Maar niet te lang, anders begin ik me zorgen te maken.'

'Dat beloof ik.' Maar terwijl ik dat zei en David even in zijn hand kneep, wist ik al dat mijn besluit vaststond en ik nam aan dat David dat ook wist.

We aten die avond in een visrestaurant, vijf kilometer verderop langs de kust. Toen we terug waren in de cottage, schonk David ons nog een glas wijn in. Daarna liet ik me door hem mee naar de slaapkamer nemen, waar we elkaar uitkleedden en met evenveel tederheid als energie vreeën. Hij kuste mijn hals en mijn borsten en toen hij uiteindelijk in me kwam, schreeuwde ik het uit van genot. Later lagen we stil naast elkaar in dat grote, oude, koperen ledikant en luisterden naar Norah Jones en het geluid van een vlucht winterganzen die de Potomac overstaken. Maar vanavond voelde ik me bijna wanhopig terwijl ik naar de donkere rivier keek.

De cottage was mijn thuis geworden toen Davids advocaat me drie weken na zijn begrafenis had gebeld en gevraagd of ik naar zijn kantoor in Georgetown wilde komen. Ik was verbijsterd toen hij me vertelde dat David me in zijn testament het hele landgoed Manor Brook had nagelaten. Het was nog steeds vervallen en veel te groot voor mij alleen en daarom was ik liever in de cottage gebleven. Verder had de advocaat me verteld dat David me twaalf van zijn favoriete schilderijen had nagelaten plus een half miljoen dollar in contanten. Voor mij was dat veel geld, maar ik had er nog altijd geen cent van aangeraakt. Het stond op de bank rente te vergaren terwijl ik probeerde te bedenken wat ik ermee zou doen. Ik kón het niet aanraken. Op de een of andere manier zei het me niets. Ik had alleen maar het vage idee dat ik er op een dag een of ander fonds in Davids naam mee zou kunnen stichten.

Maar dat kwam later wel.

Vanavond voelde ik me gespannen. Ik maakte een kop chocola en terwijl ik uitkeek over het donkere water, dacht ik terug aan die vreselijke dag toen ik hoorde dat David en Megan waren vermoord...

12

Ik had een week doorgebracht in Philadelphia, waar ik een mogelijk spoor naar de Discipel had nagetrokken dat uiteindelijk op niets was uitgelopen. Ik had David vanuit mijn motel gebeld om te zeggen dat ik de volgende dag vroeg in de middag thuis zou zijn. Dat was Thanksgiving, een feestdag die ik niet wilde missen. Ik had achttien uur per dag aan deze zaak gewerkt en was doodop en ik verheugde me erop om wat tijd met David en Megan door te brengen.

Maar toen ik de volgende dag van Philly naar huis reed, was ik zo moe dat ik achter het stuur in slaap viel. Ik hoorde een hoop getoeter en zag een enorme Mack-truck op me afstormen. *Het is met me gebeurd,* dacht ik. Ik rukte het stuur naar rechts, ging op de rem staan en kwam slippend tot stilstand. Mijn handen beefden en ik wist dat ik maar ternauwernood aan de dood ontsnapt was. Ik was op de verkeerde weghelft terechtgekomen en omdat ik niet het risico wilde lopen dat dit me een tweede keer zou gebeuren, stopte ik in de berm en deed mijn rugleuning naar achteren. Ik sloot mijn ogen en sliep meteen in. Toen ik weer wakker werd, waren er drie uur verstreken.

Thuis zag ik Davids auto niet op de inrit staan. Megan was ook nergens te vinden. Het Thanksgivingdiner dat ze hadden klaargemaakt, stond op tafel. Ik keek in het atelier, maar daar was niemand. Ik probeerde David op zijn mobiele telefoon te bellen, maar kreeg zijn voicemail, zoals dat de hele middag al het geval was geweest. Om zes uur waren Megan en hij nog steeds niet thuis; ik begon me zorgen te maken. Het was niets voor David om zomaar, zonder iets te zeggen, te verdwijnen. De enige verklaring die ik ervoor kon vinden, was dat hij bij een van zijn vrienden op bezoek was en dat zijn mobiele telefoon niet werkte of geen bereik had.

Een uur later belde Lou. 'Waar ben je, Kate?'

'In de cottage. Ik wacht op David en Megan, maar ik heb geen idee waar ze zijn. Hé, prettige Thanksgiving. Belde je daarom?'

Lou leek te aarzelen. 'Kan ik bij je langskomen, Kate? Ik ben in de buurt. Ik kan in tien minuten bij je zijn. Schikt dat?'

Plotseling kreeg ik een akelig voorgevoel. 'Waarom dat? Is er iets?'

'Dat vertel ik je straks, Kate. Ik ben zo bij je,' zei Lou raadselachtig en verbrak de verbinding.

Toen hij niet lang daarna op de deur klopte, vreesde ik al dat er iets met David en Megan was gebeurd, maar bij het zien van Lous asgrauwe gezicht wist ik het zeker. Hij legde zijn hand op mijn arm. 'Kate, ik weet niet hoe ik dit moet zeggen, dus ik kan je alleen maar vertellen wat ik weet. Ongeveer drie uur geleden hebben een paar tieners die op trektocht waren ongeveer zes kilometer hiervandaan in een nis van een verlaten steengroeve de lichamen gevonden van een volwassen man en een vrouw in de tienerleeftijd. David kon worden geïdentificeerd aan zijn rijbewijs, dat in zijn portefeuille zat. Daar zat ook een foto in die overeenkwam met het vrouwelijke slachtoffer. Ik heb de lichamen zojuist gezien. Het staat vast dat het David en Megan zijn, ze zijn beiden vermoord, en ik heb net gehoord dat Davids uitgebrande auto niet ver daarvandaan is gevonden. Afgaande op de sporen die op de plaats delict zijn aangetroffen en de manier waarop ze zijn gedood, heeft het er alle schijn van dat ze door de Discipel zijn vermoord. Ik vind het heel erg voor je, Kate.'

Ik weet nog dat mijn benen helemaal slap werden en dat ik mijn hand voor mijn mond sloeg en een schorre kreet slaakte: 'Nee!'

Lou ving me in zijn armen op. Voor het overige is alles wat er die dag verder gebeurde vaag gebleven. Tranen en diepe neerslachtigheid en verdriet en woede — tot ik uiteindelijk helemaal niets meer voelde.

De volgende morgen moest ik David en Megan identificeren en dat was afschuwelijk. Hun gezichten waren herkenbaar, maar hun lichamen waren opengereten en verbrand. De kenmerken, de modus operandi en de plaats delict wezen allemaal op de Discipel: de manier waarop ze waren gedood — de gedeeltelijk verbrande en van ingewanden ontdane lichamen — en het zwarthouten kruis. Maar in dit geval waren er twee onverklaarbare afwijkingen. Het kruis lag niet, zoals bij voorgaande gelegenheden, tussen de beide slachtoffers in, maar aan Megans voeten, en David was twee keer in het hoofd geschoten. Gamal had tijdens zijn verhoor helemaal niets toegegeven en de afwijkingen van het patroon waren nooit verklaard.

Verdoofd had ik het mortuarium weer verlaten en was naar Angel Bay gereden. Er was mist van zee aan komen drijven. Nadat ik de auto op de inrit had gezet, was ik over het uitgesleten pad naar het strand gelopen, het strand waarlangs David, Megan en ik soms samen hadden gewandeld. Voortgedreven door mijn verdriet en de even pijnlijke als kostbare herinneringen had ik kilometers gelopen, zo verloren in mijn pijn dat het leek alsof ik Megan daar in de mist nog kon horen, giechelend om een grapje en Davids lach.

Ik liep tot ik niet meer kon en toen knielde ik in het zand en schreeuwde hun namen tot mijn keel schor was. Mijn god, wat haatte ik hun moordenaar. Als ik mijn leven had moeten geven om de Discipel te pakken, zou ik dat graag hebben gedaan omdat mijn leven op dat moment geen enkele waarde meer had. Ik werd achtervolgd door de zekerheid dat David en Megan door mijn toedoen waren gestorven. En hoe hard ik het ook probeerde, ik kon dat schuldgevoel niet kwijtraken.

Die zekerheid vond zijn oorzaak in een stoutmoedige beslissing die ik had genomen. De media stonden al maanden bol van de berichten over de Discipel en omdat ik de leiding van het onderzoek had, werd mijn naam daarbij telkens weer genoemd. In het bijzonder herinnerde ik me een artikel dat drie weken daarvoor in de *Washington Post* had gestaan: *Special agent Katherine Morgan van de FBI zegt dat opgravingen nieuwe bewijzen hebben opgeleverd, waardoor het net zich sluit om de Discipel, de meest gezochte seriemoordenaar van het land.*

In werkelijkheid zat het onderzoek muurvast, maar in een poging om de Discipel op stang te jagen was ik op de gedachte gekomen om hem uit zijn tent te lokken door wat wij de 'kontknijpfactor' noemden. Ik liet me met opzet door de *Post* en een aantal televisiestations interviewen en beweerde daarbij dat het onderzoeksteam ervan overtuigd was dat we de Discipel met behulp van nieuw bewijsmateriaal zouden opsporen. Ik onthulde dat we een verzoek hadden ingediend om op een begraafplaats in Virginia de graven van twee slachtoffers van de Discipel te openen en dat, als de lichamen in goede staat zouden zijn en het bewijsmateriaal opleverden dat we verwachtten, de zaak zo goed als opgelost zou zijn.

We namen aan dat dit de Discipel enorm onder druk zou zetten. Hij zou zich zorgen gaan maken en op onderzoek uitgaan. Hij zou willen weten in welke toestand de lijken verkeerden en zich afvragen of hij dan toch sporen had achtergelaten waardoor hij gepakt zou kunnen worden. Maar we hoopten vooral dat hij zelf naar de begraafplaats zou komen om naar het opgraven te kijken. Moordenaars brachten wel vaker een bezoek aan de graven van hun slachtoffers; als er berichten over opgravingen in de kranten verschenen zou hem dat wel eens nieuwsgierig kunnen maken. Daarom waren we van plan om iedereen die op of in de buurt van de begraafplaats kwam, te filmen en te fotograferen.

Terwijl we met die opgravingen bezig waren, had ik meer dan dertig agenten in de buurt. Het duurde al met al vier dagen, maar uiteindelijk leverden de foto's en de videobanden helemaal niets op. De Discipel was niet in de val gelopen. Toen hij opnieuw toesloeg, werden David en Megan het slachtoffer en ik was ervan overtuigd dat mijn plan averechts had gewerkt. Het had het leven gekost van de mensen die me het liefst waren.

Het was duidelijk dat de Discipel erachter was gekomen waar ik woonde en me had geobserveerd voordat hij David en Megan met opzet uitkoos als zijn volgende slachtoffers. Ik voelde me geschonden, onzeker. Dit was een statement. Het was zijn manier om me te laten weten: *Je denkt dat je slim bent, maar ik ben veel slimmer.* Op dat moment was ik ervan overtuigd dat hij gelijk had. Terwijl ik dacht dat ik achter hem aan zat, had hij achter mij aan gezeten. Waarom had ik hem niet gezien? Waarom had ik niet gevoeld dat ik gestalkt werd? Hij was in de buurt van mijn huis geweest, hij had me hoogstwaarschijnlijk gevolgd, zoals hij ook David en Megan moest hebben gevolgd voordat hij toesloeg.

Ik had daarna zelfs een extra pistool gekocht dat ik altijd bij me had. 's Nachts lag het onder mijn kussen, een 'dames'-Glock, een kleinere 9 mm-uitvoering van mijn grotere Glock dienstpistool.

Nu wilde ik juist dat de Discipel weer naar mijn huis zou komen. Ik hoopte dat de schoft het op een donkere nacht zou proberen zodat ik hem uit zelfverdediging zou kunnen neerschieten. Het was alsof mijn hart verschroeid was. Dat gevoel had ik nog steeds. Er was niets veranderd: ik miste David en Megan nog steeds, wilde dat ze terug zouden komen, verlangde naar hun stemmen.

Sinds hun dood werd ik vaak geplaagd door de gedachte dat als ik nu maar niet zo moe zou zijn geweest toen ik van Philadelphia naar huis reed en niet was gestopt om te slapen, ik ze misschien had kunnen redden. Maar nu was daar nog iets bijgekomen: wat als Gamal de waarheid had gesproken en iemand anders ze had vermoord? Wat als mijn schuldgevoel wat dit betrof misplaatst was geweest? Het leek me onmogelijk. Ik was er nog altijd van overtuigd dat Gamal de moordenaar was.

Het was twee uur geweest toen ik het atelier binnenging. Voor het eerst in zes maanden kwam ik hier. De werkster die twee keer in de week kwam, hield ook deze ruimte stofvrij. Er was sinds de dood van David en Megan nog niets veranderd: op de ezel stond een onafgemaakt doek, een schilderij van de ruïne van Manor Lodge. De kamer voelde kil en levenloos aan.

Voor het eerst in een jaar raakte ik het onafgemaakte doek aan. Ik streek met mijn vingers over het beeld van Manor Lodge, voelde de scherpe randen van de verf en het gladde doek. Ik draaide me om naar het bureau dat nog altijd vol papieren lag. Mijn vingers gleden over een slordige hoop papier en over de telefoon, die me eraan herinnerde dat hij me soms van hieruit belde als ik binnen was, in de cottage, om te zeggen dat hij weer een schilderij af had en of ik het soms wilde zien. Zijn stem klonk dan opgewonden als van een kwajongen.

De kamer bracht zoveel herinneringen bij me naar boven; toen ik er niet langer tegen kon, zette ik mijn kraag op, sloot het atelier af en liep terug naar de cottage. Ik ging naar boven, naar mijn slaapkamer en kleedde me uit, veegde mijn tranen weg en deed het licht uit. Het was voorbij, probeerde ik mezelf te vertellen terwijl ik daar in het donker lag te staren. *De moordenaar van David en Megan had met zijn leven voor zijn daden betaald.* Alleen had Melanie gelijk: het gaf me geen beter gevoel en het bracht hen niet terug.

Maar één ding wist ik zeker: ik wilde het verleden achter me laten en proberen om verder te gaan met mijn leven. Ik wilde verlost worden van dit lijden. Ik wilde weer normaal leven. Ik wilde rust. *Was dat te veel gevraagd?*

Ik lag in bed en probeerde niet te huilen, hoopte dat mijn verdriet zou verdwijnen, maar dat gebeurde niet. Maar toen gebeurde er iets anders: ik sloot mijn ogen en viel in de diepste slaap sinds maanden.

13

Buck Ryan hield van zijn werk als gevangenbewaarder, en vooral van het executiedetachement. Het overbrengen van de lichamen van terechtgestelde gevangen naar het bureau van de lijkschouwer in Richmond was gewoonlijk een fluitje van een cent. Voor hem was het een kans om een paar uur uit de gevangenis weg te zijn, maar vanavond lag dat anders. Om te beginnen sneeuwde het en de Interstate 95 naar Richmond was een wit lint dat zo nu en dan fel werd verlicht door hoge straatlantaarns. Verder was zijn maat voor die avond Jackie 'de Neuzelaar' Dole, een vervelende vent die nooit anders deed dan klagen.

Ryan hield het stuur van de Ford bestelwagen stevig vast en reed niet harder dan dertig kilometer per uur. Dole, die naar de vallende sneeuw zat te kijken, leek er niet vrolijk van te worden. 'Als we zo doorgaan, mogen we blij zijn als we met het ontbijt in Richmond zijn,' klaagde hij.

'Ik kan het ook niet helpen,' gromde Ryan. 'Ik moet wel kalm aan doen. Maar wij komen in elk geval levend in Richmond, wat van onze vriend achterin niet gezegd kan worden.'

Ryan keek naar de besneeuwde dennenbossen aan weerszijden van de Interstate 95. De weg was volkomen verlaten en werd door de felle koplampen van de Ford spookachtig verlicht. 'Het lijkt wel of we de enige levende wezens op de planeet zijn. Beetje griezelig gevoel hier, vind je ook niet?'

Jackie Dole leek er weinig last van te hebben. Hij had de binnenverlichting aangestoken en bladerde door het sportkatern van *USA Today*. 'De Reds hebben verloren. Stelletje klootzakken. Ik had tien dollar op die wedstrijd gezet.'

'Nog meer goed nieuws?'

Dole gooide de krant neer. 'Ja, mijn hond heeft een gezwel aan zijn ballen en de dierenarts zegt dat ze eraf moeten. Gaat me driehonderd dollar kosten. Hé, wat was dát, verdomme?'

Ze hadden beiden de doffe dreun gehoord, ergens aan de achterkant van de bestelwagen. Ryan remde voorzichtig.

'Het klonk alsof we door iets werden geraakt.'

'Denk je dat er kinderen aan het sneeuwballen gooien zijn?'

'Om deze tijd? Hier? Denk even na, Dole.'

'Zo klonk het anders wel. Hoor, daar heb je het weer.'

Ze hoorden weer een dreun tegen de auto.

Ryan haalde zijn pistool uit de holster. 'Wat is dat verdomme wel?'

Dole zei: 'Wat moet je nou toch met een pistool, man? We hebben een lijk achterin. Wie is er nou bang voor een dooie kerel?'

Maar Ryan luisterde niet. Hij deed zijn deur open. De sneeuw warrelde in zijn gezicht. 'Jezus, wat een klereweer.'

Hij stapte uit en Dole volgde zijn voorbeeld. Beide mannen liepen omzichtig naar de achterkant van de auto. Ryan nam het verlaten landschap in zich op. Hij bleef even staan om te genieten van de reusachtige pijnbomen die met een dikke sneeuwlaag bedekt waren. Nu kreeg hij écht het gevoel alsof ze de twee enige levende wezens op aarde waren. Hij controleerde de achterdeur en schrok. De deur was open. 'Wat is dat verdomme...'

'Wat is er loos?'

'Dit is er loos.' Ryan gebaarde naar de open deur. 'Die moet hebben geklapperd. Maar ik weet zeker dat ik hem afgesloten had.'

'Zo te zien toch niet.' Dole pakte de ijskoude deurkruk en trok de deur verder open. Binnen lag alleen de witte lijkzak met daarin het stoffelijk overschot van de terechtgestelde gevangene. 'De Discipel van de Duivel, hè? Hij ziet er anders niet erg gevaarlijk meer uit, of wel soms?'

'Nee.'

'Kom op, doe die deur op slot.'

Ryan krabbelde zich op zijn hoofd. 'Hoe kan die nou toch open zijn gegaan?'

'Van de kou. Ik heb het eerder meegemaakt als we in de winter lijken naar Richmond brachten. Het metaal krimpt van de kou, wist je dat? Ik heb bij vriezend weer wel vaker sloten open zien springen.'

Ryan keek over de weg achter hen. 'Als jij het zegt, zal het wel zo zijn. Hé, heb jij die lichten gezien?'

'Waar?'

'Op de weg. Achter ons. Moeilijk te zeggen hoe ver weg. Misschien een paar honderd meter. Ik weet zeker dat ik een stel koplampen zag.'

'Nou en?' zei Dole.

'Ze zijn verdwenen. Alsof iemand zijn lichten uit heeft gedaan. Ik weet zeker dat ik lichten achter ons zag alsof we werden gevolgd.'

Dole kneep zijn ogen halfdicht en tuurde in de duisternis. 'Ik zie geen moer. Alleen maar sneeuw. Doe effe normaal, man. Waarom zou iemand ons volgen?'

'Een verslaggever? Je weet hoe die journalisten achter een verhaal aan kunnen zitten.'

'Welk verhaal? Die gozer is dood. Kunnen we weer verder? Mijn kloten vriezen er bijna af.'

Ryan staarde met gefronste wenkbrauwen in de verte waar hij de koplampen meende te hebben gezien, maar die nu toch echt verdwenen waren. Toen klapte hij de achterdeur van de bestelwagen dicht. Het geluid echode door het bos en terwijl dat wegstierf, keek hij nog een keer om zich heen naar de bevroren woestenij die door de lichten van de Ford werd verlicht. Het was een griezelige plek om alleen te zijn. Hij huiverde en knikte naar de cabine. 'Kom op. Wegwezen.'

14

Het was drie uur geweest; de maan zweefde achter flarden ijzige mist die over Angel Bay binnen kwam drijven. De man zat honderd meter van de cottage in een donkerblauwe Bronco en was gekleed in een donkerblauwe overall en een dikke coltrui. Hij keek door een sterke nachtzichtkijker naar het huis dat in het donker groen oplichtte. Pas toen hij Kate Moran de gordijnen dicht zag doen en het licht in de slaapkamer uitging, legde hij de kijker neer.

Hij pakte een stel sleutels uit het vakje bij de handrem. Het waren de sleutels van Kate Morans cottage, met op een apart labeltje de code van het alarmsysteem. Moran had de code nooit veranderd, maar Angel Bay lag zo ver van de dichtstbijzijnde grote stad dat er weinig gevaar voor inbraak bestond. Het was een van die gemoedelijke plaatsjes waar de mensen vaak niet eens de moeite namen om de deuren op slot te doen. Op elk moment dat hij dat wilde kon hij Kate Morans huis binnengaan.

Hij was al eens binnen geweest, was door de kamers gelopen en had haar parfum geroken. Een paar persoonlijke zaken die hij nodig had, had hij meegenomen. Even was hij in de verleiding gekomen om een van haar minuscule slipjes mee te nemen, gewoon voor de grap, maar hij had zijn seksuele begeerten onder controle weten te houden. Hij wilde zijn plannen niet verknoeien. Als Moran weg was, zou hij de spullen terugbrengen, maar vannacht had hij andere dingen te doen. Hij had de moorden tot in de kleinste details voorbereid.

Maar wat er direct daarop gebeurde, daar had hij niet op gerekend. Zijn hart sloeg een keer over toen hij het blauwe zwaailicht zag van de politiewagen die achter hem stopte. De sirene liet even een kort geluid horen en zweeg toen. Hij verborg de kijker onder zijn stoel en pakte zijn mobiele telefoon. De politiemannen knipperden met hun lichten. Hij besloot uit te stappen en even vriendelijk naar ze te wuiven.

Een van de agenten kwam uit de blauw-met-witte surveillancewagen en liep op hem toe, een zaklantaarn in zijn ene hand, de andere hand op de kolf van zijn pistool, klaar om zijn wapen zonodig te trekken. 'Goeienavond, meneer. Mag ik vragen waarom u hier staat?'

De man glimlachte en hield zijn telefoon omhoog. 'Ik ben even gestopt om te bellen, agent. Ik wilde liever niet onder het rijden telefoneren. Dat mag niet.'

'Dat is heel verstandig, meneer.' De politieman richtte zijn zaklantaarn op het gezicht van de man, toen op de auto, toen weer op de man. 'Hebt u uw rijbewijs bij u?'

'In mijn zak.'

'Mag ik het even zien, meneer?'

'Natuurlijk.' De man haalde een vals rijbewijs uit zijn zak en stak het de agent toe. Hij had al besloten dat hij beide agenten zou doden als ze argwaan kregen. Dat zou jammer zijn omdat het zijn plannen volledig in de war zou sturen, maar misschien bleef hem geen andere mogelijkheid over. De agent bestudeerde de foto, scheen de man nog een keer in het gezicht en gaf het rijbewijs terug.

'Dank u, meneer.'

'Graag gedaan.'

De agent aarzelde, alsof hij ergens niet zeker van was. 'U komt me bekend voor. Bent u hier uit de buurt?'

'Nee, dat niet. Ik was op bezoek bij een goede vriendin van me, mevrouw Kate Moran. Ze is van de FBI. Misschien kent u haar wel?'

De agent knikte. 'Niet persoonlijk, maar ik heb van haar gehoord.' Hij keek eens naar de cottage, keek de man toen recht aan. 'Toch doet u me sterk aan iemand denken, ik weet alleen niet wie. Komt u echt niet hier uit de buurt?'

'Nee, ik kom uit DC.'

'Dan kunt u maar beter kalm aan doen als u nog teruggaat. De wegen zijn hier en daar aardig glad.' Hij leek nog steeds te twijfelen en schudde zijn hoofd. 'Ik had kunnen zweren dat ik u eerder had gezien.'

De man glimlachte. 'We vergissen ons allemaal wel eens. Bedankt voor de waarschuwing, agent.'

Het was kantje boord geweest; hij zweette ervan. De agent had gelijk, hij hád hem eerder gezien, maar de stommeling wist niet meer waar. Hopelijk zou hij het zich ook nooit herinneren.

Hij startte de Bronco en reed ruim een uur lang naar het noorden van DC. Daar nam hij de 270 tot hij bij het caravanpark in Rockville kwam. Net voordat hij er was, stopte hij nog een keer op een parkeerplaats om te kijken of hij alles bij zich had wat hij straks nodig zou hebben, waarna hij de valse nummerplaten aanbracht, vrouwenkleren aantrok en een pruik opzette. Toen reed hij langzaam en met zo min mogelijk motorgeluid het terrein op tot bij een oude Suncruiser-camper. Hij stopte en keek op het naamplaatje van de brievenbus: O. FLEIST.

Binnen in de camper flikkerde een blauwgrijs licht, waarschijnlijk van een tv, maar in de caravans eromheen was nergens licht te zien. Hij tastte achter zijn stoel en pakte een linnen pukkel met daarin een kleine Maglite-zaklamp, een rol stevig, grijs plakband en een gekarteld slagersmes.

Hij ritste een zijvakje open en pakte de injectiespuit en twee ampullen benzo. Hij brak een van de ampullen open, vulde de injectiespuit en stak die in zijn zak. Voordat hij uit de Bronco stapte, deed hij een paar dikke plastic hoezen om zijn schoenen en trok een paar zwarte imitatieleren handschoenen aan.

Toen liep hij op zijn gemak naar de veranda van de camper en klopte zachtjes op de voordeur. Na een paar seconden werd er een gordijn opengeschoven. De deur ging open en er verscheen een man. Hij was ongeschoren droeg een groezelig hemd en een pyjamabroek; hij zag eruit alsof hij voor de televisie in slaap was gevallen. Hij wierp een blik op zijn bezoeker, waarna zijn mond openviel alsof hij een levend lijk zag. 'Jezus...'

'Dat valt me niet van je tegen, Otis, dat je me zelfs in deze kleding herkent. Mijn complimenten.'

'Wat... wat doe je in vrouwenkleren? Ik dacht dat je dood was.'

De bezoeker grijnsde en meende binnen in de camper iets te horen. 'Niet meer, Otis. Woont je dochter nog steeds bij je? Slaapt ze?'

Otis was plotseling op zijn hoede. 'Me... Maak dat je wegkomt. Je bent gestoord, man.' Hij wilde de deur dichtdoen, maar zijn bezoeker had zijn voet er stevig tussen gezet.

'Is dat nou een manier om een oude bekende te behandelen, Otis?'

Otis' gezicht vertoonde een mengeling van verwarring en angst. 'Ik snap er niks van. Hoe kan jij nou nog in leven zijn?'

'Dat hoef je ook niet te snappen, mongool. Het is tijd om de rekening te betalen.' De bezoeker stak de man de injectienaald in de borst. Hij strompelde achteruit en zakte als een vormeloze hoop in elkaar.

De bezoeker ging het gangetje binnen en zag een Duitse herder op de bank liggen, zijn oren gespitst en de tanden ontbloot. De de hond gromde en sprong van de bank maar de bezoeker gaf het beest geen enkele kans. Hij stak de hond het slagermes in de hals. Het dier maakte een gesmoord geluid en zakte in elkaar.

De bezoeker aarzelde geen moment en liep door naar de slaapkamer van het meisje, zijn voetstappen gedempt door het versleten tapijt. *Kijk eens wat lief. Veertien jaar en heel leuk in haar roze nachthemdje, haar blonde haar uitgespreid op het kussen.* De injectiespuit zat nog halfvol benzo; hij stak de naald in haar arm, terwijl hij tegelijk zijn hand voor haar mond sloeg voor het geval ze zou schreeuwen.

Maar dat deed ze niet – ze mompelde alleen wat en was binnen enkele seconden buiten bewustzijn.

Het kostte hem drie minuten om de bewusteloze lichamen naar de Bronco te brengen. Hij gooide het meisje en haar vader achter in de auto, beiden gekneveld en met plakband over hun mond. De deuren deed hij op slot. In een van de caravans ging een licht aan en hij grijnsde toen hij een gordijn zag bewegen. Perfect. Je kunt altijd op nieuwsgierige buren rekenen. Hij had zich niet beter kunnen wensen.

Hij begon aan zijn toneelstukje, imiteerde een vrouwenstem en riep de woorden die hij tevoren had gerepeteerd in de richting van de camper, zorgde dat het een beetje boos klonk en stapte toen in de Bronco.

Hij grinnikte. Het was allemaal *exact* volgens plan verlopen. Hij startte de motor en reed met gedimde lichten langzaam het terrein af. Hij voelde zich fantastisch. Moorden deed hem zich zo *levend* voelen, alsof het nemen van een leven zijn eigen bestaan nieuwe kracht gaf. Het was allemaal onderdeel van het duivelswerk. Straks werden er weer twee aan zijn totaal toegevoegd en er zouden nog veel meer slachtoffers volgen.

De Discipel van de Duivel was terug.

DEEL TWEE

15

Ik werd wakker door het geluid van mijn mobiele telefoon. Het klokje naast mijn bed gaf de tijd aan: drie uur. Ik had twaalf uur achter elkaar geslapen en voelde me duf. Helemaal bewusteloos was ik geweest. Ik gooide de lamp op het nachtkastje bijna om, kreeg mijn telefoon te pakken en hoorde de stem van Lou Raines.

'Hé, Kate, gaat het een beetje? Heb je de kranten al gezien?' vroeg hij nors, zonder te wachten tot ik iets zei.

Aan de geluiden op de achtergrond te horen was hij op het bureau in Washington, vlak bij Judiciary Square. Ik zag hem voor me, met de telefoon tegen zijn oor door zijn kantoor heen en weer lopend, als een humeurige ouwe uil met opgetrokken schouders en borstelige wenkbrauwen, een dubbelfocusbril met donker montuur op zijn neus. Ik wreef mijn ogen uit en trok een ochtendjas aan. 'Ik sliep nog, Lou. Je belde me wakker.'

'Tijd om op te staan. Ik dacht eigenlijk dat je het wel leuk zou vinden om te horen wat de krantenkoppen vandaag zeggen. De *Richmond Times-Dispatch* opent met: "Moordende Psychiater Geëxecuteerd". Beetje nietszeggend, vind je ook niet? De *Washington Post* is niet veel beter – "Grotmoordenaar sterft". Het hoofdartikel van de *Charlottesville Daily Progress* spreekt me nog het meeste aan: "Discipel van de Duivel naar de Hel". Dat is wel toepasselijk, vind je ook niet?'

'Het heeft wel iets, ja.' Ik staarde uit het raam. Een waterig zonnetje weerkaatste in de Potomac, maar over een paar uur zou het al donker zijn. Ik had gehoord wat Lou zei, maar was vastbesloten om het verleden achter me te laten. Dat betekende dat ik mijn uiterste best zou doen om *alles* wat met Constantine Gamal te maken had uit mijn geheugen te wissen. Ik probeerde de krantenkoppen te vergeten.

'Alles goed?' vroeg Lou.

'Alleen maar moe. En jij?'

'Op volle toeren sinds ze die schoft geëxecuteerd hebben. Waar ben je?'

'Angel Bay.'

'Dat zal gisteravond niet makkelijk voor je zijn geweest. Misschien had ik beter met je mee kunnen gaan naar Greensville.'

Sinds zijn vrouw in de overgang zat, maakte Lou dagen van achttien uur. Ik vond dat hij wel een vrije avond verdiend had en daarom had ik erop gestaan om alleen naar Greensville te gaan. 'Het was geen probleem, Lou. Voor mij was het een goede dag omdat ik eindelijk iets kon afsluiten. Ik hoef nu alleen maar te proberen om verder te gaan, al valt dat niet mee.' Ik haalde een keer diep adem en liep naar de keuken om koffie te zetten. 'De executie zelf was nou niet bepaald leuk.'

Ik hoorde Lou blazen. 'Dat is mede de reden dat ik bel. Ik heb het een en ander gehoord over gisteravond. Kan jij me er meer van vertellen?'

Ik vertelde hem dat Gamal had ontkend David en Megan te hebben vermoord, maar wel twee andere moorden had bekend en dat hij me was aangevallen. Ik zei niets over de krankzinnige bedreiging die hij had geuit. Dat zou volgens mij te ongeloofwaardig hebben geklonken.

'Jezus,' zei Lou. 'Zo te horen heb jij een gezellige avond gehad. Hoe is het er nu mee?'

'Afgezien van die beet, redelijk goed.'

'Die directeur schijt natuurlijk in zijn broek van angst dat je een claim zult indienen. Hij had je nooit met Gamal alleen mogen laten.'

'Dat wilde ik zelf en eerlijk gezegd vond Clay dat maar niets. Maar ik had weinig keus. Het was een voorwaarde van Gamal.'

'Denk je dat hij de waarheid sprak over die moorden in Chinatown?' vroeg Lou.

'Ik weet het niet. Volgens mij is er nog steeds geen twijfel aan dat hij David en Megan heeft vermoord. Maar hij zou alle vier die moorden op dezelfde dag gepleegd kunnen hebben.'

'Dat ben ik met je eens,' antwoordde Lou. 'Ik heb besloten om contact op te nemen met de plaatselijk politie hier in Washington en ze te vertellen dat we van plan zijn om zijn bewering na te trekken. Dat moet geen probleem zijn omdat het Bureau in deze zaak als eerste bevoegd was.'

Gamal had in zes verschillende staten gemoord en na zijn twee stel moorden, zeveneneenhalf jaar geleden, was het een zaak voor de federale recherche geworden.

'Wanneer kunnen we ermee aan de gang?' vroeg ik.

'Ik vrees dat dat nu direct zal moeten gebeuren,' zei Lou bitter. 'Alsof we nog niet genoeg werk hebben. Die vuilak ligt koud in zijn graf en hij bezorgt ons nog steeds een hoop ellende. Hij wist verdomd goed hoe hij ons kon zieken.'

'Laten we hopen dat het niet meer dan dat is.' Ik had die dag vrij, maar ik bood aan om naar de stad te komen om bij de metro van Chinatown te helpen zoeken. Ik wilde de volle last niet op Lous smalle schouders leggen.

Maar hij wist van geen wijken. 'Helemaal niet. Het loopt hier allemaal goed. Ik belde eigenlijk alleen maar om te zeggen dat ik aan je denk en iedereen hier op kantoor ook. We weten wat je hebt doorgemaakt, maar dat is nu goddank allemaal voorbij. Nee, ik wil dat je een poosje vrij neemt. Ik vind dat je dat nodig hebt. Ik zou je eigenlijk een paar weken betaald verlof moeten geven, maar ik ben nu eenmaal een krent en dus zul je het met drie dagen moeten doen. Ik weet dat je het weekend vrij bent, maar ik wil dat je ook daarna tot donderdag niet meer aan werken denkt.'

'Lou, dat hoeft echt niet.'

'Ik zet iemand anders op dat metro-onderzoek en verder wil ik er niets meer over horen. Het is een bevel. Verplichte rust tot donderdag en daar valt verder niet over te praten. Begrepen?'

Ik was werkelijk getroffen door Lous medeleven. 'Ik zou bijna gaan denken dat je aan je vrouws hormoonpillen hebt gezeten, zo moederlijk ben je.'

'Nou ben ik door de mand gevallen. Twee per dag. Ik dacht namelijk dat als ik eenmaal borsten zou krijgen, de jongens bij mijn wekelijkse voortgangsbespreking wat beter op zouden letten.'

Ik glimlachte. 'Goed dan, Lou, maar op voorwaarde dat ik eerder terug mag komen als ik me begin te vervelen.'

'Vergeet het maar, matroos.'

'En wat nou als je bij de metro iets vindt?'

'Dan bel ik je. Dat doe ik trouwens toch wel om te horen hoe het met je gaat. We houden dat hele metrogedoe en Gamals bekentenis voorlopig onder de pet en buiten de pers, alleen maar voor het geval we in de maling worden genomen. Maar doe me een plezier. Als je nu eens een paar dagen wegging? Ik heb zo'n idee dat dat je goed zou doen.'

'Je bent een schat, Lou.'

'Als je dat tegen iemand durft te zeggen, krijg je de zak, dat zweer ik je. Tussen twee haakjes: als je terugkomt, krijg je die nieuwe jongen bij je.'

'Welke nieuwe jongen?'

'Had ik je dat nog niet verteld?'

'Nee.'

'Als dat vaker gebeurt, moet ik me toch eens op alzheimer laten onderzoeken,' zei Lou.

71

'Dus na een jaar krijgen we eindelijk een vervanger voor Galvin? Moet ik iets over die jongen weten? Het is toch hoop ik niet de een of andere zeurkous die ze ons in de maag proberen te splitsen, is het wel?'

'Het is een goeie agent, Kate. Zijn naam is Josh Cooper, dan weet je dat vast, en hij komt van een bureau in New York. De rest hoor je wel als je terug bent. Ik heb een gesprek op de andere lijn, dus ik ga ophangen. Pas goed op jezelf en we spreken elkaar.'

Er volgde een klik en weg was Lou. Ik was weer alleen. Ik bad dat er niet nog twee slachtoffers van Gamal zouden opduiken en dat zijn laatste 'bekentenis' alleen maar een lafhartige truc was geweest. Het feit dat hij er tot vlak voor zijn executie mee had gewacht, zat me overigens wel dwars. Waarom zou hij? Ik sloot mijn ogen en probeerde te bedenken hoe het in elkaar zat, maar dat lukte niet.

Ik luisterde naar het geklots van het water en het geschreeuw van de meeuwen. Toen ik mijn ogen weer opende, wist ik wat me te doen stond.

16

Ik reed naar het kerkhof en liep langs de grafmonumenten van graniet en brons, langs pas gedolven graven en een groepje rouwenden die verdiept in hun eigen verdriet bijeenstonden. David en Megan lagen op een heuveltje in de schaduw van een groepje berkenbomen. Ik legde een bosje bloemen op de simpele marmeren grafsteen, zei de gebeden en de woorden die ik wilde zeggen, dezelfde woorden die ik altijd zei – dat ik ze miste en toch zo graag wilde dat ze terug zouden komen; David, die ik had aanbeden en Megan van wie ik was gaan houden alsof ze mijn eigen dochter was.

Na hun dood was ik hier aanvankelijk elke dag gekomen, daarna steeds minder.

David was drie jaar daarvoor in mijn leven gekomen, nadat mijn man Paul me op een dag in de steek had gelaten. We hadden al een poosje problemen en waren in relatietherapie gegaan, maar dat had niet geholpen. We kenden elkaar al vanaf de middelbare school en waren drie maanden na elkaar bij de gemeentepolitie van Washington gekomen. Ik was naar de FBI gegaan, maar Paul was bij de gemeentepolitie gebleven en daar rechercheur geworden. Wat het allemaal nog erger maakte, was het feit dat hij me had verlaten voor een twintig jaar oude secretaresse, een zekere Suzanne, die bij hem op het bureau werkte.

Voor het eerst in mijn leven gebruikte ik kalmeringstabletten en maandenlang dacht ik niet ooit weer voldoende energie op te kunnen brengen om mijn leven weer op te starten. Tot een collega op een regenachtige middag na het werk medelijden met me kreeg en me meetroonde naar een expositie in Georgetown waar ze een uitnodiging voor had gekregen. 'Jezus, Kate, je moet er echt uit, hoor. Je ziet eruit of je nog hooguit twee weken te leven hebt.'

'Kunst is niet echt iets voor mij, Adele.'

'Voor mij ook niet altijd. Maar het werk van deze man is heel bijzonder. Zijn naam is David Bryce en het advocatenkantoor waar mijn zuster werkt, heeft een schilderij van hem gekocht. Ze zegt dat alle critici hem als een aanstormend talent beschouwen. Gratis wijn en hapjes, wat dacht je? Wie weet zien we ook nog een paar leuke kerels.'

Mannen waren wel het laatste waar ik op dat moment aan dacht. Ik liep door de galerie, maar besteedde nauwelijks aandacht aan de kleurige schilderijen van Bryce aan de crèmekleurige wanden. Ik zag een waterkoeler staan en liep erheen. Ik voelde me zo down dat ik een paar tabletten in mijn hand schudde en een bekertje water tapte. Er kwam een man langslopen. Hij had pastelblauwe ogen, kortgeknipt, donker haar en een gezicht waaruit medeleven sprak. Toen hij de tabletten zag, bleef hij staan. 'Zware dag?'

'Dat kun je wel zeggen.'

'Hoofdpijn?'

Ik voelde de behoefte om het de man te vertellen en ik hield het medicijnflesje omhoog. 'Ciprimil. Dat heeft de dokter me voorgeschreven.'

De Ciprimil was bedoeld om te ontspannen, opdat ik 's nachts zou kunnen slapen, maar geleidelijk aan was ik het steeds meer gaan gebruiken om me door slechte dagen heen te helpen.

De vreemdeling keek me recht aan en stak zijn hand uit. 'Ik ben David Bryce.'

'De kunstenaar?'

'Inderdaad. Ik geloof niet dat we elkaar al eerder hebben ontmoet...?'

Ik schudde hem de hand en bekeek hem eens wat beter: met zijn sierlijke handen en atletische figuur zag hij er aantrekkelijk uit, het soort man dat je er tussen anderen zo uithaalde, terwijl hij toch de indruk maakte een heel gewone vent te zijn. 'Ik ben Kate Moran.'

73

Hij keek me aan alsof ik voor hem een open boek was. 'Ciprimil, hè? Weet je waar hier vlak in de buurt een heel goeie apotheek is, Kate?'

Ik begreep niet wat hij bedoelde. 'Nee. Waar dan?'

Hij tikte met zijn vinger tegen zijn slaap. 'In je eigen hoofd. Daar moet je de problemen oplossen. Wees nou verstandig en gooi die pillen weg, anders loop je straks rond als een zombie.'

Om de een of andere reden irriteerde zijn air me op dat moment. Hij bedoelde het misschien goed, maar het klonk nogal betuttelend en ik dacht: *Wat ik doe gaat jou geen donder aan.* Wie dacht hij wel dat hij was om mij advies te geven? Maar zo ben ik nu eenmaal – ik raak geïrriteerd als iemand me zegt hoe ik me moet gedragen.

Ik zei: 'Zeg je dat als arts of gewoon als bemoeizuchtige betweter?'

Bryce glimlachte. 'Zou dat verschil uitmaken?'

'Waarschijnlijk niet.'

Hij staarde me met een harde blik aan. 'Hé, ik wil me echt niet met jouw zaken bemoeien, je moet doen wat je zelf wilt. Maar iemand die me na staat, is een jaar geleden begonnen met pillen slikken en er niet meer vanaf gekomen. Je kunt het medicijnkastje het best dicht houden, geloof me. Ik durf te wedden dat jij dat ook wel kunt, zo zie je er in elk geval uit. Het beste, Kate. Ik hoop je hier nog eens terug te zien.'

Ik keek hem na terwijl hij wegliep. Wat een bemoeizuchtige kwast. Ik sloeg zijn raad in de wind – ik had trouwens niet verwacht hem ooit nog eens te zullen zien. Die dag slikte ik de pillen en de dag daarop ook. Maar op de derde dag bedacht ik dat hij misschien wel gelijk had. Sinds ik met die kleine witte tabletjes was begonnen voelde ik me net een slaapwandelaar. En hij had ook gelijk gehad toen hij zei dat de beste apotheek in mijn eigen hoofd zat en dat ik daar moest beginnen.

Het was een stuk moeilijker dan ik had gedacht, maar een maand later was ik van de Ciprimil af en een halfjaar later was mijn scheiding van Paul rond.

De dag dat Paul de papieren kreeg, belde hij me tot mijn grote verrassing. Hij klonk heel ongelukkig, alsof hij plotseling moeite had met de gedachte dat ons huwelijk voorbij was. 'Kate, luister. Ik heb me bedacht wat die scheiding betreft.'

Ik wist niet wat ik hoorde. 'Bedacht? Waar heb je het over? We zijn al ruim een jaar uit elkaar, Paul. We leven ieder ons eigen leven.'

'Ik hou nog steeds van je, Kate.'

'Dat is toch niet te geloven! Wat is er aan de hand, Paul?'

Hij zuchtte. 'Suzanne en ik zijn uit elkaar. Luister, Kate, wat dacht je, kan ik terugkomen? We kunnen misschien overnieuw beginnen?'

Ik zei: 'Paul, het is afgelopen. Dat weet je heel goed. Als je dat niet kunt accepteren, heb je een probleem. Laten we ieder onze eigen weg gaan, dat is veel beter. Misschien kunnen we op den duur gewoon vrienden zijn.'

Het eind van het verhaal was dat Paul zijn zelfbeheersing verloor. 'Zal ik jou eens wat vertellen? Jij bent geen haar beter dan al die andere krengen. Misschien krijg je er nog wel eens spijt van dat je nee hebt gezegd. Val toch dood.'

Hij had de telefoon op de haak gesmeten. Die dag voelde ik me nogal cynisch over het huwelijk. Als iemand me toen had verteld dat David Bryce en ik drie maanden daarna trouwplannen zouden hebben, zou ik hem voor gek hebben verklaard. Ik ging wel terug naar de galerie, werd door David uitgenodigd om ergens te gaan eten en daarmee was het allemaal begonnen.

David, met zijn zachte handen en bezorgde ogen, die me had geholpen om mijn leven weer op te pakken. Megan, die me het gevoel had gegeven hoe het was om moeder te zijn. De twee mensen van wie ik had gehouden waren inmiddels al bijna twee jaar weg en ik voelde me nog steeds gebroken door hun afwezigheid.

Ik raakte de marmeren grafsteen aan. Ik was hier gekomen om na te denken over de mooie tijd die David, Megan en ik samen hadden doorgebracht, maar toen ik over het koude, gladde marmer streek, voelde ik me bedroefd. Ik wist dat ik verder moest, dat ik weer een leven voor mezelf moest maken. Niet omdat ik dat wilde, maar omdat ik het verleden moest loslaten, al was het maar om niet gek te worden. Ik liet deze twee mensen niet in de steek: ik probeerde datgene te doen wat David zou hebben gewild – helemaal opnieuw beginnen met mijn leven. Maar deze keer moest ik dat helemaal alleen doen, en dat was een ontmoedigende, bijna griezelige gedachte.

Ik mis je, David. Ik mis je, Megan.

Ik nam afscheid van de doden, kuste mijn vingertoppen en legde mijn hand op hun grafsteen. Toen liep ik het heuveltje af, terug naar de Bronco.

Aan de overkant van de weg langs het kerkhof keek de Discipel van achter de getinte ramen van een wijnkleurige GM-bestelwagen toe. Hij zag Kate Moran in de Bronco stappen. Ze had geen flauw vermoeden dat ze gevolgd werd. Even keek hij langs de Bronco naar het kerkhof, naar de plek waar hij wist dat David en Megan Bryce begraven lagen.

Hij richtte zijn aandacht weer op Moran en zag dat ze somber keek terwijl ze de Bronco startte. Ze gaf richting aan en voegde zich in de verkeersstroom. Hij startte de bestelwagen, draaide en volgde haar, grijnzend bij de gedachte dat de pijn die ze nu voelde helemaal niets was vergeleken bij wat hij voor haar in petto had. Maar het mooiste van alles was dat ze er geen flauw vermoeden van had dat haar ergste nachtmerrie op het punt stond te beginnen.

17

Dat weekend werd er bijna niet gebeld en ik belde zelf ook niemand. Op zaterdag ging ik naar de dokter. Ik kreeg de antibiotica die Brogan Lacy had aanbevolen en ik sliep veel — de diepe slaap van iemand die maandenlang op de toppen van zijn zenuwen heeft geleefd, het soort slaap dat het lichaam zelf opwekt om te herstellen van uitputting of ziekte.

Ik voelde dat mijn conditie beter werd, at goed, maar kwam niet aan. Dat kwam door het wandelen. Elke morgen na het ontbijt leende ik Banjo, de zwarte labrador van de buren, en ging wandelen, acht kilometer door de duinen tot aan Miser's Point en weer terug, weer of geen weer. Bob en Janet Landesman woonden tweehonderd meter verderop en hadden hun accountantskantoor aan huis. Ze leken altijd weer blij als ik ze een poosje verloste van die grote hond en Banjo leek er ook geen bezwaar tegen te hebben — hij bracht sowieso net zoveel tijd schooierend om mijn huis door als bij hen.

Ik genoot van mijn wandelingen naar Miser's Point met Banjo. Ik kende de weg goed. Vroeger jogde ik daar in de buurt, over een pad dat bij de plaatselijke bevolking bekendstond als het 'Gekkenpad' omdat het langs de psychiatrische inrichting Bellevue liep. Het ziekenhuis was van hetzelfde zware graniet gebouwd als Manor Brook en in hetzelfde jaar, 1894. Maar nu bleef ik uit de buurt van Bellevue, waar Gamal als psychiater had gewerkt, omdat het herinneringen kon oproepen die ik wilde vermijden.

Op een van de dagen sneeuwde het. Banjo en ik konden maar krap twee kilometer doen, maar in elk geval hield ik me aan mijn wandelprogramma. Ik begon me weer goed te voelen, al was het in mijn hoofd nog steeds een chaos. Gamals bekentenis had me in de war gebracht, maar ik had nog steeds niets van Lou gehoord. Op dinsdag besloot ik hem te bellen.

'Hé, ik dacht eigenlijk dat je niet aan werk zou denken, matroos.'

'Ik heb het geprobeerd, echt waar. Hoe gaat het, Lou?'

Ik kon Lou bijna zien lachen. 'Wat je eigenlijk vraagt, is of we in Chinatown iets hebben gevonden.'

'Ja, eigenlijk wel. En?'

'Helemaal niets.'

Goddank. 'Dat is mooi, Lou.'

'Tot dusver alleen maar goed nieuws. Ik bel je morgen nog wel om te horen hoe het met je is, Kate.'

Het slechte nieuws was dat ik weer nachtmerries had. Het was elke keer hetzelfde: gruwelijke beelden van Gamal die David en Megan folterde in de oude steengroeve waar hun lichamen waren gevonden. De foto's die op de plaats delict waren genomen, waren de meest afschuwelijke die ik ooit had gezien en het was dan ook nauwelijks een wonder dat ik daar nachtmerries aan had overgehouden. De herinneringen waren zo levendig dat ik met een schok wakker werd. Ik zag hun vertrokken gezichten terwijl ze Gamals wreedheden ondergingen. Ik zag de omtrekken van de vochtige wanden en hoorde de afschuwelijke kreten van de twee mensen van wie ik het meest had gehouden. En soms waren het David en Megan niet eens, maar volkomen vreemden – slachtoffers wier gezichten ik nog nooit had gezien. De nachtmerries brachten me van streek.

Toen belde Lou Raines op woensdagmorgen.

Ik begon me sterker te voelen. Ik was niet meer zo hypergevoelig en kreeg de indruk dat mijn geest begon te helen. Na het ontbijt nam ik Banjo mee voor de wandeling naar Miser's Point en toen ik terugkwam en me had gedoucht en omgekleed in een schoon, grijs Notre Dame-T-shirt en verbleekte spijkerbroek, ging de telefoon; het was Lou Raines. Ook nu klonk hij weer bijzonder zorgzaam. Ik begon me zorgen te maken over hem.

'Ik bel alleen maar even om te horen hoe het met je gaat. Voel je je al een beetje beter?' vroeg hij.

'Beter weet ik niet, maar ik voel me wel sterker. Ik wandel veel en zorg goed voor mezelf. Ik kom er wel, Lou.'

'Blij het te horen.'

'Ik geloof dat ik wel weer aan het werk kan.'

'Wacht even, ik belde niet om je op te jagen. Je moet rusten en beter worden.'

'Ik voel me prima, echt waar. En ik moet weer aan de gang, anders begin ik te roesten.'

'Nou, om je de waarheid te zeggen bel ik daarom eigenlijk ook. Om te horen of je echt weer zover bent.'

Direct toen ik opnam en Lous stem hoorde, was mijn hart sneller gaan kloppen en nu werd dat alleen maar erger. 'Hoezo? Heb je iets gevonden in Chinatown?'

'Ik heb daar de hele week al een team zitten en er is helemaal niets tevoorschijn gekomen,' zei Lou. 'Het enige wat ze hebben gevonden is een hond en volgens de geleerden ligt die er al heel lang begraven. De mensen van de metro worden steeds nijdiger omdat we in de weg lopen en de stationschef van Chinatown krijgt langzamerhand schuim om zijn mond, dus als er volgende week nog steeds niets is, roep ik ze terug.'

Ik kreeg een gevoel van opluchting. 'Dat is goed nieuws. Laten we hopen dat het zo blijft.'

'Maar er is wel iets anders waar ik met je over wil praten, matroos, iets belangrijks. Weet je zeker dat je weer aan de gang kunt?'

'Heel zeker. Hoezo?'

'Zou je vandaag al kunnen komen, zo tegen de middag? Zou dat lukken, denk je?'

Ik was verrast omdat het verzoek zonder meer dringend klonk. In mijn hoofd begon een alarmbel te rinkelen. 'Wat is er aan de hand, Lou? Vertel.'

Ik hoorde hem een diepe zucht slaken. 'We hebben mogelijk een copycatmoordenaar, iemand die Gamals modus operandi en signatuur op de plaats delict na-aapt.

'Wat?'

Lou klonk alsof hij het niet goed kon bevatten. 'Het is nogal bizar, Kate.'

'Wát is bizar?'

'De sheriff van Culpeper County heeft ons vanmorgen laten weten dat ze een dubbele moord hebben gevonden. Ze hebben in een oude mijn op dertig kilometer ten westen van Fredericksburg twee lijken gevonden, een volwassene en een jongere. Ze zijn nog niet geïdentificeerd, maar het lijkt erop dat ze in de stijl van Gamal zijn vermoord. Verder zijn er heel vreemde aspecten aan de plaats delict.'

'Zoals?'

Lou slaakte opnieuw een zucht. 'Dat vertel ik je liever als je hier bent, Kate.'

Mijn hart hamerde tegen mijn ribben. 'Rond de middag ben ik er. Hoe lang zijn de slachtoffers al dood?'

'Volgens de sheriff twee dagen.'

18

Washington, DC

Het plaatselijk bureau van de FBI is een nietszeggend betonnen gebouw waarin enige honderden speciale agenten zijn gehuisvest, vlak bij het kantoor van de burgemeester op Judiciary Square. Het bedient het District Washington en valt in het niet bij zijn veel beroemdere grote broer, het J. Edgar Hoover Building dat zeven straten van het Witte Huis ligt. Dat is het hoofdkwartier van de FBI en er werken meer dan vijfduizend mensen.

Ik nam de lift naar boven en ging naar het kantoor van Lou Raines, maar daar was niemand. Ik nam aan dat hij even weg was of in een vergadering zat en liep door naar mijn eigen bureau, verderop in de gang. Ik nam de post door, zoals gewoonlijk voornamelijk intern, borg weg wat belangrijk was, gooide de rest in de prullenmand en ging naar de koffiemachine om mezelf een kop zwarte koffie in te schenken.

'Terug van vakantie, Moran?'

Ik draaide me om en zag Vance Stone in de deur van een van de kantoren staan. Stone was net veertig, een grote, brede New Yorker met dikke, roodbehaarde onderarmen en groene ogen die deden vermoeden dat hij Iers bloed in zijn aderen had. De spanningen tussen ons waren jaren geleden ontstaan. Hij was een uitstekend rechercheur en ik had mijn uiterste best gedaan om met hem samen te werken, maar Stone was een moeilijke man.

'Niet direct vakantie,' corrigeerde ik hem. 'Het was op bevel van Lou.'

Stone grijnsde. 'Maakt niet uit. Een week betaald verlof terwijl de rest van ons zich hier uit de naad werkt is zo slecht nog niet. Lou heeft blijkbaar zo zijn uitverkorenen.'

'Ik heb bijna vijf jaar onafgebroken aan de zaak Gamal gewerkt, dus ik geloof dat ik wel even rust verdiend had, Stone.'

Hij bleef grijnzen. 'Vind je? Je denkt zeker dat wij hier allemaal op onze krent hebben gezeten, is het niet?'

Ik nam aan dat Stone zoals gewoonlijk ruzie zocht, maar ik hapte niet. Ik bleef vriendelijk, hoewel ik me weinig illusies maakte dat het zou helpen – dat deed het bij Stone maar zelden. 'Wil je koffie?'

Stone nam niet eens de moeite om te antwoorden. Soms had hij de manieren van een varken. Altijd, eigenlijk. Hij kwam op me toe gelopen. 'Ik hoor dat je bij de executie bent geweest.'

'Dat klopt.' Ik schonk me een kop koffie in en liep terug naar mijn bureau, bladerde door wat papieren in de hoop dat Stone me met rust zou laten, maar hij bleef staan.

'Het zal je wel een kick hebben gegeven om te zien hoe Gamal de naald kreeg, waarmee de zaak keurig afgerond was.'

'Kunnen we hier soms een andere keer over praten, Stone? Ik heb werk te doen.'

Maar Stone trok een stoel bij en ging zitten. Ondanks het feit dat hij een prima rechercheur was, was hij door de jaren heen telkens gepasseerd voor promotie en toen ik twee keer de leiding had gekregen van een belangrijk onderzoek in plaats van hij, had hij een hekel aan me gekregen. Bovendien was ik de enige vrouw in onze ploeg. Ik had het vermoeden dat Stones twee mislukte huwelijken bij hem op het punt van vrouwen een bittere nasmaak hadden achtergelaten.

'Dus, hoe was het om Gamal naar de hel te zien gaan?'

Ik keek hem aan. 'Hou op, Stone, wil je?'

'Hé, weet je wat ik leuk vond? Ik hoorde dat Gamal beweerde dat hij de Bryce-moorden niet had gepleegd.'

'Dat heb je goed gehoord.'

Stone grijnsde weer. 'Is dat niet interessant? Wie weet krijg ik dan toch nog gelijk over de zaak Bryce. Je gaat je wel afvragen of er wat dat betreft wel echt recht is gedaan, of niet soms?'

Ik begreep waar hij heen wilde, maar daar voelde ik niets voor. Ik begon me ongemakkelijk te voelen en stond op. 'Weet jij waar Lou is?'

Stone keek me met zijn harde groene ogen aan voordat hij opstond en zijn jasje pakte. 'Die is al op de plaats delict in Culpeper County. Hij wilde vroeg weg en hij heeft me gevraagd om er met jou naartoe te komen. We gaan samen op reis, wat dacht je daarvan?'

'Dat is net wat ik nodig heb, Stone, jouw aangename gezelschap.'

'Ja, en ik heb het gevoel dat we elkaar in de toekomst nog heel vaak zullen zien.'

'En wat bedoel je daar wel mee?'

'Daar kom je vanzelf achter,' zei Stone duister. 'Over vijf minuten staat er een helikopter klaar. Zorg dat je er bent, Moran.'

Zoals gewoonlijk streek Stones arrogante toon me weer recht tegen de haren in. 'Je bent mijn baas niet, Stone. Jij geeft mij geen orders.'

Stone keek even om zich heen om zich ervan te overtuigen dat er niemand meeluisterde. 'Nee, maar zou dat niet leuk zijn? Pas maar op, Moran. Als ik jouw baas word, ben ik degene die jou voor twee moorden pakt. Vijf minuten en kom niet te laat.'

Stone draaide zich om en liep naar de lift. Ik was niet verbijsterd door wat hij had gezegd, maar wel kwaad. Ik greep mijn jas en ging hem achterna. Ondanks dat Stone en ik samen aan de zaak Gamal hadden gewerkt, had hij nooit geloofd dat Gamal David en Megan had vermoord.

Hij dacht dat *ik* dat had gedaan.

19

Ten westen van Fredericksburg, Virginia

De Bell-helikopter cirkelde eerst een keer rond alvorens te landen. Terwijl de rotorbladen langzaam tot stilstand kwamen, stapte ik uit. We waren geland op een met sneeuw bedekt veld naast wat zo te zien een oude mijn of steengroeve was. Het leek zo sterk op de plek waar David en Megan waren vermoord dat ik er kippenvel van kreeg. Er was nog iets dat me dwarszat – Lou had gezegd dat het ernaar uitzag dat we met een Gamal-copycat te maken hadden. Ik dacht aan Gamals ontkenning dat hij David en Megan had vermoord en begon rekening te houden met het ondenkbare: *was het mogelijk dat hij de waarheid had gesproken?* Ik probeerde de gedachte van me af te zetten.

Stone had tijdens de korte vlucht nauwelijks een woord gezegd, maar ik herinnerde me zijn woorden nog: *Als dat gebeurt, ben ik degene die jou voor twee moorden pakt.* Het was nauwelijks voor te stellen dat Stone geloofde dat ik schuldig was aan een dubbele moord, en toch was het zo. Waarom hij dacht dat ik David en Megan mogelijk had vermoord, was een ander verhaal.

Ik zag Lou Raines naar ons zwaaien en terwijl ik op hem toe liep, dreef een windvlaag van de nog wentelende rotorwieken een hoop sneeuw in zijn gezicht. 'Dat heb ik dan weer,' schold Lou voordat hij me aankeek. 'Sorry dat ik je eerste dag terug op het werk gelijk in de war schop, Kate, maar ik vond dat je dit moest zien.' Hij knikte naar Stone die achter me aan kwam. 'Vance. Goeie vlucht?'

'Ik heb slechtere meegemaakt. Hoe is de situatie hier, Lou?'

Ik vroeg me hetzelfde af terwijl ik de kraag van mijn donkerblauwe FBI-windjack opzette tegen de bijtende kou. Ik zag een stuk of tien auto's van de sheriff en de FBI bij de mijn staan en veel mensen in uniform die stonden te praten en in hun handen wreven. Wat terzijde stonden collega's.

'Daar komen jullie zo achter,' zei Raines terwijl een plaatselijke sheriff met een walkietalkie in zijn hand op ons toe kwam lopen.

Het was een grote, brede kerel met een bierbuik die aan zijn hoed tikte en beleefd groette: 'Goeiemiddag, mevrouw. Middag, meneer.'

Raines zei: 'Dit is sheriff Moby. Ik laat het hem verder vertellen. Zijn mensen hebben de lichamen vanmorgen rond zeven uur gevonden, nadat ze waren gebeld door een zwerver die hier bij de mijn rondhangt. Sheriff, dit is special agent Kate Moran en dat is special agent Vance Stone.'

Stone gromde wat naar Moby en ik gaf de man een hand. 'Sheriff.'

'Is een van u bekend in deze omgeving?' vroeg Moby.

'Nee, dat kan ik niet zeggen,' antwoordde ik.

Stone schudde zijn hoofd. 'Nee.'

De sheriff schoof zijn hoed iets achterover. 'Voor het geval u het niet weet, we zijn ongeveer acht kilometer ten westen van de grens van Culpeper County, in de buurt van een plaatsje dat Acre heet. Vroeger was het hier een welvarend gebied door de edelstenen die er werden gevonden, maar de mijnen zijn lang geleden al uitgeput.' Hij wuifde naar de ingang van de schacht die we naderden. 'De laatste eigenaar is een jaar of dertig geleden vertrokken en heeft de boel verder gewoon in elkaar laten storten en wegrotten.'

De sheriff overdreef niet. Hoewel de grond grotendeels met sneeuw was bedekt, zag ik een hoop rommel: verrotte houten balken, verroeste machines en een paar grotendeels gesloopte vrachtwagens. Een groot roestig bord met het opschrift MIJN NO. 2 was doorzeefd met hagelkorrels en in de o zat een gat ter grootte van een vuist.

De sheriff wreef zich in zijn gehandschoende handen. 'Als er geen sneeuw ligt, ziet het er nog veel erger uit. Het is vorige week gaan sneeuwen en pas twee dagen geleden opgehouden.'

'Vertel me van de lijken,' zei ik.

'Ze zijn gevonden door een ouwe man die hier vroeger als nachtwaker heeft gewerkt. Zijn naam is Billy Adams. Nadat de mijn was gesloten, heeft het bedrijf hem nog een jaar aangehouden om de boel hier in de gaten te houden. Nadat hij was ontslagen, is hij hier blijven rondhangen. Hij doet niet veel anders dan drinken.'

'Wilt u zeggen dat hij in de mijn woont?'

'Nee, mevrouw, maar wel vlakbij. Hij woont in die hut daar. Dat was vroeger het kantoor van de mijn. Als hij nuchter genoeg is, komt hij soms op zijn ouwe Harley naar de stad.'

Ik keek naar de vervallen hut die de sheriff aanwees. Uit het dak stak een roestige kachelpijp en voor de deur stond een gedeukte, oude Harley. 'Gaat u verder.'

'Hij heeft ze vanmorgen om halfzes gevonden. Hij zegt dat hij een benzinelucht rook, meende dat die uit de mijn kwam en is gaan kijken. De lichamen vond hij op een meter of dertig in de mijngang. De ingewanden waren verwijderd en ze waren onherkenbaar verbrand.'

Ik huiverde, maar niet van de kou. Het waren allemaal typische kenmerken van Gamal: de ingewanden, slachten en verbranden. 'Weet u al wie het zijn?'

Sheriff Moby nam zijn hoed af en veegde zijn voorhoofd af. 'Nee. Onze mensen van de TR zeggen dat het om een man van middelbare leeftijd en een jong meisje gaat, mogelijk een tiener, maar tot ze klaar zijn kan ik er verder niets van zeggen.'

Lou Raines knikte naar de ingang van de mijn, drie meter verderop. 'De gang loopt vrijwel recht de rotswand in. De mannen van de Technische Recherche zijn daar op dit moment aan het werk.'

In de tunnel zag ik broze kalkstenen wanden en verrotte stutten die de plafondbalken steunden. 'Is het wel veilig om daar binnen te gaan?' vroeg Stone, alsof hij mijn gedachten raadde.

De sheriff knikte. 'Ja. Volgens Billy is de mijn in massieve kalksteen uitgeboord en de eiken balken zijn nog in vrij goeie conditie.'

'Vertrouwt u op Billy's oordeel?' vroeg ik.

De sheriff haalde zijn schouders op. 'Billy is goed voor een fles whisky per dag, wat zijn oordeelsvermogen een tikkie twijfelachtig zou kunnen maken, maar ik geloof dat hij in dit geval gelijk heeft. Voor zover ik weet is de mijn nooit ergens ingestort.'

Ik zag dat de mensen van de sheriff een generator hadden opgesteld waarvandaan kabels de mijngang in liepen om voor licht in de tunnel te zorgen. De ingang was ongeveer drie meter breed en met geel lint afgezet. Alleen aan de rechterkant was net voldoende ruimte om naar binnen te gaan. Stone liep erheen en Lou keek me bezorgd aan. 'Ik hoop dat je hier klaar voor bent, matroos?'

Lou wist dat ik grote moeite had met besloten ruimtes en dit was er een van. Maar Lou had een keiharde houding tegen welke angst of fobie dan ook die nog stamde uit zijn tijd in het leger. Samengevat was dat: ga eropaf, vecht ertegen en versla het. Toen hij me de leiding van het Gamal-onderzoek gaf, had hij me gedwongen om mijn fobie onder ogen te zien en ik weet nog dat hij de pil zelfs met een glimlach en veel lof had verguld: 'Ik weet dat de plaats delict onder de grond is, Kate, maar je bent de beste die ik voor deze zaak heb, dus je moet het doen.' Maar niet iedere slag wordt gewonnen. Hoe ik het ook had geprobeerd, mijn angst was niet verdwenen.

Mijn hart begon te bonken, mijn handen werden klam en de aderen in mijn hals begonnen te kloppen. Ik staarde de mijngang in, maar ik wilde niet naar binnen. De angst kroop als gal vanuit mijn maag omhoog. Wat had Lou bedoeld met 'Ik hoop dat je hier klaar voor bent?'

Het was alsof Lou mijn angst voelde, want hij pakte me stevig bij de arm en leidde me de tunnel binnen.

20

We gingen de mijn in en stapten over elektriciteitskabels, waarbij de sheriff ons met zijn zaklantaarn bijlichtte. Binnen was het warmer, zij het niet veel, en onze adem dampte. Mijn hart begon te bonken toen de gang plotseling minstens een halve meter smaller werd, maar ik wist dat mijn angst beheersbaar was zolang er iemand bij me was. Stone liep een pas of tien voor ons uit en Lou keek me bezorgd aan. 'Gaat het, matroos?'

'Ja hoor, ik red het wel.' Maar dat was grootspraak, want mijn hart begon steeds sneller te kloppen en mijn mond werd droog.

Sheriff Moby merkte dat ik me niet lekker voelde. 'Is er iets?'

'Ik kan niet zo goed tegen besloten ruimtes,' gaf ik toe. 'Maar het gaat wel als er andere mensen bij zijn.'

'Die zijn er genoeg,' zei hij. 'Ik heb drie man hierbinnen en er zijn minstens zes van jullie.' De sheriff scheen met zijn zaklamp tot voorbij

Stone, naar de plaats waar het licht van halogeenlampen tegen de vochtige kalkstenen wanden weerkaatste en de gang verlichtte alsof het een filmset was.

Terwijl we verder liepen werd ik bevangen door een gevoel van ontzetting. *Copycat*, dacht ik. Nog geen week geleden had ik de terechtstelling bijgewoond van een man die een vergelijkbaar modus operandi had gebruikt. Nu leek het erop dat we met een soortgelijk misdrijf te maken hadden. Het kwam vaker voor dat een moordenaar als Gamal die breed in het nieuws was geweest, ziekelijke bewonderaars had die zijn methodes probeerden te imiteren.

We gingen een bocht in de gang door en kwamen in een felverlichte ruimte ter grootte van een flinke huiskamer, met vochtig glanzende wanden. Ze liepen hier minstens een meter of zes steil omhoog en de grond was bezaaid met kleine stukjes kalksteen. Een groot deel van de ruimte was met tape afgezet; groepjes agenten bewogen zich omzichtig in het rond.

De Technische Recherche was net klaar met het nemen van foto's en in een hoek was een aantal mensen in witte weggooioveralls op zoek naar sporen. Ik rook een doordringende benzinelucht. Lou stak bij wijze van stille groet zijn hand op naar een goed uitziende latino met een ziekenfondsbril op en een sjaal om zijn hals. Een zwarte dokterstas stond open aan zijn voeten: Armando Diaz van het Gerechtelijk Laboratorium. Zijn adem dampte in de koude lucht toen hij op ons toe kwam lopen. 'Hallo, jongens. Hoe gaat het, Kate?'

'Z'n gangetje. En hoe is het met jou, Armando?'

Hij knipoogde naar me zoals alleen een latino kan knipogen. 'Zo koud als de kont van een eskimo. Het lijkt hier wel een diepvriezer. Waarom krijg ik toch altijd de mooiste klussen?'

'Gewoon boffen,' zei ik. Diaz was een van onze beste forensisch pathologen en stond bekend als een rokkenjager. Zijn stekeltjeshaar was bijna wit gebleekt; in zijn linkeroor droeg hij een gouden knopje. Op kantoor werd gefluisterd dat hij in elke tepel twee zilveren ringetjes had. Diaz was inderdaad een tikje vreemd – zoals Lou ons telkens weer voorhield: 'Iemand die op rolschaatsen, in een strak Speedopak en een kruisbeschermer naar zijn werk komt moet wel een beetje gestoord zijn.'

Diaz wist niet van mijn fobie, maar ik neem aan dat ik er bang moet hebben uitgezien. De aanwezigheid van minstens tien andere mensen in de kamer hielp wel een beetje, maar nam mijn angst niet weg.

Diaz haalde en sterke zaklamp uit zijn zwarte tas en knikte naar het midden van de grot. 'Ik zal jullie laten zien wat ik heb. Ze liggen allebei net om de hoek. Maar ik moet je wel waarschuwen dat het een onaangenaam gezicht is.'

Ik zag de waarschuwende blik in Lous ogen, alsof hij me wilde voorbereiden op iets zeer schokkends. 'Hoe onaangenaam?'

Lous mond verstrakte. 'Dat zie je zo dadelijk.'

21

Ik volgde Diaz en Stone en kreeg mijn eerste schok toen ik de stenen plaat ter grootte van een eettafel zag met daarop de verkoolde resten van twee lichamen.

Ik werd helemaal star van woede. Het leek alsof hun skeletten in een dodelijke omhelzing waren samengesmolten; het vlees was afschuwelijk verbrand en hun trekken onherkenbaar verschrompeld. Ik had in de afgelopen twaalf jaar heel wat lijken gezien, en elke keer voelde ik weer een rilling van weerzin maar ook van medelijden door me heen gaan. Dat was ook deze keer niet anders. Ik was er sterk van doordrongen dat dit menselijke wezens waren; iemand had van hen gehouden en ze gekoesterd. Ik hield mijn hand voor mijn mond; de stank van verbrand vlees was misselijkmakend en die was ook nog vermengd met de doordringende geur van benzine.

Op een plek waar kortgeleden een moord is gepleegd krijg ik altijd een onrustig gevoel. Er hangen duistere geheimen in de koude lucht. Deze lichamen waren zo verbrand dat het zelfs onmogelijk was om het geslacht vast te stellen. Tussen de twee lijken lag een zwarthouten kruis van ongeveer twintig centimeter lang. Ik sloot mijn ogen, deed ze weer open en haalde eerst een keer diep adem voordat ik naar de verkoolde resten en het kruis keek.

De sheriff zei: 'Ik was betrokken bij de Gamal-zaak die we hier zes jaar geleden net buiten Culpeper hadden. Mathew en Carol Brians. Vader en dochter die in een steengroeve werden gevonden. Bent u bekend met die zaak?'

Ik werkte toen nog niet bij het team, maar ik kende alle zaken die van Gamal bekend waren. 'Jazeker. Gaat u verder.'

'Ik vond dat de beide pd's sterke overeenkomsten vertoonden. Dat vond ik nogal vreemd aangezien Gamal vorige week geëxecuteerd is. Daarom leek het me goed om jullie te waarschuwen.'

'Daar hebt u intussen zeker wel spijt van,' zei ik en kwam in de verleiding om te lachen, want ik kon zien dat de sheriff nu niet direct blij was met de manier waarop het Bureau zijn zaak had overgenomen. Dat waren plaatselijke politiemensen over het algemeen niet, maar deze man hield zich kranig.

'Het leek me niet meer dan gepast, mevrouw.'

Stone zei tegen Diaz: 'Wat kun je ons over de slachtoffers vertellen?'

'Weinig. We moeten ze eerst in het lab hebben. De huid en de inwendige organen zijn vrijwel helemaal verkoold, dus dat wordt nog een hele klus. Aan de geur te oordelen is er benzine gebruikt, maar we hebben nergens een kan of iets dergelijks gevonden.'

De plaats delict leek inderdaad griezelig veel op die welke ik van Gamal had gezien: twee lijken, gewoonlijk een ouder en een tiener, afgeslacht en de resten daarna onherkenbaar verbrand. Soms waren ze voor hun dood verminkt. Ik keek naar de verkoolde lichamen en dacht: *Wat een afschuwelijke manier om aan je eind te komen. Ik hoop dat ze met benzo waren verdoofd voordat ze stierven.* Ook dat hoorde bij Gamals modus operandi. De gedachte dat hun pijn daardoor misschien deels was verminderd, was een kleine troost. Als dat niet het geval was, was hun lijden bijna onvoorstelbaar. Ik wees op Diaz' zaklamp. 'Mag ik die even lenen?'

'Met alle plezier.' Diaz gaf me de zaklamp en ik richtte de felle bundel op de grootste van de twee lijken. De groteske zwarte schedel van de man staarde me aan. Het vlees was zo zwart als koolteer en broos als houtskool; de mond stond open in een laatste wanhoopskreet.

Ik wilde me vol afschuw afwenden. 'Jezus.'

'Doet me denken aan dat schilderij van die gek, Munch,' zei Lou. 'Ik kan even niet meer op de naam komen...'

'De Schreeuw.'

Lou knikte. 'Dat is 'm. Luguber.'

Opeens zei Diaz: 'Kijk eens boven je hoofd.'

Ik keek omhoog en Lou deed hetzelfde. We zagen een lichtende cirkel. Het licht scheen door een gat in het dak van de grot. Ik durfde niet te schatten hoe hoog dat was en kon ook niet zeggen of het een natuurlijke opening in het gesteente was of een oud boorgat. Hoog boven het gat zag ik een ring van witte wolken.

Lou Raines wees omhoog en op hetzelfde moment viel er een straal fel zonlicht naar binnen die schitterend tegen de kalkstenen wanden weerkaatste. 'Die opening bevindt zich ongeveer negen meter boven ons en is ruim een meter in doorsnede. Ik neem aan dat de zon en het maanlicht bij onbewolkte hemel op bepaalde tijden van de dag precies op die stenen plaat vallen.'

Ik wist wat Lou bedoelde. Het aspect van het rituele offer maakte eveneens onderdeel uit van Gamals modus operandi. Een lichtbundel in de grot was symboliek die zijn verknipte geest aansprak. *Maar Gamal is dood en begraven,* hield ik mezelf voor.

Ik keek weer naar de lijken. De hoofden waren een zwartgeblakerde troep; neus en lippen, oren en wangen leken een teerachtige smurrie. Ik richtte de zaklantaarn op het gezicht van het vrouwelijke slachtoffer. Dat was een schokkende ervaring: verschroeide, zwarte haarlokken zaten in haar voorhoofd gebrand. Het hoofd was veel kleiner dan dat van de man, het gebit in betere conditie en de botten minder ontwikkeld. Volgens mij kon ze niet veel meer dan een paar jaar in de puberteit zijn geweest.

'Zei je dat ze ongeveer twee dagen dood waren?' vroeg ik aan Lou.

'Dat kunnen we pas na de autopsie met zekerheid zeggen. Maar de sheriff denkt dat naar aanleiding van de verklaring van zijn getuige. Hij was achtenveertig uur voordat hij de lichamen ontdekte voor het laatst in de mijn geweest en toen lagen ze er nog niet.'

Ik wilde nog het een en ander over de getuige vragen, maar werd afgeleid door de vloer van de grot. 'Is de hele vloer op sporen onderzocht?'

Diaz blies in zijn handen en wreef ze tegen elkaar. 'Ja.'

'En?'

'Niets. Afgezien van wat verschroeide kleren. Voor ze stierven zijn ze uitgekleed en de kleren zijn apart verbrand.'

'Waar?' vroeg Stone.

'Daar.' Diaz knikte naar een aantal doorzichtige plastic zakken die tegen de wand lagen.

Ik liep erheen en pakte er een op. Er zat een verwarde kluwen verschroeide kleding in.

'Zodra we hier klaar zijn, gaat dat allemaal naar het lab,' zei Diaz.

Ik gaf de zak aan Stone en rilde. Niet van de kou, maar omdat ik het gevoel had alsof mijn lichaam oververhit raakte en wist dat dit veroorzaakt werd door pure angst. De besloten ruimte kreeg me nu werkelijk te pakken, zelfs met andere mensen erbij – het was nog een wonder dat ik het zo lang had uitgehouden. Het zweet stond in mijn handen, mijn

mond was kurkdroog en mijn hart sloeg over. *Ik moet hier heel gauw weg.*
'Heb jij met de getuige gesproken, Lou?'

Hij schudde zijn hoofd. 'Nog niet. Onze vriend Billy Adams was zo ge-traumatiseerd dat een van de mensen van de sheriff hem naar het plaat-selijke ziekenhuis moest brengen. Ik wil graag dat jij naar hem toe gaat, Kate. Vance moet vanmiddag naar de rechtbank en ik heb om drie uur een vergadering in het District.'

'Bedoel je dat ik meedoe aan het onderzoek?'

'Denk je dat je het aankunt?' vroeg Lou.

Dat wist ik eigenlijk niet, niet na vier jaar onafgebroken met de zaak Gamal bezig te zijn geweest. 'Heb ik een keus?'

'Na alles wat jij hebt doorgemaakt ga ik er geen bevel van maken, Kate. Maar jij hebt Gamal te pakken gekregen en daarom zou ik het op prijs stellen als jij de leiding kunt nemen als je denkt dat je dat aankunt. Volgens mij hebben we met een copycat te maken. Wat denk je: kun je het aan?'

Ik zei niets. Lou was zich er terdege van bewust dat David en Megan op een soortgelijke plaats en onder dezelfde omstandigheden vermoord waren en hij wist dat ik het emotioneel heel zwaar zou krijgen als ik de zaak op me nam. Maar ik was me ook bewust van Lous houding: ga er-opaf, vecht ertegen en versla het. Ik keek nog eens rond. Ik probeerde mijn fobie nog een paar minuten langer onder controle te houden ter-wijl ik in gedachten de welbekende vragen stelde die bij elke moord als eerste beantwoord moesten worden. *Wie, wat, wanneer, waarom?* Welke verdorven handeling was hier gepleegd, door wie, wanneer en waarom? Zouden we in staat zijn om de stukjes van de gruwelijke legpuzzel die we hier hadden aangetroffen tot een herkenbaar beeld samen te voegen? Ik wist dat ik verkocht was.

'Als ik denk dat ik het niet aankan, laat ik het je weten.'

Toen werd ik door iets getroffen dat zo voor de hand lag dat ik het compleet over het hoofd had gezien. 'Hoe zit het met voetsporen? De sheriff zei dat het hier de hele week heeft gesneeuwd en dat het twee da-gen geleden pas is opgehouden.'

Lou keek me aan. 'Volgens hem was het uren voordat de moorden werden gepleegd al opgehouden met sneeuwen, maar hij wacht nog op een bevestiging van een plaatselijk weerstation. De moordenaar zou dus voetsporen in de sneeuw achtergelaten moeten hebben. Maar dat is een van de dingen die de sheriff bedoelde toen hij zei dat dit een vreemde zaak is, Kate.'

'Wat bedoel je?'

'Naar het schijnt waren er behalve die van Billy Adams verder geen voetsporen.'

22

Toen we buiten kwamen, zag ik dat de TR en de mensen van de sheriff nog steeds bezig waren het terrein af te zoeken naar sporen. Ik liep met Lou mee naar zijn Ford Galaxy. Ik had moeite met wat hij me zojuist had verteld. 'Iemand is die gang in- en uitgelopen, Lou. Ze zijn niet naar binnen komen *zweven*. Er moeten andere sporen zijn geweest.'

Lou zuchtte. 'Die waren er niet. Of misschien moet ik dat anders zeggen. Tot dusver hebben we geen andere sporen gevonden dan die van Billy. We hebben zijn sneakers vergeleken met voetafdrukken die we in de tunnel hebben gevonden — het zijn de enige schoenen die hij bezit en het zijn de enige voetsporen die we tot dusver hebben gevonden.'

'Als er sneeuw lag, dan móét degene die daar in en uit is gegaan sporen hebben achtergelaten,' hield ik vol.

Lou knikte. 'Zelfs als onze moordenaar door dat verrekte gat in het dak binnengekomen zou zijn, zouden we rondom die stenen plaat toch sporen gevonden moeten hebben, maar die waren er niet, geloof me. En er is nog iets.'

'Wat dan?'

'Onze vriend Billy slaapt in die hut en die staat vlak naast de ingang van de mijn. Maar hij beweert dat hij vrijwel de hele nacht waarin die moorden moeten zijn gepleegd, wakker was en dat hij behalve de wind geen enkel geluid heeft gehoord. Geen geschreeuw van de slachtoffers en geen spoor van de dader.'

'Was hij dronken of zat hij onder de drugs?'

Lou zette zijn kraag op tegen de ijzige kou. 'Hij zegt van niet, maar hij geeft wel toe dat hij een paar borreltjes op had. Ik heb aan de sheriff gevraagd erop te letten dat het ziekenhuis hem onderzoekt op sporen van andere stimulerende middelen. Vraag jij er maar naar als je daar bent.'

Ik keek naar het landschap. 'Denk je dat Billy een mogelijke verdachte zou kunnen zijn?'

'Ik weet bijna zeker van niet en als je hem ziet, denk jij er vast net zo

90

over. Ik durf mijn pensioen erom te verwedden dat die vent geen psychotische moordenaar is, Kate,' antwoordde Lou.

'Geen voetsporen. Geen kreten. Geen bewijzen. Dat kán helemaal niet.'

'Vertel mij wat,' zei Lou, schouderophalend.

Ik keek naar de smalle weg naar de mijn. Vandaar liep nog een pad dat volgens mij een achteruitgang moest zijn. 'Kun je ook achterom binnenkomen?'

'Ja. Hebben we ook gecheckt.'

'Op bandensporen?'

Raines knikte. 'Ja. Niets gevonden.'

'Maar dat is toch idioot? Hoe is de moordenaar hier dan in godsnaam gekomen? Zelfs als hij met een helikopter was gekomen, zouden we daar sporen van gezien moeten hebben.'

'Hé, ik sta aan jouw kant, hoor. Maar tot we erachter zijn wat hier is gebeurd, staan we voor een raadsel.'

Ik keek nog eens om me heen. De mijn was afgelegen. Nergens zag ik een huis, ook niet in de glooiende heuvels in de verte. 'Dit is niet het soort plek dat bij iedereen bekend is. Behalve voor iemand die hier in de buurt woont of mogelijk bij de mijn heeft gewerkt.'

Lou knikte. 'Ja, daar heb ik ook aan gedacht.'

'Het zou misschien een goed idee zijn om een lijst op te vragen van de mensen die hier hebben gewerkt en nog in leven zijn. Misschien kan iemand in de stad ons daarmee helpen,' stelde ik voor.

Lou stapte in zijn auto. 'Het bedrijf is dertig jaar geleden failliet gegaan. Maar het is jouw zaak, dus jij moet doen wat je goeddunkt. Het slechte nieuws is dat je Stone als gezelschap krijgt.'

Ik voelde een golf van ergernis. 'Lou, daar moeten we over praten...'

'Sorry, Kate, maar jullie zijn de twee besten die ik heb en ik wil dat jullie hier samen aan werken.' Lou glimlachte. 'Een beetje competitie kan overigens nooit kwaad.'

Het zat me helemaal niet lekker om met Stone te moeten werken. Sterker nog: ik *haatte* de gedachte. Maar als Lou eenmaal een besluit had genomen, was het moeilijk om hem daar weer vanaf te brengen. 'Heb je soms nog meer slecht nieuws?'

'Nee, ik heb het goede nieuws tot het laatste bewaard. Die nieuwe, Josh Cooper, is begonnen terwijl jij met verlof was en maakt ook deel uit van het team. Hij komt uit New York. Zijn vader en ik kennen elkaar van lang geleden, dus je moet niet gek kijken als hij me "oom" noemt.

Ik heb hem alvast samen met een van de mensen van de sheriff naar het ziekenhuis gestuurd. De sheriff geeft je een lift. Neem me niet kwalijk dat ik er niet bij ben om jullie aan elkaar voor te stellen.'

'Wat is Cooper voor iemand?'

Lou startte de auto. 'Precies wat de dokter je zou hebben voorgeschreven: pienter, knap en sexy, zoals mijn vrouw altijd zegt. En hij is gescheiden. Wat wil je nog meer?'

'Om mee te werken, bedoel ik.'

Lou glimlachte en liet de motor razen. 'Ik dacht eigenlijk dat dat met al die andere kwalificaties niet meer zou uitmaken, maar dat moet je zelf maar beoordelen. Braaf zijn, matroos. Ik spreek je weer.'

23

De rit naar Acre nam nauwelijks een kwartier in beslag, maar in die korte tijd vroeg de sheriff me het hemd van het lijf. 'Hoe lang bent u al bij de FBI?'

'Tien jaar.'

'Komt u uit DC?'

'Baltimore?'

'Bent u daar ook geboren?'

'Nee, op de luchtmachtbasis Clarkson.'

'Meent u dat nou? Was uw vader bij de luchtmacht?'

'Een poosje, voordat hij bij de politie ging.'

De sheriff keek me aan. 'Dat is toevallig. Mijn vader heeft een jaar of vijf in Clarkson gediend. Dus, hoe bent u zo bij de FBI terechtgekomen?'

'Ach, nadat ik was opgehouden met topless dansen in Las Vegas vond ik dat ik maar eens een baantje met een pensioenverzekering moest gaan zoeken.'

Sheriff Moby staarde me aan. Toen glimlachte hij. 'Daar had u me bijna te pakken. Dus, waar woont u? In DC?'

Ik beantwoordde zijn vragen beleefd, tot ik het wel genoeg vond en hij met tegenzin zweeg. Na die afgrijselijke beelden in de grot had ik heel wat om over na te denken. De vragen die ik had waren dezelfde als die welke ik bij elke moord had: *Wie zijn de slachtoffers? Kenden ze elkaar? Wat is er op de plaats delict gebeurd?* Maar bovenal de vraag die opnieuw de kop opstak: *Hoe was het mogelijk dat er geen voetsporen in de sneeuw waren gevonden?* Dat kon helemaal niet.

We passeerden wat houten huizen, verlieten de autoweg en ik zag een bord met het opschrift WELKOM IN ACRE. Zo te zien was het niet veel meer dan een hoofdstraat met een stuk of twintig winkels en kantoren en twee kerken, eentje aan elke kant van de stad. Volgens mij was de mijn vroeger de belangrijkste activiteit geweest. De sheriff stopte voor een uit B2-blokken opgetrokken bouw met een verdieping. 'We zijn er,' zei hij. Op het gazon stond een bord met: ACRE STREEKZIEKENHUIS.

'Jullie hebben in elk geval een ziekenhuis,' zei ik.

'Ja, en het bedient de halve provincie.'

Ik deed mijn deur open. 'Hebt u Billy al ondervraagd?'

'Niet echt, mevrouw. Om u de waarheid te zeggen was hij te veel van streek en daarom heb ik maar een minuut of tien met hem gepraat. Ik heb agent Raines verteld wat hij te zeggen had, maar ik hoop dat Billy intussen voldoende gekalmeerd is om ons het hele verhaal te vertellen.'

'Denkt u dat hij een betrouwbare getuige is?'

De sheriff knikte. 'Ik weet dat hij graag drinkt en hij heeft de naam dat hij nogal een wilde is die vroeger heel wat kroegen heeft gesloopt, maar hij is zeker niet gek.'

'Laten we dan maar eens gaan horen wat Billy te vertellen heeft.'

24

De eerste die ik zag toen ik de hal van het ziekenhuis binnenkwam, was mijn collega, Mack Underwood, die een bagel at en een bekertje koffie dronk. Toen hij me samen met de sheriff zag binnenkomen, zwaaide hij met zijn bagel naar me. 'Kijk eens aan, mijn favoriete meisje is weer terug. Hoe gaat het ermee, matroos?'

'Ik kom net uit de mijn, dus dan kun je wel nagaan. Wat is hier allemaal gebeurd, Mack?'

'Ik heb pijn in mijn kont gekregen van het wachten tot ik Billy Adams mag spreken, dat is er gebeurd.' Mack veegde zijn mond af met een papieren zakdoekje, legde zijn half opgegeten bagel weg en likte aan zijn vingers terwijl ik sheriff Moby aan hem voorstelde.

'Ik zal eens gaan kijken hoe de zaak erbij staat,' zei de sheriff.

'Goed idee.' Mack gooide zijn papieren zakdoekje in een afvalbak terwijl Moby naar een paar klapdeuren liep.

'En waar is de nieuwe man?' vroeg ik aan Mack.

'Cooper?' Hij wees met zijn bekertje naar een man van gemiddelde lengte die verderop in de gang geld in de koffieautomaat gooide. 'Dat is 'm. Even koffie halen.'

Cooper moest zo te zien midden dertig zijn. Hij had brede schouders en droeg een blauw button-downshirt met zijden das en een modieuze lange, zwarte overjas en blinkend gepoetste schoenen. 'Wat denk je ervan?' vroeg ik.

Mack grijnsde. 'Moeilijk te zeggen. Voor een New Yorker is hij niet al te eigenwijs, dus dat is op zich al een pluspunt. Als je het mij vraagt is het een vent die weet wat hij wil. Kleedt zich ook goed.'

Uit Macks mond was dat een groot compliment; gewoonlijk beschouwde hij andere mensen als waardeloze sujetten. 'Zo te horen mag je hem wel, Mack.'

'Moet je wel op rekenen. We hebben voor dinsdag al een afspraakje. Tussen twee haakjes, ik hoorde dat hij vroeger met Stone heeft samengewerkt, toen die nog in New York zat. Dan weet je dat vast.'

'Dat is nieuw voor me.' *Waarom heeft Lou daar niets over gezegd?* Het was al erg genoeg om met Stone te moeten werken, maar nu had ik er ook nog een van zijn vroegere partners bij. Ik draaide me om en zag de nieuwe man met zijn koffie op ons toe lopen. Nu hij dichterbij kwam, schatte ik dat hij een jaar of twee ouder was dan ik, maar zijn gezicht had de onmiskenbare lijnen van iemand die het een en ander heeft meegemaakt. Hij had een ontspannen houding en ik zag een schittering in zijn bleekblauwe ogen die veel vrouwen waarschijnlijk aantrekkelijk zouden vinden. Hij maakte een zelfverzekerde, solide indruk. En de vrouw van Lou had gelijk: Cooper was sexy, al vond ik hem een tikje te zelfverzekerd.

Mack stelde ons aan elkaar voor. 'Kate, dit is Josh Cooper, de nieuwe man van het team. Hij weet van de zaak af. Coop, dit is Kate Moran.'

We gaven elkaar de hand en Cooper was een en al hoffelijkheid. 'Agent Moran, aangenaam kennis te maken. Lou Raines heeft me veel over u verteld.'

Zijn handdruk was stevig, maar zijn handen waren zacht. Ook zag ik dat hij donkere kringen onder zijn ogen had alsof hij weinig had geslapen. Lou had gezegd dat hij gescheiden was, dus mogelijk was hij iemand die het in clubs zocht.

'Is dat zo? En was dat goed of slecht?' vroeg ik, terwijl ik het onaangename gevoel kreeg dat hij me scherp opnam.

'Voornamelijk goed.' Hij keek Mack aan. 'Ik neem aan dat jullie een poosje hebben samengewerkt?'

Mack grijnsde en dronk zijn koffie op. 'Vijf jaar te lang.'

Ik keek Cooper schattend aan. 'Dus, dit was je eerste week. Hoe gaat het?'

Hij wreef in zijn ogen. 'Wel goed, eigenlijk. Neem me niet kwalijk, maar het is gisteravond laat geworden. Ik doe de hele morgen al mijn best om wakker te blijven.'

'Je zal wel bij de wijven zijn geweest,' zei Mack. 'Weet je wat zo erg is? Seks is eigenlijk alleen maar voor mensen onder de vijfenveertig, dus geniet ervan zolang als het duurt, jongen.'

'Denk je dat?' zei Cooper met een glimlach.

Ik bleef zakelijk en zei: ''s Avonds laat naar bed en 's morgens vroeg weer op gaat niet goed samen, niet bij dit team.'

Mack knipoogde. 'Ze bedoelt te zeggen dat je maar beter wakker kunt blijven als je met het orkest wilt blijven meespelen, jongen.'

Cooper keek me recht aan. 'Ik zal proberen om dat advies ter harte te nemen, agent Moran. Maakt u zich geen zorgen, ik probeer mijn privéleven en mijn werk strikt gescheiden te houden. Tussen twee haakjes, aan uw toon te horen krijg ik de indruk dat u de leiding hebt over dit onderzoek. Ik dacht dat Lou dat was?'

'Sinds een halfuur is het mijn zaak. Hoezo, heb je daar problemen mee?'

'Op dit moment niet,' antwoordde Cooper, me nog steeds recht aankijkend. 'Maar als het ooit zover komt, zal ik u dat zeker laten weten.'

Ik ging er niet verder op in, vooral omdat ik voelde dat deze copycatzaak me nu al prikkelbaar maakte, wat deels de reden was dat ik zo onvriendelijk tegen Cooper deed. Daar kwam dan nog bij dat hij een vroegere partner van Stone was.

Mack gooide zijn lege bekertje in de afvalbak en zei met een grijns: 'Prettig te zien dat jullie zo goed met elkaar overweg kunnen.'

Over Coopers schouder zag ik sheriff Moby door de klapdeuren komen. Hij liep op ons toe en zei: 'Billy is voldoende gekalmeerd om met ons te kunnen praten.'

Mack liep al naar de deuren toen de sheriff hem bij de arm pakte. 'Een ogenblik. Er is iets dat jullie maar beter kunnen weten.'

'En dat is, sheriff?' vroeg ik.

'Billy heeft met dr. Farley gepraat, de dokter die hem behandelt.'
'Ik luister,' zei ik.
'De dokter zegt dat Billy daarstraks zei dat hij iemand in de mijn heeft gezien. Hij denkt dat hij de moordenaar mogelijk heeft gezien.'

25

Voor de deur van de kamer waar de sheriff ons heen bracht, stond een van zijn mensen op wacht. Een verpleegkundige was juist bezig Billy's bloeddruk te meten. De getuige zag eruit als een oude zwerver, ongeschoren en met dun, grijs haar. Zijn armen zaten vol verbleekte tatoeëringen en toen we binnenkwamen keek hij ons met een paar waterige ogen aan. De verpleegster was klaar, schudde Billy's kussens nog eens op en knikte toen ze wegging. 'U roept maar, als u me nodig hebt, sheriff. Laat me even weten als u klaar bent.'

'Doe ik, Thelma.' De sheriff ging aan het voeteneind van het bed staan.

Billy Adams knikte even, maar zei niets en ik kreeg de indruk dat hij nog steeds onder de kalmeringsmiddelen zat.

De sheriff nam zijn hoed af. 'Ik moet met je praten, Billy, en deze mensen ook; die zijn van de FBI. We zullen proberen om het zo kort mogelijk te houden.'

Billy keek ons aan met zo'n blik van: *Kunnen jullie me niet met rust laten?* en hij zei: 'Ik ben aardig kapot, sheriff. Ik heb niet veel zin in praten.'

Billy klonk alsof hij niet in staat was om vragen te beantwoorden – hij klonk slaperig – maar hij vormde ons enige aanknopingspunt en daarom zei ik: 'Meneer Adams, als het niet zo belangrijk was, waren we hier niet. Het is van het grootste belang dat u ons helpt degene te pakken die de mensen daar in de mijn heeft vermoord.'

Adams kreeg tranen in zijn ogen en wendde zijn hoofd af. 'Ik wil liever nog even wachten.'

'Billy, ik begrijp dat je tijd nodig hebt om hier overheen te komen,' antwoordde ik. 'Maar het beste moment om te praten is als alles nog vers in je geheugen ligt. En hoe langer die moordenaar vrij rondloopt, hoe groter de kans dat hij opnieuw toeslaat. Jij zou ons kunnen helpen dat te voorkomen, Billy. Help ons levens te redden. Je moet goed begrijpen dat jouw verklaring doorslaggevend kan zijn.'

Ik wist niet of mijn woorden tot hem waren doorgedrongen, want hij zweeg weer. Soms is het beter om getraumatiseerde getuigen niet onder druk te zetten, maar ze hun verhaal op hun eigen manier te laten doen, ook al kost dat tijd. Ik popelde van ongeduld en wilde antwoorden hebben en probeerde een andere benadering te bedenken toen Cooper, zonder zelfs maar in mijn richting te kijken om te zien of ik het goed vond, naar een verbleekt logo van de Redsocks op Adams linkerarm wees. 'Ben je een fan, Billy?'

'Vroeger wel.'

Hij had in elk geval weer iets gezegd, maar het leek wel of Cooper aan het kiezen trekken was. 'Nu niet meer?' vroeg hij.

'Ik had er geen zin meer in.'

'Wat heb je nu dan voor hobby's?' vervolgde Cooper.

'Drinken als ik geld heb, niet drinken als ik het niet heb.'

'En gisteravond? Had je toen gedronken?'

Billy haalde zijn schouders op. 'Ja, ik heb een paar biertjes gehad.'

'Hoeveel is een paar?' vroeg Cooper.

'Een of twee.'

'Glazen?'

'Kannen. En een paar borreltjes.'

'Waar was dat?'

Deze keer keek Billy ons allemaal aan. 'In de Silver Lagoon-bar. Vraag maar aan de bartender. Ik ben daar tot ongeveer middernacht gebleven.'

Het klonk alsof Billy in de verdediging ging, alsof hij bang was dat we hem als een verdachte zouden beschouwen.

'Wat is er daarna gebeurd?' kwam ik tussenbeide.

'Toen ben ik op mijn Harley naar de mijn gereden. Vlak voor het ouwe kantoor neergezet, net als altijd.'

Billy viel weer stil en ik zei: 'Wat gebeurde er toen?'

'Ik probeerde te slapen. Maar als ik gedronken heb, krijg ik last van mijn prostaat en dan moet ik om de paar uur piesen. Ik heb net buiten de deur een ouwe emmer staan en ik ben een keer of drie, vier naar buiten gegaan. De laatste keer zo rond halfzes. Toen rook ik het.'

Stilte. 'Wat rook je?'

'Benzine. Dat vond ik vreemd, want dat had ik nog nooit in de mijn geroken. Daarom pakte ik mijn zaklamp en ben gaan kijken.'

'Ga verder,' drong ik aan.

'Toen vond ik de lijken. Ze smeulden nog en er kwam rook vanaf.'

Billy's ogen werden vochtig. Onze vragen vergden veel van hem en ik legde mijn hand op zijn knokige schouder. 'Het geeft niet, Billy. Je doet het prima.'

Ik kon zien dat hij op het punt van instorten stond, maar ik drukte door. 'Toen je in de mijn kwam, heb je toen iets ongebruikelijks gezien? Heb je iemand gezien of vreemde geluiden gehoord? Bewoog er soms iets in het donker? Is je iets, wat dan ook, opgevallen?'

'Mevrouw, ik heb helemaal niets gezien of gehoord.'

Dat begreep ik niet. Ik keek eens naar de sheriff, maar die haalde zijn schouders op. Ik wendde me weer tot Billy. 'Ik hoorde van de dokter dat je iemand bij de mijn had gezien.'

'Ja, maar niet die morgen. Dat was drie avonden terug.'

'Dan heb ik dat verkeerd begrepen. Vertel me precies wie of wat je hebt gezien, Billy.'

'Het was 's middags om een uur of vijf, het begon net donker te worden en ik was in de hut toen ik een vent die helemaal in het zwart was gekleed uit de mijngang zag komen. Er komen wel eens mensen hier uit de omgeving om ongedierte te schieten, ratten en zo, maar deze man had voor zover ik kon zien geen geweer bij zich en ik had hem ook nooit eerder gezien.'

'Wat deed hij?'

'Net wat ik zeg, hij kwam uit de mijn. Wat hij daar had gedaan, wist ik niet. Het begon donker te worden en ik kon het niet zo goed zien, maar volgens mij liep hij gewoon weg en verdween. Ik ben de volgende morgen in de mijn gaan kijken, maar kon niks bijzonders vinden.'

'Hij verdween, zeg je?'

'Ja, als een spook. Zo leek het in elk geval. Maar het is daar bij de mijn een grote puinhoop. Die gozer kan achter een hoop schroot zijn verdwenen zonder dat ik het heb gezien.'

'Zie je wel vaker mensen bij de mijn?'

'Niet zo vaak. Een paar keer per jaar.'

'Hoe zag deze man eruit?'

'Ik heb hem niet duidelijk gezien, dus dat is moeilijk te zeggen. Gemiddelde lengte, donker haar. Beetje rond gezicht.'

'Is dat alles wat je je kunt herinneren?'

'Ja, mevrouw, dat is alles.'

'Heeft hij jou ook gezien?'

'Volgens mij niet. Hij heeft niet in de hut gekeken.'

'Als ik een tekenaar stuur, denk je dat je dan kunt helpen om een portret van die man te maken?'

'Ik denk het wel.' Billy klonk gespannen en niet erg zeker van zijn zaak. 'Mevrouw, ik wil er echt niet langer over praten. Nu niet.' Hij streek met de rug van zijn hand over zijn ogen en had er duidelijk genoeg van. De sheriff keek me eens aan en ik zei tegen Billy: 'Ik begrijp het.'

'We praten later wel verder, Billy,' zei de sheriff. 'Rust eerst maar eens goed uit, ja?'

'Ik zal het proberen.'

Ik maakte me gereed om te vertrekken. 'Bedankt voor je hulp, Billy. Ik weet dat het moeilijk voor je is, maar wat denk je, kan ik die tekenaar later vandaag sturen, als je een beetje uitgerust bent?'

'Ja, mevrouw.'

Even later liep de sheriff naar de deur en riep de verpleegster terwijl we de kamer verlieten.

26

'Dus, waarom ben je naar Washington overgeplaatst? Promotie?' Ik stelde de vraag aan Cooper terwijl hij me in een groene Ford Taurus uit de carpool terugreed. Mack Underwood was in het ziekenhuis achtergebleven en zou ons waarschuwen als de tekenaar met behulp van Billy Adams een composietekening had kunnen maken. We reden over de Interstate 95, hadden nog ongeveer een halfuur te gaan en in het afgelopen halfuur hadden we over niets anders dan de grotmoorden gepraat. Het leek me goed om nu een ander onderwerp aan te snijden.

'Om je de waarheid te zeggen, wilde ik helemaal niet naar Washington, maar dat is een ander verhaal,' antwoordde hij.

Voordat ik kon reageren ging mijn mobiele telefoon. 'Ogenblik, ik moet dit even aannemen,' zei ik.

'Geen probleem. Ga je gang.'

Ik drukte op een toets en hield de telefoon aan mijn oor om het bericht te beluisteren. *'Mevrouw Moran, met Lucius Clay. Kunt u me zo spoedig mogelijk bellen, alstublieft?'*

Het bericht verraste me en ik vroeg me af wat de gevangenisdirecteur van Greensville wilde.

'Problemen?' vroeg Cooper.

Ik schudde mijn hoofd. 'Nee. Alleen maar iemand die ik straks moet

bellen. Tussen twee haakjes: ik wil mijn neus niet in je privézaken steken, hoor.'

'Zo heb ik dat ook niet opgevat,' antwoordde Cooper met een glimlach. 'Het is niet meer dan normaal dat je iets meer wilt weten van
iemand die nieuw is bij het team.'

Ik moest toegeven dat hij een aantrekkelijke lach had. Ik zag dat zijn
knokkels beschadigd waren, zoals je dat bij boksers zag, en nam aan dat
hij zijn mannetje stond als het op vechten aankwam. Nu ik hem van
dichtbij zag, kon ik zien dat zijn neus een keer gebroken was geweest en
niet helemaal goed gezet. Het gaf hem een wat ruwe charme.

'Ik hoorde van Lou dat je vader en hij elkaar al heel lang kennen.'

Cooper knikte. 'Ze zijn samen opgegroeid en hun leven lang vrienden gebleven. Lou kwam zo vaak bij ons over de vloer dat ik het gevoel
kreeg dat ik drie ouders had.'

'Zijn jullie zo dik met elkaar?'

'Dat kun je wel zeggen,' zei Cooper. 'We zijn vrienden. Lou is als een
oom voor me. Onder die hardstalen buitenkant is het een heel goedhar-
tige kerel.'

Ik weet wat je bedoelt. 'Was hij je kruiwagen om naar Washington te worden overgeplaatst?'

Cooper keek enigszins beledigd. 'Dat zou ik nooit hebben gewild en
zo is Lou ook niet. Je moet het helemaal zelf doen; en zo hoort dat ook.'

'Maar waarom wilde je dan naar Washington overgeplaatst worden,
omdat je hier betere promotiekansen had?'

'Nee, dat was de reden niet,' zei Cooper. Hij ging er verder niet op
door. Hij staarde uit het raam en we reden in een wat gespannen stilte
verder.

Ik kreeg het gevoel dat hem iets dwarszat en dat van die promotie geloofde ik niet zo erg. We reden de stad binnen.

Cooper zei: 'Ik hoorde van Lou dat jij de zaak-Gamal hebt gedaan. Ik
herinner me je gezicht van de persconferenties en de krantenverslagen
uit die tijd.'

'Ik voel me gevleid. Ik was bijna beroemd, maar het was dan ook een
opzienbarende zaak.'

'Het is een tijdlang de *enige* zaak geweest. Lou vertelde me ook dat
David Bryce en jij verloofd waren.'

'We zouden de week nadat hij en Megan werden vermoord, zijn gaan
trouwen. Is dat alles wat Lou je heeft verteld?'

'Nee, nog het een en ander meer.'

Ik keek hem van opzij aan en zei: 'Het geeft niet, Cooper, zeg het maar.'

Cooper zei aarzelend: 'Hij zei dat Gamal het persoonlijk opvatte en dat hij ze vermoordde omdat je hem te dicht op de hielen zat. Hij wilde je zowel tergen als het je betaald zetten dat je hem probeerde te grijpen. Hun dood moet heel zwaar voor je zijn geweest.'

Je hebt geen idee, wilde ik zeggen en ik vroeg me af of Lou hem ook had verteld over Gamals bewering dat hij onschuldig was aan hun dood. 'Lou schijnt je heel wat te hebben verteld.'

We kwamen op Judiciary Square en Cooper stuurde de Ford met piepende banden de ondergrondse parkeergarage binnen. 'Ik weet zeker dat het goed bedoeld was,' zei hij.

Ik weet niet of ik me ergerde aan het feit dat Lou hem zo veel over me had verteld. Op de een of andere manier stak het me. 'Net als jij het goed bedoelde toen je tijdens de ondervraging van Billy zomaar tussenbeide kwam.'

'Hoe bedoel je?' vroeg Cooper.

'Het was goed dat je Billy weer aan de praat kreeg,' zei ik. 'Maar toch zou ik het op prijs stellen als je bij een volgend verhoor of ondervraging zou willen wachten tot ik aangeef dat je ertussen kunt komen.'

Cooper zweeg alsof hij de reprimande niet kon waarderen, maar knikte toen terwijl door de parkeergarage reden. 'Moet ik je ook permissie vragen om een parkeerplaats te zoeken, agent Moran, of mag ik dat helemaal zelf doen?'

'Je hoeft niet zo gevat te doen, Cooper.'

'Noem je dat zo, als ik eigen initiatief toon?'

Ik wilde nog iets zeggen, maar net op het moment dat Cooper een vrij parkeervak indraaide, ging mijn telefoon weer. Het was Armando Diaz. 'Kate, hoe is het met mijn favoriete kantoormeisje? Ik was naar je op zoek, kind.'

Armando beschouwde iedere vrouwelijke FBI-medewerker als zijn favoriete kantoormeisje.

'We rijden net de parkeergarage binnen. Wat is er loos, Armando?'

'Ik denk dat ik een van de slachtoffers heb geïdentificeerd.'

'Dat is vlug.'

'Dat krijg je als je een genie bent.'

'Wat heb je gevonden?'

'Kom over vijf minuten maar naar het lab. Ik geloof dat we reusachtig boffen.'

27

'Goed kijken,' zei Diaz.

We waren in het laboratorium in de kelder – Diaz, Cooper en ik. Verderop waren een paar technici in witte jassen met hun eigen zaken bezig. Ze letten niet op ons. 'Ik zie niks,' zei ik, door het objectief van een elektronenmicroscoop starend.

'Hier, ik zal je laten zien hoe je het beeld scherper kunt stellen.' Diaz draaide aan een knop en opeens zag ik een reeks vage cijfers. Die stonden op het strookje van een of ander kaartje, zo leek het wel. Dat kaartje was aardig verschroeid en het leek onmogelijk vast te stellen wat de oorspronkelijke kleur was, maar onder de elektronenmicroscoop waren de cijfers zichtbaar geworden.

'Zie je het nu?' vroeg Diaz.

'Ja, ik zie het.'

'Het kaartje is grotendeels verbrand en onleesbaar geworden, maar met behulp van een chemische behandeling hebben we dit gekregen.'

Ik keek nog eens goed. Volgens mij stond er M442379.

'Wat is dat voor een kaartje?'

'Volgens mij is het van een stomerij,' zei Diaz. 'Het zat binnen in de rok van het meisje gespeld. Je weet hoe ze dat soort kaartjes in kleding spelden? Soms vergeet iemand om ze eruit te halen. Ik denk dat we dat nummer wel kunnen terugvoeren op een stomerij.'

Ik nam mijn ogen van de microscoop om Cooper een blik te gunnen en keek Diaz sceptisch aan. Behalve dat het een knappe vent was kon hij zich, als hij geen Speedoschaatspak droeg, zo nu en dan heel modieus kleden. Zo droeg hij vandaag voor de verandering een frisse kakibroek en een wit button-downshirt met een goudkleurige zijden das. 'Hoe vaak laat jij je kleren stomen, Armando?'

Hij grijnsde. 'Niet zo vaak. Dat is mij te duur. Mijn vrouw doet de was meestal.'

'Heb jij een vrouw? Dat wist ik niet.'

Diaz grijnsde nog breder. 'Grapje. Ben je jaloers, kind? Ik noem haar mijn vrouw. Het meisje met wie ik op dit moment samenwoon. Maar om je de waarheid te zeggen werkt het niet echt. Ik denk dat ik binnenkort nieuwe sollicitanten voor de functie moet oproepen.'

'Je ziet maar. Heb je enig idee hoeveel stomerijen er in het district zijn?'

'Dat moeten er honderden zijn.'

'Vele honderden. Misschien komt het zelfs dicht bij de duizend. We hebben het over een gebied waar honderdduizenden – nee, maak daar maar gerust miljoenen van – militairen wonen en overheidsambtenaren die een uniform dragen. Kantoormensen, politici, lobbyisten en advocaten die zich goed kleden. Washington is misschien niet de stad met de meeste stomerijen van Amerika, maar moet, samen met New York en Los Angelos, toch wel bij de top horen.'

Diaz haalde zijn schouders op. 'Oké, maar het is toch in elk geval *iets*, Kate. Als we kans zien om dit nummer terug te voeren op een stomerij kunnen we de naam van de klant mogelijk achterhalen.'

'Ik vrees dat ik op meer had gehoopt,' zei ik. 'Iets dat vlugger zou gaan. Dat nummer achterhalen gaat een eeuwigheid duren.'

Weer haalde Diaz zijn schouders op, maar deze keer met overdreven nadruk. 'Goed, misschien was ik een beetje te optimistisch en had ik moeten zeggen dat ik hóópte dat dit iets zou opleveren. Ik heb in de afgelopen drie jaar twee keer een geval gehad waarbij we slachtoffers met behulp van een kaartje van de stomerij konden identificeren. Ik geef toe dat die kaartjes niet zo verbrand waren als dit, maar het is een aanwijzing, Kate, en daar gaat het om. Bovendien heb ik mijn lijst met stomerijen van die twee vorige gevallen nog, dus ik kan eens met die mensen gaan praten.'

Ik kwam in de verleiding om hem eraan te herinneren dat kaartjes van de stomerij soms jarenlang in iemands kleren zaten en dat er in dat geval weinig kans was dat we de eigenaar zouden achterhalen. Bovendien gebruikten veel stomerijen dezelfde soort kaartjes. Ook namen we zomaar aan dat het een stomerij hier uit de buurt was, terwijl het in feite overal in het land kon zijn. Dat zei ik allemaal tegen Diaz. 'En heb je verder nog iets gevonden waar we iets aan hebben?'

'Geen vingerafdrukken op het crucifix, maar wel vezels van donkere kleding onder de nagels van het meisje. Misschien zijn die relevant, misschien ook niet. Maar we beginnen nog maar net. Dat is het wel zo ongeveer.'

'Hoe zit het met vingerafdrukken van de slachtoffers?' vroeg Cooper.

'Daar zijn we mee bezig,' zei Diaz. 'Ik wil een afwasmiddel gebruiken om de verbrande huid zacht te maken en dan proberen afdrukken te maken, maar ik ben bang dat de handen van de slachtoffers te veel verbrand zijn.'

Geen vingerafdrukken betekende dat we alleen maar konden hopen dat het tweetal ergens als vermist zou worden opgegeven en dat we dan hun DNA zouden kunnen vergelijken. *Nog meer werk.*

Ik nam me voor om de meest recente lijst met vermiste personen zelf na te kijken.

'Is dat alles of wil je me nog somberder maken?'

'Ja, ik heb nog iets.' Diaz rommelde in een stapel papieren op zijn bureau en haalde een briefje tevoorschijn. Mack Underwood belde een kwartier geleden om te zeggen dat hij klaar was in de mijn. We hebben het over het moment van overlijden van de slachtoffers gehad en hij bevestigde dat het volgens de weerman van het plaatselijke televisiestation ongeveer twee dagen voordat onze getuige Billy Adams de lijken vond, opgehouden is met sneeuwen. Mack zei dat ik je iets moest vertellen.'

'Wat dan?'

'Hij zei dat ze, afgezien van die van Billy, nog steeds geen enkele voetafdruk hebben gevonden. Hij zei dat degene die de mijn in en uit is gegaan, door de lucht moet hebben gezweefd.'

Het liep tegen zessen en ik zat samen met Cooper in de kantine een kop slappe koffie te drinken.

'Je kijkt zorgelijk,' zei Cooper, in zijn koffie roerend.

'Vind je het gek? Nergens een voetafdruk te vinden. Dat kan helemaal niet.'

'De dader zou zijn sporen later uitgewist kunnen hebben,' zei Cooper. 'Dat is niet onmogelijk.'

'Klopt. Maar dat zou een hoop tijd en moeite hebben gekost. En ook heel wat voorbereiding. Bovendien zouden we dan sporen of misschien zelfs haren van een bezem of een borstel gevonden moeten hebben, maar de TR heeft helemaal niets gevonden.'

'Heb je een betere verklaring, agent Moran?'

Ik kreeg het gevoel dat Cooper de bal terugspeelde. Ik zette mijn kopje neer en keek hem aan. 'Op dit moment niet. Je had in het lab maar weinig te vertellen.'

'Ik dacht dat je liever had dat ik mijn mond hield.'

Touché. 'Ik hoorde dat Stone en jij in New York hebben samengewerkt?'

Cooper knikte. 'Drie jaar, waarvan een jaar als partners.'

'Konden jullie het goed met elkaar vinden?'

'Ja, hoor. Stone is een goeie rechercheur. Resoluut, vastberaden. Een soort dobermann, hij laat nooit los.'

'Zo te horen bewonder je hem.'

'Ere wie ere toekomt.'

'Dan zullen jullie ook wel maten zijn geweest?'

Cooper keek op de klok aan de wand, dronk zijn kopje leeg en stond op, zonder mijn vraag te beantwoorden. 'Ik moet weg. Tot morgen.'

Hij sloeg zijn jas los om zijn schouders en liep naar de deur. 'Maak je je geen zorgen, agent Moran, ik zal mijn best doen om het vanavond niet te laat te maken.'

28

Angel Bay, Virginia

Het was zeven uur geweest en het regende toen ik eindelijk thuiskwam. Onderweg was de lucht al betrokken en toen ik op de inrit stopte, goot het en ik rende naar de deur.

Voor het eerst in een week had ik honger. Ik zag eruit of ik minstens vijf kilo was kwijtgeraakt, wat op zich niet slecht was, maar mijn bloedsuikerspiegel was te laag en ik had weinig energie. Ik zette een kant-en-klaarmaaltijd in de magnetron en controleerde mijn voicemail.

Er was alweer een bericht van Lucius Clay met het verzoek hem op kantoor te bellen. Ik was er nog steeds niet aan toegekomen om hem te bellen. Clay had geen privénummer achtergelaten; daarom belde ik de gevangenis en vertelde wie ik was. De receptie zei dat de directeur al naar huis was.

Het leek me weinig zin hebben om naar zijn privénummer te vragen en daarom vroeg ik om een boodschap voor hem achter te laten dat Kate Moran hem morgen zou bellen.

Dat zouden ze doen.

Ik legde de telefoon neer en haalde mijn eten uit de magnetron. Het bericht dat er geen voetsporen waren gevonden zat me nog steeds dwars. De dader of daders hadden hun sporen op de een of andere manier uitgewist, dat kón niet anders. Cooper had werkelijk een punt: wat nu als ze de sneeuw hadden weggeveegd of de sporen in de sneeuw had-

105

den laten smelten? Maar dat zou tijd en veel moeite hebben gekost en het was nauwelijks te geloven dat ze geen *enkel* spoor hadden achtergelaten. Ik had net mijn eerste hap genomen toen de telefoon ging. Het mobiele nummer op het display zei me niets, maar ik nam wel op. 'Mevrouw Moran? Met Lucius Clay.'

Ik was verrast dat Clay al zo snel terugbelde. 'Ik heb een paar minuten geleden met de gevangenis gebeld en daar hoorde ik dat u al naar huis was. Hebt u mijn bericht gekregen?'

'Nee, mevrouw Moran. Ik probeerde alleen maar of u toevallig thuis was. Ik heb u eerder op uw mobiele nummer trachten te bereiken.'

'Ja, ik heb uw bericht gekregen. Is het erg dringend?'

'Zouden we elkaar ergens kunnen spreken, mevrouw Moran?'

Ik hoorde de aarzeling in zijn stem. 'Als het over de Gamal-zaak gaat, mijn schouder is al een stuk beter.'

'Ik ben blij het te horen, maar dit gaat over iets anders.'

Ik had geen idee waar Clay met mij over zou willen praten. 'Waar gaat het om?'

'Dat vertel ik u liever onder vier ogen, als u het niet erg vindt.'

'Wanneer?'

'Zou vanavond u schikken?'

Het verbaasde me niet alleen dat Clay het blijkbaar zo dringend vond, maar hij klonk bijna geheimzinnig. 'Ik ben doodmoe, meneer Clay. Kan het niet tot morgen wachten?'

'Ik vlieg morgen naar New York voor een belangrijke bespreking. Ik ga vanavond bij u in de buurt bridgen en daarom dacht ik eigenlijk dat u mogelijk een moment voor me zou hebben.'

Hoe weet de directeur waar ik woon en hoe komt hij aan mijn privénummer? Ik negeerde beide vragen. 'Hoe laat is uw bridgeafspraak?'

'Om negen uur. Een kilometer of acht bij u vandaan is een wegrestaurant, Jasper Johnson's.'

'Dat ken ik.'

'Ik zou u daar om acht uur kunnen treffen. De koffie is er matig, maar de chocoladetaart met pecannoten is de rit waard.'

'Ik zal proberen om er om acht uur te zijn. Kunt u me geen idee geven waar het over gaat?'

'Dat vertel ik u liever onder vier ogen, mevrouw Moran. Ik geef u mijn mobiele nummer voor het geval u vertraagd bent.'

29

Het telefoontje van Clay hield me zo bezig dat ik geen trek meer in eten had. Wat wilde hij en waarom deed hij zo verdomd geheimzinnig? Ik kon me onmogelijk ontspannen; er kwam een stevige hoofdpijn opzetten. Ik nam twee aspirientjes, deed wat gemalen ijs in een plastic zak en ging naar boven. Ik ging languit op bed liggen, met de ijskoude zak op mijn voorhoofd. Terwijl ik daar lag en het ijswater op mijn kussen droop, zag ik de kartonnen doos onder het bed uit steken.

Nadat David en Megan waren begraven, kon ik mezelf er niet toe brengen om al hun persoonlijke zaken weg te doen en daarom had ik wat foto's en andere zaken in een doos gedaan. Ik ging rechtop zitten, trok de doos onder het bed uit en deed het deksel open. Boven op een stapeltje fotoalbums lag een draagbare cd-speler en een aantal van Megans favoriete cd's – David had die cd-speler voor haar gekocht tijdens een zakenreis naar Montreal. Haar favoriete cd van Slipknot zat er nog in.

Ik pakte de speler, deed er een stel nieuwe batterijen in en zette hem aan. Het was rock, gezongen door een stelletje rare jongens met angstaanjagende maskers op, niet bepaald mijn smaak of die van David, maar iets dat toen in was bij Megan en haar leeftijdgenoten. Terwijl ik naar de muziek luisterde, herinnerde ik me weer hoe die keihard uit Megans kamer had geklonken als ze een vriendin te logeren had. Er rolde een traan langs mijn wang. Ik wist dat ik mezelf alleen maar zat te kwellen en zette de muziek uit.

Er waren nog steeds dagen dat ik de onweerstaanbare drang kreeg om die foto's te bekijken en Megans muziek te draaien. *Waarom kwelde ik mezelf zo?* Het antwoord op die vraag was eenvoudig; soms hebben we gewoon de behoefte om te huilen over geliefden die we hebben verloren, de behoefte om onszelf er telkens weer aan te herinneren dat we mensen zijn en dat hun dood ons tot in het merg heeft geraakt. Dit was een van die momenten.

Maar wat de kwelling nog erger maakte was Stones wrede schimpscheut. *Als ik jouw baas word, ben ik degene die jou voor twee moorden pakt.*

Dat Stone een hekel aan me had was duidelijk. Maar wat hem gevaarlijk maakte, was het feit dat hij werkelijk geloofde dat ik schuldig was aan een dubbele moord. Ik had op kantoor horen fluisteren waarom hij me verdacht: omdat David me in zijn testament geld en het huis had nagelaten. Het feit dat er in vergelijking met de andere door Gamal gepleegde moorden bij die van David en Megan een aantal kleine verschillen waren. Het feit dat ik voor een periode van drie uur op de dag dat ze werden vermoord geen alibi had omdat ik toen door vermoeidheid was overmand en langs de snelweg was gestopt om te slapen.

En er was nog een reden.

Stone had me horen zeggen dat ik David wilde vermoorden.

30

David en ik hadden de voorbereiding voor ons huwelijk vrijwel afgerond: het zou een eenvoudige aangelegenheid worden in de plaatselijke kerk met na afloop een etentje met een aantal goede vrienden.

De hectische week zo vlak voor een huwelijk is een gevaarlijke periode. Er zijn nog duizenden dingen te regelen, de zenuwen beginnen op te spelen en de mensen worden licht ontvlambaar. Wat een leuke tijd behoort te zijn, kan op een nachtmerrie uitdraaien – en dat gebeurde dat weekend ook.

Ik had een drukke week achter de rug, had nog allerlei dingen te doen, terwijl David met een stel vrienden naar New York ging voor een vrijgezellenavond, een idee dat plotseling was opgekomen. Ik zat daar absoluut niet mee – ik was blij dat David en zijn vriendjes een avond gingen stappen en ik *vertrouwde* hem. Het plan was om ook nog naar een lapdanceclub te gaan en ook dat vond ik prima. David had het me verteld en het hoorde nu eenmaal bij het ritueel.

Wat ik minder leuk vond, was het feit dat David die maandag niet op de afgesproken tijd terug was gekomen terwijl ik zelfs naar het vliegveld was gereden om hem af te halen. Hij had de avond daarvoor te veel gedronken – wat niets voor David was, maar het was tenslotte zijn vrijgezellenavond – waarna het ook nog mistig werd op het vliegveld La Guardia, met als gevolg dat hij en zijn vriendjes een latere vlucht moesten nemen.

Intussen zat ik in mijn eentje met de bloemist, de dominee, een chagrijnige sopraan die een hoop drukte maakte over de liederen die we haar in de kerk wilden laten zingen omdat die haar 'stijl' niet waren, al kreeg ze dan ook maar liefst vijfhonderd dollar voor de schnabbel en de manager van het restaurant, een perfectionistische homo die de menu's tot in de kleinste kleinigheid wilde bespreken, de lieverd, en tot overmaat van ramp werd de arme Megan ongesteld.

Ik had de hele maandagmorgen rondgedraafd alsof ik crack had gerookt en toen ik 's middags eindelijk op kantoor kwam, belde David om te zeggen dat hij pas 's avonds laat een vlucht kon krijgen en dat het hem speet dat hij me er in mijn eentje mee had laten zitten.

'Maar heb je wel plezier gehad, lieverd?' zei ik plagerig.

'Wil je het horen?' zei hij lachend.

'Om te beginnen zou je van die lapdancer kunnen vertellen.'

'De blondine of de brunette?'

Dat stak een *beetje.* 'Allebei. Niks zeggen: je had er eentje op elke knie.'

'Mis,' zei David, plagend. 'Eerst de ene, toen de andere. Maar uiteindelijk heb ik het toch op die brunette gehouden.'

Ik wist dat het maar een grapje was – ik vertrouwde David blindelings – maar ik zei heel ernstig: 'Als je met haar naar bed bent geweest, vermoord ik je!'

David begon te lachen. 'Je kent me wel beter. Het was onschuldig vermaak, meer niet. Hé, ik moet weg. Ik geloof dat we toch een eerdere vlucht kunnen krijgen. Tot straks, lieverd.'

Voordat ik gedag kon zeggen, was David al weg en toen ik de telefoon neerlegde en opkeek, zag ik Vance Stone in de deur staan. Hij had een lijvig rapport in zijn hand en glimlachte stijfjes. 'Wie vermoorden, Moran?'

Ik glimlachte even stijf terug. 'Een grapje. Ik had het tegen mijn verloofde. Is dat rapport voor mij?'

'Ja. Veel plezier ermee. Het zijn maar tweehonderd pagina's.' Hij grijnsde. 'Misschien leuk om op de eerste avond van de huwelijksreis te lezen? Als je je verloofde tenminste niet vermoord hebt.'

Stone draaide zich om en ging weg. Een week later waren David en Megan dood. Ik weet nog dat Stone me vreemd aankeek, zelfs nadat Gamal was gepakt en in staat van beschuldiging gesteld. Dat telefoongesprek dat hij toevallig had opgevangen was klaarblijkelijk blijven hangen. Mijn dwaze dreigement – een loze opmerking – kon uit zijn verband zijn gerukt. Op zich stelde het niets voor, maar gegeven het feit dat ik Davids erfgename was, de afwijkingen van het patroon op de plaats delict en de drie uur waarvoor ik geen alibi had, moest ik met tegenzin bekennen dat een sluwe rechercheur als Stone zijn twijfels zou kunnen hebben over mijn geloofwaardigheid. Al zijn collega's wisten echter dat hij werd verteerd door jaloezie en ik kon me niet voorstellen dat er iemand was die zijn twijfels deelde.

Mijn hoofdpijn begon minder te worden, maar was nog niet helemaal weg. Ik gooide de ijszak leeg in de gootsteen, stapte in de Bronco en stopte twintig minuten later voor het wegrestaurant annex benzinestation van Jasper Johnson.

Toen ik binnenkwam, zat Lucius Clay al achter een kop koffie en een stuk chocoladetaart. Toen ik op zijn tafeltje toe kwam lopen, veegde hij zijn mond met een servetje af, stond op en schudde me beleefd de hand. 'Ik stel het op prijs dat u bereid was om me zo snel te ontmoeten, mevrouw Moran. Mijn verontschuldigingen dat ik u nog zo laat heb gestoord.'

'Vertelt u me dan maar waar ik hier voor kom.' Aan het buffet zaten een paar vrachtwagenchauffeurs met getatoeëerde armen, maar de tafeltjes om ons heen waren allemaal leeg. De gevangenisdirecteur droeg een lichtblauw overhemd met een gespikkelde vlinderdas op een sportbroek met een tweed jasje. In dit wat rommelige wegrestaurant viel hij nogal uit de toon.

'Dat zal ik u zo vertellen,' antwoordde Clay, terwijl ik tegenover hem ging zitten. 'Koffie? Iets erbij?'

'Alleen koffie, graag.'

Clay wenkte de serveerster en nadat ze me had ingeschonken, werd zijn gezicht ernstig. 'Laat ik u vertellen waarom ik u heb gebeld, mevrouw Moran, maar allereerst moet ik bekennen dat ik het een nogal bizarre situatie vind.'

'Bizar? In welk opzicht?'

Clay trok een zorgelijke rimpel. 'Omdat ik als boodschapper van een overledene fungeer.'

Nu fronste ik mijn voorhoofd. 'Ik begrijp u niet.'

'Op de avond dat Gamal werd geëxecuteerd, is er iets heel vreemds gebeurd.'

'Vertelt u mij wat, daar was ik zelf bij.'

Clay schudde zijn hoofd. 'Ik bedoelde niet het incident in de verhoorkamer. Het was iets anders, mevrouw Moran.'

Nu werd het interessant. Ik keek Clay strak aan. 'Ik luister.'

'Vlak voordat we Gamal naar de executiekamer brachten, fluisterde hij me iets toe. Ik vond dat u moest weten wat hij zei.'

Ik huiverde. 'Wat zei hij?'

'Gamal zei letterlijk: "Zeg tegen haar dat ik meende wat ik zei. Dat ik terugkom. Vertel haar dat vooral. Het is belangrijk."'

Ik werd helemaal koud vanbinnen en ik wendde mijn hoofd af, keek naar het verkeer dat buiten passeerde. Er leek geen einde aan te komen. Gamal was dood, maar nog steeds niet verdwenen. Zou het dan nooit ophouden?

Ik voelde de hand van de directeur op de mijne en keek hem weer aan.

Clay zei: 'Het is duidelijk dat Gamal u haatte, mevrouw Moran, en het spijt me bijzonder als ik u van streek heb gemaakt, maar ik dacht echt dat u dit zou willen weten.' Hij aarzelde even maar ging toch verder: 'Ik had een vermoeden dat uw zenuwen door de executie en alles wat er die avond verder was gebeurd aardig op de proef waren gesteld en daarom leek het me beter om even te wachten voordat ik het u vertelde. Ik heb uw kantoor gebeld, maar hoorde dat u met verlof was.'

'Ik heb een paar dagen vrij gehad, ja.'

'Ik ben nieuwsgierig, mevrouw Moran. Toen Gamal dat zei, kreeg ik de indruk dat zijn woorden werkelijk iets te betekenen hadden. Weet u wat hij bedoelde?'

Ik kwam in de verleiding om Clay te vertellen wat Gamal tegen mij had gezegd, maar ik deed het niet. 'Nee, maar ik ben geneigd te denken dat het alleen maar wat wanhopig gestamel van een gestoord mens was.'

Clay fronste zijn wenkbrauwen alsof hij erop door wilde gaan, maar scheen zich te bedenken, want hij pakte zijn portefeuille om te betalen. 'Ik ga ervandoor, mevrouw Moran. Ik wil mijn spelletje bridge niet missen en u ook niet langer ophouden.'

'Hoe wist u waar ik woonde, meneer Clay?'

Ik zag hem naar mijn verlovingsring kijken voordat hij zei: 'Zou het u verbazen als ik u vertelde dat ik de ouders van David Bryce kende? Ik heb vaak met ze gebridget op Manor Brook, maar dat is jaren geleden, voordat het huis in verval raakte. Het was in die tijd een schitterend huis. Er hebben zich daar zoveel tragedies afgespeeld dat ik me wel eens heb afgevraagd of er soms een vloek op rust.'

'Hoe bedoelt u dat?'

'Nou ja, de dood van David en Megan, uiteraard, en de dood van Davids broer, Patrick.' Clay dempte zijn stem. 'En enige jaren voor zijn dood waren er ernstige verdenkingen tegen Patrick in verband met poging tot seksueel misbruik. Of wist u dat?'

'Ja, dat wist ik.'

Clay zei: 'Mijn eigen zoon en Patrick waren jaargenoten op de Virginia State University. Wat jammer toch dat zijn leven zo geëindigd is.'

Ik had Davids oudere broer Patrick maar één keer ontmoet. Hij was een briljante student geweest, maar had zijn hele volwassen leven last gehad van diepe depressies. David had een hechte band met zijn broer en had hem vaak bezocht op de psychiatrische afdeling van het Bellevue Hospital, waar Patrick lang werd verpleegd. Zes maanden nadat David en Megan waren vermoord was Patrick zo depressief geraakt dat hij het ziekenhuis had verlaten en naar de Potomac was gelopen, waar hij zich verdronken had. Zijn lichaam was door de sterke stroom naar zee gevoerd.

'David had me verteld van die aanklacht wegens seksueel misbruik, maar ik kreeg toen de indruk dat de zaak binnenskamers werd gehouden. U moet wel een intieme vriend van de familie zijn geweest dat u op de hoogte was van die beschuldigingen, meneer Clay.'

Clay schraapte zijn keel. 'Redelijk intiem, ja.'

'Ik heb nog een vraag. Heeft Gamal verder nog iets gezegd?'

'Niets.' Clays gezicht verstrakte en om de een of andere reden kreeg ik de indruk dat hij zich niet op zijn gemak voelde. Verbeeldde ik me dat alleen maar, of deed de gevangenisdirecteur heimelijk? *Waarom heb ik het gevoel dat hij iets voor me achterhoudt?*

Hij ontweek mijn blik, keek op zijn horloge en pakte zijn jas en zijn pet van de stoel naast hem. 'Het spijt me, maar ik moet nu echt weg, mevrouw Moran.'

'Ik vergat nog te vragen hoe u aan mijn telefoonnummer bent gekomen.'

Even leek Clay van zijn stuk gebracht, maar toen zei hij kalm: 'Had u dat niet bij de receptie van Greensville achtergelaten?'

Was dat zo? Het zou kunnen, maar ik kon het me niet herinneren. 'Dat moet haast wel.'

Clay stond op en trok zijn jas aan. 'U moet me niet kwalijk nemen, mevrouw Moran, maar u ziet er doodmoe uit. U moet gaan slapen.'

'Ik ben sinds vanmorgen zes uur met een zaak bezig geweest.'

De directeur trok zijn pet wat vaster op zijn hoofd. 'Werkelijk? Iets interessants?'

Ik schudde zwijgend mijn hoofd en sprak mijn gedachten niet uit: *Je moest eens weten, meneer Clay.*

31

De Discipel had de hele morgen gewinkeld. Tegen de middag had hij vrijwel alles wat hij nodig had voor de reis, de koffer, de kleding – veel kleding, want hij zou heel wat vermommingen nodig hebben – waarna hij naar een superdrogist was gegaan en alles had gekocht wat hij verder nodig had: haarkleurmiddelen, brillen, vijf verschillende zonnebrillen, een elektrisch scheerapparaat, een Vidal Sassoon persoonlijke-verzorgingsset en wat levensmiddelen. De pruiken en de make-up had hij al eerder gekocht. Al met al had hij een hoop geld uitgegeven. Hij gooide de boodschappentassen in zijn auto en reed terug naar zijn appartement in Alexandria.

Hij stalde al zijn aankopen op het bed uit, met inbegrip van zijn allerbelangrijkste benodigdheden: zijn wapens. De meeste mensen beschouwden pistolen en messen als de ideale moordwapens, maar dan was er een groot probleem: hij was van plan te gaan vliegen, internationaal, en de beveiliging was tegenwoordig buitengewoon streng.

Om dat probleem op te lossen had hij allereerst voor een dunne injectiespuit gezorgd, zoals diabetici die gebruiken, en die mee aan boord van een vliegtuig mogen nemen. Alleen had de Discipel de ampullen insuline leeggemaakt en de inhoud vervangen door benzo. Hij had nog een wapen nodig – een wapen dat de metaaldetectors ongemerkt zou passeren – en ook daar had hij iets op gevonden. Een ideaal moordwapen dat niet ontdekt zou worden.

Uit een lange, bruinpapieren zak haalde hij acht dunne, plastic breinaalden. Plastic werd door de metaaldetectors niet opgemerkt. Hij zou de versterkingsdraden langs de randen van de tas die hij als handbagage meenam eruit halen en vervangen door de breinaalden.

Op zijn plaats van bestemming zou hij een assortiment slagersmessen kopen, maar hij hield er niet van om ongewapend te zijn, nooit, nergens. De breinaalden waren zijn back-up. Hij grijnsde, haalde een watermeloen uit een van de boodschappentassen en legde die op het bed.

Hij pakte een van de breinaalden, hief die boven zijn hoofd en stak hem in de watermeloen. De breinaald gleed moeiteloos door de dikke schil en kwam er aan de andere kant van de vrucht weer uit. In plaats van een meloen had het net zo goed het hart van een mens kunnen zijn. De naald was zo scherp als een stiletto.

Perfect.

Vervolgens ging hij naar de badkamer, deed zijn toilettas open en haalde er een injectiespuit en twee ampullen botox uit. Hij vulde de spuit met de kleurloze vloeistof en nam een voorhoofdsrimpel tussen zijn vingers.

Au.

Hij spoot de botox op regelmatige afstanden in, bette de speldenprikken bloed met een propje watten weg en ging verder met de huid naast zijn ogen en de lijnen in zijn wangen. Het maakte allemaal onderdeel uit van zijn vermomming.

Tien minuten later was hij klaar. Hij bekeek zichzelf in de badkamerspiegel. Geweldig spul, botox. Als hij het land straks verliet, zouden al zijn voorhoofdsrimpels verdwenen zijn en de kraaienpootjes en de lijnen in zijn wangen grotendeels. Hij zou tien jaar jonger zijn geworden en eruitzien als een ander mens.

Twee uur later ging hij naar een reisbureau in Arlington. Hij had er een hekel aan om via het internet te boeken en gaf de voorkeur aan een persoonlijke behandeling.

'Goedenavond, meneer. Waarmee kan ik u van dienst zijn?'

De blonde, jonge vrouw was met iemand anders bezig geweest, maar nu was ze klaar en bood hem een stoel aan.

'Ik wil graag een retourvlucht naar Istanbul boeken. Met een stopover van minstens twee dagen in Parijs.'

'U wilt vanaf Baltimore vertrekken?'

'Als dat kan.'

De blondine tikte het een en ander in op haar computer. 'Ik denk dat dat alleen via New York, JFK, kan.'

'Dat is prima.'

Ze glimlachte enthousiast. 'Istanbul, *wauw*, dat klinkt exotisch.'

'Het is een ongelooflijk mooie stad. Heel Byzantijns, een en al geschiedenis en intriges,' zei de Discipel. Zijn kaken deden nog pijn van de injecties.

'Gaat u voor zaken of voor plezier?'

De Discipel probeerde te glimlachen, maar ook dat deed pijn. 'Beide, zou je kunnen zeggen.'

Ze keek op haar scherm. 'Wanneer had u gedacht te vertrekken?'

'Dat maakt niet uit. Elke vlucht tussen nu en twee dagen,' antwoordde de Discipel.

Ze keek op. 'Kijk eens aan, u boft. Ik zie dat er een arrangement van Air France is vanaf New York. Voor zestienhonderd dollar retour, business class met een mogelijkheid om uw reis in Parijs te onderbreken. Er zijn genoeg plaatsen beschikbaar en als u wilt kunt u vanavond nog vertrekken. Wat denkt u?'

Het gezicht van de Discipel was zo strak als een trommelvel, maar zijn ogen glinsterden. 'Dat klinkt werkelijk perfect.'

32

Angel Bay, Virginia

Het was ver na middernacht toen ik de voordeur opendeed. Ik had honger omdat ik tijdens het eten was gestoord, maar het was nu te laat om nog te eten. Bovendien werd ik veel te veel in beslag genomen door wat de gevangenisdirecteur had gezegd.

Ik wist nu al dat ik moeilijk in slaap zou kunnen komen en ik had een reuze hekel aan pillen, maar vanavond nam ik toch maar een halve Ambien. Ik gebruikte het zelden, alleen als ik onregelmatige diensten had gedraaid of echt moeite had met slapen. Het moest na tien minuten gaan werken, maar soms duurde het ook langer en daarom maakte ik een mok warme chocolade klaar, die ik meenam naar de slaapkamer.

Er zat me iets dwars, maar ik wist niet goed waarom. Volgens Lucius Clay had ik mijn telefoonnummer achtergelaten toen ik de gevangenis had gebeld, maar hoe langer ik erover nadacht, hoe zekerder ik werd dat ik dat niet had gedaan. *Misschien ben ik gewoon te moe om me dat te herinneren?* Toch was ik ervan overtuigd dat hij iets voor me verborgen hield en dat mijn radar dat had opgepikt. Hij leek niet graag over de dood van David en Megan en Patrick te willen praten. Waarom niet? Wat had hij te verbergen?

Ik zat een poosje over die vragen te piekeren, probeerde toen ze enigszins gefrustreerd van me af te zetten. *Wat nu als ik het me allemaal verbeeld en paranoïde ben?*

De foto's en de cd-speler lagen nog op bed en voordat ik me uit-kleedde en mijn nachthemd aantrok, borg ik die eerst weg. Ik deed mijn verlovingsring af en legde die op het nachtkastje. Ik zette de wekker op zeven uur, dronk mijn chocolade op en deed het licht uit en het raam open. Ik lag in het donker op bed, keek naar de lichten in de baai en wachtte tot de Ambien zou gaan werken.

Het uitzicht was altijd prachtig. Ik vond het heerlijk om 's morgens wakker te worden met de zon die door het slaapkamerraam naar binnen viel, vooral als er een koel briesje vanaf het water naar binnen waaide. Vanavond was de lucht helder, de sterren zichtbaar en het water kalm en koud. Geleidelijk aan begon ik me suf te voelen; de lichten langs de baai werden onscherp. Terwijl ik slaperig naar buiten staarde, dacht ik aan al die avonden dat David en ik hier samen in dit bed hadden gelegen. Ik dacht aan de ochtenden dat ik wakker was geworden en het schrille ge-luid had gehoord van de wilde ganzen die boven ons passeerden terwijl we in elkaars armen verstrengeld lagen.

'Vind je dat geen mooi geluid?' vroeg David dan.

Ik was ervan gaan houden omdat het me deed terugdenken aan het vredige gevoel dat ik kreeg als ik zo naast hem lag.

Toch had ik ook een enigszins vreemde herinnering: ik dacht aan de avond waarop David me de verlovingsring had gegeven. We waren het weekend naar Virginia gegaan en logeerden in een oud maar heel roman-tisch pension dat vroeger het huis van een plantage was geweest. Na het eten waren we een eind over het terrein gaan lopen. Het was een warme voorjaarsavond met een heldere lucht en op zeker moment had David me in zijn armen genomen, me gekust en gezegd: 'Ik heb iets voor je.'

Ik had twee glazen wijn op en was een beetje tipsy; ik zei: 'Ja, dat kan ik wel raden.'

Hij glimlachte en liet me de ring zien. 'Ik ben volkomen serieus.'

Ik was sprakeloos toen hij de met diamanten bezette platina ring aan mijn vinger schoof en in het maanlicht keek ik naar de stenen. 'Ik… ik weet niet wat ik moet zeggen.'

'Dat hoeft ook niet, maar je moet me één ding beloven,' zei David ernstig.

'Wat dan?'

Hij legde zijn hand tegen mijn wang. 'Als we ooit om welke reden dan ook uit elkaar gaan, onthoud dan dat je die ring niet moet houden. Dat brengt ongeluk, de ring houden als de relatie voorbij is, of wist je dat niet?'

Zijn woorden verbaasden me en ik weet nog dat ik dacht: *Wat vreemd om zoiets te zeggen, David.* 'Het lijkt wel of je bijgelovig bent.'

'Zal ik je een geheim vertellen?' zei David. 'Jaren geleden vertelde mijn moeder me dat mijn vader en zij nadat ze verloofd waren steeds vaker ruzie kregen. Hij begon zijn ware aard te tonen en werd bezitterig en dominant. Ze zijn toen zelfs een poosje uit elkaar geweest, maar ze had hem zijn ring niet teruggegeven. Toen begon hij haar weer op te zoeken. Uiteindelijk wist hij zich weer in haar leven te dringen en ze trouwden. Maar elke keer als ze te veel had gedronken, zei ze dat ze nog altijd spijt had van die beslissing. Ze had spijt dat ze zijn ring niet had weggegooid en verder was gegaan met haar leven. Wat ik eigenlijk wil zeggen is dat je, als het tussen ons ooit mis mocht gaan of we om welke reden dan ook uit elkaar gaan, niet bang moet zijn om je bruggen af te breken.'

Ik schudde mijn hoofd. 'Ik denk niet dat het tussen ons ooit zover zal komen. Maar als je dat wilt, beloof ik het.'

Terugkijkend vroeg ik me af of David die avond een of ander voorgevoel had gehad. Zoals het soms lijkt alsof er een raam opengaat en we in onze toekomst kunnen kijken.

Terwijl ik daarover nadacht, begon de Ambien echt te werken. Mijn oogleden werden zwaar en ik kreeg het gevoel alsof ik verdovende middelen had gebruikt. Mijn hersens werden week, maar terwijl ik in een diepe slaap viel, hoorde ik de telefoon op het nachtkastje bellen. Ik dénk dat ik mezelf dwong om wakker te worden, want wat er daarna gebeurde leek eerder op een droom. Ik tastte naar de hoorn en hield hem tegen mijn oor. 'Hallo?'

Ik hoorde alleen maar stilte.

'Hallo?' zei ik nog eens.

Geen antwoord. Ik begon me af te vragen of de verbinding verbroken was of dat ik had gedróómd dat de telefoon ging. 'Met wie spreek ik?'

Stilte. Maar even later hoorde ik muziek. Heel zacht, heel ver weg, maar wel muziek. Toen werd het harder. Ik herkende Megans muziek en ik werd ijskoud.

Het was 'Circle' van Slipknot.

Het duurde hooguit vijf seconden, toen stierf de muziek weg en werd de verbinding verbroken. Ik voelde me verdoofd en er ging een rilling door me heen. Had ik me het allemaal verbééld? De telefoon en de muziek? Ik wist zeker dat ik beide had gehoord, maar ik was zo uitgeput en zo onder de invloed van het slaapmiddel dat ik zelfs niet wist of ik sliep of wakker was.

Opeens kreeg ik een gevoel alsof ik door een reusachtige hand werd neergedrukt die me verstikte en onder een grote, donkere golf duwde. Ik vocht om wakker te blijven, maar verloor — het verdovende middel kreeg me in zijn greep en ik werd opgeslokt door een diepe duisternis.

33

De volgende morgen werd ik duf wakker. De Ambien had goed gewerkt, maar het leek wel alsof ik een kater had. Ik kwam uit bed, draaide de douchekraan open en hield mijn hoofd onder een straal ijskoud water. Toen herinnerde ik het me weer. *De telefoon.*

Was het werkelijk gebeurd? Had ik de muziek van Slipknot werkelijk gehoord? Ik was zo verward dat ik er akelig van werd. Zou ik onder de invloed van het slaapmiddel gehallucineerd hebben? Ik draaide de heetwaterkraan open en zocht wanhopig naar redelijke antwoorden.

Waarom zou iemand Megans muziek over de telefoon voor me spelen? Ik begreep er niets van.

Plotseling kreeg ik een idee. Ik greep een handdoek, ging de slaapkamer weer in en keek onder het bed. De doos stond er nog net zo — en Megans cd-speler zat er nog steeds in.

Ik dacht: *Wat nu als iemand me gisteravond heeft gebeld, maar een verkeerd nummer had gedraaid en gewoon geen antwoord gaf — terwijl op datzelfde moment de cd-speler uit zichzelf was gaan spelen?*

Het klonk veel te ingewikkeld en te gezocht, maar voor mijn koortsachtige brein leek alles mogelijk. Als de cd-speler uit zichzelf was gaan spelen, moest er iets mis mee zijn. Ik besloot hem na te kijken. Ik haalde de schakelaar over en de muziek begon onmiddellijk. Ik zet hem weer af, schudde het apparaat heen en weer, maar er gebeurde niets. Volgens mij was er niets mee aan de hand. Ik richtte mijn aandacht op de telefoon. Ik nam de hoorn van de haak en toetste *69 in om te zien vanaf welk nummer en op welke tijd ik het laatst was gebeld. Het nummer dat in het display verscheen, was dat van Lucius Clays mobiele telefoon dat hij me had gegeven toen hij me om 19.20 uur had gebeld om onze ontmoeting in het wegrestaurant te regelen. Ik zocht in de zak van mijn spijkerbroek en vond het stukje papier waar ik het op had genoteerd. Het was hetzelfde nummer.

Nu begreep ik er nog veel minder van. Iemand had me midden in de nacht gebeld en muziek gespeeld, maar de telefoon had dat nummer niet geregistreerd. Dat kon niet. Er moest een redelijke verklaring zijn voor wat ik vannacht had meegemaakt. Opeens wist ik wie me zou kunnen helpen dit mysterie te ontraadselen. Ik droogde me af en kleedde me aan.

Het was al druk op kantoor toen ik even voor acht uur arriveerde. Er stonden een paar mensen bij de koffiemachine, maar de meesten zaten te bellen of waren op hun computer in de weer. Ik liep naar mijn hokje, hing mijn jas op en zocht in mijn telefoonklapper naar het toestelnummer van Sterling Burke. Hij was een technicus met wie ik in een aantal zaken had samengewerkt waarbij veel telefoongesprekken nagetrokken moesten worden. Sterling was een vriendelijke, wat excentrieke man die tegen zijn pensioen aan zat. Hij had een keer gevraagd of ik met hem uit wilde — wat ik beleefd had geweigerd — en soms noemde hij me 'lieveling' of 'schat', maar hij was heel behulpzaam en best aardig.

'Hallo,' zei een stem en toen ik opkeek, zag ik Cooper staan. Hij was sportief gekleed in een spijkerbroek, leren instappers en een bruin suède jasje. Hij glimlachte naar me. 'Ben je altijd zo vroeg?'

'Meestal wel. Jij hebt het ook gered, merk ik.'

'Ik was hier al om zeven uur.'

'Wil je een eervolle vermelding of heb je de overuren nodig?'

Cooper kwam bij me zitten. 'Ik zou natuurlijk kunnen zeggen dat het puur uit toewijding is, maar eerlijk gezegd heb ik niet zo goed geslapen. Ik heb bijna de hele nacht over de zaak liggen denken.'

'Ik wou dat ik dat kon zeggen, maar ik heb geslapen als een bewusteloze. Heb je nog ideeën gekregen?' vroeg ik.

'Helaas niet. Helemaal niets. Kan ik je ergens mee helpen?'

Cooper klonk alsof hij extra vriendelijk wilde zijn. Misschien was dat gemeend, maar ik vertrouwde hem nog steeds niet helemaal. Ik keek op mijn horloge. Sterling Burke moest inmiddels achter zijn bureau zitten en ik popelde om hem te bellen. 'Misschien. Waar is Stone?'

'Die is naar het lab, kijken of ze daar al vorderingen hadden gemaakt,' antwoordde Cooper.

Ik greep mijn mobiele telefoon. 'Doe me een plezier en neem het hier even voor me waar, wil je? Ik ben over tien minuten terug.'

34

Ik ging naar het damestoilet op de gang. Alle hokjes waren leeg. Ik toetste Sterlings nummer in, wilde hem niet vanaf mijn plaats bellen voor het geval er iemand mee zou luisteren. Terwijl de telefoon overging, vroeg ik me af of ik Lou Raines en Cooper over het gebeurde van vannacht moest vertellen. Of zouden ze denken dat ik gek was?

Toen klonk er aan de andere kant een schorre stem. 'Technische dienst, met Sterling Burke.'

'Sterling, met Kate Moran.'

'Kate! Hoe is het, lieverd?'

'Met mij goed, maar jij klinkt aardig schor.'

'Ik ben verkouden. Die jongens hier willen dat ik naar huis ga en naar bed. Ik moet "mijn bacillen bij me houden", maar ik sta op het standpunt dat het beter is om te geven dan te ontvangen.'

'Je moet iets voor me doen, Sterling. Het is iets persoonlijks. Je moet iets voor me nakijken.'

'Je zegt het maar.' Sterling snoof.

'Vannacht werd ik gebeld, kort na middernacht. Ik sliep net toen de telefoon ging, maar toen ik opnam, werd er neergelegd. Ik heb sterretje negenenzestig ingetoetst en toen kreeg ik het nummer en de tijd van een gesprek dat ik die avond om twintig over zeven had gevoerd, maar helemaal niets over dat gesprek na middernacht. Is het mogelijk dat de computers van de telefoondienst dat gesprek niet hebben geregistreerd of kan het aan mijn telefoon liggen?'

Ik hoorde Sterling zijn neus snuiten en nog eens snuiven. Er volgde een lange stilte en ik vroeg me juist af of hij nog steeds over mijn vraag zat na te denken, toen hij zei: 'Word je lastiggevallen, Kate? Gaat het daar soms om?'

Je kon Sterling niets wijsmaken. Ik vroeg me af hoeveel ik hem moest vertellen. *Hou het voorlopig liever voor jezelf,* waarschuwde ik mezelf.

'Dat weet ik eigenlijk niet. Maar je zou me een groot plezier doen als je dat geval van vannacht na zou kunnen trekken. Jij bent de specialist.'

'Dat zeggen ze. Uitgaande gesprekken zijn geen probleem. Die kunnen we zo nagaan omdat je die op je rekening krijgt. Inkomende gesprekken kunnen wat lastiger zijn. Daarom duurt het wat langer, zoals je weet. Maar geef me je vaste nummer en de naam van je provider, dan kan ik nakijken wat ze daar hebben.'

Ik gaf hem het gevraagde en vroeg hem of hij me, zodra hij iets wist, op mijn mobiele nummer wilde bellen.

'Geen probleem.' Sterling legde neer.

Ik friste me wat op en ging toen naar de automaten op de gang voor een kop koffie en een mueslireep. Ik had hem nog maar nauwelijks op en dronk net mijn bekertje koffie leeg toen Sterling terugbelde.

'Het spijt me, schat, maar er is helemaal niets te vinden van een gesprek naar je vaste nummer vanaf welk ander nummer dan ook na middernacht. Het enige gesprek kwam van een mobiel nummer om twintig minuten over zeven.'

Sterling noemde het nummer en dat was inderdaad van Lucius Clay: het gesprek om onze ontmoeting te regelen.

'Je weet zeker dat dit het laatste inkomende gesprek was?'

'Honderd procent. Computers kunnen storingen hebben, maar ze liegen zelden. Je provider heeft geen technische problemen gehad waardoor een nummer niet getoond zou kunnen zijn. Als iemand je na middernacht had gebeld, zou zijn nummer vastgelegd zijn.'

'Is er iets te bedenken waardoor een nummer niet geregistreerd zou kunnen worden?'

'Dat is hoogst onwaarschijnlijk, Kate. Ik begrijp het ook niet. Maar als je denkt dat je wordt lastiggevallen en een officiële klacht wilt indienen, kan ik je helpen om te zorgen dat er direct iets aan wordt gedaan. Geen probleem.'

'Nee, dat hoeft niet.'

'Zeker weten?'

'Nog niet, maar als het weer gebeurt, kom ik bij je terug. Is er soms nog iets anders waardoor ik thuis gebeld zou kunnen worden zonder dat het nummer zichtbaar wordt?'

Sterling zuchtte en dacht even na. 'Het enige wat ik kan bedenken is dat je thuis meerdere aansluitingen hebt en intern kunt bellen. Dan ben je offline en buiten het netwerk van de telefoonmaatschappij.'

Daar dacht ik even over na. De cottage had drie aansluitingen: in de slaapkamer, in de huiskamer en in Davids atelier. Sommige telefoons geven een ander signaal bij een intern gesprek, maar bij mijn oude toestel was dat niet het geval; die gaf zowel voor intern als extern hetzelfde irritante, elektronische geluid. De gedachte dat er iemand in huis was geweest en me van daaruit had gebeld, was angstaanjagend. Zou het zo gebeurd kunnen zijn, of had ik me dat telefoontje verbeeld? Ik wist mezelf ervan te overtuigen dat het aan mijn verbeelding moest liggen of aan het hallucinerende effect van de slaappil die ik had genomen. Een indringer zou echt geen huis binnengaan om alleen maar een bizar telefoontje te plegen en vervolgens weer te vertrekken. Bovendien zat het huis op slot en het atelier ook.

'Hartstikke bedankt, Sterling.'

'Geen dank. Maar als het weer gebeurt moet je me bellen; dan maken we het officieel, ja?'

'Dat zal ik doen,' zei ik.

'Pas goed op jezelf, schat, en als je tijd hebt om een bakje koffie te gaan drinken, geef je maar een belletje.'

Toen ik op kantoor terugkwam, ging mijn telefoon. Ik nam op. 'Moran.'

'Kate? Met Paul.'

'Paul wie?'

'Doe niet zo leuk, Kate. Ik ben het, je man. Of ben je dat zo vlug vergeten?'

Ik zuchtte. '*Ex*-man. Wat moet je?'

'Is dat nou een manier om tegen de man te praten met wie je vroeger getrouwd was?'

Paul had in de afgelopen maanden een paar keer gebeld en elke keer had hij me aan mijn hoofd zitten zeuren over wat een goed huwelijk we hadden gehad. *Als dat dan zo goed was geweest, waarom was hij dan vertrokken?* Hij werkte nog steeds op de afdeling Moordzaken van de gemeentepolitie.

'Wat wil je, Paul?'

'Ik hoor dat je met een dubbele moord zit. Een copycat van de Duivelse Discipel. Vreemde zaak. Denk je het op te kunnen lossen?'

Nadat David en Megan waren vermoord, had Paul me gebeld om me te condoleren, maar ik had de indruk gekregen dat dit niet helemaal gemeend was. Een maand na de begrafenis had hij zowaar het lef gehad om me te bellen en te vragen of ik met hem wilde gaan eten om te proberen onze relatie 'nieuw leven in te blazen', zoals hij dat noemde. Paul werd steeds onuitstaanbaarder en meer en meer onhandelbaar. Voor mij was het duidelijk dat hij zich nodig onder behandeling moest stellen, maar zelf ontkende hij dat.

'Wie heeft je over de zaak verteld?'

'Hé, je weet hoe snel zoiets bekend wordt in onze business. Vergeet niet dat ik jaren geleden aan de dubbele moord van de Discipel hier in het District heb gewerkt, voordat de FBI erbij werd betrokken.'

'Bel je daarom, over die zaak?'

'Nee, ik heb kaartjes voor een jazzconcert op dinsdagavond. Ik dacht dat je wel aan een avondje uit toe zou zijn en dat we dan na afloop dan ergens een hapje konden gaan eten.'

Ik zuchtte. 'Paul, het enige wat ik wil, is met rust worden gelaten zodat ik verder kan gaan met mijn leven. Zou je dat voor me willen doen? Wat begrijp je niet aan: "We zijn gescheiden"?'

Zijn stem werd bitter. 'Heb je dan geen greintje gevoel meer voor me? We zijn verdomme vijf jaar getrouwd geweest. We kennen elkaar al heel lang.'

'Paul, luister. Dit begint een obsessie voor je te worden. Als je iemand nodig hebt om mee te praten, wil ik je helpen om een goede therapeut te vinden. Maar weet je wat die je dan vertelt? Hetzelfde dat ik je vertel: dat je me met rust moet laten en verder moet gaan met je leven.'

Ik hoorde de woede in zijn stem. 'Je krijgt hier nog spijt van, Kate; spijt als haren op je hoofd dat jij en ik niet weer bij elkaar zijn gekomen.'

'Hoe bedoel je dat precies? Is dat een bedreiging?'

'Er komt een dag dat je weet wat ik bedoelde, maar dan is het te laat.' Toen verbrak hij de verbinding.

Het was duidelijk dat Paul ongelukkig was, maar ik had geen tijd om over zijn woorden na te denken want toen ik opkeek, zag ik Vance Stone binnenkomen, diep in gesprek met Cooper. Stone keek met een zelfgenoegzame uitdrukking op zijn gezicht in mijn richting. 'Kijk eens aan, de doden zijn voorwaar opgestaan.'

'Ik was hier voor achten al, Stone.'

'Heel goed.'

'Ik hoorde dat jullie elkaar kennen, dus voorstellen is niet nodig,' zei ik.

Stone kwam naar me toe. 'Ja. Coop en ik hebben vroeger samengewerkt.'

Ik zag dat Stone iets in zijn hand had dat op een laboratoriumrapport leek. 'Wat is dat?' vroeg ik.

'Diaz voelde zich klaarblijkelijk uitgedaagd,' antwoordde hij. 'Hij heeft de hele nacht doorgewerkt en is erachter gekomen waar dat stomerijkaartje vandaan kwam. Via een lijst van bedrijven die spullen voor stomerijen leveren, is hij aan de weet gekomen aan welke stomerij het bonboekje is geleverd waar dat kaartje uitkwam.'

Mijn hart begon sneller te kloppen. 'Dat is mooi werk.'

'Beter nog,' zei Cooper. 'Die stomerij ging om halfacht open en ik heb zojuist met ze gebeld. De eigenaar zegt dat die rok een maand geleden is opgehaald en dat de klant zijn naam, Fleist, zijn mobiele nummer en zijn adres op het bonnetje dat bij de stomerij bleef, had geschreven.'

'Wat is dat adres?' Mijn hart bonkte.

Stone verfrommelde zijn koffiebekertje en gooide het in de prullenmand. 'Een caravanpark in Rockville. Kom mee, Moran.'

35

Tien minuten later waren we onderweg. Cooper zat voorin, naast Stone, en ik achterin. 'Weten we waar het is?' vroeg ik.

Stone negeerde me, maar Cooper zei: 'Ik heb met de politie van Rockville gebeld. Het caravanpark ligt buiten de stad, aan Royston Avenue.'

Ik keek op de kaart die Cooper uit het handschoenenkastje had gehaald en vond Royston Avenue. 'Als we deze weg blijven volgen, moeten we vanzelf een bord zien.'

Stone scheurde over de snelweg. Terwijl ik de kaart weglegde, kwamen de gedachten terug. Was er vannacht werkelijk gebeld? *Misschien is er helemaal niet gebeld en ben ik gewoon bezig gek te worden?*

Het was net tien uur geweest toen we in Rockville waren. Ik gaf Stone aanwijzingen: 'Als het goed is, moet het hier rechts zijn.'

We vonden Royston Avenue en Stone sloeg rechtsaf. Het was gaan regenen, maar even later zag ik het caravanpark en een groot bord met de tekst: EERSTEKLAS FACILITEITEN — LAGE PRIJZEN. Het zag er armoedig uit. Net binnen de ingang stond een prefabhuisje dat het kantoor van de manager moest zijn en daar stopte Stone. Toen we de deur opendeden, sloeg de warmte ons tegemoet. De ramen waren beslagen en een verwarmingsventilator draaide op volle toeren. Achter een balie zat een grote, enigszins onguur uitziende kerel met een grote grijze snor en een groezelige honkbalpet een zilveren beker te poetsen. Met zijn getatoeeerde armen zag hij eruit als een bejaarde biker.

Hij nam ons argwanend op. 'Goeiedag. Ik heb het gevoel dat jullie geen plekkie komen huren, klopt dat?'

'Inderdaad.' Ik toonde mijn legitimatie. 'FBI. Bent u de manager?'

'Manager, klusjesman, huurophaler, manusje-van-alles, noem maar op. Ik ben de enige werknemer hier en daardoor win ik elke maand de prijs van "Werknemer van de maand". Ben ik aardig trots op. Mijn naam is Roy Jargo. Wat kan ik voor jullie doen?'

'Staat hier iemand die Fleist heet?'

Jargo's ogen vernauwden zich en hij stond langzaam op. 'Helemaal achteraan staat een vent met een Suncruiser. Die heet Otis Fleist.'

'Woont hij alleen?'

Jargo schudde zijn hoofd. 'Nee, samen met zijn dochter, Kimberly. Hij zegt in elk geval dat het zijn dochter is, maar dat weet je tegenwoordig nooit. Het is een rare wereld, of waren jullie daar nog niet achter?'

'Hoe oud is die dochter?'

'Veertien, vijftien jaar, schat ik. Vast niet ouder dan zestien. Waar gaat het om? Hebben die mensen problemen met de politie of zo?'

'Hoe lang staan ze hier al, meneer Jargo?' vroeg ik.

'Een maand of drie.'

'Weet u ook waar ze vandaan komen?'

Jargo schudde zijn hoofd. 'Nee. Dat heb ik ze niet gevraagd en zij hebben het me niet verteld. We houden het hier allemaal zo simpel mogelijk. Het enige wat we willen is dat ze op tijd betalen en geen rotzooi trappen.'

'En daar houden de Fleists zich aan?'

'Ja, mevrouw, tot dusver wel.'

'Wat kunt u me nog meer over ze vertellen?'

'Mevrouw, neem me niet kwalijk, maar ik weet verder geen ene moer. Dat is niet rot bedoeld, maar zo gaat dat hier nu eenmaal. De mensen bemoeien zich over het algemeen met hun eigen zaken en ik ben niet nieuwsgierig. Ze zouden zogezegd bezig kunnen zijn een kernbom te bouwen zonder dat ik er ook maar iets van zou merken.'

'Maar als er behalve Fleist en zijn dochter verder nog iemand in die camper woonde, zou u dat wel weten, of niet soms?'

Hij haalde zijn schouders op. 'Eerlijk gezegd niet. Maar ik geloof het niet. Ik denk dat het alleen Fleist en zijn dochter zijn. Waarom vraagt u dat?'

'Wanneer hebt u ze voor het laatst gezien?'

'Een paar dagen geleden, denk ik.'

Stone zei: 'Woont hier soms nog iemand die net zo heet?'

'Fleist? Nee. Hé, jullie hebben me nog steeds niet verteld wat er eigenlijk loos is.'

'Hebt u een sleutel van die camper?'

Roy Jargo schudde zijn hoofd. 'Nee. Sommige mensen geven me een reservesleutel voor het geval dat, maar anderen niet. Fleist ook niet.'

'Dan kun je maar beter een koevoet pakken, als je die hebt,' zei Stone lomp.

36

We liepen naar het eind van het caravanpark; de manager wees naar een Suncruiser: wit met crème, gedeeltelijk met kersenhout betimmerd en met een luifel. Zo te zien was hij al een paar jaar oud. De ramen zaten allemaal dicht en de gordijnen waren gesloten.

Jargo zei: 'Zo te zien is er niemand thuis.'

Stone probeerde tussen de gordijnen door naar binnen te kijken. 'Wanneer was dat *precies* dat je hier voor het laatst iemand hebt gezien?'

Jargo dacht erover na en krabbelde eens in zijn nek. 'Dat zal vier, misschien vijf dagen geleden zijn, maar zeker weten doe ik het niet. Ik kan niet iedereen in de gaten houden. Ik heb een druk sociaal leven.'

Ik probeerde de deur, maar die zat op slot. Ik klopte een keer of wat terwijl Cooper en Stone om de camper heen liepen en naar binnen probeerden te kijken. 'Dus u weet zeker dat u vier of vijf dagen geleden nog iemand hebt gezien?' vroeg ik aan Jargo.

'Zoiets. Maar wacht even, ik ben er niet honderd procent zeker van. Hoezo?'

Ik duwde eens tegen de deur, maar die voelde stevig aan. 'Hebt u iemand anders dan de bewoners in de afgelopen dagen de camper in of uit zien gaan? Of wanneer dan ook?'

Jargo trok aan zijn snor. 'Ik dacht het niet. Hé, jullie vragen van alles, maar geven geen antwoord op mijn vragen.'

'Ik leg het later wel uit. Hebt u de laatste tijd soms verdachte personen in het park gezien?'

Jargo haalde zijn schouders op. 'Dat zou je minstens de helft van de mensen hier toe kunnen rekenen.'

'Iemand die opviel? Of iemand die u nooit eerder had gezien?'

'Nee, ik dacht het niet.'

Cooper en Stone kwamen weer terug. 'De achterdeur zit op slot,' gromde Stone. 'De ramen ook.'

Ik bonkte nog eens op de deur. 'Dit is de FBI. Als er iemand binnen is, doet u de deur dan open, alstublieft.'

Geen antwoord. Ik herhaalde de aankondiging en bonkte nog twee keer op de deur, maar er gebeurde niets. Ik knikte naar Cooper en Stone, trok mijn Glock en hield die gereed terwijl ik hen hetzelfde zag doen.

De manager keek bezorgd. 'He, wat gebeurt hier verdomme? Ik wil geen schietpartij in mijn park hebben.'

'Meneer Jargo, ik heb slecht nieuws. We gaan de deur forceren. U kunt die koevoet maar beter gaan halen.'

Jargo schrok en ging voor de deur staan. 'Wacht eens even, wie gaat de schade betalen? Ze kunnen mij aansprakelijk houden.'

Stone duwde hem zonder meer opzij. 'Ga toch weg, man,' snauwde hij.

Jargo wilde protesteren, maar Stone gaf een harde trap tegen de deur. Er gebeurde niets en hij haalde nog een keer uit. Deze keer klonk het geluid van versplinterend hout en scharnieren die het begaven. Met een derde en laatste trap schopte Stone de deur compleet uit de sponningen. Toen gebeurde er iets dat we geen van allen hadden verwacht. We roken allemaal iets: *een zoetige stank van rottend vlees.*

Ik sloeg mijn hand voor mijn mond en keek naar Cooper en Stone. Ze zagen er verschrikt uit.

'Ik kan maar beter om mijn manieren denken – dames gaan voor,' zei Stone. Het klonk alsof hij me in de maling nam en ook hij bedekte zijn mond.

Dank u. Ik ging de Suncruiser binnen, mijn pistool gereed en heel behoedzaam, stap voor stap. Binnen kreeg ik een nieuwe schok. In het schemerdonker zag ik de vage omtrekken van iemand die op het bed lag. Mijn hart ging tekeer terwijl ik mijn pistool op de figuur richtte en heel voorzichtig verderging, hopend dat degene die daar lag niet gewapend was en niet van plan er een schietpartij van te maken. 'FBI,' riep ik. 'Kom van dat bed en doe je handen omhoog.'

Dat leek me gezien het lage plafond van de camper wat moeilijk, maar degene die daar lag bewoog zich niet en gaf ook geen antwoord, terwijl de stank opeens zo overweldigend was dat ik bijna moest overgeven. Ik knipperde met mijn ogen, maar kon nauwelijks iets zien. *Verdomme.* Ik was zo opgedraaid dat ik er geen moment aan gedacht had om het licht aan te doen. Stone kwam achter me aan en ik riep over mijn schouder: 'Doe het licht eens aan of doe die verrekte gordijnen open.'

Stone haalde de schakelaar aan de wand over en na wat geflikker ging er in het plafond een tl-buis aan die de kamer in een hard, wit licht zette. Verblind deed ik mijn ogen even dicht, maar ook direct weer open.

'Wat is dat verdomme...' zei Stone achter me.

Cooper kwam er ook bij en nu zagen we het rottende lijk op het bed. Het was een Duitse herder die al vrij lang dood moest zijn. Het dier lag in een plas opgedroogd bloed en verspreidde zo'n verpestende stank dat ik mijn neus en mond met mijn arm bedekte. Stone en Cooper deden hetzelfde.

'Zo te ruiken is het kreng al een mooi poosje dood,' zei Stone en porde eens met de loop van zijn pistool in het kadaver.

De keel van het dier was doorgesneden. De zwart-met-bruine vacht was doordrenkt met gestold bloed en er zoemden vliegen om de wond. Nu ik licht had, keek ik eens rond. Het was een zootje. Overal lagen kleren; het aanrecht en de gootsteen stonden vol vuile vaat. Nergens zag ik een bebloed mes waarmee de hond gedood kon zijn. Het leek waarschijnlijk dat degene die Fleist en zijn dochter had vermoord ook de hond had gedood.

Ik keek verder rond in het keukengedeelte. Op een van de planken zag ik een foto van een man. Toen nog eentje van dezelfde man, samen met een jonge vrouw: *Fleist en zijn dochter, Kimberly.* Geen van beiden keken ze erg vrolijk, vooral de dochter niet. Ze staarde me met een verdrietig gezicht aan.

Aan het eind van de kamer was een deur waarvan ik aannam dat er een badkamer achter zou zitten en ik gaf Cooper een seintje dat hij moest gaan kijken. Met zijn wapen in de hand liep hij omzichtig naar de deur en deed hem open. Ik zag een toilet en een douchecabine.

'Een lege wc,' riep Cooper.

Toen ik me omdraaide, zag ik Stone zijn wapen wegbergen en met een vies gezicht naar de hond kijken. 'Jezus, wat een klerezooi. Stoute hond!' Grijnzend duwde hij met zijn voet tegen de hond. 'Ik heb de pest aan herders. Geef mij maar een dobermann, die zijn veel harder.'

Ik tastte naar mijn mobieltje. 'Heeft iemand je wel eens verteld dat je aardig gestoord bent, Stone?'

'Ze doen niet anders. Wie bel je?'

'Technische Recherche.' Terwijl ik het nummer intoetste, zei ik tegen Cooper: 'Laten we vast rondkijken en zien wat we kunnen vinden.'

'Doen we. Ik zal even handschoenen uit de auto halen.'

Ik kreeg de TR te pakken en zei dat ze onmiddellijk een team naar Royston Park moesten sturen.

Toen belde ik Lou.

37

Terwijl we op Lou en de TR wachtten wilde ik alvast rondkijken in de camper, maar om dat in die beperkte ruimte met drie mensen te doen, op het gevaar af dat we dan sporen zouden verstoren, leek me niet goed. Daarom liet ik het aan Stone en Cooper over en ging nog eens met de manager praten.

Ik trof Roger in zijn kantoor waar hij juist de dop op een fles Red Star bourbon draaide. Met een lijkbleek gezicht hief hij zijn glaasje naar me op. 'Ook eentje?'

'Roy, misschien was het je nog niet opgevallen, maar ik heb dienst.'

'Ik ook, maar er zijn van die momenten dat je een opkikkertje nodig hebt.' Jargo sloeg met tranen in zijn ogen zijn glas achterover.

Ik haalde mijn notitieboekje tevoorschijn. 'Gaat het een beetje?'

Jargo's handen beefden. 'Als manager van een caravanpark zie je rare dingen, maar dit slaat alles. Ik hou van dieren. Als jongen had ik tien honden. Mijn moeder fokte Pyrenese berghonden. Tot voor een paar jaar had ik er zelf eentje, tot hij door een vrachtwagen werd overreden, helemaal plat. Ik hield van dat beest. Heeft een jaar geduurd voordat ik eroverheen was.' Hij veegde zijn mond af, snoof eens en schonk zich nog eens in. 'Ik begrijp niet hoe iemand Fleist z'n hond op die manier kan afslachten. De vuile schoften.'

Ik kan hem maar beter niet vertellen wat er volgens mij met Fleist en zijn dochter is gebeurd. Daar zat die grote biker dan met zijn getatoeëerde armen. Roy was een softie. 'Misschien kun je die fles beter even laten staan tot ik je verklaring heb opgenomen.'

'Hé, het is mijn fles. En ik ben aardig van de kook door dit geval.'

Even dacht ik dat Roy zou gaan huilen; hij klonk als een jongetje van tien jaar. 'Een getuigenverklaring die je hebt afgelegd terwijl je onder invloed was heeft voor de rechter niet zo erg veel waarde,' zei ik.

'Denk je dat dit voor de rechter komt? Omdat die hond vermoord is?'

'Daar durf ik iets om te verwedden.' *Als je eens wist.*

'Denk je dat iemand moet boeten voor wat ze met dat arme beest hebben gedaan?'

'Als we ze te pakken krijgen, dan kan ik je dat beloven, maar als je nu eerst eens ging zitten en een beetje kalm aan probeert te doen.'

Roys handen beefden toen hij zijn glas wegzette en ging zitten.

Ik deed mijn notitieboekje open. 'Vertel me nog eens het een en ander over Fleist en zijn dochter.'

'Wat moet ik vertellen?'

'Hadden ze die hond al toen ze hier binnenkwamen?'

'Ja. Alleen zag ik die hond ongeveer net zo vaak als Fleist – en dat was niet zo vaak. Ze zaten bijna altijd binnen, hij en zijn dochter en Reno. Zo heette die hond.'

'Waarom was dat?' vroeg ik.

'Waarom ze hem Reno hadden genoemd. Verrek, weet ik veel.'

'Ik bedoel, waarom bleven ze meestal binnen?'

Roy pakte een ander glas onder de balie, deze keer een groot bierglas. Ik dacht dat hij weer aan de bourbon zou gaan, maar in plaats daarvan pakte hij een kan water van zijn bureau en schonk het glas vol. 'Om je de waarheid te zeggen zag Kimberly er meestal nogal verdrietig uit. En het viel me op dat ze altijd een beetje schuw was als ik tegen haar praatte. Maar waarom ze zo was, dat zul je aan Fleist moeten vragen.'

'Eerlijk gezegd, Roy, denk ik niet dat meneer Fleist nog vragen zal beantwoorden. En zijn dochter ook niet.'

Roy fronste zijn voorhoofd en nam een slok water. 'Nee? Hoe komt dat?'

'We denken dat ze vermoord zijn.'

Roy verslikte zich en spuwde een straal water uit die een eindje verder op de vloer terechtkwam. Hij veegde zijn mond met zijn mouw af en staarde me aan. 'Jezus. Je zit me toch niet in de maling te nemen, is het wel?'

'Nee, Roy. En misschien kun jij me helpen.'

'Hoe bedoel je dat? Verdenk je mij soms?'

'Nog niet. Je kunt me helpen door me alles te vertellen wat je van Fleist weet. En dan bedoel ik ook *alles*. Tot in het allerkleinste detail.'

Tien minuten lang luisterde ik naar Roy, terwijl hij beweerde dat hij Fleist bijna nooit had gezien en dat de man nooit veel te vertellen had gehad.

'Hoe zit met een vrouw of een vriendin?' vroeg ik.

'Hé, ik weet alleen dat hij, toen hij hier aankwam, alleen met zijn dochter was. Ik heb nooit een mevrouw Fleist gezien en ook geen vriendin.'

Er werd op de deur geklopt en Cooper kwam binnen. Hij keek ernstig en wees met zijn duim in de richting van de camper. 'We hebben iets gevonden. Je kunt maar beter komen kijken.'

38

Terwijl we terugliepen naar de camper bracht Cooper me op de hoogte van de stand van zaken. Stone stond in de voordeur geleund en kauwde op een lucifer. 'Heeft Cooper het je verteld?'

'Hij zei dat jullie een hoop spullen hebben gevonden,' antwoordde ik.

Stone maakte een hoofdbeweging naar binnen. 'Kom kijken. Het is een vreemde zaak.'

Ik volgde hem naar binnen en zag dat een van de deuren van de kleerkast openstond.

Stone had een paar rubberhandschoenen aangetrokken uit de doos die Cooper uit de auto had gehaald. 'We hebben rondgekeken zonder al te veel overhoop te halen. Bij de deur zitten wat krassporen die mogelijk niets te betekenen hebben, maar op de poten van de hond meen ik vezels te zien. Dat is mogelijk ook niets, maar kijk hier eens even, Moran.'

Stone liep naar het keukengedeelte, pakte daar voorzichtig een hoek van het marmerblauwe linoleum vast en trok het ongeveer een meter terug. Eronder zag ik een klein luikje. Toen Stone dat opendeed, verscheen een diep vakje van ongeveer twintig centimeter in het vierkant dat aan het chassis van de camper gelast moest zitten. Er zat een doorzichtige plastic map in waarin wat papieren zaten en iets wat op een in kranten gewikkeld pakje leek.

'Wat zit er in die map?' vroeg ik.

'Een plattegrond van het Greensville Correctional Center.'

'Wat?'

'Je hebt gehoord wat ik zei. En zo te zien is hij echt. Het stempel van het Gevangeniswezen van de staat Virginia staat erop.'

Ik trok een paar rubberhandschoenen aan en haalde de map heel voorzichtig uit het vakje. Er zat een stel bouwtekeningen in met onderaan in een hoek in blauwe inkt de tekst: GREENSVILLE CORRECTIONAL CENTER. Ik zat me nog af te vragen wat dit kon betekenen toen ik tegen Stone zei: 'Wat zit er in dat pakje?'

Stone pakte het op en sloeg ermee in zijn handpalm. 'Dat heb ik gevonden toen Cooper al weg was. Geld, briefjes van honderd dollar. Ik schat dat het een mille of vijf moet zijn.'

'Wat heb je nog meer gevonden?'

Stone grijnsde. 'Dit vind je vast prachtig.'

Hij liep naar de openstaande klerenkast en ik volgde hem. De kast hing zo vol met kleren dat hij bijna uit zijn voegen leek te barsten. Stone haalde er een zwart kledingstuk uit dat op een cape leek, met op de linkerborst een garneersel. Een grijze achtergrond met daarop een zwart kruis dat op het punt waar de twee balken elkaar kruisten gebroken was en onder het kruis een bloedrode traan.

'Herken je dit, Moran?' Stone keek me strak aan.

Ik kon zijn blik niet ontwijken, net zo min als ik de ijzige kilte kon negeren die me beving toen ik de cape zag. Ik bekeek het kledingstuk terwijl Cooper achter me kwam staan. 'Wat is dat in vredesnaam?' vroeg hij.

'Constantine Gamal droeg soms een dergelijke cape als hij zijn slachtoffers vermoordde,' legde ik uit. 'We hebben twee van deze capes in zijn appartement gevonden. Hij had die symbolen zelf ontworpen – een zwarte cape met een gebroken kruis en een motief van bloeddruppels. De grote vraag is wat deze cape hier doet. Bestond er een verband tussen Gamal en Fleist?'

'Daar heb ik tijdens het proces het een en ander over gelezen,' zei Cooper. 'Het gebroken kruis zou het symbool zijn van de macht van Satan en de bloeddruppels stonden voor het bloed dat tijdens een ritueel offer vloeit.'

'Jij mag op de voorste bank gaan zitten, Cooper,' zei Stone terwijl hij de cape weer op zijn plaats hing. 'Alleen moet je al die onzin over de duivel en zwarte magie niet geloven. Net zo min als Gamal er zelf in geloofde, of Moran. Zo is het toch, Moran? Wat zegt Lous kleine meid ervan?'

Ik hoorde de pesterige toon in Stones stem, wist dat hij me zat te jennen en nam niet de moeite om te antwoorden. Ik zag dat Cooper nietbegrijpend zijn voorhoofd fronste en leek te denken: *Wat is er toch aan de hand met die twee?* Niemand had hem klaarblijkelijk iets verteld van de wrijving tussen Stone en mij. Of van Stones nauwelijks verholen verdenking dat ik David en Megan had vermoord. Iedereen die ik kende was van mening dat zijn wantrouwen werd ingegeven door afgunst. Ik voelde er niets voor om hier te gaan bakkeleien en daarom draaide ik me om.

Maar Stone was niet van plan om het erbij te laten zitten en wilde me nog meer jennen. 'Ben je niet blij dat Lou je zijn nummer twee heeft gemaakt bij deze zaak, Moran? Ik denk dat het bij Lou heel belangrijk is als je een vrouw bent.'

Ik keek hem aan. 'Wanneer hou jij je mond nou eens een keer, Stone?'

Hij grijnsde vals. 'Mijn mond? Ik begin me af te vragen wat jij met jouw mond doet als niemand het ziet. Ga je wel eens op de knietjes voor Lou? Om hem heel persoonlijk te bedanken voor alle hulp die hij je bij je carrière geeft? Even pijpen om je dankbaarheid te tonen?'

'Hoe durf je.' Mijn woede kreeg de overhand en ik gaf Stone een klap in zijn gezicht.

Hij wankelde achteruit, zijn hand tegen zijn wang gedrukt en verbaasd dat ik hem werkelijk had geslagen. *'Jij vuil, smerig kreng...!'*

Stones verschrikte gezicht gaf me een heerlijk gevoel, maar ik wist meteen dat ik een grote fout had gemaakt.

Lou Raines stond in de deuropening. Hij keek me vernietigend aan en zei: 'Stoor ik soms, agent Moran?'

39

Raines kwam de camper binnen. Hij keek met opgetrokken neus naar de Duitse herder. 'Wat is hier in jezusnaam aan de hand? Wat is dat met die dooie hond?'

Ik keek even naar Stone die zijn hand liet zakken. Zijn wang was vuurrood en er zat bloed op zijn lip.

Raines zei: 'Moet ik het verdomme nog een keer vragen of zijn jullie soms doof? Wat heb jij te zeggen, agent Moran?'

Ik voelde me buitengewoon stom, als een schoolmeisje dat van een leraar op haar kop krijgt. 'Lou, het is niet —'

Zijn stem klonk gesmoord van woede. 'Ik zal je vertellen wat het niet is. Het is geen degelijk onderzoek wat hier wordt gedaan. Dat had ik verwacht hier aan te treffen, maar in plaats daarvan kom ik een ruzie tussen een stelletje kleuters terecht. Ik spreek jou later, agent Moran. Stone, ben je van plan een klacht tegen Moran in te dienen?'

Stone veegde met zijn mouw het bloed van zijn lip. 'Daar zal ik over nadenken.'

Raines schudde vertwijfeld zijn hoofd. 'Zou iemand intussen, terwijl je dat doet, zo goed willen zijn om me te vertellen hoe de zaak er hier voorstaat?' Hij wees op de Duitse herder. 'Laten we met die dooie hond beginnen.'

Ik vertelde Lou wat we tot dusver hadden gevonden. 'Laat me die cape zien,' zei hij. 'Cooper, geef me een paar handschoenen.'

Cooper gaf hem een paar rubberhandschoenen en ik nam Raines mee naar de kleerkast, waar hij de cape bekeek zonder verder iets te zeggen. 'Waar zijn die andere spullen?'

Stone trok het zeil terug en liet hem het luikje zien met de plattegrond en het geld. Raines knielde en nadat hij de plattegrond had bekeken, fronste hij zijn voorhoofd. 'Wat moet die gozer nou in godsnaam met een plattegrond van Greensville?'

'Dat vragen wij ons ook af,' antwoordde ik.

'Meen je dat nou? Hoe kan het dan dat Stone en jij het daar niet over eens kunnen worden, maar intussen wel met elkaar op de vuist gaan?'

Ik zei niets. Wat moest ik zeggen?

Raines keek Stone aan. 'En jij, Vance? heb jij daar een antwoord op? Of sta jij ook met je mond vol tanden?'

Stone bette zijn mond. 'Ja.'

Raines kwam overeind. 'Heeft een van jullie bijgeval iets van belang opgemerkt? Agent Moran, volgens mij wilde je iets zeggen.'

Ik keek naar het vak in de vloer. 'Als we aannemen dat de slachtoffers die we in de mijn hebben gevonden Fleist en zijn dochter zijn, dan lijkt roof als motief niet waarschijnlijk. De moordenaar of moordenaars zouden dat geld net zo gemakkelijk hebben gevonden als wij.'

Raines zei niets en trok zijn handschoenen uit. 'Als de TR hier is, wil ik dat elke centimeter van deze camper wordt onderzocht, tot de laatste huismijt aan toe.'

Plotseling keek hij me met een doordringende blik aan en knikte naar de deur.

'Agent Moran, jij en ik moeten praten.'

Ik volgde hem naar buiten en we liepen in de richting van het kantoortje, maar halverwege bleef hij staan en keek me met gefronst voorhoofd aan. 'Wat is dat verdomme nou toch om met Stone op de vuist te gaan? Heb je hem gewoon voor de gein een dreun verkocht?'

'Wat denk *jij, Lou?*'

'Doe niet zo brutaal, Kate. Ik vraag het aan *jou.*'

'Nee, zo was het niet.'

'Hoe was het dan wél? Zat hij je te sarren? Hadden jullie ergens ruzie over? Wat was het?'

Ik kwam in de verleiding om het hem te vertellen, maar ik hield er niet van om uit de school te klappen. 'Laten we zeggen dat Stone en ik weer eens een verschil van mening hadden.'

Raines werd kwaad. 'Jezus, Kate, je mag dan misschien een van mijn beste agenten zijn, maar ik wil niet de je een van je collega's te lijf gaat. Als jij het me niet wil vertellen, moet ik het misschien aan Stone vragen, zijn kant van de zaak horen. Geef verdomme antwoord. Daagde Stone je uit, ja of nee?'

'Ik wil hier echt geen punt van maken, Lou. Ik kan heus wel voor mezelf opkomen.'

Raines klonk nog veel geïrriteerder. 'Ja, dat heb ik gemerkt en dat is de aanleiding voor dit gesprek.'

'Kunnen we het niet gewoon vergeten?'

Raines wees met zijn vinger naar me. 'Op één voorwaarde. Jullie sluiten vrede. Ik wil niet dat jullie elkaar telkens weer naar de strot vliegen. Zo niet, dan maak *ik* er zonodig een punt van, begrepen?'

Stone kennende was vrede sluiten een onmogelijke zaak, maar gezien de stemming waarin Lou op dit moment was, leek het me beter om er eenvoudigweg mee in te stemmen. Ik slikte mijn eigen woede in. 'Ja.'

'Toch heb ik het gevoel dat jou nog steeds iets dwarszit,' zei Raines.

'Waarom heb je me niet verteld dat Cooper en Stone vroeger partners zijn geweest?'

'Wat heeft dat er nou mee te maken?'

'Het zou er iets mee te maken kunnen hebben.'

'Je wordt paranoïde, Kate. Dat heeft er helemaal niets mee te maken. Cooper is een prima kerel en hij staat niet aan Stones kant, als je dat soms denkt. Nu dan, ben je klaar in die camper?'

'We hebben alles gedaan wat we konden. Het wachten is op de TR,' antwoordde ik.

'Goed, dan wil ik dat je met mij en Cooper terugrijdt naar de stad. Stone kan hier op de TR wachten.'

'Is er een speciale reden waarom ik met jou terug moet?'

Raines haalde zijn autosleutels uit zijn zak. 'Ja, die ouwe man van de mijn, Billy Adams.'

'Wat is er met hem?'

'Hij heeft een signalement van de verdachte gegeven.'

40

Randy Rinaldi was een van de beste tekenaars van het Bureau. Het was een knappe vent van midden vijftig met een peper-en-zoutkleurige baard, kobaltblauwe ogen en wenkbrauwen die zo dun waren dat het net leek of ze met eyeliner waren aangebracht. We zaten op kantoor in zijn hokje en ik zat op een geleende stoel naast hem. Hij was een enorme familieman: zijn bureau stond vol foto's van Randy's vrouw, hun mooie jonge dochter en een stuk of wat kleinkinderen.

Randy zei: 'Ik heb ruim twee uur met Billy Adams doorgebracht, Kate. Echt, dit is het beste wat ik ervan kon maken.'

Het beeld van de onbekende persoon, het product van Billy Adams' geheugen, Randy's vaardigheid en zijn E-fit-software, staarde me vanaf het platte lcd-scherm aan. Het was intussen bijna drie uur en behalve een beker zwarte koffie had ik nog steeds niets gegeten.

Randy zei: 'Billy was zo getraumatiseerd dat het me de grootste moeite kostte om hem zelfs maar aan de praat te krijgen. Wacht, ik maak even wat afdrukken voor je.'

Randy drukte op de printtoets, waarop de HP-kleurenprinter zes A4'tjes uitspuwde. Ik pakte er een en keek naar het gezicht van de verdachte die Billy Adams bij de mijn zou hebben gezien. Hij had de man beschreven als iemand met een ovaal, gladgeschoren gezicht en donker haar. Zonder bijzondere kenmerken, met een gewone neus, een gewone kin en gewone ogen. Kortom: een niemand.

'Wat is er?' vroeg Randy. 'Je schijnt niet erg blij te zijn.'

Ik zuchtte. 'Zou ik dat dan moeten zijn? Had onze getuige nu werkelijk niet een klein beetje preciezer kunnen zijn?'

Randy streek over zijn kortgeknipte baard. 'Hij was vrij ver weg, Kate. En veel licht was er ook niet. Ik weet dat het niet veel is, maar het is beter dan helemaal niets. Aanvankelijk wist Billy alleen te vertellen dat het een blanke man was.'

Ik vreesde dat deze compositietekening voor het onderzoek van nul en generlei waarde zou zijn. Dat gebeurde soms. Gewoonlijk betekende het dat de getuige in feite helemaal niets had gezien. 'Neem me niet kwalijk. Ik had op meer gehoopt.'

'Het is een moeilijke zaak, hè?' zei Randy.

'Ik ben bang van wel.'

Randy sloeg het bestand op en het beeld verdween van het scherm. Hij keek op de klok, zag dat het bijna drie uur was, rommelde in zijn la en haalde er een lunchbox uit. 'Ik had de haverzak al lang om mijn nek moeten hebben. Ik ga even een luchtje scheppen – zin om mee te gaan?'

'Heel verleidelijk, maar vandaag niet.'

Randy stond op en pakte een foto van wat een pasgeboren baby leek van zijn bureau. 'Heb je het nieuwe kuitenbijtertje gezien? Mijn dochter Dolores heeft vorige maand een zoon gekregen. Dat is ons zesde kleinkind. Hij heet Christian. Leuk, hè?'

Ik bewonderde de foto. 'Je bent een gelukkig mens, Randy.'

'Dat mag je wel zeggen. Kinderen zijn alles. Kun je een beetje met die nieuwe overweg, Cooper?'

'We verdragen elkaar.'

'Valt niet mee voor hem, met die jongen van hem, hè?'

'Wat bedoel je?' vroeg ik.

'Wist je dat niet? Hij heeft een zoon van zeven die een speciale medische behandeling nodig heeft. Daarom is hij naar Washington overgeplaatst. Het Johns Hopkins in Baltimore is een van de beste kinderziekenhuizen van het land. Hij had om overplaatsing naar Baltimore gevraagd, maar daar was geen plaats; ze boden hem Washington aan. Dat is dicht genoeg bij Baltimore om heen en weer te reizen.'

'Wat heeft zijn zoon?' vroeg ik.

'SLE. Dat is een vorm van lupus erythematodes.'

'Daar heb ik van gehoord. Is dat niet de een of andere auto-immuunziekte?'

Rinaldi knikte. 'Je hebt DLE en SLE. De eerste is de discoïde vorm, die alleen de huid aantast; SLE is de algemene vorm die vrijwel alle organen aantast. De oorzaak is niet bekend en het enige wat je kunt doen is proberen de ziekte tot staan te brengen.'

Mijn god, zat ik er even naast met mijn nachtclubs. Geen wonder dat Cooper er moe uitzag – een ziek kind en een fulltimebaan bij het Bureau was geen gemakkelijke combinatie.

Rinaldi zette de foto van zijn kleinzoon terug op het bureau. 'Heb je vandaag al gegeten, Kate?'

'Mijn ontbijt, om zeven uur.'

'Daar moet je mee uitkijken. Ik heb in dit werk jarenlang slecht ge-geten, tot ik op den duur een maagzweer had. Pak nou een goeie raad van mij aan en neem even pauze.'

'Ik heb op dit moment te veel aan mijn hoofd.'

'Dat hebben we allemaal, maar dat is geen excuus. Doe jezelf een ple-zier en ga een hapje eten.'

41

Randy had gelijk: ik moest een kop koffie gaan drinken en iets eten. Ik besloot naar mijn favoriete koffiebar te gaan, twee straten verderop, en daar een broodje te eten. Maar nadat Randy was gaan lunchen en ik in mijn eentje was achtergebleven, zat ik naar het beeld van de onbekende verdachte op het glanzende papier te kijken. Hij leek werkelijk op nie-mand. Hij wás niemand. Een neutraal persoon. Een van de twintig mil-joen die je op straat tegen kunt komen.

En ik had op een doorbraak gehoopt. Vergeet het maar.

Ik bleef voor Randy's lege computerscherm zitten. Ik kende de E-fit-software en had er verschillende keren mee zitten spelen. Ik maakte een kopie van het bestand en opende het. Mijn mobiele telefoon ging en ik nam het gesprek aan. 'Moran.'

'Kate, met Frank.'

Mijn broer Frank was achttien maanden daarvoor zijn baan bij de FBI kwijtgeraakt als gevolg van een drankprobleem. Ik had op alle mogelijke manieren geprobeerd hem te helpen, net als veel van zijn vroegere col-lega's, maar ook nadat hij een paar keer onder behandeling was geweest kon hij maar niet van de fles afblijven. Ik had hem twee weken geleden nog gebeld om te horen hoe hij het maakte, maar toen was hij volledig doorgezakt. Als Frank dronk, viel er onmogelijk met hem te praten. Na een poosje had ik de telefoon maar neergelegd.

Maar deze keer klonk hij nuchter.

'Welkom terug in het land der levenden,' zei ik.

'Hé, voordat je me op mijn sodemieter geeft, het spijt me werkelijk. Ik weet dat ik me weer eens als een klootzak heb gedragen.'

'Je bent dronken geweest.'

'Ja, en nou ben ik nuchter.'

'Voor hoe lang, Frank? Het wordt je dood, weet je dat? Je kunt zo niet doorgaan, je moet er werkelijk vanaf. Je doet iedereen die om je geeft veel verdriet – en dat weet je heel goed.'

'Ja, ik weet het.'

'Is dat alles wat je te zeggen hebt?'

'Ik probeer het,' zei Frank zacht.

'Dat zeg je elke keer, maar je bent nog steeds niet opgehouden. Dat moet je wel doen, nu, voor het te laat is.'

Frank zei niets. Hij had diezelfde preek al zo vaak gehoord, maar ik bleef stug doorgaan omdat ik van hem hield. Terwijl ik zat te wachten tot hij weer iets zou zeggen, zat ik met het nietszeggende gezicht van de onbekende verdachte te spelen. Eerst gaf ik hem wat bollere wangen, toen veranderde ik de stijl van zijn donkere haar en maakte het grijs. Ik zat zomaar op goed geluk te knoeien, in de hoop dat ik toevallig iets herkenbaars in het gezicht zou ontdekken.

'Dus, wat ga je eraan doen, Frank?'

'Ik probeer het echt, Kate, geloof me. Alleen, nou ja... soms krijg ik een verkeerde bal en dan glij ik weer uit.'

Als Frank weer nuchter werd, was hij gewoonlijk erg kwetsbaar. Zo klonk hij nu ook. Ik wist dat het geen enkele zin had om hem op zijn bliksem te geven. 'Dus, waarom belde je?'

'Ik moet met je praten, Kate. Tien minuten, meer vraag ik niet.'

Vanuit het menu van E-fit gaf ik de verdachte een baard, haalde die weer weg en probeerde stoppels. 'Waar wil je over praten?'

'Niet over de telefoon. Zou je vandaag in de loop van de dag bij me langs kunnen komen?'

'Frank, als je je rekeningen soms niet hebt betaald, van mij krijg je geen geld meer. Je moet leren om op je eigen benen te staan en de verantwoordelijkheid nemen voor de toestand waarin je terechtgekomen bent. Dat is hard, maar het is niet anders. Geen gelul, geen *arme ik* meer.'

Ik had Frank zes maanden daarvoor vijfduizend dollar geleend om zijn schulden af te lossen. Daarvan had hij de helft terugbetaald, maar de rest vormde een probleem. *Geld voor drank heeft hij wel, dus hoe kan dat?* Het ging me ook niet om het geld, maar om het principe.

'Kate, het gaat niet om geld, dat zweer ik je. Vijf minuten, meer vraag ik niet.'

Volgens mij zat Frank weer in de problemen, al hield hij dan ook bij hoog en bij laag vol dat dat niet zo was. Maar ik kon geen nee zeggen als hij hulp nodig had. Ik zuchtte. 'Vanmiddag heb ik een vergadering, dus het zal daarna moeten. Ik ben rond zes uur bij je.'

'Dank je, Kate. Tot straks, zus.'

Ik verbrak de verbinding en draaide me weer om naar de computer. Ik had het gezicht van de onbekende ingrijpend veranderd en toen ik naar het LCD-scherm keek, huiverde ik. Tegelijkertijd schoot er een vraag door me heen. Projecteerde ik onbewust mijn eigen boeman op het scherm of had ik iets gevonden? Door het veranderen van een aantal kenmerkende factoren – kleur en stijl van het haar, de wangen wat gevulder, een stoppelbaard en een andere kleur ogen – zag het beeld op het scherm er griezelig bekend uit. Het gezicht dat me aanstaarde was dat van Constantine Gamal.

42

Springfield, Virginia

Het was kwart voor zes en het begon al donker te worden toen ik voor Franks huis in Springfield stopte. De bungalow was van een collega van Frank van het Bureau die voor een jaar in het buitenland was gedetacheerd; Frank paste op het huis. Ik was nog steeds niet helemaal mezelf toen ik het tuinpad naar de bungalow op liep. Het beeld van Gamal op dat computerscherm had me aardig van de wijs gebracht, vooral omdat ik bedacht dat hij een expert op het gebied van vermommingen was geworden. In mijn achterhoofd begon zich een ijzingwekkende gedachte te vormen die ik maar liever van me af wilde zetten.

Toen Frank na enig bellen de deur opendeed, droeg hij alleen maar een spijkerbroek en was bezig zijn door de zon gebleekte haren af te drogen, terwijl hij trachtte te grijzen. 'Je bent vroeg, ik was nog onder de douche. Kom binnen.'

Hij was drieënveertig, maar vele jaren zwaar drinken hadden hun sporen nagelaten en hij zag er een stuk ouder uit. Zijn collega's zeiden dat hij op Tommy Lee Jones leek en dat was inderdaad zo, alleen droeg Frank zijn haar lang en meestal in een paardenstaart met een elastiekje erom. Zijn ogen waren bloeddoorlopen en hij zag rood.

'Voel je je al wat beter?' vroeg ik.

'Eerlijk gezegd niet.'

'Dat is je verdiende loon.'

Frank ging me voor naar de woonkamer. 'Ja, ik weet het. Wie zijn billen brandt en zo. Ga zitten. Wil je koffie?'

'Voor mij niet. Waar wilde je over praten?'

'Rustig aan, zus. Daar kom ik zo aan toe.'

Ik ging op de bank zitten terwijl Frank met een zucht in de fauteuil ertegenover ging zitten. Hij droogde zijn haar verder af en trok een verkreukeld grijs T-shirt aan dat eruitzag alsof de hond erop geslapen had. Het was nauwelijks te geloven dat Frank een van de beste agenten van een speciaal rechercheteam van de FBI was geweest en een doctoraal in de criminele psychologie had. Hij had vanuit Quantico samengewerkt met het NCAVC — het centrum voor de analyse van geweldsmisdrijven — speciaal belast met het onderzoek van de plaats delict, het opstellen van een psychologische beoordeling van dader en slachtoffer en trachten een daderprofiel samen te stellen. Alleen had de aanblik van al die gruwelijke moorden en de plaatsen waar lijken soms waren gedumpt, vooral die waarbij kinderen betrokken waren, zijn tol geëist.

Frank had altijd van een borrel gehouden, maar geleidelijk aan begon hij zwaar te drinken. Toen strandde zijn huwelijk en het jaar daarop kwam zijn zoon om het leven bij een ongeluk met zijn motorfiets in Baltimore. Zijn hele leven lag aan scherven en op een dag was hij gewoon het kantoor uit gelopen, was aan de zuip gegaan en nooit meer teruggekomen. In de afgelopen anderhalf jaar was hij weken achter elkaar dronken geweest, dan weer nuchter, en hij had de grootste moeite om het hoofd boven water te houden.

'Die zaak waar je mee bezig bent,' zei hij, terwijl hij zijn haar gladstreek en in een paardenstaart bond.

'Over welke zaak heb je het?'

'*De* zaak. Die lijken in de verlaten mijn bij Acre.'

Ik stond perplex. 'Hoe weet *jij* dat nou?'

'Wil je koffie?' vroeg hij nogmaals.

'Nee, ik wil antwoord.'

Frank schonk zich een mok zwarte koffie in en grijnsde zijn Tommy Lee Jones-grijns. 'Je denkt toch niet dat ik gek ben? Ik kijk televisie. Een paar locale stations hadden er een bericht over.'

'Ik bedoel, hoe wist je dat ik erbij betrokken was? Mijn naam is niet in het nieuws geweest, niet dat ik weet.'

Frank nam een slokje koffie. 'Ik zie de jongens met wie ik gewerkt heb nog regelmatig. Dronken en nuchter. Ik ben niet doof, zus.'

'Dat is dan wel snel bekend geworden,' zei ik. 'En wat heb je precies gehoord?'

Frank zette zijn mok neer en leunde met een zucht achterover in zijn stoel. 'In de mijn zijn twee lijken gevonden, verminkt en verbrand, de stijl van Gamal. Ik hoorde zelfs dat ze hem de Barbecuemoordenaar noemen, net als Gamal. Omdat hij zijn slachtoffers slacht en roostert.'

'Schei uit, Frank. Ik kan er nog steeds niet tegen om zelfs maar aan zijn modus operandi te denken.'

Ik kon zien dat Frank er onmiddellijk spijt van had dat hij me aan Gamals moordmethode had herinnerd. 'Soms heb ik een grote, ongevoelige bek en zeg ik zomaar iets. Het spijt me, Kate. Hoe ging je werkbespreking vanmiddag?'

'Geen doorbraken, als je dat bedoelt. We staan nog steeds bij af. Maar waarom ben jij daarin geïnteresseerd?'

'Ik wil je mijn hulp aanbieden.'

Ik trok ongelovig mijn wenkbrauwen op. 'Frank, neem me niet kwalijk, maar volgens mij moet jij eerst jezelf helpen.'

Zijn handen beefden. Ik nam dat hij zat te snakken naar een borrel, maar zijn uiterste best deed om het vol te houden. Hij zag waar ik naar keek en vouwde zijn handen in zijn schoot. 'Dat was niet kwetsend bedoeld,' zei ik. 'Ik wou je niet terugpakken voor je opmerking.'

'Dat weet ik wel. Oké, ik geef het toe. Maar we hebben eerder samengewerkt, Kate, en dat ging goed.'

Behalve de jacht op Gamal had ik acht maanden geleden ook nog een moordzaak in Baltimore gehad waarbij Frank me, zonder dat anderen ervan wisten, adviezen had gegeven; ik was toen maar wat blij geweest met zijn expertise. Toen hij nog bij de FBI zat hadden we zo nu en dan samengewerkt, maar deze keer had ik mijn bedenkingen om hem erbij te betrekken omdat hij nog steeds dronk.

Hij keek me bijna smekend aan. 'Ik kan het nog. En we kunnen het net zo doen als voorheen: niemand hoeft het te weten. Laat me het proberen.'

Ik had iemand als Frank heel goed kunnen gebruiken, al was het alleen maar om tegenaan te praten, mijn ideeën over de zaak op uit te proberen. Hij was nog altijd een van de beste rechercheurs die ik kende. Ze zeggen dat de besten dwars door een leugen heen kunnen kijken. Frank kon, op een goede dag, als hij nuchter was, dwars door een stenen muur kijken.

'De eerste vraag die bij me opkomt, is *waarom*, Frank. Wat heb jij hier voor belang bij?'

'Je bent mijn zuster en ik ben je iets verschuldigd.' Frank boog zich naar voren en legde zijn hand op de mijne, een voor hem heel ongebruikelijk gebaar. Hij was niet zo aanrakerig, maar ik kreeg de indruk dat hij me wilde laten merken dat hij werkelijk om me gaf. 'Je bent er altijd voor me geweest, in goede en in slechte tijden. Meestal was ik te dronken of had ik te veel medelijden met mezelf om zelfs maar dank je wel te zeggen. Beschouw het maar als een aanbetaling op wat ik je schuldig ben.'

'Is dat de enige reden?'

Frank glimlachte. 'Ben je bedonderd? Ik moet iets te doen hebben, anders word ik hier hartstikke gek, Kate. Ik zweer het je. Nog een paar dagen niksdoen en ik vreet het vloerkleed op of ik ga aan de zuip.'

'Toch heb ik het gevoel dat er nog iets is...'

Frank haalde een keer diep adem en keek me aan. 'Wil je het echt weten?'

'Ja, natuurlijk.'

'Ik denk dat je moe bent, Kate. Ik spreek uit ervaring. Ik zie het aan je ogen. Je bent helemaal op. Je hebt iemand nodig om op te steunen. Iemand bij wie je je hart kunt uitstorten.'

'Je wordt bedankt.'

'Het is de waarheid. Die Gamal-zaak heeft heel wat van je gevergd. Als je het mij vraagt, ben je er bijna aan onderdoor gegaan, maar je wilde niet opgeven. Het was net zo als toen we kinderen waren en we het laatste stukje van de puzzel moesten zien te vinden.'

Het was een van de weinige herinneringen aan mijn kinderjaren die ik nooit was kwijtgeraakt: de zondagavonden met mijn vader. Mam ging dan bij haar zusters op visite terwijl hij met een stel vrienden in de woonkamer zat te pokeren. Wij werden dan in de keuken aan de oude vurenhouten tafel gezet met een legpuzzel van duizend stukjes. Alleen had hij van tevoren één stukje meegenomen en ergens in huis verstopt. Als we de puzzel uiteindelijk hadden gelegd, ontbrak dat ene stukje nog en dat moesten we dan zien te vinden. Frank en ik wisten niet van opgeven tot we het hadden gevonden, al moesten we het hele huis op zijn kop zetten; ik kon me nog goed herinneren wat een lol we dan hadden. Ik heb me later wel eens afgevraagd of mijn vader dat met opzet had gedaan om een stel koppige rechercheurs van ons te maken.

'Wat wil je zeggen?' vroeg ik.

'Volgens mij had je een poosje rust verdiend om weer op verhaal te komen. Maar niks hoor, Raines gooit je zo weer in een volgend onderzoek.'

'Ik heb een paar dagen vrij gehad.'

'Nou, dat is veel, zeg. En om het allemaal nog erger te maken gaat het om een copycat. Hoe dan ook, ik heb me de laatste tijd zo hufterig gedragen dat ik het goed wil maken door je de hulp van mijn briljante analytische geest aan te bieden.' Frank glimlachte flauwtjes. 'Is dat alles bij elkaar reden genoeg?'

Frank had in elk geval op één punt gelijk: ik had iemand nodig om tegenaan te praten, iemand aan wie ik al die vreemde dingen die er de laatste tijd waren gebeurd, kon vertellen. Zijn aanbod was verleidelijk. Misschien omdat ik dringend behoefte had aan een bevestiging dat ik niet bezig was gek te worden. Toch was ik nog steeds huiverig om met hem in zee te gaan. Nuchter was hij een fantastische rechercheur, maar dronken was hij een onberekenbare factor die me in de problemen zou kunnen brengen.

'Ik waardeer het aanbod, Frank, echt waar, maar ik kan het niet aannemen. Nu niet.'

Frank werd zelden kwaad, maar ik zag hoe gefrustreerd hij was toen hij een klap op de tafel gaf waardoor de koffie over de rand van zijn mok vloog. 'Verdomme, Kate, ik kén je. Je popelt om de zaak met iemand door te praten. En als je dat hebt gedaan, zul je je een heel stuk beter voelen.'

Hij had waarschijnlijk gelijk. 'Bovendien heb ik een aantal ideeën over het soort verdachte naar wie je moet zoeken.'

Daar had hij me te pakken. 'Wat voor ideeën?'

'Eerst zeggen dat ik mee mag doen,' hield Frank vol.

'Je neemt me niet in de maling?'

'Absoluut niet.'

Ik dacht even na. 'Op één voorwaarde.'

'Je zegt het maar,' zei hij.

'Je zuipt niet terwijl je me helpt. Geen druppel alcohol. Nog geen hoestdrankje of een likeurbonbon. Dat meen ik, Frank. Anders is het meteen afgelopen.'

'Je bent wel een harde.'

'Het is voor je eigen bestwil.'

Frank stak zijn hand uit en glimlachte breed. 'Ik zal mijn uiterste best doen. Wat dacht je daarvan?'

Ik bood hem mijn hand nog niet aan. 'Nee, het is alles of niets, Frank.'

Oké! Oké! Afgesproken. Kom op dan, vertel me alles wat je hebt.'

43

Ik vertelde hem alles. Alles wat er de laatste achtenveertig uur was gebeurd, met inbegrip van dat griezelige nachtelijke telefoontje. En Frank had gelijk: ik voelde me onmiddellijk een stuk beter. Helaas was die vreugde van korte duur.

'Je denkt zeker dat ik gek ben.'

'Dat heb ik nou nooit gedacht,' zei hij grijnzend. 'Maar als je ook maar durft te dénken dat Gamal mogelijk nog in leven zou kunnen zijn, dan zou het wel zover kunnen komen. Kom nou toch, Kate. Je hebt toch gezien dat de man geëxecuteerd werd? Je hebt gezien dat het gif in zijn aderen werd geïnjecteerd en je hebt gehoord dat hij dood werd verklaard, waar of niet?'

'Ja, maar wat nou als hij het op de een of andere manier heeft overleefd? Ik heb het gevoel dat deze hele zaak iets bovennatuurlijks heeft. De modus operandi van de moorden in de mijn heeft alle kenmerken van Gamal. Daarbij komt dan ook nog eens het feit dat er geen voetsporen in de sneeuw te zien waren en het beeld dat ik op de computer kreeg. Het is allemaal heel vreemd en onverklaarbaar…'

Frank schudde zijn hoofd. 'Probeer het dan ook niet te verklaren. Hou je bij de realiteit. Een dergelijke fout is bij Justitie nog nooit voorgekomen. Die vent ligt te rotten in zijn graf, dus zet al je twijfels opzij. Ik durf te wedden dat nog nooit ook maar iemand een injectie met kaliumchloride heeft overleefd, om nog maar niet te spreken van die andere chemische troep die ze gebruiken. En wat dat bovennatuurlijke betreft, daar wil ik niet eens over praten.'

Ik voelde me direct een stuk beter. Als Frank nuchter was, zag hij altijd weer kans om dwars door alle onzin heen te kijken en ik was blij dat ik het hem had verteld. 'Je hebt gelijk. Neem nou die voetsporen. Daar moet natuurlijk een eenvoudige verklaring voor zijn. Iemand zou de moeite genomen kunnen hebben om ze weg te vegen.'

'Precies,' zei Frank.

Ik voelde me bijna weer normaal, tot ik iets anders bedacht. 'Maar dan zouden we ergens sporen van een bezem gevonden moeten hebben. En hoe zit het met dat telefoontje van vannacht? De muziek?'

'Dat heb je je verbeeld, óf iemand heeft je inderdaad gebeld en die muziek afgespeeld.'

'Maar waarom dan?'

'Dat weet ik ook niet. Als het gebeurd is...'

'Het *is* gebeurd, Frank. Ik heb de hele dag geprobeerd om mezelf ervan te overtuigen dat het van de slaappil kwam of dat ik het me had verbeeld, maar hoe meer ik erover nadacht, hoe zekerder ik werd dat ik gebeld ben.'

'Dat zou kunnen betekenen dat de dader al veel van je weet. Misschien koestert hij een wrok tegen je en wil hij je jennen of van de wijs brengen, mogelijk beide. Maar wie het is of wie het zijn, en waarom deze persoon dezelfde methode gebruikt als Gamal, zullen we moeten uitzoeken. We weten al iets. Het kan een of ander gestoord figuur zijn dat de verslagen van de moorden heeft gevolgd en die een kick krijgt van het soort misdrijven dat Gamal pleegde.'

Ik knikte. 'Iemand die besloot om in Gamals voetspoor te treden nu die uit de roulatie is.'

'Precies,' zei Frank.

Ik vond het een verontrustende gedachte. 'Als je gelijk hebt, zou hij in huis geweest kunnen zijn en een van de andere toestellen gebruikt kunnen hebben om me te bellen. Volgens Sterling was dat de enige verklaring voor het feit dat het gesprek niet door de telefoonmaatschappij was geregistreerd.'

'Heb je die Glock nog altijd onder je hoofdkussen?'

'Ja.'

'Hou die daar maar, voor het geval dit iets persoonlijks is. Je weet net zo goed als ik dat er gestoorde figuren rondlopen zoals die over wie we het net hadden. Hou je deuren op slot en zet je alarmsysteem aan. Maar één ding staat vast: het kan nooit Gamal in eigen persoon zijn geweest. Zet dat dwaze idee alsjeblieft uit je hoofd.'

Frank had alweer gelijk. Hij schonk ons beiden koffie in. 'Dat houdt je wakker. Je slaapt toch wel goed?'

'Nee, helemaal niet.'

'Probeer het eens met een halve fles whisky. Dat werkt bij mij gegarandeerd.'

'Grappig, hoor. Ik hou het maar liever op een slaappil. Je zei dat je een aantal ideeën over de dader had.'

Frank dronk van zijn koffie, dacht even na en keek me toen met een opgetrokken wenkbrauw aan. 'Ik zie het zo. De man die we zoeken – en ik neem aan dat we met een man te maken hebben – is iemand met een psychiatrisch verleden, tussen de vijfentwintig en veertig jaar oud, lichamelijk in goede conditie en mogelijk zelfs krachtig gebouwd. Mij komt het voor dat de moorden het werk waren van iemand die als paranoïde schizofreen is gediagnosticeerd. De plaats delict toont woede, machtsvertoon en overkill. De man is of een psychopaat, of een borderliner en hij zal alle gebruikelijke trekken van iemand met psychopathische neigingen vertonen: de neiging om zich te laten gelden, manipulerend, een sterke wil om te winnen en voor zichzelf de overtuiging koesterend dat hij altijd gelijk heeft.' Hij zweeg, dacht even na en ging toen verder: 'Hij is ook van meer dan gemiddelde intelligentie en heeft waarschijnlijk een universitaire opleiding gehad. We hebben te maken met iemand die zich, als dat nodig is, heel charmant kan voordoen. Mogelijk heeft hij een strafblad. Misschien is het iemand die Gamal in de gevangenis heeft leren kennen, die samen met hem heeft gezeten en hem bewonderde. Hij rijdt in een betrouwbare auto, een bestelwagen of een suv, waarschijnlijk een ouder model, maar wel een die zuinig in het gebruik is. Ik denk dat hij al eerder heeft gemoord of verminkt, maar dat is dan toch al enige tijd geleden.'

'Je zou je natuurlijk kunnen vergissen.'

'Ja, dat kan. Het is geen exacte wetenschap. Ik kan alleen op de feiten en mijn instincten afgaan. Maar wie het ook mag zijn, je kunt maar beter zorgen dat je hem snel vindt.'

'Hoezo?'

'Omdat ik ervan overtuigd ben dat dit nog maar het begin is. De kans is groot dat hij opnieuw moordt. Ik durf er zelfs iets om te verwedden dat dat zeer binnenkort zal zijn.'

44

In het daaropvolgende halfuur nam ik de hele zaak nog eens met Frank door, maar toen was ik ook doodop. Frank liep met me mee naar de voordeur. Hij had me het een en ander gegeven om over na te denken.

'Je bent zeker van dat telefoongesprek, maar kun je garanderen dat je het niet hebt gedroomd?' vroeg hij.

'Ik heb de telefoon gehoord, Frank. Ik heb opgenomen – ik droomde niet en ik had geen nachtmerrie. Ik hoorde de muziek van Slipknot. Het was hartstikke griezelig. Je gelooft me toch, of niet?'

'Als je er zo zeker van bent dat het gebeurd is, ja, dan geloof ik je. Heeft de mijn of die camper nog iets opgeleverd?'

'Het enige wat we tot dusver hebben, is dat stomerijkaartje dat ons bij dat caravanpark heeft gebracht. En wat vezels die we onder de nagels van het meisje en op de poten van de hond hebben gevonden en die misschien van belang kunnen zijn, maar misschien ook niet.'

'Weten ze al wie de slachtoffers zijn?'

'Nog niet, maar ik hoop dat we het spoedig aan de weet komen, ofwel via het DNA of via de gebitsgegevens.'

'En die tekeningen van de gevangenis in Greensville die je in die camper hebt gevonden?' vroeg Frank.

'Dat is een heel vreemde zaak. Dat en de cape die we in de klerenkast hebben gevonden, zou kunnen betekenen dat er een verband bestaat tussen Fleist en Gamal. Maar wat dat verband zou kunnen zijn, weten we niet, althans, nog niet.'

'Heeft het lab de cape en de tekeningen onderzocht?'

Ik knikte. 'Je oude vriend Diaz vertelde me dat hij op geen van beide bruikbare vingerafdrukken heeft gevonden. Alleen wat onherkenbare vlekken. Hij is nog met die cape bezig, maar tot dusver heeft hij nog geen menselijke verontreinigingen gevonden, wat ik nogal merkwaardig vind. Ik had verwacht dat Diaz toch op zijn minst haren van Fleist of zijn dochter zou hebben gevonden.'

Frank trok een denkrimpel. 'Misschien heeft geen van beiden die cape ooit gedragen.'

'Maar wat deed die dan in die camper?'

Frank glimlachte. 'Hé, jij bent de rechercheur, dus dat moet jij uitzoeken. Heb je verder nog iets kunnen vinden dat wijst op een verband tussen Fleist of zijn dochter met Gamal?'

Ik had moeite om mijn ogen open te houden. 'Nee, maar ik ga mijn uiterste best doen om dat te vinden.'

'Verder nog iets dat ik moet weten?'

Ik vertelde hem van de gevangenisdirecteur, Clay. Frank trok zijn wenkbrauwen op. 'Wat denk je dat hij voor je verborgen probeerde te houden?'

'Ik weet het niet. Noem het rechercheursinstinct, maar hoe meer ik erover nadenk, hoe meer ik ervan overtuigd raak dat Clay zich bij mij niet op zijn gemak voelde. Alsof hij iets wist dat ik niet wist en dat hij me ook niet wilde laten weten. Hij is te netjes, te vleierig, alsof hij een spelletje speelt.' Ik glimlachte. 'Het is natuurlijk mogelijk dat ik de arme kerel helemaal verkeerd beoordeel. Ik heb het wel vaker bij het verkeerde eind gehad.'

'Als ik nu eens ging uitzoeken wie en wat Clay is? Ik heb nog steeds een paar vriendjes bij het gevangeniswezen.'

'Als je maar voorzichtig bent, goed? Ik wil niet dat Clay erachter komt.'

'Daar kun je op rekenen.' Frank zag dat ik doodmoe was en klopte me op de arm. 'Laat het nu eerst allemaal maar even. Jij hebt rust nodig. Ga slapen, zusje.'

'Deze keer spreek ik je niet tegen.'

'Fijn om weer samen te werken, Kate.'

Ik maakte aanstalten om weg te gaan. 'Zolang jij je nu maar aan onze afspraak houdt.'

Frank hield de deur voor me open. 'Hand op mijn hart. Pas goed op jezelf.'

Ik liep naar de auto en stapte in. Frank bleef in de deur staan en zwaaide toen ik wegreed.

Ik voelde me een stuk beter nu ik wist dat hij aan mijn kant stond.

Toen ik twintig minuten later de Eisenhower Freeway opreed, vroeg ik me af of mijn verbeelding me parten speelde. In mijn achteruitkijkspiegel ving ik een glimp op van een zwarte Ford-bestelwagen. Ik wist bijna zeker dat die me vanaf Franks huis was gevolgd. Hij zat zo ver achter me dat ik de chauffeur of het kenteken niet kon zien, maar hij bleef nog minstens vijf kilometer achter me hangen – om toen plotseling af te slaan en in de avondspits te verdwijnen.

45

Angel Bay, Virginia

Toen ik de sleutel in de voordeur stak, dacht ik nog steeds aan die zwarte bestelwagen. Ik was doodmoe en wilde zo vlug mogelijk in een warm bad gaan liggen, maar eerst overtuigde ik me ervan dat ik voordeur had afgesloten. Ik controleerde alle ramen, liep naar buiten, naar het atelier, vond ook daar de deur op slot en ging weer naar binnen. Ik sloot de achterdeur af en stelde het alarm in. Het atelier was niet beveiligd, maar de wetenschap dat de cottage beschermd was, was voldoende.

Terwijl ik wachtte tot het bad vol was, maakte ik een boterham met kipsalade klaar, schonk een glas wijn in en zette de televisie aan. Ik was te moe om te kijken en na tien munten zappen had ik het wel gezien. Ik kleedde me uit en stapte in het bad.

Onmiddellijk voelde ik me een stuk beter. Ik bleef een kwartier in het warme water liggen en viel bijna in slaap. Intussen was ik ervan overtuigd geraakt dat die Ford-bestelwagen die ik achter me meende te hebben gezien een product van mijn verbeelding was.

Nadat ik uit het bad was gestapt, trok ik mijn badjas aan en ging met nog een glas wijn bij de open haard zitten tot ik zover was dat ik zou kunnen slapen. Ik zette de wekker op halfzeven en het slaapkamerraam op een kier en ging naar bed.

Ik weet niet hoe lang het duurde voordat ik in een diepe slaap viel en hoe lang ik had geslapen, maar het volgende waarvan ik me bewust werd, was een lawaai als van een brandalarm. Met bonkend hart schrok ik wakker en tastte in het donker naar de wekker. Die wees een minuut over vier aan; ik had vier uur geslapen. Maar het geluid hield niet op. Toen pas drong het tot me door dat het de telefoon was. Half verdoofd worstelde ik me onder de dekens uit en nam op.

Mijn eerste gedachte was dat het óf het bureau óf Frank moest zijn, maar om de een of andere reden was ik plotseling op mijn hoede en keek naar het kleine display dat het inkomende nummer weergaf.

Er was geen nummer.

Ik hield de telefoon tegen mijn oor en hoorde heel duidelijk de muziek van Slipknot – zo helder als kristal. Er ging een ijzig gevoel door me heen toen ik de tekst herkende van een nummer dat Megan vaak draaide: ik wist zeker dat het 'Killers Are Quiet' heette, omdat zij en haar vrienden het vaak zongen als ze bij elkaar in haar kamer zaten. Geen moment had ik eraan gedacht dat de beller van de avond tevoren zijn voorstelling mogelijk zou herhalen. Het was alsof ik een klap met een hamer kreeg en ik schoot overeind in bed.

'*Wie is dit? Wie is dit? Geef antwoord!*' schreeuwde ik.

Een paar seconden later stierf de muziek weg en hoorde ik een stem waardoor ik koud tot op het bot werd. 'Kun je me horen, lieverd?'

De stem klonk bovenaards, maar toen begon op de achtergrond de muziek weer en herhaalde de stem: 'Kun je me horen, lieverd?'

Ik dacht: *O, god! Dit kan helemaal niet. Het klinkt als Davids stem.* Ik viel bijna flauw. *Ik word gek.* Maar in plaats van dat ik van mijn stokje ging, raakte ik in paniek. Ik smeet de hoorn op de haak, stak mijn hand onder het kussen en greep mijn extra Glock. Ik kwam uit bed en trok mijn badjas aan. De angst en paniek kregen me werkelijk in hun greep en ik begon te zweten.

Op het display was geen nummer te zien geweest. *Wat nu als het gesprek afkomstig was van een van de andere aansluitingen in huis?* Met mijn Glock in de aanslag ging ik de woonkamer in. Ik liep naar de hal en controleerde het alarm. Dat stond nog steeds op scherp. Ik moest naar de telefoon in het atelier gaan kijken en daarom zette ik het alarm af, pakte mijn sleutels, liep naar de achterkant van het huis en deed de achterdeur open.

Buiten was het koud. Er waaide een ijzige wind over het water. Ik hoorde wat geritsel. *Was dat de wind of liep er iemand?* Met mijn Glock voor me uit gestrekt sloop ik over het grindpad en voelde aan de deur van het atelier. Die zat op slot. Ik maakte hem stilletjes open en knipte het licht aan. Het atelier zag er nog net zo uit als de laatste keer dat ik hier was geweest: kil en leeg, de vloer vol met verfspetters. Ik keek naar de telefoon. Die lag op de haak. Opeens kreeg ik het gevoel dat ik misschien écht bezig was gek te worden. Had ik me het allemaal verbeeld?

Toen rinkelde de telefoon.

46

Maar nu was ik klaarwakker. Deze keer sliep ik niet half; ik was klaar voor de beller. Toch liet ik de telefoon minstens zes keer overgaan voordat ik mijn angst de baas werd en op durfde te nemen. Ik bracht de hoorn langzaam naar mijn oor en hoorde een zwak geruis op de lijn.

Geen stemmen. *Helemaal niets.*

Luisterde er aan de andere kant iemand? Probeerde deze persoon me gek te maken? Maar een fractie van een seconde later klonk er een stem, zo hard dat mijn hart een keer oversloeg. 'Kate? Ben je daar?'

Ik schrok. Het was Lou Raines. Ik was zo opgelucht zijn stem te horen dat ik bijna begon te huilen. 'Lou...'

Hij moest de paniek in mijn stem hebben gehoord, want hij zei bezorgd: 'Hé, alles goed? Is er iets aan de hand?'

'Nee... niets aan de hand.' Mijn ogen werden vochtig; nu stond ik op

151

de rand van instorten. Ik wilde Lou zo verschrikkelijk graag over dat telefoontje vertellen, maar dacht: *Als hij me niet gelooft, voel ik me zo'n idioot*. Ik had geen logische verklaring voor dat telefoongesprek.

'Ben je er nog, Kate?'

'Ja… ik ben er nog.'

'Weet je zeker dat alles in orde is?'

'Ik… ik sliep. Ik ben alleen maar verrast dat je om deze tijd belt. Wat is er aan de hand, Lou?'

'Het spijt me dat ik je wakker heb gemaakt, maar er is iets belangrijks gebeurd en het kan niet wachten.'

'Dat klinkt ernstig.'

Ik hoorde Lou ademhalen en een diepe zucht slaken.

'Ik ben zojuist gebeld door Bob Dixon. Die was nog laat aan het werk.'

Bob 'de Fluiter' Dixon was een van de mensen van ons team, een ervaren agent met ruim vijfentwintig dienstjaren. Hij was tevens een nachtuil die graag tot diep in de nacht doorwerkte en gewoonlijk floot als een kanarie. Het gerucht ging dat hij en zijn kreng van een vrouw al in geen jaren meer bij elkaar hadden geslapen en dat Bob daarom zo floot. 'Ik luister.'

'Zo rond halfvier kwam hij een interessante telex tegen van onze oude vriend inspecteur Maurice Delon in Parijs. Naar het schijnt zit de Franse Sûreté met een dubbele moord. Ongeveer veertien uur geleden zijn in de riolen van Parijs de verminkte lijken gevonden van twee Amerikaanse toeristen, een vader en zijn dochter. Dat gebeurde na een anoniem telefoontje van iemand die beweerde de lichamen te hebben gevonden. Delon vroeg ons om hulp bij de identificatie van de slachtoffers en noemde daarbij de sterke overeenkomsten met deze moorden en de moorden die Gamal vijf jaar geleden in de Parijse catacomben heeft gepleegd.'

Ik kende de bijzonderheden van de zaak waar Lou het over had. Gamal had in Parijs een internationale conferentie van psychiaters bijgewoond en was toen daar aan het moorden geslagen. En waar kon hij zijn morbide moordlust beter botvieren dan in de oude riolen van de stad? Hij had een Amerikaanse toerist en zijn zeventienjarige dochter ontvoerd en vermoord en zich in de catacomben van de lijken ontdaan. De slachtoffers werden aan de hand van hun DNA geïdentificeerd. Inspecteur Delon had toen de leiding van de zaak, die pas werd opgelost nadat wij Gamal hier in Amerika hadden gepakt.

Mijn hart begon sneller te kloppen. 'Ga verder.'

'Volgens Delon dragen deze moorden alle kenmerken van een Gamal-moord – de lichamen aan stukken gesneden en de overblijfselen ver-brand. Ze hebben op de plaats delict zelfs een crucifix gevonden. Al met al staat Delon voor een raadsel, om van mezelf nog maar te zwijgen.'

Ik was verbijsterd. Raines zuchtte nog eens. 'Het klinkt allemaal zo verdomd bekend, Kate. Het is heel vreemd. Reden waarom ik vind dat we moeten gaan kijken.'

'Je bedoelt dat we naar *Parijs* moeten?'

'Jij en Cooper. Het is beter als Stone en jij elkaar een paar dagen niet zien. Hij heeft duidelijk iets tegen je.'

'Weet Cooper dit al?'

'Ik heb hem vijf minuten geleden gebeld.'

'Wanneer vertrekken we?'

'Ik heb jullie geboekt op een vlucht van Air France, vanavond om half-zeven vanaf Baltimore International. Begin maar te pakken.'

DEEL DRIE

47

Washington, DC

Special agent Gus Norton veegde met zijn mouw de beslagen voorruit schoon. Hij zat voor in de Taurus, naast Stone, die reed en al zijn aandacht bij de weg had op de route naar Rockville. Hij keek Stone van opzij aan. 'Zou je me nog eens willen vertellen wat we hier in de rimboe gaan doen?'

'Dat heb ik je uitgelegd,' zei Stone. 'Vanmorgen werd ik gebeld door iemand uit dat caravanpark.'

'Dat weet ik, maar wie heeft er gebeld en waarover? Dat heb je er niet bij gezegd,' mopperde Norton.

'Een wijf, een zekere Emily Jenks. Ze zei dat ze iets over Otis Fleist wist dat ons mogelijk zou interesseren.'

'O ja? Had ze een speciale reden om juist *jou* te bellen?'

Stone haalde een pakje sigaretten uit het portiervak en nam een sigaret. 'Dat deed ze omdat ik, nadat ik samen met Moran en Cooper die camper had onderzocht, zo hier en daar in het park op een deur heb geklopt en mijn kaartje heb achtergelaten. Geen van de mensen die ik heb gesproken had iets over Fleist te vertellen, maar vanmorgen belde die mevrouw Jenks. Ik heb bij de manager naar haar geïnformeerd. Ze is gepensioneerd, bijna zeventig en woont alleen.'

Norton was een indrukwekkende kerel met het gespierde lichaam van een gewichtheffer. Hij werkte al twee jaar samen met Stone. Nu trok hij protesterend zijn neus op toen zijn maat het vlammetje van zijn aansteker onder de sigaret hield. 'Hé, probeer je me nou nog steeds te vermoorden, Vance? Als je dan zo nodig moet roken, zet dan in jezusnaam een raam open.'

Stone drukte op de knop van de elektrische bediening, tot het raam halfopen stond. 'Nou blij?'

'Ik zou nog veel blijer zijn als je me geen longkanker bezorgde. Dus, wat zei die oude dame?'

'Ze weigerde over de telefoon te zeggen waar het over ging. Dat wil ze onder vier ogen bespreken.'

'Neem de volgende weg rechts.'

Stone sloeg rechtsaf en verderop zagen ze het caravanpark. Norton zei: 'Heb je gehoord wat Gamal tegen Moran zou hebben gezegd, net voordat hij de naald in zijn arm kreeg?'

Stone trok sceptisch zijn wenkbrauwen op. 'Jij gelooft die hocus pocus toch zeker net zo min als ik?'

Norton grijnsde. 'Maar zij en Cooper maken toch maar mooi een reisje naar Parijs.'

'Het lazarus voor ze.'

'Je hebt echt de pest aan haar, is het niet, Vance?'

Stone wierp Norton een zure blik toe. 'Moet je horen, als je het mij vraagt heeft Gamal voor deze ene keer de waarheid gesproken toen hij zei dat hij niet verantwoordelijk was voor de Bryce-moorden.'

'Sinds wanneer geloof jij zo'n stuk vullis als Gamal? Schei nou toch uit, Vance.'

Stone reed het caravanpark binnen, stopte voor een ouderwetse stacaravan die nodig aan een opknapbeurt toe was en trok de handrem aan. 'Je weet hoe ik over Moran denk. Dat hoef ik je niet nog een keer te vertellen.'

Norton slaakte een zucht. 'Vance, jij bent de enige op het bureau die denkt dat zij haar verloofde en zijn dochter vermoord zou hebben om er financieel beter van te worden. Ik ken geen enkele collega, mezelf inbegrepen, die dat serieus neemt. Het is zelfs zo dat de meeste mensen die ik ken, denken dat je gek moet zijn om zelfs maar aan zoiets te denken. Ze weten van de rivaliteit tussen Moran en jou. Jullie zitten elkaar doorlopend in de haren. Maar om te suggereren dat een collega een moord zou hebben gepleegd, zelfs als je beweert dat het puur je beroepsinstinct is dat je dat ingeeft, dat is niet niks, man. Weet je wat ze achter je rug zeggen? Iedereen denkt dat je te ver bent gegaan. Ik heb bewondering voor Morans zelfbeheersing. Het verbaast me dat ze nog geen klacht tegen je heeft ingediend. En zoals ik al zei: wat voor bewijs heb je?'

'Ik zit al vijftien jaar in dit vak en mijn instinct heeft me nog nooit in de steek gelaten, Gus. Nooit. Ik heb je verteld wat ik haar een week voordat Bryce werd vermoord over de telefoon tegen hem hoorde zeggen. Je weet dat het crucifix anders lag en dat Bryce, in tegenstelling tot alle andere slachtoffers van Gamal, door het hoofd was geschoten.'

'Ja, dat heb je me wel honderd keer verteld, maar je hebt meer nodig dan alleen maar dat en je instinct. Je hebt keiharde bewijzen nodig.'

Stone trok de handrem nog een keer aan en zei bitter: 'Het is alleen nog maar een kwestie van tijd voordat ik de bewijzen heb. Kom op, laten we eens gaan horen wat dat ouwe wijf te melden heeft.'

48

Stone klopte op de deur van de caravan, waarop er een oudere dame in een gebloemd nachthemd met krulspelden in het haar verscheen. 'Ja?'

Stone toonde zijn legitimatie. 'Emily Jenks? Ik ben federaal agent Stone en dit is mijn collega, agent Norton. Ik geloof dat we vanmorgen telefonisch met elkaar hebben gesproken, mevrouw.'

De vrouw bekeek Stones legitimatie. 'Allemensen, zo vlug had ik jullie niet verwacht.'

'Het verkeer zat mee.'

'Komt u binnen.' De vrouw deed de hordeur open en ging hen voor naar de huiskamer van de caravan. In een hoek stond een schildersezel en op een klein, met verfvlekken besmeurd tafeltje lagen wat schildersbenodigdheden.

Terwijl de vrouw hen voorging keek Stone naar een stuk of tien schilderijen aan de wanden — voorstellingen van Mexicaanse boeren die in maïsvelden aan het werk waren en van Amerikaanse indianen. 'Bent u kunstschilder, mevrouw?' vroeg hij.

'Zo'n beetje. Eigenlijk is het maar een hobby. Ik hou me voornamelijk bezig met geld vervalsen. Ik maak een prima briefje van twintig dollar, maar met het briefje van vijftig heb ik nog steeds moeite. Het lukte me maar niet om de baard van Grant helemaal goed te krijgen en ik heb problemen met het beveiligingsdraadje.'

Stone gaapte haar aan. 'Pardon, mevrouw?'

'Kunnen jullie niet tegen een geintje? Ga zitten.'

Norton bekeek een schilderij van indiaanse kinderen in een reservaat en zei bewonderend: 'Dat is heel goed. Ik schilderde vroeger zelf, ook met olieverf, maar lang niet zo goed als u. U hebt talent.'

'Dank je, jongeman, maar je bent te vriendelijk.'

'Nee, ik meen het.'

'Het meeste is te koop,' zei de vrouw hoopvol.

'Meent u dat?' Norton kuchte. 'Nou ja, wie weet? Misschien een volgende keer.'

Stone wierp Norton een blik toe om hem duidelijk te maken dat hij moest ophouden met zijn geklets en wendde zich weer tot de oude dame. 'Kunt u me vertellen waarom u me hebt gebeld, mevrouw Jenks?'

Jenks aarzelde, alsof ze niet goed wist hoe te beginnen.

Stone zei: 'Doet u maar rustig aan, mevrouw. Vertel het in uw eigen woorden.'

'U vroeg of ik me iets herinnerde, maakte niet uit wat. Nou, een dag of vier geleden heb ik 's avonds iemand uit de camper van meneer Fleist zien komen. Ik herinnerde me het gisteravond pas weer, toen u al lang weg was.'

Stone deed zijn notitieboekje open. 'Ja? Gaat u verder.'

'Ze leken ruzie te hebben.'

'Ruzie waarover, mevrouw Jenks?' wilde Norton weten.

'Dat kon ik niet precies horen. Ik heb maar een paar woorden opgevangen. Bijna niets. Maar ik weet vrijwel zeker dat ze ruzie hadden.'

'Wat hebt u precies gezien?' vroeg Stone.

'Ja, kijk, het was te donker om het goed te kunnen zien want er was alleen maar maanlicht, maar ik weet vrijwel zeker dat de bezoeker een vrouw was.'

'Hoe dat zo?'

'Ik kon zien wat ze aan had toen de binnenverlichting van haar auto aanging en ze instapte. Ze droeg een recht gesneden donkerblauw pakje; het leek op een zakenkostuum, met een broek. Op de mouwen zat een zilveren borduursel, een soort wijnrank, tot halverwege de mouw. Dat pakje viel me op omdat mijn dochter precies hetzelfde heeft. Dat heeft ze bij Jasmine's Boutique in Betsheda gekocht.'

'Weet u het adres van die boetiek?'

'Nee, maar ik geloof dat het in Main Street is.'

'U zei dat u een paar woorden had opgevangen. Wat hebt u precies gehoord?' drong Stone aan.

'Toen de vrouw wegging, zei ze: "Je houdt je mond dicht, anders krijg je problemen." Dat meen ik me zo te herinneren.'

Norton kuchte eens en zei: 'Hebt u enig idee wat de vrouw daarmee kan hebben bedoeld?'

'Geen flauw idee. En ik ken meneer Fleist en zijn dochter nauwelijks. Ze zijn erg op zichzelf.'

Norton keek Stone aan en die wendde zich weer naar Emily Jenks. 'Maar u weet zeker dat u dat hebt gehoord?'

'Ja, daar ben ik heel zeker van. Ik ben dan misschien bijna tweeënzeventig, maar volgens de dokter is mijn gehoor prima en met mijn ogen is ook niks mis.'

'Gaf Fleist ook antwoord?'

'Nee, ik heb niet gehoord wat hij zei – en of hij wel iets heeft gezegd. Ik heb hem ook niet gezien, want hij bleef binnen.'

'Hebt u verder nog iets gehoord, of is er nog iets dat misschien belangrijk kan zijn?'

Jenks dacht even na voordat ze zei: 'Ja, eigenlijk wel. Ik heb gezien in wat voor auto de vrouw reed.'

'Wat was het?'

'Een donkerblauwe Bronco met een kenteken uit Virginia, maar het nummer weet ik niet.'

Stone fronste zijn wenkbrauwen en keek eens naar Norton die net zo verbluft keek. Stone wendde zich weer naar Jenks. 'Dat weet u *zeker*? Donkerblauw met een kenteken uit Virginia?'

'Ja, absoluut. En het was heel zeker een Bronco.'

Toen ze tien minuten later in de Taurus stapten, keek Stone nog eens om naar de caravan van Emily Jenks. 'Wat zeg je dáárvan?'

Norton haalde zijn schouders op. 'Daar vraag je me wat. Hoe groot schat je de kans dat die ouwe juffrouw zich vergist over die Bronco?'

'Ze leek aardig zeker van haar zaak.' Stone keek Norton recht in de ogen. 'Ik zei je toch al dat Moran er tot over haar oren in zit?'

'Het klonk alsof er een luchtje aan zit, dat moet ik toegeven. Maar wat een oude dame op een maanverlichte avond van een afstand meent te hebben gezien en gehoord, is nou niet direct hard bewijs, Vance. Persoonlijk zou ik er niet te veel waarde aan hechten – niet wettig, bedoel ik. Het roept wel een aantal vragen op, dat is zeker, maar zij heeft bepaald niet meegeholpen om die te beantwoorden.'

Stone startte de motor. 'Dan heb ik een idee hoe we antwoorden kunnen krijgen.'

49

Frankrijk

Ik had er altijd van gedroomd om een keer naar Parijs te gaan, al vanaf mijn tienertijd. En nu was het dan eindelijk zover. Het probleem was alleen dat het meer op een nachtmerrie leek dan op een droom. Het was zeven uur in de ochtend toen ik slaperig uit het raampje van de Boeing 767 van American Airlines tuurde.

We waren aan onze daling boven de Franse kust begonnen. Aan de onregelmatige kustlijn en de golvende, groene velden beneden me te zien, moesten we ergens boven Normandië zitten. Naast me opende Cooper zijn ogen, geeuwde eens en rekte zich uit. 'Môge,' zei hij. 'Of moet ik *bonjour* zeggen?'

'Jij slaapt als een kind van twee, Cooper, weet je dat?' antwoordde ik.

Hij was vrijwel de hele vlucht volledig van de wereld geweest – terwijl we toch aardig wat turbulentie hadden gehad – en nu knipperde hij met zijn ogen en rekte zich nog eens uit.

'Dat heb ik altijd als ik vlieg. Een teken van een zuiver geweten. En jij?'

'Ik slaap vrijwel nooit,' zei ik. 'Ik heb een hekel aan vliegen. Dat zal wel komen door het gevoel dat ik de zaak zelf niet in de hand heb. Ik ben een minuut of twintig ingedommeld, dat wel. Tussen twee haakjes, ik wil je mijn verontschuldigingen aanbieden.'

'Waarvoor?'

'Omdat ik op je zat te vitten dat je het 's avonds te laat maakte. Ik hoorde dat je een zoon hebt die lupus heeft.'

Cooper knikte, maar zei niets. Ik meende iets van verdriet in zijn ogen te zien.

'Heb je een foto van hem?' vroeg ik.

Cooper haalde zijn portefeuille tevoorschijn en gaf me een kleurenfoto. 'Dat is Neal. Het licht in mijn leven,' zei hij trots.

Ik zag een knappe jongen met donker haar, een wat verlegen glimlach en een donkere huid die jonger dan zeven jaar leek. Zijn gezicht zag er gezwollen uit. Aan de achtergrond te zien was hij op dat moment in een ziekenhuis.

'Wanneer is die genomen?'

'Een paar weken geleden. Hij was in het Johns Hopkins onderzocht en hij had een paar steroïdeninjecties gekregen, vandaar dat hij er op die foto zo opgezwollen uitziet. Vier jaar geleden is de lupus bij hem geconstateerd. De behandeling is een langdurige zaak, maar met een beetje geluk kan Neal op den duur toch een redelijk normaal leven leiden. Wat weet jij er trouwens van? Het komt niet vaak voor.'

'Een familielid van mijn moeder heeft er jaren terug aan geleden.'

'Meen je dat?' zei Cooper verrast. 'Tussen twee haakjes: wordt het langzamerhand geen tijd dat je me bij mijn voornaam gaat noemen?'

'Vind je?'

Cooper glimlachte naar me en ik zag die twinkeling in zijn ogen weer. 'Ja, dat vind ik.'

'In dat geval kan ik je vertellen dat we over een kwartier landen, Josh.'

'Ja?' Hij wreef zich in de ogen en rekte zijn nek uit om te kijken of hij iets van onze nadering naar Parijs kon zien. Het toestel schudde. Het uitdraaien van de vleuglkleppen veroorzaakte een zacht gezoem. Plotseling zag ik in de verte de Eiffeltoren door de lichte bewolking steken.

'Moet je zien, zeg,' zei Josh verrukt.

'Ik heb altijd graag naar Parijs gewild,' zei ik. 'Als kind al. En jij?'

Josh wendde zich van het raampje af. 'Ik ben hier als tiener een keer geweest. Als rugzaktoerist.'

'Ik wil je nog iets zeggen. Het spijt me dat je getuige moest zijn van dat gedoe tussen Stone en mij. Dat had niet mogen gebeuren.'

'Dat zit wel goed. Zoveel stelde het nu ook weer niet voor.'

'Toch wel. Het is geen geheim dat Stone en ik het vaak met elkaar aan de stok hebben.'

Josh stak zijn hand op. 'Hé, je hoeft het me echt niet uit te leggen. Na gisteren heb ik mijn oor zo hier en daar te luisteren gelegd. Iedereen op het bureau schijnt te weten waar het om gaat en waarom hij zo doet. Hij koestert een wrok tegen je.'

'En dat vind jij niet erg? Ik dacht dat jullie vrienden waren?'

'Stone en ik? Om je de waarheid te zeggen konden we het als partners niet zo erg met elkaar vinden.'

'Is dat zo?'

'Ja, dat is zo. Voor het geval je soms dacht dat het wel zo was.'

'Ja, eigenlijk wel.'

'Nou, dat had je dan mis.'

Het begon heel langzaam tot me door te dringen dat Cooper niet vijandig tegenover me stond. Sterker nog: het leek een aardige vent. Hij keek uit het raam. 'Dus, wat denk je ervan?' vroeg hij.

'Van Parijs?'

Hij draaide zich om en keek me aan. 'Van deze hele zaak, bedoel ik. Die neemt opeens een heel andere wending. Als iemand twaalf uur geleden tegen me had gezegd dat dit onderzoek me naar Parijs zou brengen, had ik hem voor gek verklaard.'

'Mij gaat het net zo.'

'Dat Gamal dood is, lijdt geen twijfel,' zei Josh ernstig. 'Waar ik mee zit, is de vraag wie de gek is die Gamals modus operandi na-aapt en vooral *waarom* iemand dat zou doen.'

Daar had ik geen antwoord op. Het lampje STOELRIEMEN VASTMAKEN ging aan en er klonk een toontje. Ik kreeg een beetje vlinders in mijn buik bij de gedachte dat ik nu toch werkelijk op het punt stond om in Parijs te landen, maar direct daarop gingen mijn gedachten weer naar Josh' vraag. *Wie zou de modus operandi van Gamal willen na-apen?* Terwijl ik uit het raampje keek, deed ik een stil gebedje dat we de reden ergens in het Parijs van Baron Haussman zouden vinden.

Het toestel kwam met een flinke dreun neer op de landingsbaan. Een kwartier later konden we uitstappen. Nadat we onze bagage hadden opgehaald en de douane waren gepasseerd, gingen we de aankomsthal binnen en daar zag ik twee mannen bij een pilaar staan met een bordje waarop MORAN + COOPER stond.

De ene man was lang en gekleed in een donkerblauwe jekker met opstaande kraag. Zijn metgezel was kleiner en rookte een sigaret zonder filter. Josh en ik liepen op hen af en ik zei: 'Ik denk dat u ons moet hebben.'

'Agent Moran? Agent Cooper?' zei de man in de jekker, alleen klonk het meer als *More-Ann* en *Cooo-per*. Het was voor het eerst dat ik mijn achternaam met een Frans accent hoorde en ik vond het een tikje sexy klinken.

'Dat ben ik, ik ben Moran. Dit is agent Cooper.'

'*Bonjour, madame, monsieur,*' zei zijn metgezel beleefd. 'Ik heet u beiden van harte welkom. Ik ben inspecteur Delon en dit is mijn collega, rechercheur François Laval. We hebben een auto klaarstaan. Laat ik uw bagage overnemen, madame.'

'*Merci beaucoup.*'

De inspecteur had een borstelige snor en in zijn rechteroor droeg hij een zilveren ringetje. Hij trok zijn wenkbrauwen op terwijl hij ons meenam naar buiten. 'Spreekt u Frans, madame?'

'U hebt zojuist de enige twee woorden Frans gehoord die ik ken, inspecteur.'

Er verscheen een glimlach om Delons mond.

Josh begon ineens te praten in wat mij als vloeiend Frans voorkwam.

De inspecteur leek onder de indruk. *'Mais, très bien, monsieur.'*

Ik keek Josh van opzij aan terwijl we Delon naar buiten volgden. 'Je had me niet verteld dat je Frans spreekt.'

'Stelt niet veel voor. Het is net genoeg om me te kunnen redden. Dat heb ik tegen de inspecteur gezegd.'

'Het klonk anders alsof je het vloeiend spreekt,' zei ik.

'Mijn moeder was Frans-Canadees. Zodoende brachten we als kinderen de zomer meestal in Quebec door. Mijn Franse *grandmère* stond erop dat we Frans spraken.'

'Heb je soms nog meer geheimen die je wilt delen?'

Josh grijnsde. 'Misschien. Maar die hou ik nog even voor me.'

De inspecteur bracht ons naar een donkerblauwe Renault die voor de uitgang geparkeerd stond en Laval zette de bagage in de kofferbak. Delon hield het portier voor ons open en we gingen achterin zitten. Hij stapte in en draaide zich naar ons om. 'Er is een ontwikkeling in de zaak. Als u er geen bezwaar tegen hebt, rijden we rechtstreeks naar het hoofdbureau van de Sûreté.'

Mijn hart begon sneller te kloppen. Laval startte de Renault.

'Wat voor een ontwikkeling?' vroeg ik.

'Een heel merkwaardige,' zei Delon ernstig. 'Ik heb de forensische rapporten van de moord ontvangen. Alles wijst erop dat ze exact dezelfde kenmerken vertonen als die welke Constantine Gamal vijf jaar geleden pleegde, behalve dan dat ze in riolen zijn gepleegd en niet in catacomben. Zelfs de kleinste details zijn hetzelfde. Het was alleen bij de politie bekend dat er een crucifix tussen de lichamen lag; dat hebben we nooit openbaar gemaakt. Afgezien van de locatie zou je kunnen zeggen dat we met identieke moorden te maken hebben.'

50

De Discipel liep een achterstraat van de Rue Boulard in. Het was zijn tweede morgen in Parijs en hij had al veel plezier. Gisteren had hij in de riolen nog eens twee slachtoffers vermoord, waarna hij vanuit een telefooncel had gebeld met de Dienst Rioleringen, die de politie zou waarschuwen. Het maakte allemaal deel uit van zijn strategie om Kate Moran te lokken. Nu moest hij een fantasie aan de werkelijkheid toetsen. Hij wilde weten hoe hij zich zou voelen als hij haar doodde. Maar eerst wilde hij haar vernielen. En hij moest zijn fantasie tot in detail aan de werkelijkheid toetsen, dan zou alles, als het moment daar was, volgens plan verlopen. Wat betekende dat hij een vervangend slachtoffer nodig had. En hij wist precies waar hij het zou kunnen vinden.

Dit was niet de rosse buurt rondom de Boulevard de Sébastopol die beroemd was om zijn bordelen, waar het wemelde van de pooiers en de hoeren met hun vaste klanten en waar de huurkazernes bijna uit hun voegen barstten van de zwarte Franse en Arabische immigranten. Dit was een doolhof van smalle straatjes en steegjes in het district Denfert-Rochereau, de buurt van de Parijse catacomben. De Discipel ging een dubbele eiken deur door, kwam in een vestibule, nam de trap naar de tweede verdieping en drukte op de deurbel van een appartement.

De vrouw die de deur opendeed was voor in de dertig en heel knap. Ze was blond, droeg een kort rokje en had een paar mooie benen. Haar korte topje liet haar middenrif bloot. Ze had een diamanten sierknopje in haar navel en een tweede, veel kleiner exemplaar in haar neus. Met haar fraai gewelfde lippen en stevige borsten droop de seksualiteit eraf. Hij had haar de avond tevoren op straat gezien en was tot de conclusie gekomen dat ze perfect was voor datgene wat hij van plan was. Met een andere make-up en ander haar zou ze er bijna net zo uitzien als Kate Moran.

'Monsieur?' De deur zat nog steeds stevig op de ketting.

De Discipel sprak een beetje Frans. 'Hoe… hoeveel om een poosje bij u te zijn?' Hij sprak met opzet aarzelend om zich als een verlegen klant voor te doen.

Ze glimlachte, alsof ze blij was om zo vroeg op de dag al een klant te hebben. 'Dat ligt helemaal aan meneer zelf. Hebt u speciale wensen?'

Hij knikte verlegen. 'Gewoon… een paar spelletjes.'

De vrouw leek plotseling op haar hoede. Hij nam aan dat ze haar portie vreemde figuren had gehad. Ze kon niet weten dat ze op het punt stond haar meest afschuwelijke nachtmerrie te beleven.

'Wat voor spelletjes had u in gedachten?'

Hij hield een tasje omhoog en zei verlegen: 'Geen ruw gedoe of zo. Alleen maar een beetje verkleden. Ik heb wat kleren bij me. Als u die zou willen dragen…'

'Driehonderd euro voor een uur.'

Hij deed of hij schrok. 'Dat... dat is erg duur.'

Opeens deed de jonge vrouw de ketting van de deur. Ze bekeek hem van top tot teen terwijl ze met haar vuurrode nagel over zijn revers streek en hem een knipoog gaf. 'Dat kan best. Maar ik ben het waard.'

Hij slikte nerveus en een tikje naïef. 'Goed dan. Driehonderd euro.'

De vrouw deed een stap opzij om hem binnen te laten. Haar flat was leuk ingericht met zachte verlichting en een witte vaas met verse lelies op een Scandinavische salontafel – en veel schoner dan hij had verwacht. Het spel kon beginnen.

'De badkamer is daar, meneer. Als u eerst even een douche wilt nemen dan beloof ik dat u daarna zult genieten.'

De Discipel keek op zijn horloge. Hij had nog net genoeg tijd om zijn fantasie af te maken voordat hij weg moest. De moorden die hij de dag daarvoor in het riool had gepleegd waren nog maar het begin. Als hij eenmaal klaar was met de prostituee had hij ondergronds nog het een en ander op zijn programma staan.

51

Terwijl we door de buitenwijken van Parijs reden dacht ik terug aan de moorden die Constantine Gamal in deze stad had gepleegd, nu vijf jaar geleden. Hij had in het Parijse Hilton Hotel een conferentie over psychiatrie bijgewoond die een week duurde. De titel van de lezing die Gamal daar had gehouden was, ironisch genoeg: 'Onderzoek naar de psyche van de moordenaar'. Een enigszins luguber grapje, gezien het feit dat Gamal in die week twee mensen had afgeslacht. Het waren een vader en zijn dochter – Walter J. Liephart en zijn zeventienjarige dochter Becky, beiden uit Ohio. Ze waren voor het eerst in Parijs om het feit te vieren dat Becky haar eindexamen voor de middelbare school had gehaald. Hun ontvoering en hun dood waren een klassiek voorbeeld van hoe goedgelovig sommige slachtoffers van een moord zijn.

Gamal had bij een metrostation toevallig hun Amerikaanse accent gehoord, was het tweetal onopvallend achterna gegaan en had na zijn prooi zorgvuldig te hebben bestudeerd, besloten dat de vader en dochter zijn volgende slachtoffers zouden worden. Toen de Liepharts op zeker ogenblik de weg kwijt leken te zijn, had Gamal ze wijs weten te maken dat hij een Amerikaanse historicus was die in Frankrijk werkte. Hij had de naïeve vader en dochter volledig van de sokken gepraat. Later die middag had hij ze langs de bezienswaardigheden van Parijs gereden.

Daarna had hij ze volgens een vooraf opgezette strategie de catacomben onder de straten van Parijs in gelokt onder het voorwendsel ze daar rond te leiden. Hij had een rugzak meegenomen waarin zijn gordel met de moorddadige slagersgereedschappen en een vlijmscherpe bijl verborgen zaten.

Wat Gamal met deze twee slachtoffers had gedaan, had zelfs de meest geharde moordrechercheurs van de Sûreté met afschuw vervuld. Becky's hoofd was met zoveel bruut geweld van haar romp gehakt dat er splinters van haar halswervels in de stenen vloer van de catacomben zaten. De verminkte lijken werden een week later gevonden; tussen de lichamen lag een klein crucifix. Er werd ook een blik benzine gevonden, maar de lijken waren niet verbrand.

Aangenomen werd dat Gamal ervandoor was gegaan zonder dat gedeelte van het ritueel uit te voeren omdat er veel groepjes toeristen in de catacomben waren en hij mogelijk aandacht had getrokken, wat zijn kansen om te ontkomen zou hebben verkleind.

Van het onderzoek dat ik naar de Parijse moorden van Gamal had gedaan, wist ik dat het voor het publiek toegankelijke gedeelte van de catacomben zich over een afstand van bijna twee kilometer onder de straten van de stad uitstrekte. Het gaat om een doolhof van gewelfde gangen waarin de botten en skeletresten van meer dan zes miljoen Parijzenaars liggen opgeslagen. Tijdens de reconstructie van de Franse hoofdstad die in de tweede helft van de negentiende eeuw door de Franse stadsarchitect Georges-Eugène Baron Haussmann werd uitgevoerd, werden hele buurten met de grond gelijk gemaakt. Kerkhoven moesten worden geruimd, waarna de stoffelijke resten in de catacomben werden opgeslagen. Nu was een deel van de catacomben een toeristische attractie geworden. Bij Parijzenaars stonden de tunnels bekend als het Keizerrijk van de Dood. De griezelige grafkelders vormden een perfect decor voor Gamals moorden.

Inspecteur Delon stak een smerig ruikende Franse sigaret op en deed een raampje open terwijl we over een van de bruggen van de Seine reden. 'Voor zover we hebben kunnen vaststellen, zijn de moorden meer dan zesendertig uur geleden gepleegd. De lichamen werden kort na het misdrijf, mogelijk zelfs minder dan een halfuur erna, gevonden door mensen van de Dienst Rioleringen. Dat kwam door een anoniem telefoontje. Iemand zei de lijken te hebben gezien en hing direct op.'

'Hebben ze kunnen nagaan waar het gesprek vandaan kwam? Is het opgenomen?'

'Helaas niet. De beller heeft zich ook niet bij ons gemeld, ondanks een dringend verzoek dat we via de media hebben gedaan.'

'Wie waren de slachtoffers?' vroeg ik.

'Een vader en zijn tienerdochter uit Kansas. Voor zover we weten zijn ze, nadat ze hun hotel op de Linkeroever hadden verlaten, niet in verdacht gezelschap gezien. Ze schijnen beiden met een mes en een bijl te zijn afgeslacht. De lijken zijn op een kleine, haastig opgebouwde brandstapel gelegd en met benzine in brand gestoken. Tussen de twee lichamen hebben we een houten kruis gevonden.'

Ik huiverde. 'Wat weet u verder nog van de plaats delict?'

'De lichamen zijn gelukkig niet helemaal verbrand – de mensen van de Dienst Rioleringen hebben de politie gebeld en kans gezien het vuur te blussen. Ook hebben we hun paspoorten en persoonlijke eigendommen gevonden. Die waren niet op de brandstapel gelegd. De plaats delict is goed intact.'

Delon werd onderbroken door het geluid van zijn mobiele telefoon en hij nam het gesprek aan. Hij sprak snel. Toen keek hij ons met een ernstig gezicht aan. 'Dat was het hoofdbureau. Er schijnt een poging te zijn gedaan om nog twee mensen te ontvoeren en te vermoorden.'

'Waar?'

'In de catacomben van het district Denfert-Rochereau, waar Gamal vijf jaar geleden zijn Parijse slachtoffers heeft gemaakt. De plek bevindt zich op ongeveer twee kilometer van het riool waar we gisteren die andere twee hebben gevonden. Naar het schijnt zijn er getuigen.'

Mijn hart begon sneller te kloppen. 'Wie zijn het?'

'Een toeriste en haar dochter zagen in een van de tunnels een man met een mes. Hij probeerde hen aan te vallen, maar sloeg op de vlucht toen de andere leden van de groep te hulp schoten.'

'Wanneer is dat gebeurd?' vroeg ik.

'Minder dan tien minuten geleden.' Delon stak zijn hand onder zijn stoel en haalde een blauw zwaailicht tevoorschijn. Hij zette het op het dak en haalde een schakelaar over, waarop er een sirene begon te janken. Zijn ogen glinsterden bij het vooruitzicht van de uitdaging. 'De ingang van de catacomben is nog geen vijf minuten hiervandaan. De hele omgeving wordt zowel boven als onder de grond door gendarmes afgezet, dus hij kan niet ontsnappen. Als de moordenaar daar beneden is, vinden we hem.'

52

Mijn hart ging tekeer terwijl de Renault met gillende sirene door de straten van Parijs stoof. De catacomben mochten dan misschien maar vijf minuten rijden zijn, het leek me een eeuwigheid.

Eindelijk kwamen we bij een imposante straat die vol stond met kriskras geparkeerde politiewagens. Het verkeer werd van beide kanten tegengehouden. Tientallen gewapende gendarmes sprongen uit overvalwagens. Ze verspreiden zich over het trottoir en renden zijstraten in.

'We zijn er,' zei Delon. Ik zag een eeuwenoud, degelijk uitziend gebouw met de Franse vlag aan de gevel. Het stond aan een pleintje, met in het midden een klein park met wat bomen en bankjes die een toevluchtsoord vormden voor groepjes beklagenswaardig uitziende clochards.

Delon stapte uit. We volgende hem en zijn collega naar een groepje gendarmes en politiemensen in burger die bij een zwarte, stalen toegangsdeur stonden. De deur stond open en erachter bleek een trappenhuis te zitten.

Delon stak een sigaret op en nam een nijdige trek terwijl hij met de politieman sprak die de leiding had. Even later voegde hij zich weer bij ons met in zijn hand een in een plastic hoes gestoken plattegrond. '*Voilà!* Een kaart van de catacomben. Tot zover hebben we alle tunnels afgesloten tussen hier en hier – de Boulevard de Port Royal en de Rue Dareau.'

Delon tikte met zijn vinger op de kaart. Josh en ik bekeken de plattegrond. Zo te zien hadden we het over een gebied ter grootte van meerdere voetbalvelden, kriskras doorsneden met tunnels die daar onder de grond een waar doolhof moesten vormen.

'De man die hier de leiding heeft is ervan overtuigd dat de moordenaar hier nog steeds ergens onder de grond moet zitten,' zei Delon.

'Hoe kan hij daar zo zeker van zijn?' vroeg ik.

Delon tikte weer op de kaart. 'Omdat er maar een beperkt aantal uitgangen is. Ze zijn allemaal afgesloten, met gendarmes voor de deur. Tot nu toe heeft nog niemand geprobeerd om eruit te komen.'

'Wilt u zeggen dat u de moordenaar ingesloten hebt?' zei Josh.

Delon klonk heel zelfverzekerd. '*Oui,* ik geloof dat hij in de val zit.'

De inspecteur mocht dan aardig zeker van zijn zaak zijn, ik geloofde zoiets pas als ik de boosdoener in de boeien voor me had staan. *Vooral in Gamals geval — dat is een sluwe vos.* Plotseling realiseerde ik me het absurde van die gedachte. *Ik denk alsof Gamal nog steeds in leven is.* Op dat moment kwam er een politieman met een portofoon op Delon af en begon opgewonden tegen hem te praten.

'Wat is er aan de hand?' vroeg ik aan Josh, die het verhitte gesprek had gevolgd.

'Zo te horen is de verdachte weer gezien.'

'Waar?'

'Ze kwebbelen zo snel dat ik het niet precies kan volgen.'

Delon draaide zich weer naar ons om. 'De man is gezien door twee van onze agenten die een van de andere ingangen bewaken, die naast het oude ziekenhuis van St. vincent de Paul, een straat verderop. Ze zagen een man met een mes de trap op komen en hebben hem gesommeerd te blijven staan, maar hij is de trappen af gerend en in de catacomben verdwenen.'

'Hebben ze zijn gezicht kunnen zien?'

Delon knikte. 'De verdachte was een man achter in de dertig, misschien voor in de veertig. Donker haar, Mediterraan uiterlijk, met getatoeëerde armen.'

Opnieuw kon ik mijn oren nauwelijks geloven. *Dat klinkt als Gamal.*

De inspecteur krabbelde zich op zijn hoofd, alsof hij net zo verbijsterd was als ik. Ik vroeg me af of hij hetzelfde dacht als ik. Er ging een rilling door me heen, maar ik zei niets. *Wat heeft het voor zin?*

Josh keek me eens aan en Delon zei: 'Onze moordenaar zoekt duidelijk naar een weg om te ontsnappen. Hij is radeloos en zal zonodig opnieuw moorden.' Hij haalde een automatisch pistool uit een holster aan zijn broekriem en liep naar de ingang van de catacomben. 'U beiden kunt beter boven blijven.'

'Geen denken aan, inspecteur. Ik ga met u mee naar beneden,' zei ik, maar dacht ook direct: *Ben ik gek?* Mijn handen begonnen te zweten en mijn hart bonkte in mijn borst.

'We gaan allebei mee,' zei Josh.

'Het spijt me, maar dit is een zeer gevaarlijke situatie,' waarschuwde Delon.

'Toch gaan we met u mee, inspecteur,' hield Josh vol. 'We laten ons niet weerhouden.'

Op dat moment verscheen rechercheur Laval met twee rubberen zaklampen en een paar portofoons. Hij liep naar de deur.

Delon keek ons aan en slaakte een diepe zucht. 'Goed dan. Maar ik moet u waarschuwen dat u dit volledig op eigen risico doet.'

53

Mijn knieën werden slap toen Delon en Laval ons meenamen, de stenen wenteltrap naar de catacomben af. Mijn hart begon sneller te kloppen bij het vooruitzicht diep in de ingewanden van Parijs af te dalen. *Waar ben ik aan begonnen?*

'Je raakt heel makkelijk verdwaald in de catacomben, dus blijft u vooral dicht bij me,' waarschuwde Delon, de kaart in zijn hand geklemd. 'Er is eens een toerist verdwaald geraakt die pas elf jaar later werd gevonden.'

'Dat meent u niet,' zei ik geschrokken. Nu al kreeg ik het gevoel dat de wanden op me toe kwamen. Eigenlijk wilde ik geen stap verder gaan. Ik dwong mezelf om zo dicht mogelijk bij Josh te blijven.

'Pardon?'

'U maakt natuurlijk een grapje.'

Delon schudde heftig zijn hoofd en zette zijn portofoon wat zachter. 'Nee, madame, dat is geen grapje. En pas op: als er ook maar het minste gevaar dreigt, houdt u zich dan vooral op een afstand. Laat alles aan mij en mijn mensen over.'

Natuurlijk blijf ik op een afstand — ik ben niet gewapend en ik wil nog niet dood.

Het licht van Delons zaklamp weerkaatste tegen de kalkstenen wanden. We waren inmiddels al aardig diep onder de grond. Het rook vochtig en ik kon er niets aan doen, maar ik beefde. Ik schatte dat we honderd treden waren afgedaald toen we eindelijk beneden waren. Nu zag ik de ingang van een tunnel met een gewelfd plafond, waaraan tl-buizen in door grof gaas beschermde armaturen hingen. Ze verlichtten vochtige wanden waar water vanaf droop. De bodem was met kiezelstenen bedekt.

Toen kreeg ik de schrik van mijn leven. Aan beide kanten van de tunnel zag ik galerijen die veel op kruisgangen leken. Ze waren volgepakt met menselijke schedels en botten, twee meter hoog opgestapeld en wel drie of vier meter diep.

Hier lagen duizenden doden — honderdduizenden — en de macabere gangen leken eindeloos door te gaan. Het waren enorme onderaardse grafkelders. Dit sloeg alles wat ik ooit had gezien.

'*Mijn god!*'

Delon liet het licht van zijn zaklamp door een van de lugubere gangen dwalen. 'De skeletten zijn deels van de slachtoffers van relletjes tijdens de Franse Revolutie, ruim twee eeuwen geleden. U kunt de kogelgaten in hun schedels zien.'

'Jezus.' Josh bekeek de macabere stapels botten, raakte toen voorzichtig een van de schedels aan. 'Ik raak de geschiedenis aan.'

'Verderop ziet u straks wat wij Parijzenaars het Kruispunt van de Dood noemen,' zei Delon.

'Waarom wordt dat zo genoemd?'

'Dat ziet u zo dadelijk,' zei Delon geheimzinnig en volgde Laval.

Ik huiverde. *Waarom wilde ik in godsnaam mee naar beneden?* Probeerde ik mijn angst onder ogen te zien, of was ik gewoon dom? Ik wist het niet, maar de angst was wurgend. Ik verstijfde helemaal terwijl de twee Fransen doorliepen.

Josh zei: 'Hé, is er wat? Je lijkt een beetje beverig.'

'Nee... Het gaat best.'

'Voel je je opgesloten?'

Hij had me blijkbaar door, maar ik schudde mijn hoofd. 'Nee, ik voel me prima, echt.'

Maar dat was niet waar. Ik raakte bijna in paniek. Om mezelf af te leiden, wees ik naar een zwartgranieten plaat boven de tunnelboog, waarop vier regels in het Frans waren uitgebeiteld. 'Wat staat daar?'

Josh tuurde naar de plaat en las. '"Dwaas die ge zijt, waarom belooft ge uzelf een lang leven, als u nog niet op een dag kunt rekenen."'

'Wat betekent dat?' Ik wist dat ik alleen maar tijd stond te rekken — ik was doodsbang om de catacomben binnen te gaan. Ik deed álles om mezelf af te leiden.

'Kate, dit is nu niet bepaald een goed moment om je in dichtregels te verdiepen,' zei Josh. 'Maar als je het echt wilt weten dan geloof ik dat het een citaat van Dante is, al kan ik me best vergissen.'

Verderop zwaaide Delon ongeduldig met zijn zaklamp. 'Mevrouw, meneer, blijft u alstublieft zo dicht mogelijk bij ons, dat is veiliger.'

Mijn angst nam met de seconde toe, net als mijn weerzin om die tunnel binnen te gaan. Ik keek nog eens naar de regels op de granieten plaat. 'Vind je dat niet een beetje als een waarschuwing klinken?'

'Ik mag barsten als ik het weet. Kom op, we kunnen maar beter achter ze aan gaan.' Josh pakte me bij mijn arm en trok me mee, de muil van de tunnel in.

54

'Blijf dicht bij me,' fluisterde Josh. Hij pakte mijn hand.

Dat was geruststellend, maar bij elke stap verergerde mijn paniek. Ik begon steeds sneller te ademen. Delon en Laval gingen voorop. Ze lieten het licht van hun zaklampen langs de slijmerige wanden dwalen. De atmosfeer was vochtig en er droop water van het plafond. Op elke hoek zagen we oude straatnaamborden van zwarte leisteen die in de muren gemetseld waren.

'Dat zijn de originele straatnamen van het oude Parijs. Die zijn tegelijk met de lijken hierheen gebracht,' zei Delon terwijl hij de kaart raadpleegde. 'De gang waar de verdachte is gezien, moet ongeveer tweehonderd meter verderop zijn.'

'Weet u zeker dat de man in de val zit?' Ik praatte in een poging de aandacht van mijn angst af te leiden. 'Hij kan niet uit de catacomben ontsnappen?'

Delon keek op van de kaart. 'Officieel vormen de catacomben een gesloten geheel. Ik heb echter geruchten gehoord dat er stalen deuren zouden zijn die uitkomen op de stadsriolering, een apart stelsel van tunnels. Een jaar of wat geleden zouden al die deuren door Publieke Werken afgesloten zijn om de stad tegen een mogelijke terroristische aanval te beschermen.'

'Weet u zeker dat ze nog steeds dichtzitten, inspecteur?' vroeg Josh.

Delon knikte. 'Dat heeft Publieke Werken tegen rechercheur Laval gezegd, maar de kans dat een van de bewoners van de riolen kans heeft gezien een deur open te maken is altijd aanwezig.'

'*Bewoners?*' vroeg ik.

'Drughandelaars en criminelen die door de politie worden gezocht verbergen zich vaak in de riolen. Ze weten dat ze daar veilig zijn. Ze wonen in geïmproviseerde ondergrondse kamers. Ik vroeg me zelfs af of de anonieme beller die meldde dat hij de lijken had gezien een van hen is. Dat zou verklaren waarom hij geen contact met de politie heeft opgenomen.'

'Komt nog bij dat dit soort plaatsen allerlei randfiguren aantrekt,' merkt Josh op. 'Travestieten en sadomasochisten, om er een paar te noemen.'

'Dat meen je niet,' zei ik.

'Je kunt het zo gek niet opnoemen of je vindt ze hier,' zei Josh. 'Ik heb het een en ander over de riolen gelezen. Het is een heel vreemde wereld. Naar het schijnt bestaat er een complete ondergrondse cultuur. Niet iets wat je in goede reisgidsen tegen zal komen.'

'Precies.' Delon schonk ons een wrange glimlach. 'Kom, we moeten niet blijven talmen.'

We liepen langs spelonkachtige gangen waarin de schedels en botten hoog opgestapeld lagen. De aanblik maakte mijn claustrofobie erger; ik voelde het bloed naar mijn hoofd stijgen. Ik voelde me zwak en wist niet of ik nog wel verder kon.

'Welke kant op, inspecteur?' vroeg Josh.

Delon keek eens op de kaart en scheen met zijn zaklamp naar links. 'Daarheen, dacht ik. Blijft u alstublieft dicht bij me. Dit gedeelte van de catacomben is nogal gevaarlijk. De tunnels vertakken zich in allerlei richtingen.'

Plotseling was er tegen de muren verderop heel even een schaduw te zien, maar die was ook onmiddellijk weer verdwenen. Het geluid van haastige voetstappen echode door de gang.

'Daar is iemand,' fluisterde ik met bonkend hart.

Delon hield zijn wapen al gereed; zijn gezicht glom van het zweet. 'Blijf vlak achter me,' zei hij, terwijl we voorzichtig verdergingen.

We gingen een bocht om en zagen dat de tunnel zich splitste.

'Welke kant op?' fluisterde Josh.

Delon zweette hevig en leek niet tot een besluit te kunnen komen. 'Ik weet het niet. Ik denk dat we beter uit elkaar kunnen gaan. 'Mademoiselle, ik stel voor dat u met Laval meegaat. Monsieur, u gaat met mij mee. En weest u alstublieft voorzichtig. Als u iets ziet, kunnen we via de radio contact maken.'

Het plan nog dieper de tunnel in te gaan beviel me helemaal niet, zelfs niet met Laval erbij; ik kon het nu al nauwelijks aan. Eigenlijk wilde ik maar één ding: zo snel mogelijk een uitgang zoeken. Ik had het angstaanjagende gevoel dat we vanuit het donker werden gadegeslagen, al probeerde ik mezelf ervan te overtuigen dat ik me dat alleen maar verbeeldde.

Plotseling kwam Delons radio tot leven. Hij bracht de microfoon naar zijn mond en fluisterde: *'Oui?'*

Terwijl Delon luisterde en in rap Frans antwoordde, richtte Josh het licht van zijn zaklamp op me.

'Je ziet er niet echt goed uit. Gaat het een beetje?'

'Ik... ik weet het niet.' Ik transpireerde en voelde mijn angst met de seconde wurgender worden. Het voelde alsof ik elk moment in elkaar kon zakken.

Delon was klaar met zijn gesprek en zei: 'De verdachte is weer gezien.'

'Waar?' vroeg Josh.

Ik was zo bang dat ik niet eens meer kon praten.

Delon zei: 'Honderd meter hiervandaan. Hij komt onze richting uit. Nu kunnen we beter elk een kant uitgaan. De verdachte komt door een van de gangen op ons toe. Madame, u gaat met Laval mee en u met mij, monsieur. Wees in godsnaam voorzichtig.'

Delon ging rechtsaf; Josh stak zijn hand naar me op voordat hij samen met hem in de tunnel verdween.

Rechercheur Laval keek me aan. 'Bent u zover, madame?'

Nee, wilde ik schreeuwen. *Ik kan me niet bewegen. Ik ben doodsbang en ik sta op instorten.* Dat wilde ik schreeuwen, maar in plaats daarvan glimlachte ik naar de rechercheur. 'Ja, hoor. Na u.'

Laval leek niet overtuigd, maar hij haalde zijn schouders op. Toen hield hij zijn pistool gereed en liep de tunnel in en ik volgde hem.

Vanuit een zijgang zag de aanvaller dat de vrouw achter de rechercheur aan liep. Hij vloekte. Zweet droop van zijn gezicht. Hij was buiten adem van het rennen door de catacomben. De politie had alle uitgangen afgezet.

In zijn linkerhand had hij een mes met een gekarteld lemmet. Hij wist dat hij in de val zat en alleen nog kon ontkomen als hij zijn achtervolgers doodde. Zijn ogen waren aan het duister gewend. Terwijl hij van achter een pilaar toekeek liep de vrouw langs; achter een rechercheur aan. Zijn gezicht verhelderde, want ze was niet gewapend. Zij zou als eerste sterven. Het stel liep verder. Hun voetstappen stierven geleidelijk weg. Hij veegde het mes aan zijn jas af en grijnsde, ervan overtuigd dat hij ze beiden aankon. Hij verheugde zich erop het mes in hun vlees te steken, verlangde ernaar om ze te zien kronkelen en ze te horen gillen van pijn.

Maar eerst moest hij tot dicht bij zijn slachtoffers komen. Hij wist precies hoe hij ze zou kunnen verrassen: vlak naast hem zat een verdeelkast voor de plafondverlichting; het stalen lemmet van zijn mes kon kortsluiting veroorzaken. Met de punt van het mes begon hij de kast open te schroeven.

55

Ik voelde me net een slaapwandelaar die in een donkere kamer de weg trachtte te vinden. Hoe ik mezelf er ook van probeerde te overtuigen dat er niets was om me zorgen over te maken, dat ik hier niet opgesloten zat en zo weg kon als ik dat wilde, het hielp allemaal niets. Ik was nog steeds doodsbang. Ik zweette over mijn hele lichaam, mijn benen trilden en ik vroeg me af of rechercheur Laval zich ervan bewust was dat ik op instorten stond. Ik moest naar een uitgang, *nu* – dat was de enige manier om mijn verstand niet te verliezen. Toen gebeurde er iets echt griezeligs: na drie of vier minuten lopen en hoeken omgaan, steeds verder de doolhof in, kreeg ik het gevoel dat Laval verdwaald was.

Bij het licht van een wandlamp raadpleegde hij de kaart. Ik zag dat hij zweette, zo erg dat het van het puntje van zijn neus droop. 'Is… is alles in orde?' vroeg ik, terwijl ik probeerde om mijn stem vast te laten klinken. Ik deed wanhopige pogingen om mijn angst te overwinnen, wetend dat mijn vecht-of-vluchtinstinct begon te werken en een stoot adrenaline door mijn aderen joeg.

Laval keek me aan met een paar grote, bruine, Franse ogen die me aan een verdrietige teckel deden denken. 'Ik… ik weet het eigenlijk niet, madame.'

'Laat mij die kaart eens zien.'

'Ik weet zeker dat ik de uitgang uiteindelijk zal weten te vinden…'

Uiteindelijk? dacht ik. *Jezus, Laval, we zijn hier niet in de doolhof van een pretpark.* Nu begon ik écht in paniek te raken. De hand die ik naar Laval uitstak, beefde. 'Alstublieft. Twee weten misschien meer dan een.'

Laval gaf me de zaklamp. Ik bekeek de kaart en dacht: *Geen wonder dat hij in de war raakt.* De tekening leek op een blauwdruk; hij stond vol met onbegrijpelijke, kleine tekentjes: lijnen en vierkantjes, vreemde kleine driehoekjes, alles verbonden door een netwerk van dikke, grillige lijnen die op het web van een dronken spin leken. Om het nog wat verwarder te maken stonden hier en daar een paar Franse woorden.

'Wat betekenen die vierkantjes en andere tekens?'

'Dat weet ik eigenlijk niet,' bekende Laval.

'Dat weet je niet?'

Laval streek over zijn hoofd. 'Er was geen tijd om met de mensen van Publieke Werken te praten. Ik dacht dat ik gewoon de kaart kon volgen, maar nu weet ik het niet meer.'

'Geweldig.'

Ik hoorde een zacht *plop* en toen ik omlaag keek, zag ik dat het water dat van het plafond droop een aardige plas bij mijn voeten vormde. *Zou het dak kunnen instorten, waarna de hele tunnel zou volstromen?* Het bloed raasde door mijn hoofd. *Mijn god, help me alsjeblieft...*

En toen gebeurde het ergste dat ik me kon voorstellen: er was een schrapend geluid te horen en ik voelde een *aanwezigheid* achter me. Ik draaide me om en zag in het duister een regen van vonken. Een fractie van een seconde later werd de tunnel in diepe duisternis gedompeld.

56

Mijn hart stond stil. Ik liet de zaklamp vallen en het licht doofde. Ik wilde me vooroverbuigen om hem te grijpen, maar kon me niet verroeren van schrik. Ik kon maar nauwelijks voldoende moed verzamelen om in het duister voor me uit te tasten. Het enige wat ik voelde, was een klamme muur.

'Laval...?' fluisterde ik.

'Ik ben hier, madame.'

Goddank. 'Waar ben je?'

'Vlakbij, mevrouw. Blijft u waar u bent, dan kom ik naar u toe.'

'De zaklamp!'

'Die vinden we wel.'

Lavals stem was dichtbij, maar ik wist niet precies de plek waar hij was. Hij klonk beheerst en onbevreesd; dat hielp mij om niet helemaal buiten mezelf te raken. Ik wist zeker dat ik vonken had gezien voordat het licht uitging. En steeds had ik het vreemde gevoel dat er ergens in het duister nog iemand was. Maar het enige wat ik hoorde was mijn eigen gejaagde ademhaling en Lavals rokersgerasp. Toen werd ik door iets aangeraakt. Ik dacht dat ik flauwviel.

'Ik ben het,' zei Laval schor. 'Is alles goed met u, madame?'

'Heb je... heb je dat geluid gehoord en die vonken gezien, net voordat het licht uitging?' fluisterde ik.

'Een geluid? Vonken? Nee, mevrouw. Ik heb niets gehoord of gezien.'

Ik voelde me opgelucht. Het geluid had ik me misschien alleen maar verbeeld. Maar die vonken dan? Die had ik absoluut gezien.

'Hoe zou dat komen... dat het licht uit is gegaan?'

'God mag het weten. Maar zulke dingen gebeuren. Waar is de zaklamp?'

'Die heb ik laten vallen. Ik zal proberen of ik hem kan vinden.'

Ik liet me op mijn knieën vallen. Ergens in het donker meende ik een geluid te horen, voetstappen, leken het wel, en een zacht gegrom.

'Ben jij dat, Laval? Ben je er nog?'

'Jazeker, madame.'

Goddank. 'Blijf waar je bent.'

'Natuurlijk, madame.'

Ik tastte over de natte grond. die was bedenkt met keien en stenen, grind en vuil – ik durfde er niet aan te denken wat ik nog meer tegen zou kunnen komen, maar ik moest die zaklamp vinden. *Waar was dat rotding nou toch?* Ik voelde meer naar links, met bevende handen, doodsbang dat ik een rat zou grijpen in plaats van de lamp. Mijn fantasie ging met me aan de haal. De duisternis was net zo drukkend als de binnenkant van een doodskist. *Ik heb het gevoel alsof ik levend begraven word.* Toen raakten mijn vingers iets hards. Geschrokken trok ik mijn hand terug voordat ik het opnieuw voorzichtig durfde aan te raken. *De zaklamp. Goddank.*

'Ik heb hem gevonden,' zei ik tegen Laval en greep de lamp stevig vast. Zo te voelen was het glas nog heel en de schakelaar stond nog aan. Ik haalde hem een paar keer heen en weer, maar er gebeurde niets. *Verdomme. Het lampje kapot? Of de batterijen losgeraakt?* Direct daarop hoorde ik een geluid achter me – alsof er een metalen voorwerp op de grond viel.

Ik schrok en mijn hart begon weer te bonken. 'Laval? Ben jij dat? Wat is er?'

Maar er kwam geen antwoord. Ik verstevigde mijn greep om de zaklamp en opeens ging het licht aan.

Goddank.

De tunnel baadde in het licht en ik knipperde met mijn ogen. Toen kreeg ik de volgende schrik, die mijn keel dichtkneep en mijn hart wild deed bonken. De ruimte was volkomen leeg.

Laval was verdwenen.

57

Mijn adem ging snel en hortend. Ik was alleen in dit hol. *Of toch niet?* Ik had het vreemde gevoel dat er nog anderen waren. Ik kon ze niet zien, maar ik voelde hun aanwezigheid. Toen zag ik Lavals automatische pistool in een plasje water liggen. Hij moest het hebben laten vallen – dat verklaarde het metaalachtige geluid dat ik had gehoord. *Maar waar was Laval, verdomme?*

'Laval? Ben je daar? Geef antwoord, alsjeblieft...'

Er kwam geen antwoord. Was Laval in het donker verdergegaan? Waarom dan? En zelfs dan zou hij toch antwoord gegeven moeten hebben? Er moest een andere, meer sinistere verklaring voor zijn verdwijning zijn. Mijn knieën knikten toen ik me vooroverboog om het pistool op te rapen.

En toen zag ik iets.

Een zwarte schoen.

Die stak een meter of vijf verderop van achter een pilaar naar voren.

Hield Laval zich achter een pilaar verborgen? Waarom zou hij zich verbergen?

Ik werd bevangen door een kille angst en terwijl ik als een bezetene naar Lavals pistool graaide, zag ik de voet bewegen en stapte Laval tevoorschijn.

Hijgend van opluchting kwam ik overeind. 'Goddank. Wat deed je daar...?'

Toen pas zag ik de arm die om Lavals hals geslagen was. De hand van de andere arm hield een vervaarlijk uitziend slagersmes tegen zijn keel gedrukt. Het gezicht van Lavals aanvaller kon ik niet zien – dat was in schaduwen gehuld – maar Laval was doodsbang, dat was duidelijk. Zijn voorhoofd glom van het zweet en zijn stem klonk gesmoord. 'Madame, alstublieft, doet u geen domme dingen...'

Dat was ik niet van plan. 'Wie ben je?' mompelde ik tegen Lavals overweldiger. Hij gaf geen antwoord, maar verstevigde zijn greep om Lavals nek.

De rechercheur kon alleen nog maar fluisteren: 'Alstublieft, madame... Leg dat pistool neer, anders vermoordt hij me.'

Ik richtte het licht van de zaklamp op Lavals gezicht, zwaaide de licht-bundel toen in de richting van de moordenaar. Hij stond goed verbor-gen achter de pilaar. Het enige wat ik zag was de donkere kant van zijn hoofd. Die was het volgende moment alweer verdwenen. *Wie is hij?*

Opeens drukte hij het mes nog steviger tegen Lavals hals, zodat er een beetje bloed te zien werd.

'Alstublieft, madame...' smeekte Laval met gesmoorde stem.

Dit wist ik heel zeker: als ik het pistool liet vallen zou de moordenaar ons beiden afmaken. Ik hoorde zijn zware ademhaling toen hij Laval iets in het oor fluisterde.

De rechercheur zei schor: 'Als u het pistool niet nú laat vallen, snijdt hij mijn keel door...'

Op Lavals gezicht stond angst, maar ik zag ook een grimmige vastbe-radenheid en weldra zou ik erachter komen hoe moedig deze Fransman was.

'Oké, ik leg het pistool neer,' zei ik.

Terwijl ik het wapen langzaam neerlegde, hield ik de zaklamp op La-vals gezicht gericht. Daardoor zag ik hoe hij heel even met zijn hoofd schudde. Ook zijn ogen zeiden nee. *Leg dat pistool niet neer,* leek hij zeg-gen. Ik wist dat hij gelijk had – we hadden alleen een kans zolang ik ge-wapend was. En toen gebeurde het, zo snel dat ik maar nauwelijks tijd had om te reageren.

Laval gromde en greep met uiterste inspanning de hand van zijn aan-valler vast in een poging zich te bevrijden. 'Schiet hem neer!' schreeuw-de hij schor.

De woorden verstierven in Lavals keel. Zijn aanvaller haalde uit met het mes en er spoot een fontein van bloed uit de hals van de recher-cheur. Op dat moment had ik de aanvaller in de lichtbundel van mijn zaklamp en zag ik dat hij een zwart skimasker droeg. Ik richtte op zijn hoofd. Ik vuurde twee schoten af en Lavals aanvaller sloeg achterover het duister in.

Ik schoot nog eens en nog eens en hamerde hem de tunnel in. Een van de schoten deed zijn hoofd met zo'n kracht achteroverslaan dat zijn schedel met een klap tegen de muur knalde. Toen zakte hij in elkaar en bleef stil liggen.

58

Ik was opgetogen. *Ik heb Gamals copycat doodgeschoten.* Maar mijn jubel-stemming was op slag verdwenen toen ik het licht van mijn zaklamp op Laval richtte. Het bloed stroomde uit de snee in zijn hals; zijn overhemd en jasje waren al rood doorweekt. Hij leefde nog – en maakte een ro-chelend geluid – maar als ik niet snel handelde zou hij doodbloeden.

Ik rukte mijn sjaal af en drukte die tegen zijn hals om te trachten het bloeden te stelpen. 'Kun je me horen, Laval?'

Zijn oogleden knipperden. Nu meende ik achter me een geluid te ho-ren. Ik greep het pistool, draaide me met een ruk om en bescheen het lichaam van de moordenaar. Hij bewoog niet. *Is hij werkelijk dood?* Mijn angst voor duisternis en besloten ruimtes was even vergeten – ik wilde het gezicht van de moordenaar van dichtbij zien, wilde weten wie had geprobeerd om Laval en mij te vermoorden. Ik nam de rechterhand van de Fransman en drukte die tegen de sjaal. 'Hou dit tegen je hals gedrukt, dat stopt de bloeding. Begrijp je me?'

Laval sloot zijn ogen; hij hield zijn hand tegen zijn keel gedrukt. Ik liep behoedzaam naar het lichaam en liet het licht van de zaklamp door de duisternis spelen. Ik bescheen de gestalte en liet de lichtbundel uitein-delijk op het gezicht van de gemaskerde man rusten. Een van de kogels was net boven zijn linkeroog binnengedrongen en zijn linkerwang was een bloederige brei van versplinterd bot en vlees op de plek waar een van mijn schoten door het masker was gegaan. Plotseling bewoog de rechterhand van de man krampachtig.

Mijn hart sloeg over. Ik richtte mijn pistool op hem, maar toen klonk er een zucht. De borst zakte in en de hand werd slap.

In de verte klonken voetstappen.

Delon kwam eraan. Hij werd gevolgd door Josh en drie gewapen-de gendarmes. Ik was nog steeds in shock, maar het volgende moment was Josh bij me en sloeg zijn arm om mijn schouders. 'Hé, rustig aan maar.'

'Ik heb hem, Josh. Ik heb hem te pakken!' zei ik schor. Toen keerde ik terug in de realiteit en keek naar Laval. 'We hebben onmiddellijk een ambulance nodig. Laval bloedt verschrikkelijk.'

Delon rende op Laval af en voelde aan zijn pols. Een van de gendarmes riep iets in zijn radio. Binnen een minuut verscheen er een gendarme vanuit een andere tunnel, samen met twee ziekenbroeders. Ze bemoeiden zich met Laval. Nu kwam Delon naar me toe en legde zijn hand op mijn arm.

'Is met u alles in orde, Madame Moran?'

'Dat komt wel goed. Ik maak me zorgen om Laval. Redt hij het?'

Delon keek bezorgd terwijl de verplegers Laval voorzichtig op een brancard legden en hem wegdroegen, begeleid door de gendarmes. 'Ik hoop het. Hij is een van mijn beste rechercheurs. Wat is hier gebeurd?'

Ik vertelde het Delon. Zweetdruppeltjes parelden op zijn voorhoofd terwijl hij naar het lichaam keek van de gemaskerde man die daar in het donker lag. Hij had zijn pistool nog niet weggestoken. 'Laten we hem eens bekijken.'

Josh en ik volgden Delon. Hij bescheen de moordenaar en begon het bebloede skimasker van zijn gezicht te trekken. Ik wist niet wat ik moest verwachten, maar ineens werd ik bekropen door een irrationele gedachte: *Krijg ik het gezicht van Gamal te zien?*

Delon trok het masker af. De linkerkant van de schedel was door mijn schoten zwaar beschadigd. Hij had hetzelfde donkere haar en mediterrane uiterlijk als Gamal, maar daarmee hield elke overeenkomst op. De dode man was veel ouder, zwaarder gebouwd en bezat bredere schouders. Verder had hij op zijn beide onderarmen een tatoeage van een naakte vrouw met gespreide benen.

'Interessant,' zei Delon, naar het gezicht van de moordenaar kijkend.

'Kent u die kerel?' vroeg Josh.

Delon knikte. 'Ja.'

'Wie was het?' vroeg ik.

Delon keek grimmig. Het was alsof de macabere aanblik van al die rottende beenderen hem opeens te veel werd. Hij stak zijn pistool weg. 'Kom, ik geloof dat we allemaal frisse lucht kunnen gebruiken.'

59

Vijf minuten later beklommen we een stenen trap. We kwamen in de kille Parijse zon. Ik zag een ambulance met gillende sirene wegrijden, naar ik aannam met Laval. Delon keek hem na. Nu pas drong het tot me door dat ik Lavals pistool nog steeds had. Ik haalde het magazijn eruit, controleerde of de veiligheid erop zat en gaf het wapen aan de inspecteur. 'Wat nu verder?'

Delon stak het pistool en het magazijn in zijn zak. 'Uiteraard wordt er een officieel onderzoek naar de schietpartij ingesteld. Dat zal u niet beletten om Frankrijk te verlaten, maar het moet wel gebeuren, begrijpt u dat?'

'Natuurlijk.'

'Laval is getrouwd en heeft drie kinderen. Het zou een tragedie zijn als hij stierf. We hebben geluk gehad dat u zijn aanvaller kon neerschieten.' Delon haalde een pakje Gauloises uit zijn zak en bood Josh en mij een sigaret aan.

We schudden beiden ons hoofd.

'Wie was de man die ik heb neergeschoten?' vroeg ik.

Delon stak zijn sigaret aan, blies een rookwolk uit. 'Zijn naam was Pierre Jupe, een ontsnapte moordenaar. Een jaar geleden stond hij terecht op beschuldiging van verkrachting van en moord op twee vrouwen. Hij werd schuldig bevonden en tot levenslang veroordeeld. Twee maanden geleden zag hij kans om uit een extra beveiligde inrichting net buiten Parijs te ontsnappen. Er werd groot alarm geslagen en een uitgebreide zoekactie ondernomen, maar Jupe werd niet gepakt. Ik denk nu dat hij onder de grond een veilig heenkomen heeft gezocht. U hebt ons geholpen om een eind te maken aan zijn gewelddadige carrière.'

'Maar waarom zou hij op dezelfde manier moorden als Constantine Gamal?' vroeg Josh.

Delon haalde zijn schouders op. 'Weten we zeker dat hij dat inderdaad heeft gedaan? Zoals ik u al vertelde verbergen criminelen die door de politie worden gezocht zich vaak in de riolen. Ik vermoed dat we gisteren bij onze zoektocht naar de moordenaar te dicht in zijn buurt zijn gekomen en dat Jupe kans heeft gezien om vanuit het riool in de catacomben te komen. God mag weten waarom hij die twee vrouwen heeft aangevallen. Misschien zag hij dat als een kans die niet gemist mocht worden. Pech voor hen, maar een geluk voor ons.'

'Denkt u dat Jupe en de man die dat stel in de riolen heeft vermoord een en dezelfde zijn?' vroeg ik.

Delon dacht even na. 'Die vraag kan onmogelijk worden beantwoord zonder dat ik eerst het volledige forensische bewijsmateriaal heb gezien. Maar ik heb mijn twijfels. Jupe was niet het soort man dat zijn slachtoffers op dezelfde manier zou vermoorden als de twee Amerikanen die gisteren zijn gedood. Mag ik vragen waarom de FBI zo snel twee agenten naar Parijs heeft gestuurd? Ik krijg de indruk dat u een speciale interesse voor deze misdaden hebt.'

'We denken dat er een Gamal-copycat aan het werk is,' zei Josh. 'Hij heeft vorige week in de Verenigde Staten twee mensen vermoord.'

Delon keek ons met opgetrokken wenkbrauwen aan. 'Juist. Heel merkwaardig.'

'We wilden proberen om erachter te komen of er verband bestaat tussen onze zaak en de uwe. Dat lijkt niet uitgesloten. De plaats van het kruis wijst erop dat we met dezelfde moordenaar te maken hebben.'

Delon trapte zijn sigaret uit. 'Daar lijkt het wel op. En helaas is die moordenaar nog steeds op vrije voeten. Maar ik kan u verzekeren dat we alles zullen doen wat binnen ons vermogen ligt om degene te pakken die hiervoor verantwoordelijk is. Ik zal nauw contact met de FBI houden.'

Er kwam een vlaag bitterkoude wind en ik zette mijn kraag op. Delon klonk wel heel vastberaden, maar ik was er niet zo zeker van dat we onze moordenaar zouden vinden. 'Ik wil de plaats in de riolen graag zien waar de moorden zijn gepleegd,' zei ik.

'Weet je zeker dat je dat aankunt na wat er is gebeurd?' vroeg Josh.

'Ja hoor, ik voel me prima. Als u er geen bezwaar tegen hebt, inspecteur?'

Delon schudde zijn hoofd. 'Nee. Het is niet ver hiervandaan. Hooguit een kilometer. We kunnen er nu heen gaan.'

Josh en ik volgden Delon naar zijn Renault. Een paar minuten later reden we in een smalle straat met kinderkopjes in een wijk met voornamelijk oude, granieten zakenpanden. Halverwege de straat was een met lint afgezet gedeelte. Daar stonden twee gendarmes op wacht; ze salueerden toen we uitstapten.

'Helaas bestaat deze buurt voornamelijk uit kantoren waar 's avonds niemand is. Daardoor hebben we geen getuigen kunnen vinden die mogelijk iets verdachts hebben gezien. De lichamen zijn hier onder deze straat aangetroffen.'

De inspecteur wees op een zwaar ijzeren rooster in de straat. Hij had zijn zaklamp nog en gaf Josh en mij er elk ook eentje voordat hij tegen de gendarmes zei dat ze het rooster open moesten doen. Er bleek een granieten trap onder te zitten.

Delon zei: 'Dit is een ingang voor onderhoud van het riool. Volgens de

185

mensen van de Dienst Rioleringen stelt het slot weinig voor. Het zou weinig moeite kosten dat open te maken.'

We volgden Delon de trap af, de duisternis in, waar niet alleen een rioollucht hing, maar ook een vage geur van benzine. We kwamen in een enorme tunnel onder de straat. Aan elke kant van het riool lag een oud, stenen looppad. Door het diepe kanaal tussen de looppaden in stroomde een smerige rivier van onbehandeld afvalwater. Toen ik de bundel van mijn zaklamp liet ronddwalen, zag ik glibberige, bruine wanden en een gewelfd plafond dat glansde van het vocht.

We waren maar een paar passen verwijderd van de stenen trap naar boven; ik kon een stukje van de blauwe hemel zien, wat meehielp om mijn claustrofobie enigszins in toom te houden. Vanaf het linkerlooppad bekeek ik de plaats delict. Josh deed een paar passen achter me hetzelfde. Hij hield een papieren zakdoekje voor zijn mond tegen de stank. Veel was er niet te zien. Het gedeelte waar de lijken waren verbrand was afgezet met tape dat tussen ijzeren paaltjes met een betonnen voet was gespannen. Het zwartgeblakerde gedeelte waar de moordenaar het vuur had gestookt, was met krijt omcirkeld. De plaatsen waar botdelen van de slachtoffers waren gevonden, waren eveneens gemarkeerd.

Het leek allemaal erg veel op de plaatsen die ik had gezien waar Gamal zijn moorden had gepleegd. Er ging een rilling door me heen.

Nadat Delon mijn stille inspectie vijf minuten lang had gadegeslagen, leek hij de verschrikkelijke stank niet langer te kunnen verdragen, want hij vroeg: 'Hebt u genoeg gezien?'

'Ik dacht het wel. Josh?'

Josh knikte en haalde het papieren zakdoekje van zijn mond. 'Ik wel.'

'Zal ik u dan maar naar uw hotel brengen?' stelde Delon voor.

Ik keek nog eens rond en werd opnieuw gekweld door een paar bekende vragen: *Wie heeft hier gemoord en waarom?* Boven me hoorde ik de vage geluiden van het Parijse verkeer. Onze moordenaar liep nog steeds vrij rond in deze enorme stad van ruim zes miljoen mensen en om de een of andere reden had ik het vreemde gevoel dat er een spelletje met ons werd gespeeld, alsof dit allemaal deel uitmaakte van het een of andere boosaardige plan.

Josh pakte me bij mijn arm; met een schok keerde ik terug tot de werkelijkheid. Hij trok een vies gezicht. 'Ik geloof dat de inspecteur gelijk heeft en dat we maar eens naar ons hotel moesten gaan, Kate. Ik geloof dat we na dit alles wel aan een warme douche toe zijn.'

60

De Discipel zat op het bed en keek toe terwijl de vrouw zich uitkleedde. De schemerachtig verlichte kamer was schoon, net als de lakens; het rook er naar lavendel. Hier was een verrukkelijke vrouw. Hij bekeek haar goed. Ze trok haar jurk uit, waarna ze met alleen nog een beha en een slipje aan voor hem stond.

'Trek de rest ook uit,' zei hij in het Frans.

Glimlachend maakte ze haar beha los. Ze had een paar weelderige, gezwollen borsten – precies zoals hij ze graag had.

'Trek *alles* uit,' beval hij. Hij begon sneller te ademen. Hij vond het heerlijk om toe te kijken als een vrouw zich uitkleedde en hij genoot toen ze haar dunne slipje uittrok en dat samen met de beha op het bed gooide.

'Wat voor spelletjes had u precies in gedachten, monsieur?'

De Discipel pakte zijn rugzak van de vloer en haalde er langzaam de dingen uit die hij nodig had: een blonde pruik, een crème nachthemd, een roze lipstick Clinique No. 31, een zwartkanten broekje en een namaakgouden ketting. Met uitzondering van de pruik waren het allemaal kopieën van dingen die hij in Kate Morans cottage had gezien. De andere zaken liet hij voorlopig in de rugzak.

De vrouw keek naar wat hij tevoorschijn had gehaald en glimlachte, alsof ze precies wist wat de bedoeling was – hij was net als al die andere kerels die er een perverse kick van kregen als ze zich verkleedde als de vrouw van de buurman waar ze op geilden of de een of andere meid op het werk die ze graag wilden neuken. *Je zegt het maar, zakkenwasser.* Ze knikte naar de spullen die hij op het bed had gelegd en pakte de pruik. 'Dat moet ik allemaal dragen?'

'Ja.' De Discipel deed de rugzak weer dicht. De andere zaken waren voor de grote finale. Hij keek toe hoe de vrouw er een show van maakte om het nachthemd aan te trekken, en vervolgens het ondergoed en de ketting, waarna ze voor een spiegel ging staan om de pruik op te zetten en de roze lipstick aan te brengen. Ze zette haar handen op haar heupen en boog zich voorover zodat haar borsten te zien waren.

'Wil je me nu dan neuken, *chéri?*'

Wat waar was, was waar, de slet deed het goed. *Ze is godverdomme perfect*. Mede door de gedempte verlichting en zijn levendige fantasie leek ze op Kate Moran. 'Ja. Kom hier,' beval hij schor.

Ze kwam heupwiegend op hem toe, streek met haar vingers door zijn haar en keek hem recht aan. 'Je kunt me maar beter goed neuken, *chéri*.'

'Dat... dat zal ik doen,' beloofde hij. 'Maar ik ben graag een beetje ruw.'

'Als je het maar niet te gek maakt.'

Hij veranderde op slag; ontstak in een razernij als een vulkaanuitbarsting. Hij greep de vrouw bij de armen, draaide haar om en nam haar woest van achteren, waarbij haar haren vastgreep. Ze leek een beetje bang, maar ze klaagde niet – ze was duidelijk gewend aan ruwe seks. Het was in minder dan vijf minuten gebeurd. Nadat hij klaargekomen was, liet hij zich languit op het bed vallen.

'Was het goed?' vroeg ze, zich naar hem omdraaiend en haar haren schikkend.

'Ja, hoor.' Niet dat hij dacht dat het de slet een bliksem kon schelen. Ze maakte een praatje, meer niet.

Hij knikte. 'Je had het over een uur. Ik wil nog een keer.'

De vrouw haalde haar schouders op en zuchtte, alsof ze had gehoopt dat hij er nu al genoeg van had. 'Zoals je wilt.'

'Buig je voorover. Ik wil je weer van achteren pakken,' beval de Discipel.

Toen de vrouw zich vooroverboog, stak hij snel zijn hand in de rugzak en haalde de dunne injectiespuit tevoorschijn. Hij stak de naald in haar rechterbil en gaf haar tegelijkertijd een klap op haar achterhoofd. Ze viel op het bed, kermend van de pijn, verdoofd door de klap. In minder dan geen tijd had hij het touw en de mondprop uit de rugzak. De vrouw was nog steeds bij bewustzijn en probeerde te schreeuwen, maar hij gaf haar nog een klap.

Haar hoofd viel opzij en haar lichaam werd slap. Binnen een minuut had hij haar gekneveld. De prop zat stevig in haar mond en haar handen en voeten waren met een stevig touw bij elkaar gebonden. Met wat zachte klappen in haar gezicht maakte hij haar wakker. Deze keer gaf hij haar met opzet een kleinere dosis. Hij wilde het wit van haar ogen zien als hij haar doodde, net zoals hij dat bij Kate Moran van plan was.

Ze was versuft door het middel dat hij bij haar had ingespoten, maar ze keek hem met afgrijzen aan, alsof ze nauwelijks kon geloven dat haar klant in zo'n beest was veranderd.

Dit was het gedeelte waar hij het meest van genoot, als hij zag dat zijn slachtoffers verlamd waren van angst. De angstige blik in hun smekende ogen gaven hem het gevoel dat hij God was.

Hij grijnsde. 'Je zei dat ik ervan zou genieten. Je had gelijk, *chérie*. Nu gaat de pret pas beginnen.'

Op het gezicht van de vrouw verscheen pure doodsangst. Ze probeerde ondanks de prop in haar mond toch te schreeuwen. De aanblik van haar steeds roder wordende gezicht, alsof ze elk moment een hersenbloeding kon krijgen, maakte de razernij volledig in hem los. En wat ze ook deed, het had geen enkele zin; niemand kon haar kreten om hulp horen.

De Discipel haalde de leren gordel met slagersmessen uit zijn rugzak.

Even voor twaalf uur stapte de Discipel in de bus van Air France die hem van de Arc de Triomphe naar het vliegveld Charles de Gaulle bracht. Hij voelde zich als herboren – een nieuwe vermomming, fris geschoren, zijn haar nu grijs, zijn ogen met contactlenzen aquamarijnkleurig. Hij droeg een modieus linnen kostuum en had dure, leren koffers bij zich. Niemand zou hem ooit herkennen als de backpacker die in de Rue Boulard op zoek naar seks was geweest.

Toen de bus voor de vertrekhal van Charles de Gaulle stopte, stapte hij samen met de andere passagiers uit en stak de straat over naar de ingang van de terminal. Hij liep naar een van de reserveringsbalies van Air France, waar een adembenemend uitziende jonge vrouw van Marokkaanse afkomst hem met haar weelderige rode lippen toe lachte en met een paar enorme bruine ogen aankeek.

'Monsieur?'

'Ik wil graag inchecken. Ik heb een businessclass ticket.'

Ze fronste haar wenkbrauwen. 'Waarheen, monsieur?'

'Istanbul.'

61

Ons hotel was op de Linkeroever. Voor de verandering zaten we nu eens niet in een of ander afgrijselijk budgetmotel, maar in een fatsoenlijk viersterrenhotel. We hadden elk een mooie kamer, brede bedden met Egyptisch-katoenen lakens, een minibar en een voorziening om zelf thee en koffie te zetten. We hadden uitzicht op de Seine en de Eiffeltoren. Onder andere omstandigheden zou het Normandy Hotel misschien een romantisch plekje zijn geweest.

Josh liep mee mijn kamer in en we keken beiden diep onder de indruk naar het adembenemende uitzicht, helemaal tot aan de witte kathedraal van Montmartre.

'Is het zo ongeveer wat je je ervan had voorgesteld?' vroeg Josh.

'Nog beter.' *Het enige dat ontbreekt is een minnaar om er samen mee van te genieten*, wilde ik eraan toevoegen.

Toen ik omkeek legde Josh zijn hand op mijn schouder. 'Gaat het een beetje, denk je, na die schietpartij?'

Zijn aanraking joeg een elektrisch stroompje door me heen. 'Prima,' loog ik, maar ik wilde er niet verder bij stil blijven staan.

Hij nam zijn hand weer weg. 'Je leek je in die tunnels niet erg lekker te voelen.'

Ik schoof Josh' zorg terzijde. 'Het maakte me een beetje nerveus, maar nu voel ik me weer uitstekend. Dus, wat gaan we vanavond doen?'

We hadden een open retour. We konden de zaak later wel met Delon regelen, maar nu hadden we een avond in Parijs voor onszelf en dat zou heel leuk kunnen worden zolang ik die man die ik zojuist had doodgeschoten nu maar uit mijn gedachten kon zetten. Mijn enige troost was dat Jupe een brute moordenaar was geweest die zijn onschuldige slachtoffers op een gruwelijke manier had gemarteld. Maar dat maakte het schuldgevoel over het feit dat ik een mens had gedood niet minder.

Josh zei: 'Je moet wel doodmoe zijn, vooral omdat je in het vliegtuig ook al niet geslapen had. Ik ben zelf ook wel aan een beetje rust toe. Wat dacht je, als we nu eerst eens een dutje gingen doen en elkaar dan om zeven uur weer troffen?'

'Lijkt me een goed idee.'

Delon had ons voor het diner uitgenodigd en we hadden afgesproken dat we elkaar om kwart over zeven in de lobby zouden treffen, maar ik had zo'n vermoeden dat hij veel meer met Lavals toestand bezig was en ons alleen maar uit beleefdheid had gevraagd.

'Dan zie ik je om zeven uur.' Josh liep naar de deur, maar plotseling draaide hij zich om. 'Mag ik je iets vragen?' Hij keek me aan.

'Ga je gang.'

'Had je al eens eerder iemand doodgeschoten?'

'Nee. Ik heb alleen een keer iemand verwond. En jij?'

Josh knikte. 'Zeven jaar geleden. Als je ook maar een beetje menselijk gevoel hebt, is dat niet zo gemakkelijk. Het heeft maanden geduurd voor ik eroverheen was. Je droomt ervan, hebt een poosje last van nachtmerries en je begint zelfs aan alles te twijfelen, aan je kunnen, je motieven.'

Ik knikte. 'Ik geloof wel dat ik weet wat ik kan verwachten, Josh.'

'Dat is al heel wat. Wat ik eigenlijk probeer te zeggen is dat ik maar twee deuren verderop zit, als je soms wilt praten. Ik weet dat we collega's zijn, maar ik zou het fijn vinden als we ook vrienden konden zijn.'

Ik legde mijn hand op zijn arm en keek hem aan. Hij klonk werkelijk betrokken en meelevend. 'Dank je. Dat stel ik erg op prijs.'

Toen deed Josh iets volkomen onverwachts. Hij stak zijn hand uit en raakte mijn wang aan. Het gebaar verraste me en toen hij me aankeek, kwam ik in de verleiding om dichterbij te komen en hem te kussen. Het schelle geluid van een scheepshoorn op de Seine verbrak de betovering en we keken elkaar een beetje gegeneerd aan.

'Als er iets is, geef je maar een brul,' zei Josh.

Ik kneep in zijn hand voordat ik die losliet. 'Dank je, Josh.'

'Probeer een beetje te slapen, oké?'

Nadat Josh weg was gegaan, ging ik voor het raam staan en keek naar de Seine. Op de kille, groene rivier voeren binnenschepen. Het was gaan regenen en de straten glommen. Het was nog maar net na de middag, maar in de vier uur die waren verstreken sinds ik in Parijs was geland, was er zoveel gebeurd dat ik mezelf moest knijpen om me ervan te overtuigen dat ik niet droomde. *Ja, ik ben in Parijs. En ja, ik heb zojuist een man doodgeschoten.*

Maar wat me nog het meeste dwarszat, was de gedachte dat onze copycatkiller waarschijnlijk nog steeds vrij rondliep. Ik vroeg me af wat hij hierna zou doen. Slapen zou niet gemakkelijk zijn. Telkens zag ik die donkere catacomben weer voor me en ik begreep nog steeds niet hoe ik er eigenlijk doorheen was gekomen. Maar ik wist wel dat ik het nooit weer wilde doen. *Werk aan die angst*, hield ik mezelf voor. *Gebruik de angst in je eigen voordeel.* Dat klonk allemaal heel mooi, tot je het moest doen. Opnieuw zag ik die gemaskerde man met dat mes tegen Lavals keel gedrukt en weer beleefde ik het moment waarop ik hem in zijn hoofd had geschoten.

Ik draaide me om van het raam en liet me uitgeput op het bed vallen. Na een minuut of vijf begon ik in te dommelen. Ik moest steeds weer denken aan Josh' hand tegen mijn gezicht. *Wat zou er zijn gebeurd als ik het verder had laten gaan?*

Ik probeerde niet verder te denken. Uiteindelijk sliep ik in, maar de beelden van donkere tunnels en het kapotgeschoten gezicht van de man die ik had gedood bleven terugkomen.

62

Angel Bay, Virginia

Stone draaide zijn auto de oprijlaan van Kate Morans cottage in. Gus Norton keek eens naar de onberispelijk aangelegde en verzorgde tuinen en het grote huis verderop en floot. 'Nou, mooi plekje, zeg. Hoe lang woont Moran hier?'

'Sinds ongeveer een halfjaar nadat ze Tim Bryce had leren kennen. Hij heeft het haar in zijn testament nagelaten.'

Norton floot nog eens. 'Dat moet toch minstens een miljoen waard zijn, als het niet meer is. Hoe komt het dat jij zoveel van Morans privé-leven weet?'

'Omdat ik het nodig vond om dat te weten. Drie maanden geleden is er een eindje verderop een huis voor anderhalf miljoen verkocht. Wat dacht je daarvan?'

'Dus Moran heeft goed geboerd?'

Stone had een verontwaardigde uitdrukking op zijn gezicht. 'Als je dat half miljoen aan schilderijen dat Bryce haar heeft nagelaten daar ook nog bij optelt, denk ik dat het zuiver een kwestie van tijd is voordat ze het voor gezien houdt bij het Bureau. Als je het mij vraagt, was het haar puur om de centen te doen.' Hij deed zijn gordel los en maakte aanstalten om uit te stappen.

'Lijkt je dit nu echt wel verstandig, Vance?' vroeg Norton.

'Ze zit in het buitenland. Een betere kans krijgen we nooit.'

Norton leek niet overtuigd. 'Dat bedoelde ik niet. Wat jij van plan bent is nou niet direct legaal.'

Stone zuchtte. 'Doe nou niet zo moeilijk, man. Tot dusver is Moran ons steeds te slim af geweest. Dit is onze kans om haar dat betaald te zetten.'

'Behalve dan dat het hartstikke illegaal is, Vance. Het is verdomme inbraak.'

Stone glimlachte wat moeilijk. 'En zolang jij je bek nu maar dicht-houdt, komt niemand het te weten. Kom mee.'

Norton zuchtte. Stone gaf hem een paar latex handschoenen en stak zelf ook een paar in zijn zak, terwijl hij naar de voordeur van de cottage liep en aanbelde.

Norton trok zijn handschoenen aan. 'Waarom bel je aan als Moran in Parijs zit? Ze woont toch alleen?'

'Ze heeft twee keer in de week een werkster en vandaag is een van die dagen. Gewoonlijk is ze om deze tijd alweer weg, maar we kunnen beter het zekere voor het onzekere nemen. Als ze opendoet, zeggen we dat we ons in het adres hebben vergist; dan komen we later terug.'

'Hoe zit het met een alarm?'

'De code is de geboortedatum van David Bryce.'

'Hoe weet je dat verdomme allemaal?' vroeg Norton.

Stone tikte met zijn wijsvinger tegen de zijkant van zijn neus. 'Ik heb mijn huiswerk gedaan.'

'Nou begin ik me toch echt zorgen te maken. Volgens mij heb je wel erg veel huiswerk gedaan, Vance.'

'Goed, ik heb een poosje terug in de laden van haar bureau gekeken. Die code stond in haar aantekenboekje. Ik vond ook een stel reserve-sleutels en heb een kopie van haar huissleutels laten maken. Nou tevreden?'

'Nee, Vance. Ga je niet een beetje te ver met haar spullen zo te door-zoeken? Dat kan wel eens als knoeierij worden uitgelegd. Als Lou Raines erachter komt, krijg je de zak. Wat heb je allemaal nog meer gedaan, man?'

Stone draaide zich om en keek zijn collega dreigend aan. 'Helemaal niks. En zolang jij je bek nou maar houdt, komt Lou er niet achter. Ik dacht dat we partners waren, Norton. Aan wiens kant sta jij nou eigen-lijk?'

'Natuurlijk zijn we partners, maar —'

'Vertrouw me dan ook. Ik heb je toch al gezegd dat Moran zo schul-dig is als het maar kan en dat ik dat ga aantonen; kan me niet verdom-men wat ik daar voor moet doen.' Stone drukte nogmaals op de bel en keek over het verlaten terrein. Er werd nog altijd niet opengedaan. Hij stak zijn hand in zijn zak, haalde een stel sleutels tevoorschijn en zei te-gen Norton: 'Tijd om eens in Morans nest rond te kijken.'

63

Stone maakte de voordeur open met de sleutel die hij had laten na-
maken. Ze stapten de hal van de cottage binnen. Norton deed de deur
achter hen dicht terwijl Stone het alarmsysteem uitschakelde. Ze gingen
de voorkamer binnen. Een groot raam keek uit over de baai. 'Jeetje, wat
een mooi uitzicht,' zei Norton.

'We zijn hier gekomen om te werken en niet om over de baai uit te
kijken, dus kom op,' zei Stone. 'En wees extra voorzichtig, Gus. Ik wil
niet dat ze merkt dat hier iemand geweest is.'

'Wat dacht je. Ik laat alles zoals het was.'

'Jij doet hier beneden, dan neem ik de slaapkamers.'

Vijf minuten later was Norton in de keuken bezig de laden te doorzoeken toen hij Stone boven aan de trap hoorde roepen: 'Kom boven, vlug!'

Norton ging de trap op. Toen hij Kate Morans slaapkamer binnenkwam, stond Stone bij een van de kasten. Op zijn voorhoofd glinsterden kleine zweetdruppeltjes. 'Kijk hier eens goed naar,' zei hij. Hij hield
een donkerblauw tweedelig pakje op een houten hanger omhoog.

Norton zag een met zilverdraad gebrocheerde spiraal op de mouwen
van het jasje. 'Shit,' zei hij.

'Precies zoals Emily Jenks zei. Een tweedelig donkerblauw pak met
zilverbrokaat.'

'Wat gaan we ermee doen?' vroeg Norton onzeker.

'We stoppen het in een bewijszak en we nemen het mee. We laten het
door Diaz bekijken en de vezels checken om te zien of die overeenko-
men met de vezels die we onder de nagels van de dochter van Fleist en
op de hond hebben gevonden. Ik hoef niet tegen Diaz te zeggen van wie
dit pak is.'

'*Wat?* We hebben niet eens een bevel tot huiszoeking. Het zou nooit als
bewijs worden toegelaten.'

Stone haalde voorzichtig een bewijszak uit de zak van zijn jasje, rolde
het kostuum op en stopte het in de zak. 'We hebben geen andere keus.
Moran zou kunnen proberen om zich ervan te ontdoen. Zoek nog even
verder.'

'Waarnaar?'

'Alles wat interessant lijkt. Daarna maken we als de donder dat we wegkomen.'

Twintig minuten later schakelden ze het alarmsysteem weer in en stapten in de Taurus.

'Wat nu?' vroeg Norton.

Het tweedelige kostuum was het enige dat ze hadden gevonden, maar Stone leek halsstarrig door te willen gaan. Hij zei: 'Weet je nog dat we met Brogan Lacy hebben gesproken nadat haar dochter en haar ex waren vermoord?'

'Ja.'

'Ik vind dat we nog maar eens met haar moesten gaan praten, maar deze keer speciaal in verband met Moran. Misschien wordt het tijd dat we eens horen wat zij te vertellen heeft over de vrouw die met haar ex-man wilde trouwen. Misschien neem ik Lou wel mee.'

'Ja?'

'Ja. En dan vertel ik hem wat we hebben gevonden.'

64

Parijs

De fluit van een binnenschip op de Seine wekte me. Buiten was het donker. Versuft tastte ik naar mijn horloge. Het was zes uur in de avond. Ik had de gordijnen dichtgedaan in de hoop wat te kunnen slapen, maar na eerst een tijd te hebben liggen woelen en draaien, had ik nauwelijks drie uur gedommeld. Ik wist dat ik Lou nu spoedig moest bellen, dus ik maakte voor mezelf een kop Nescafé en draaide zijn directe nummer. Nadat de telefoon aan de andere kant drie keer was overgegaan, kreeg ik zijn voicemail. Ik sprak in dat ik hem opnieuw zou proberen te bellen, maar dat hij me, als hij me dringend nodig had, op mijn mobiele nummer kon bereiken. Over het gebeurde in de catacomben zei ik niets; dat kwam wel in een gesprek. Ik zag ertegenop om hem te vertellen dat de Fransen een onderzoek zouden instellen. Lou had een reuze hekel aan welk onderzoek dan ook waarbij een van zijn agenten betrokken was, en dit zou hem helemaal razend kunnen maken.

Om kwart voor zeven had ik me gedoucht en mijn haar gewassen, een crème broekpak aangetrokken en make-up opgedaan. Vijf minuten later klopte ik op Josh' deur. Hij deed de deur open, gekleed in een lichtgrijs sweatshirt met mouwen tot aan de ellebogen. Ik moest toegeven dat hij er in sportieve kleding goed uitzag: het lichtgrijs accentueerde zijn gebruinde, gespierde armen en zijn baard van een dag gaf hem zonder meer iets stoers.

'Je bent vroeg. Heb je niet geslapen?' vroeg hij.

'Niet veel. Ik was bekaf, en toch heb ik maar drie uur gedommeld. En jij? Je gaat me toch niet vertellen dat jij weer hebt geslapen als een pasgeboren baby?'

Hij liet me glimlachend binnen. 'Daar komt het wel op neer. Ik zal me vlug even douchen en scheren, dan ben ik over een kwartier klaar om te vertrekken.'

Hij hield woord en vijf minuten later stonden we in de lift naar beneden, naar de lobby. Josh was gekleed in een lichte chino, zwarte instappers en een donkerblauwe blazer op een lichtblauw katoenen overhemd. De aftershave die hij ophad rook lekker.

'Heb je honger?' vroeg hij.

'Nauwelijks. Die schietpartij heeft mijn eetlust bedorven. Voor mij is alles goed, zelfs een friettent.' Eten was op dit moment wel het laatste waar ik aan dacht.

Josh glimlachte terwijl we de lobby binnenstapten. 'Dat van die friettent zou ik maar liever niet tegen Delon zeggen, anders krijgt hij waarschijnlijk een beroerte. Je weet dat de Fransen hun *cuisine* nogal serieus nemen. Heb je Lou gebeld?'

'Ja, maar hij was er niet.'

'Heb je een bericht achtergelaten over die schietpartij?'

'Ik heb alleen gezegd dat ik iets belangrijks te melden had en hem gevraagd om me te bellen zodra hij gelegenheid had.'

In de lobby was geen spoor van Delon te bekennen; daarom besloten we naar buiten te gaan en daar te wachten.

'Ik vraag me af of Stone al vorderingen heeft gemaakt,' zei Josh.

Ik wilde niet eens aan Stone dénken. Ik hoopte alleen maar dat hij me in de toekomst met rust zou laten. Maar ik kreeg geen kans om Josh antwoord te geven, want toen we buiten kwamen, stopte er een witte Citroën waar Delon uit stapte. Hij gaf ons eerst een hand voordat hij het achterportier voor ons openhield.

'Neem me niet kwalijk dat ik zo laat ben, maar ik was in het ziekenhuis om te kijken hoe het met Laval ging.'

196

'Hoe is het met hem?'

'Hij leeft goddank nog en de dokters hebben goede hoop, dus dat is goed nieuws.' Delon liet ons instappen. Het restaurant was in het Quartier Latin, nog geen vijf minuten rijden, maar de inspecteur reed als een bezetene, zoals iedereen in Parijs leek te doen. 'Ik ben bang dat ik verder geen nieuws heb, behalve dan dat we nog steeds in de riolen en de catacomben op zoek zijn naar de moordenaar en eventuele aanwijzingen. Ik heb meer dan twintig teams ingezet die de klok rond met het onderzoek bezig zijn, maar het gebied dat doorzocht moet worden, is zo uitgebreid dat het veel tijd kost.'

'Heeft de plaats delict van de twee slachtoffers al iets opgeleverd?' vroeg ik.

'We zijn nog druk bezig, maar als het u interesseert, lijkt het me goed als u nog een paar dagen langer in Parijs blijft tot we iets hebben gevonden.'

'Als onze chef dat goedvindt, maken we daar graag gebruik van, inspecteur,' zei Josh.

Ik kon me Lous reactie wel zo ongeveer voorstellen als we zouden vragen of we nog een paar dagen langer in Parijs konden blijven: *Zorg als de donder dat je terugkomt.*

We stopten voor een gezellig uitziend, goed verlicht restaurant langs de Seine. Delon liet de Citroën voor de deur staan en nam ons mee naar binnen. Mijn eetlust kwam terug. In de daaropvolgende twee uur genoot ik met volle teugen van een verse krabsalade, rode snapper met gestoomde groente en crème brûlée toe. De halve fles witte wijn en het glas cognac die ik tijdens het diner dronk, verbeterden mijn stemming aanzienlijk en ondanks dat Delons gedachten in beslag werden genomen door Lavals toestand, bleek hij een onderhoudend gastheer te zijn.

Toen we het restaurant verlieten, bood Delon aan om ons naar het hotel te brengen, maar Josh zei tegen me: 'Wat dacht je ervan als we langs de rivier terug zouden wandelen? De frisse lucht zal ons goed doen. We kunnen altijd nog een taxi nemen.'

Ik was het helemaal met Josh eens en ik zei tegen Delon dat we op eigen gelegenheid terug zouden gaan.

Hij haalde zijn schouders op en gaf ons een hand. 'Net zo u wilt. U hebt mijn nummer voor het geval u me nodig hebt. Morgen spreken we elkaar weer.'

Ik schudde Delon de hand. 'Bedankt voor al uw hulp, inspecteur.'

'Goedenavond, madame, monsieur.' Delon maakte een beleefd buiginkje, stapte in zijn Citroën en wuifde nog even toen hij wegreed.

Ik keek Josh aan. Hij keek terug met wat volgens mij een veelbetekenende blik was en bood me zijn arm aan. 'Kom, we gaan wandelen.'

65

Richmond, Virginia

Stone reed de openbare parkeerplaats op tegenover het kantoor van de gerechtelijke lijkschouwer. 'Lacy zei dat ze maar een kwartier de tijd voor ons heeft – om twee uur heeft ze iets anders.'

Lou Raines at het laatste stukje van zijn broodje kip tikka dat hij als lunch had gekocht op en veegde zijn mond af met een papieren servetje. 'Wat je me niet hebt verteld, is waarom je haar wilt spreken. Wat wil je van haar?'

Stone reed achteruit een parkeervak in. 'Misschien kan Brogan Lacy antwoord geven op de vraag waarom haar ex-echtgenoot in zijn testament bepaalde dat Kate Moran de enige erfgenaam zou zijn als Megan zou overlijden.'

Raines slaakte een diepe zucht. 'Ik dacht dat ik tegen je gezegd had dat je Moran met rust moest laten. Het laatste wat ik wil is dat dit gedoe tussen jullie in een vendetta ontaardt. Ik hecht totaal geen geloof aan jouw theorie, Vance. Ik ken Kate. Dat is geen intrigante en al helemaal geen moordenaar. Ik durf er hier en nu iets om te verwedden dat je theorie kant noch wal raakt.'

Stone verbeet zijn woede en deed zijn portier open. 'We kunnen niet voorbijgaan aan het feit dat Gamal beweerde de Bryces niet te hebben vermoord. En ook niet aan het feit dat er een copycatkiller rondloopt en dat dat iedereen kan zijn. Dus als je nu even geduld hebt, Lou? Wie weet wat we te horen krijgen.'

'Honderd tegen een dat het alleen maar tijdverspilling is,' mopperde Raines.

Ze staken de straat over en gingen het kantoor van de lijkschouwer binnen. Stone klopte op een deur.

'Binnen,' zei een vrouwenstem.

Toen de twee mannen binnenkwamen, keek Brogan Lacy op van een laptop. Op haar bureau stond een flesje water naast een onaangeraakte sandwich. Er lagen wat notitieblokken en potloden. Ze leek niet blij met hun bezoek.

Stone zei: 'Ik beloof u dat we zo weer weg zijn.'

Lacy keek ontstemd, deed wat papieren in een map en zette haar bril af. 'Zoals ik zei toen u belde, agent Stone, heb ik om twee uur een autopsie.'

'Ja, mevrouw, dat begrijp ik. Dit duurt niet lang.' Hij stelde Raines voor. 'Dit is mijn chef, senior agent Raines.'

'Ja, we hebben elkaar voor en tijdens het proces ontmoet.' Brogan Lacy schudde Raines de hand en gebaarde naar een paar stoelen. 'Gaat u zitten, heren.'

Stone ging zitten, maar Raines bleef staan en zei: 'Het spijt ons dat we u lastig moeten vallen, mevrouw Lacy. Hoe gaat het nu met u, sinds we elkaar voor het laatst zagen?'

De zakelijke houding was op slag verdwenen en er verscheen een gekwelde uitdrukking op het gezicht van Brogan Lacy. 'Het gaat wel, meneer Raines. Veel mensen denken dat dokters gemakkelijker met de dood kunnen omgaan omdat ze er vrijwel dagelijks mee te maken hebben, maar ik vrees dat geen enkele opleiding je ooit kan voorbereiden op het verlies van je enige kind.'

'Dat kan ik me voorstellen. Een dergelijk verlies is iets vreselijks,' zei Raines oprecht.

'Ik denk dat ik de dood van David wat beter kon accepteren omdat we gescheiden waren en verder waren gegaan met ons leven, maar van je kinderen kun je nooit scheiden.'

'Nee, natuurlijk niet,' zei Raines. 'Neemt u me niet kwalijk, ik had er misschien beter niet over kunnen beginnen. Het moet nog steeds veel pijn doen.'

Lacy zei: 'Misschien is dit het goede moment om te zeggen dat ik dankbaar ben dat uw dienst zo'n goed stuk werk heeft geleverd om de moordenaar van David en Megan te pakken.'

'Dank u,' zei Raines.

'Goed dan, waarmee kan ik u van dienst zijn?'

Stone zei: 'Het gaat om het testament van uw vroegere echtgenoot. Toen ik u vanmorgen sprak, vertelde u dat David zijn volledige nalatenschap aan Megan had gelegateerd, maar dat in geval van Megans overlijden Kate Moran de enige begunstigde zou zijn.'

'Dat is correct, ja.'

'Mevrouw Lacy,' zei Stone ernstig, 'vond u het niet vreemd dat David bij testament alles aan Kate Moran naliet, terwijl hij haar toch maar betrekkelijk kort kende? Ruim een jaar, meer niet.'

'Wat bedoelt u met "vreemd"?'

'Misschien is "verdacht" een beter woord,' lichtte Stone toe.

Brogan Lacy keek van Raines naar Stone en fronste haar wenkbrauwen. 'Mag ik vragen waar u met dit gesprek heen wilt?'

'We kunnen de verklaring van het een en ander tot later uistellen, mevrouw Lacy,' zei Stone, 'maar voor dit moment zouden we het op prijs stellen als u alleen antwoord op mijn vragen geeft.'

Brogan Lacy fronste haar voorhoofd nog dieper. 'Wilt u suggereren dat Kate Moran als begunstigde van de nalatenschap van mijn ex-man mogelijk iets *verkeerds* heeft gedaan? Dat u verdenking tegen haar koestert omdat ze van de dood van mijn man heeft geprofiteerd?'

'Dat heeft niemand beweerd, mevrouw Lacy,' zei Raines.

'Dat hoeft ook niet, maar tenzij ik doof ben, zegt u dat wel met zoveel woorden.'

Lacy keek van Raines naar Stone en wachtte op een antwoord.

Stone was degene die zei: 'Laten we zeggen dat we een aantal onduidelijkheden uit de wereld proberen te helpen, dokter.'

'Welke onduidelijkheden?' schamperde Lacy. 'Ik dacht dat het onderzoek afgesloten was. De man die mijn ex-echtgenoot en dochter heeft vermoord, is geëxecuteerd.'

'Dat is zo, mevrouw Lacy, maar als u nu alleen maar antwoord op de vraag zou willen geven. Vond u het niet vreemd?' vroeg Stone opnieuw.

'Moet u horen,' antwoordde Lacy. 'Ik weet niet wat dit allemaal te betekenen heeft, maar laat ik u één ding duidelijk maken. David hield van Kate. Hij had het gevoel dat hij eindelijk een zielsverwant had gevonden en ik was blij dat hij iemand had die van hem kon houden. Ik wist uit ervaring dat hij soms een moeilijk mens was om mee samen te leven. Hij kon erg nukkig zijn, zoals je dat bij veel kunstenaars ziet, vooral nadat hij was doorgebroken. Maar ik weet zeker dat Kate Moran mijn ex-man niet om geld wilde trouwen. Is uw vraag daarmee beantwoord?'

'U klinkt wel heel zeker.'

'Agent Stone, ik ken het soort vrouwen dat op geld uit is en Kate Moran was dat heel zeker niet, voor het geval u dat soms hebt gedacht.'

Stone legde zijn handen op het bureau en leunde naar voren om zijn volgende vraag te stellen: 'Heeft het u helemaal *nooit* dwarsgezeten dat David en zij een relatie hadden?'

Opnieuw fronste Lacy haar voorhoofd. 'Waarom vraagt u dat?'

Er speelde een heel flauw glimlachje om Stones mond toen hij zei: 'Puur uit nieuwsgierigheid.'

'Als u het graag wilt weten, kan ik u vertellen dat David en ik op zijn zachtst gezegd een nogal stormachtige verhouding hadden. Gelukkig kwamen we er na de scheiding achter dat we betere vrienden waren dan huwelijkspartners. En uiteraard hadden we Megan. Daar waren we beiden heel dankbaar voor. Ze was een heerlijk kind dat de beste karaktereigenschappen van ons beiden geërfd leek te hebben. En ik hield van haar. Ik hield zo verschrikkelijk veel van haar.'

'Natuurlijk,' zei Raines zacht.

Lacy zat een ogenblik in gepeins verzonken. 'Weet u wat zo vreemd is? Ik heb in mijn werk dagelijks met de gewelddadige dood te maken, maar toch kon ik mezelf er niet toe brengen om naar de lichamen van David en Megan te kijken nadat ze hier waren binnengebracht. Dat zou me te veel zijn geworden. Het is heel merkwaardig, meneer Raines, dat er allerlei uitdrukkingen zijn voor mensen die iemand verliezen van wie ze veel hielden. Een kind dat zijn ouders verliest, noemen we een wees. Als een vrouw haar man verliest, spreken we van een weduwe. Maar ik ken geen naam voor een ouder die een kind verliest, u wel?'

Raines schudde zijn hoofd. Hij hoorde de rauwe emotie in Brogan Lacy's stem en zag haar vochtige ogen; het leek of de dokter op het punt van instorten stond. Hij keek naar de boeken achter haar en stond op, bijna alsof hij haar wilde afleiden, ging naar de boekenkast en haalde er een boek uit getiteld *Vergiftigingen en hun behandeling*.

'Hebt u vaak met vergiftiging te maken, dokter?'

'Wat?'

Raines liet het boek zien. 'Zaken waarbij sprake is van vergiftiging. Hebt u die vaak?'

De verandering van onderwerp leidde Lacy af. Ze veegde haar ogen met een tissue af. 'Neem me niet kwalijk. Ja, dat is niet ongewoon. Kinderen die per ongeluk gevaarlijke stoffen of medicijnen inslikken, soms helaas met dodelijke gevolgen.'

'Bent u een expert op het gebied van vergiften?'

'Nee, ik ben geen toxicoloog, maar ik heb er bij autopsies vaak mee te maken gehad. Waarom vraagt u dat?'

'Zomaar.' Raines zette het boek terug.

'U stelt wel veel vragen zonder speciale reden,' zei Lacy ongeduldig. 'Zijn we nog niet klaar?'

'Bijna,' zei Stone. 'Ik wil graag terug naar mijn oorspronkelijke vraag. U vond het werkelijk niet vreemd dat uw man Kate Moran tot zijn enige erfgenaam had benoemd, terwijl hij haar toch nog maar betrekkelijk kort kende?'

Lacy schudde enigszins gefrustreerd haar hoofd. 'Nee, dat vond ik niet vreemd. Het zou me zelfs hebben verbaasd als dat *niet* het geval zou zijn geweest. David was een heel attente man, een van de meest attente die ik ooit heb gekend, vooral als het om geld ging. Persoonlijk had ik zijn geld niet nodig, ik had genoeg van mezelf. Maar wat me interesseert is waarom ik het gevoel krijg dat u denkt dat Kate Moran mogelijk iets te maken had met de dood van David en Megan.'

'Dat hebben we niet gezegd,' antwoordde Raines. 'Dat hebben we nooit beweerd.'

Lacy keek Stone aan, alsof ze het antwoord dat ze zojuist had gekregen, bevestigd wilde hebben, maar Stone zei niets. 'Zo te zien bent u het daar niet mee eens, agent Stone.'

Stone keek Raines met opeengeklemde lippen aan en zei toen: 'Ik geloof dat mijn chef uw vraag al heeft beantwoord, mevrouw Lacy.'

'Toch geloof ik dat u daar gemengde gevoelens over heeft, agent Stone,' zei Lacy.

Stone bleef zwijgen. Zonder aanwijsbare reden werd Lacy nerveus en keek op haar horloge. 'Als... als u me nu dan zou willen verontschuldigen. Ik moet een autopsie doen en gewoonlijk neem ik tevoren wat tijd om mijn gedachten te verzamelen, dus ik zou het op prijs stellen als u nu vertrok.'

'Bedankt voor uw tijd, dokter,' zei Stone, maar hij keek gefrustreerd.

Lacy liep met de bezoekers mee naar de deur. Raines gaf haar een hand en zei met oprechte sympathie: 'Ik wens u het allerbeste, mevrouw Lacy. Ik zal u in mijn gebeden gedenken.'

Hij zag dat Brogan Lacy moeite had om haar emoties in bedwang te houden. 'Dank u, meneer Raines, maar als ik één ding heb geleerd, dan is het dat bidden niets verandert.'

66

Brogan Lacy wachtte tot haar bezoekers waren vertrokken en liep toen naar het raam. Enige minuten later zag ze de agenten het gebouw uitkomen en naar de parkeerplaats lopen. Ze vroeg zich af wat hun werkelijke reden was geweest om haar te ondervragen. Misschien was ze te achterdochtig. Ze kon niets speciaals in hun vragen ontdekken en het kwam haar voor alsof ze in het duister tastten.

Ze draaide zich om van het raam en gooide haar onaangeraakte sandwich in de afvalbak. Ze had tegenwoordig erg weinig eetlust. Ze was in anderhalf jaar vijftien kilo afgevallen en als ze niet oppaste, raakte ze er nog wel vijftien kwijt. Maar ze wist dat ze op krachten moest blijven, dat ze het aan de herinnering van haar dochter verplicht was om te voorkomen dat ze helemaal afgleed. Alleen werd het elke dag moeilijker om zich er zonder Megan doorheen te slaan.

Het verlies van haar enige kind had haar geleerd wat echt verdriet was. Het was een hel op aarde. Echte, rauwe pijn, alsof er duizend dolken in haar hart werden gestoken. *Niets zal ooit de leegte op kunnen vullen die haar dood heeft achtergelaten. Een jong leven is zo kostbaar.*

Ze werd binnenkort achtenveertig en het was te laat om ooit nog op een kind te mogen hopen – hoe zou ze trouwens ooit Megan kunnen vervangen? Als ze aan haar dochter dacht, aan haar lach, haar goede humeur en haar tederheid, hoe ze haar als baby in haar armen had gehouden en in slaap gewiegd, dan kwam ze in de verleiding om naast Megans graf te knielen en er eenvoudigweg een eind aan te maken door zichzelf door haar hoofd te schieten. Constantine Gamals wrede nalatenschap van pijn en verdriet zou altijd blijven. *Waarom denken mensen die anderen verdriet doen nooit eens na over het kwaad dat ze aanrichten? Waarom denken ze nooit aan het verdriet dat ze veroorzaken?*

Brogan Lacy voelde tranen opkomen. Ze was nauwelijks in staat haar emoties in toom te houden. Haar handen beefden en ze werd gekweld door herinneringen. Ze kwam in de verleiding om haar medicijnen te nemen, de uppers die haar op de been hielden. Maar ze had die middag werk te doen en moest alert blijven. Zodra ze thuis was zou ze haar pillen nemen om de avond door te komen.

Plotseling ging de deur open zonder dat er geklopt was. Een jonge vrouw kwam het kantoor binnen met een klembord in haar hand en vroeg bezorgd: 'Is er iets, dr. Lacy?'

'N-nee, Anne. Ik had iets in mijn oog, maar nu voel ik me weer prima. Dank je.'

'We zijn klaar voor de autopsie,' zei de vrouw.

Brogan Lacy dacht: *Ik moet sterk zijn, wat er ook gebeurt. Ik moet de schijn ophouden.* Het maakte allemaal onderdeel uit van haar strategie om met de dingen om te gaan, ook al had ze zo nu en dan het gevoel dat ze een verloren strijd voerde. Als ze heel eerlijk was, had ze het gevoel dat ze bezig was haar verstand te verliezen. Met bevende hand veegde ze haar ogen af.

'Dank je, Anne. Ik kom er zo aan.'

67

Parijs

We staken de straat over, Josh voorop, en gingen een stenen trap af naar een wandelpad. Op een bankje zat een vrijend paartje. Ik was bijna jaloers. *Het is zo lang geleden dat ik een man heb gekust, dat ik gestreeld ben en het gevoel had dat ik werd begeerd.*

Het was een verrassend zachte avond en terwijl we daar liepen, was ik me ervan bewust dat David en ik van plan waren geweest om op huwelijksreis naar Parijs te gaan. Ik weet nog hoe opgetogen hij had geklonken toen hij zei: *'We logeren in de Ritz, Kate. Dat zul je prachtig vinden.*

'Zit je er nog steeds mee dat je Jupe hebt doodgeschoten?'

Josh onderbrak mijn gedachten en ik vouwde mijn armen over elkaar om me te beschermen tegen een plotselinge koude vlaag vanaf de rivier. 'Ik geloof dat ik er wel overheen ben.'

Hij knikte. 'Mooi zo. Maar dan moet je iets anders dwarszitten. Je leek heel ver weg met je gedachten.'

Ik zei tegen mezelf: *Ik wil niet over het verdriet uit mijn verleden praten.* Maar desondanks deed ik het. Ik had een beetje te veel gedronken en opeens begon ik te praten. Ik vertelde Josh over David en onze plannen voor onze huwelijksreis en nadat ik het had verteld, voelde ik me een beetje beter.

'Weer heel worden na een sterfgeval gaat heel traag,' zei Josh. 'Dat kun je ook niet overhaasten. Ik denk dat het bij rouwverwerking het beste is om blindelings door te gaan en te trachten de pijn te negeren. Meer kun je niet doen.'

Ik keek over de rivier. 'Soms heb ik het gevoel alsof ik er nooit overheen kom. Er zijn dagen dat ik kans zie om mijn verdriet in een speciaal klein hokje in mijn hoofd weg te stoppen. Daar probeer ik het dan te houden. Soms lukt het even om mezelf wijs te maken dat de pijn verdwenen is, maar zo nu en dan glipt het naar buiten en grijpt me bij de keel. Je weet hoe het is als je van iemand gaat houden die je vervolgens weer kwijtraakt.'

'Vertel me wat.'

'Het kan je ziel aan stukken breken, waarna je de rest van je leven bezig bent om de scherven op te rapen. Dat gevoel had ik bij David.'

Josh klonk meelevend. 'Als ik heel eerlijk ben had ik dat gevoel ook bij mijn ex-vrouw, Carla. Ik kan me ongeveer voorstellen hoe jij je soms moet voelen. Ik denk dat sommige wonden nooit echt helen. Ik had een jonger zusje dat overleed toen ik twaalf was. Het was een fantastische meid en ik hield veel van haar. Dat is ruim twintig jaar geleden, maar ik denk nog vrijwel dagelijks aan haar; het schrijnt nog steeds.' Hij bleef staan en legde zijn hand zachtjes op mijn arm. ' Ik geloof dat we diep vanbinnen allemaal gewond en gekweld zijn. Dat proberen we allemaal te verbergen. Maar als je ooit de behoefte voelt om met iemand te praten, doe dat dan. Praten helpt. Het geeft je het gevoel dat iemand een stukje van jouw last overneemt.'

Josh' manier van doen maakte dat ik me tot hem aangetrokken voelde. Er ging een tinteling langs mijn ruggengraat. De gebeurtenissen in de catacomben hadden ons nader tot elkaar gebracht, maar ik voelde me bijna schuldig dat ik dat zo ervoer. 'Dat is heel aardig van je, Josh.'

Zijn hand bleef nog even op mijn arm liggen, alsof hij nog iets wilde zeggen, maar hij veranderde van gedachten en nam hem weg. Ik had het gevoel dat hij echt om me gaf en dat ontroerde me. We liepen verder, zwijgend, tot ik zei: 'Vertel me van jezelf.'

Josh haalde zijn schouders op. 'Er valt niet veel te vertellen. Ik heb een nogal saai leven gehad.'

'Dan geef ik je hierbij toestemming om me te vervelen met je verhaal.'

'Oké, je hebt er zelf om gevraagd,' zei Josh glimlachend. In vijf minuten schetste hij zijn achtergrond. Hij was geboren in New York; zijn ouders waren na bijna veertig jaar nog steeds gelukkig getrouwd. Zijn vader was tekstschrijver voor de televisie en zijn moeder secretaresse op een advocatenkantoor geweest. Hij had twee broers die ook bij de televisie werkten. Zijn jongste zuster, Marcie, was productieassistente. Aanvankelijk wilde hij niet veel kwijt over zijn huwelijk, alleen dat het maar twee jaar had geduurd voordat hij en Carla waren gescheiden. 'Hoe kwam dat zo?' vroeg ik.

'Verschillende redenen. Vooral van Carla's kant, maar ik had ook een relatie.'

Ik bleef staan. Toegegeven, die bekentenis stond me niet aan, maar ik had wel bewondering voor het feit dat hij de waarheid sprak.

'Waarom kijk je zo geschrokken?' zei Josh. 'Het was niet om de reden waaraan jij mogelijk denkt.'

'Je hoeft het niet uit te leggen.'

'Kate, de realiteit is dat mensen allerlei redenen hebben om iets met een ander te beginnen. Vaak zijn die egoïstisch, maar soms is het een geldige reden. Het klinkt misschien alsof ik me wil verontschuldigingen, maar dat is niet zo. Ik weet dat het fout was. Maar in die tijd had ik een emotionele band met iemand nodig en dat is de reden dat ik die relatie begon. Carla en ik waren toen een poosje uit elkaar, maar officieel waren we nog steeds getrouwd. De vrouw die ik leerde kennen, was een goed mens; gescheiden en moeder van twee kinderen. Onze relatie duurde niet langer dan een paar maanden, maar voorkwam wel dat ik gek werd. Zo slecht was mijn huwelijk.'

'Hoe kwam dat?'

Josh haalde zijn schouders op. 'Carla wilde nooit echt close met me worden. Zo was ze niet. Zelfs niet met Neal. Ze was totaal niet moederlijk. Ik denk dat Carla zomaar met me is getrouwd en nooit echt van me heeft gehouden. Ze kon het huwelijk eenvoudig niet aan en het moederschap al helemaal niet. Het feit dat ze de voogdij over Neal niet wilde hebben, spreekt voor zich.'

Mijn mobiele telefoon begon te trillen. Ik haalde hem uit mijn tas en zag dat ik een bericht op mijn voicemail had. Het was Lou. *'Met Lou, Kate. Ik heb je bericht ontvangen. Ik heb op dit moment een paar belangrijke besprekingen, maar ik bel je nog wel. Er zijn een paar zaken waar we over moeten praten. Tot later.'*

'Wil je hem nu bellen?' vroeg Josh toen ik hem vertelde wie het was.

'Ik wacht wel tot we terug zijn in het hotel.' Uit Lous toon meende ik op te maken dat hij me vertrouwelijk wilde spreken. Ik vroeg me af waarom.

Ik draaide me om naar Josh. 'Laten we een taxi pakken.'

68

Twintig minuten later stopten we voor het Normandy Hotel. Terwijl we met de lift naar boven gingen, kreeg ik opeens het gevoel dat ik niet alleen wilde zijn: ik had genoten van Josh' gezelschap en ik wilde nog meer tijd met hem doorbrengen. Maar toen we voor mijn deur kwamen, zei hij: 'Wel, dat was het dan. Welterusten, Kate.'

Ik talmde en ik kon merken dat Josh mijn tegenzin om afscheid te nemen aanvoelde. Hij boog zich naar me over en kuste me zacht op mijn wang. Ik bloosde. Het was een goed gevoel om zijn huid langs mijn gezicht te voelen strijken. Zijn aftershave rook naar vanille en citroen. Toen vond zijn mond de mijne en we kusten elkaar. Het was een langzame, diepe kus die heel lang duurde.

Toen ik me uiteindelijk van hem losmaakte, keek hij me recht aan, met zo'n blik die niets verborg en alles zei. Hij leek mijn gedachten te lezen. Hij hief zijn hand op en streek met een vinger langs mijn kaak. 'Zal ik je eens wat vertellen?' zei hij. 'Om de een of andere reden wil ik helemaal niet weggaan.'

'Om de een of andere reden wil ik ook niet dat je gaat,' antwoordde ik.

'Wil je dat ik met je mee naar binnen ga en je vasthoud? Alleen maar vasthouden.'

Ik kwam in de verleiding om te glimlachen. 'Waar heb ik dat vaker gehoord?'

'Ik meen het. Je alleen maar vasthouden.'

Hij bloosde en om de een of andere reden maakte dat mijn verlangen om hem in mijn armen te nemen alleen nog maar groter.

'Het is lang geleden dat iemand dat heeft gedaan. Alleen...'

'Alleen wat? De voorschriften?' Josh glimlachte en zei zacht: 'Ik kan me geen enkel voorschrift herinneren waarin me me wordt verboden een collega troost en soelaas te bieden.'

'Is dat de bedoeling?'

Hij keek me ernstig aan. 'Eerlijk? Ik geloof dat je het nodig hebt. En als ik heel eerlijk ben, geldt dat misschien ook voor mezelf.'

Ik gaf geen antwoord. Zonder iets te zeggen liet ik me door Josh meenemen naar zijn kamer. Naast zijn bed brandde een lampje. Hij liet mijn hand niet los, ook niet toen hij op het bed ging zitten en ik naast hem kwam zitten. Toen sloeg hij zijn armen om me heen. Het was inderdaad een vertroostend gevoel, zo ontzettend vertroostend. *Josh, als ik heel eerlijk ben, wil ik niet alleen maar worden vastgehouden...*

Ik keek hem aan en probeerde hem dat duidelijk te maken. Ik voelde me nog steeds schuldig. David was nog maar nauwelijks anderhalf jaar dood en nu al voelde ik me tot een andere man aangetrokken.

Josh zei niets, geen woord, maar toen hij dichterbij kwam, voelde ik zijn adem in mijn hals en dat was een goed gevoel. Toen kuste hij mijn voorhoofd, mijn oogleden, mijn wangen, ging verder naar beneden en kuste me in mijn hals. 'Je ruikt lekker,' zei hij en kuste het puntje van mijn kin. Hij vervolgde zijn weg naar beneden, naar mijn keel. Er ging een golf van genot door me heen en ik kreunde, wat Josh alleen nog maar verder aanmoedigde. Hij kuste me op de lippen en ik voelde zijn tong de mijne raken. *Ik hou van de manier waarop hij kust. Hij kust heerlijk.*

Zij handen gleden over mijn lichaam en ik huiverde van puur genot toen zijn hand onder mijn bloes gleed en mijn borst omvatte. Ik probeerde me van hem los te maken, maar dat lukte me niet. *Ik kan mijn gevoelens niet voor altijd wegstoppen. Ik kan niet mijn hele leven bang blijven, zelfs niet als ik het echt ben.*

Hij kneedde mijn tepel tussen zijn vingers en toen ik mijn hand op zijn borst legde, voelde ik zijn hart kloppen. Dat was een goed gevoel. Plotseling lagen we op het bed en heel voorzichtig knoopte hij mijn blouse los. Zachtjes kuste hij mijn borsten, nam een tepel in zijn mond en zoog eraan. Ineens keek hij me aan. 'We hoeven niets te doen, alleen als jij het wilt.'

'Ik wil het.' Ik vertrouwde hem. *Ik hou van dit gevoel. Hij is een zorgzame, liefhebbende man.* Hij trok me tegen zich aan, zijn mond weer op de mijne. Deze keer kusten we lang en hard, tot hij zich losmaakte en zijn lippen omlaag bewoog, over mijn buik. Ik stak mijn hand uit en voelde zijn erectie toen ik hem over zijn broek streelde. *Hij voelt zo hard, zo mannelijk.*

Ik kon niet langer wachten. Met een plotselinge wilde hartstocht kleedden we elkaar uit, waarna Josh langzaam en heel teder boven op me ging liggen en ik zijn tong in mijn mond nam en hem bij me naar binnen leidde.

69

Ik werd wakker door het geluid van een ambulance die met gillende sirene langs het hotel reed. Er waren vijf uur verstreken – het was vijf uur in de morgen. Josh lag naast me, in een diepe slaap verzonken. Ik genoot van zijn schone, frisse geur. Het licht brandde nog en hij was naakt. Ik draaide me om en bekeek hem. Zijn brede borst, zijn zachte maar gespierde maag, zijn dikke haar, zijn atletische benen. Toen zag ik zijn penis, nu niet meer hard. Ik weerstond de neiging om hem aan te raken en weer stijf te maken. *Het voelt zo goed, een mannenlijf naast het mijne. Om zijn mannelijke geur te ruiken. Ik denk dat ik wilde dat dit gebeurde. Weer begeerd te worden. Omarmd te worden.*

Toen dacht ik aan David en voelde me schuldig. *Ik draag zijn ring nog.*

Een andere gedachte drong zich op: Lou had mijn mobiele nummer niet gebeld, maar wat als hij had geprobeerd me op mijn kamer te bellen? Moest ik nog eens proberen om hem te bereiken? Ik wilde hem op de hoogte stellen van dat schietincident. Ik stapte uit bed, kuste Josh in zijn hals, kleedde me aan en verliet de kamer. In mijn eigen kamer belde ik Lous mobiele nummer. Bij de tweede bel nam hij op.

'Neem me niet kwalijk dat ik je nog niet had gebeld, maar het is een drukke dag geweest,' zei Lou vermoeid.

'Ben je thuis?'

'Nee, ik ben nog steeds op kantoor. Ik wilde je net bellen. Ik heb nieuws voor je.'

Het was goed Lous stem te horen, maar wat hij me daarna vertelde, verkilde me tot op het bot.

'Kate, er is een dubbele moord gepleegd in Istanbul, Gamals vroegere werkterrein. De slachtoffers waren een oom en zijn nichtje. Ze zijn op een gruwelijke manier met een mes gedood in een bekende toeristische trekpleister die "het verzonken paleis" wordt genoemd. Tussen de twee lichamen lag een houten crucifix.'

Ik was zo verbijsterd door dit bericht dat ik op het bed moest gaan zitten. Ik had over dat paleis gelezen – de Cisterne Basilic die in de volksmond 'het verzonken paleis' werd genoemd, maar oorspronkelijk een door de Romeinen gebouwd ondergronds waterreservoir was en dat nu het toneel van een van Gamals moorden was geworden.

'Wanneer is dat gebeurd?' vroeg ik.

'Een uur of acht geleden.'

Ik was sprakeloos. Tot Lou op den duur zei: 'Ben je er nog?'

'Ja... ja, ik ben er nog.' In mijn hoofd begonnen alarmbellen te rinkelen. Istanbul was de plaats waar Gamal zijn eerste moorden had gepleegd – zijn vader en zijn zuster – en de gelijktijdigheid van de nieuwe moorden in Parijs en Istanbul maakte me des duivels. 'Hoe ben je daarachter gekomen?'

'Delons baas belde me nog geen halfuur geleden. Hij had de moorden in de catacomben op de database van Interpol gezet en daar reageerden de Turken onmiddellijk op. Ze begonnen vragen te stellen. Zij blijken gisteravond ook een ondergrondse dubbele moord te hebben gehad. De slachtoffers waren kort nadat ze waren vermoord gevonden. Delons baas heeft gehoord dat bij beide slachtoffers gebruik is gemaakt van een hakmes of een slagersmes,' zei Lou.

Ik werd er misselijk van. Hoe lang zouden deze slachtpartijen nog doorgaan? *Zolang als het duurt om de moordenaar te pakken,* zei ik tegen mezelf.

'Wat gaan we doen?' vroeg ik aan Lou.

'*We?* Wij doen niets.'

'Maar kijk eens naar de modus operandi, de locatie, de slachtofferprofielen, het crucifix. Alles wijst op Gamal. Het moet onze copycat zijn.'

'Dat kan best, maar dat moet de Turkse politie dan eerst maar eens uitzoeken,' zei Lou. 'Het is voor ons te vroeg om ons ermee te bemoeien. We kunnen beter afwachten hoe het zich verder ontwikkelt.'

'Maar we kunnen het toch niet negeren als het ons een aanwijzing zou kunnen opleveren?'

Lou klonk geërgerd. 'We negeren het ook niet, maar je gaat niet naar Istanbul, Kate, afgelopen. Zeker niet na wat er vandaag in Parijs is gebeurd.'

'Heeft Delon over me geklaagd?'

'Integendeel. Hij nam het voor je op. Maar zodra je weer thuis bent, wil ik jouw kant van het verhaal horen.'

Ik was kwaad en moedeloos; en om het allemaal nog erger te maken zei Lou: 'Ik wil trouwens toch dat je hierheen komt. Er is iets dat we onder vier ogen moeten bespreken. Het is een gevoelige zaak en ik vind het vervelend dat ik degene moet zijn die het je moet vertellen, maar

Stone heeft vrij diep zitten graven en dat heeft een aantal vragen opgeleverd met betrekking tot de Fleistmoorden die jij moet beantwoorden.'

Mijn hart begon sneller te kloppen. 'Hoe bedoel je dat precies?'

'Daar wil ik over de telefoon niet over praten, Kate,' zei Lou kortaf.

'Stone is eropuit om mijn goeie naam te verpesten omdat hij me veracht, dat zou jij toch moeten weten, Lou. Waar doel je op? Wat heeft hij gezegd?'

'Daar praten we over zodra je hier bent.'

Ik kreeg een wanhopig gevoel – het leek erop dat ik bezig was mijn enige bondgenoot te verliezen. 'Wat is er aan de hand, Lou? Waarom kun je het me niet gewoon vertellen?'

Even bleef het stil, toen hoorde ik Lou een diepe zucht slaken. 'Kate, waar Stone je ook van mag beschuldigen, voor mij ben je onschuldig tot het tegendeel is bewezen.'

'Waar beschuldigt hij me nu dan van?'

'Daar hebben we het over als je terug bent. Maar ik ben eerlijk van mening dat je een aantal dingen zult moeten ophelderen. En dat is alles wat ik erover kwijt wil, dus blijf niet aandringen.'

Nu was ik degene die een gefrustreerde zucht slaakte. 'Goed, dan doen we het op jouw manier, Lou. Maar Turkije is minder dan vier uur vliegen hiervandaan. Laat me daar in elk geval even gaan kijken. Alsjeblieft.'

'Nee,' hield hij vol. 'Ik zei dat je dat moest vergeten. En dat is een bevel.'

Ik was verrast door zijn harde toon, maar voordat ik iets kon zeggen ging hij door: 'Ik heb twee stoelen voor jullie gereserveerd op de vlucht van Air France naar Dulles op woensdagmorgen. Zodra je op kantoor bent, praten we verder.'

Ik was ziedend. 'Ik kan je wel zeggen dat ik op dit moment moeite heb om je aardig te vinden, Lou.'

'Dat is dan jammer.'

Ik waagde een laatste poging. 'Lou, alsjeblieft, ik denk dat we een grote fout maken door Istanbul te negeren.'

Maar ik sprak tegen dovemansoren.

'Vergeet het maar,' zei Lou. 'We negeren het niet, we laten het alleen maar aan de Turkse autoriteiten over. Intussen zorg jij dat je woensdag hier bent, begrepen?'

70

Ik bleef bijna tien minuten op de rand van mijn bed zitten nadenken over alles wat Lou zojuist had gezegd. Ik was gekwetst en verbijsterd en woedend. Er was iets in Lous toon dat me niet beviel en ondanks zijn verzekering had ik het gevoel dat hij niet helemaal aan mijn kant stond. *Stone heeft vrij diep zitten graven en dat heeft een aantal vragen opgeleverd met betrekking tot de Fleistmoorden die jij moet beantwoorden.* Wat bedoelde Lou in godsnaam? Had Stone weer kwaad over me gesproken of had hij zijn twijfel uitgesproken over de manier waarop ik het onderzoek aanpakte?

Ik was vastbesloten om deze zaak op te lossen. Ik wist dat Lou zei dat er geen sprake kon zijn van naar Istanbul gaan, maar hoe langer ik erover nadacht, hoe meer ik tot de overtuiging kwam dat het van vitaal belang voor het onderzoek was. Alleen betekende dat dan wel dat ik tegen Lous bevelen in zou moeten gaan, wat ontslag op staande voet zou kunnen betekenen.

Istanbul was krap vier uur vliegen. Ik begon te rekenen. *Wat nu als ik op één dag heen en weer zou gaan? Daar hoeft Lou niets van te weten.* Ik nam aan dat ik een uur of elf aan reistijd kwijt zou zijn, maar misschien zou ik in het vliegtuig een uurtje kunnen slapen, waarna ik de rest van de dag zou hebben om de moorden te onderzoeken en toch nog op tijd terug zou kunnen zijn voor mijn terugvlucht naar New York met Josh.

Hoe langer ik erover nadacht, hoe meer ik tot de overtuiging kwam dat het kon. Uiteindelijk belde ik de inlichtingenbalie op Charles de Gaulle. Gelukkig sprak de man die ik aan de lijn kreeg goed Engels.

Ik vertelde dat ik vandaag nog naar Istanbul wilde vliegen en 's avonds weer terug naar Parijs. 'Is dat mogelijk?'

'Wat vluchten betreft wel, madame, alleen zijn de verkoopkantoren van de luchtvaartmaatschappijen op dit uur nog niet open.'

'Bedoelt u te zeggen dat ik nu geen ticket kan kopen voor een vlucht van vandaag?'

'Dit is de informatiebalie, wij behandelen geen reserveringen, maar u zou kunnen proberen online te boeken.'

Ik had al gezien dat er een keyboard met de tv verbonden was. 'Kunt u me wel vertellen hoe laat de eerste vlucht naar Istanbul vertrekt?'

De man zuchtte. 'Een ogenblik, alstublieft.' Ik hoorde hem op een toetsenbord tikken en even later zei hij: 'Turkish Airlines vliegt vanmorgen om acht uur dertig van Charles de Gaulle naar Istanbul, aankomst twaalf uur dertig plaatselijke tijd.'

'En hoe laat gaat de laatste vlucht terug?'

'De laatste vlucht naar Parijs vertrekt vanavond om acht uur vijfenveertig van Istanbul, aankomst Charles de Gaulle om middernacht plaatselijke tijd. Ik zie hier op mijn scherm dat beide vluchten nog maar halfvol zitten, dus er zijn voldoende plaatsen beschikbaar. Als u hier op het vliegveld een ticket wilt kopen, is dat geen probleem. De balie van Turkish Airlines gaat om halfzes open.'

Ik bedankte de man voor zijn hulp en legde neer. Als ik inderdaad besloot te gaan, had ik nog twee uur de tijd om op het vliegveld te komen.

Ik had nog maar net neergelegd toen Josh belde. 'Hé, hoe is het? Ik hoorde je de deur uitgaan en ik heb geprobeerd je te bellen, maar je was in gesprek. Heb je Lou soms gebeld?'

'Ik leg net neer.'

'Zin om hierheen te komen en me te vertellen wat hij heeft gezegd?'

Ik had graag willen weigeren, maar ik wist dat ik Josh onder ogen zou moeten komen voordat ik een taxi naar het vliegveld nam. 'Ik kom eraan.'

Terwijl ik mijn kamer verliet, vroeg ik me af hoe ik mijn afwezigheid zou moeten verklaren. Ik wilde Josh niet vertellen dat ik van plan was om naar Istanbul te vliegen. Ook mijn beweegredenen gingen hem niets aan. Als ik niets zei en er kwam gedonder van, dan ging hij vrijuit. Maar als hij er uiteindelijk achter zou komen, zou hij zich afvragen waarom ik hem niet over die moorden had verteld. Maar dat zag ik dan wel weer.

Ik klopte op Josh' deur. Deze keer droeg hij shorts en een T-shirt. Hij dronk een kop poederkoffie die hij voor zichzelf had klaargemaakt. 'Vertel wat je wilt drinken,' zei hij met een glimlach. 'Een mooie oude cognac? Tien jaar oude port?'

'Als Lou die op de onkostenrekening tegenkomt, laat hij ons aan het Washington Monument ophangen.'

'Wat kan jou het schelen. Je hebt iets nodig om in slaap te komen.'

'Dan neem ik liever warme chocolademelk.'

'Warme chocolademelk. Het komt eraan.'

Terwijl Josh dat klaarmaakte, hield ik mezelf voor dat dit de eerste keer was sinds Davids dood dat ik mezelf had toegestaan om zo intiem met een man te worden. Josh was vriendelijk, gevoelig en tactvol. Hij was alles wat me in een man aantrok. Maar hij was ook mijn partner en ik begon me schuldig te voelen dat ik van zijn gezelschap had genoten. En nog veel schuldiger dat ik op het punt stond hem te bedonderen.

Josh gaf me mijn chocolade en zei: 'Nou, hou me niet langer in spanning. Wat had Lou te vertellen?'

'Delon heeft me gedekt met die schietpartij in de tunnel.'

'Dat is mooi. Ik zei het je toch? En onze terugvlucht?'

'Lou heeft ons geboekt voor morgenochtend tien uur. Dat was de eerste vlucht die hij kon krijgen.'

'Dat betekent dat we nog een dag in Parijs hebben,' zei Josh opgetogen. 'We zouden naar het Louvre kunnen gaan of naar het graf van Napoleon, wat dacht je? Daarna Montmartre en een leuk Marokkaans restaurant...'

Nu kwam het. Ik vond het verschrikkelijk om tegen hem te liegen, hem niets over Istanbul te vertellen, maar ik had geen andere keus.

'Het spijt me echt, Josh, maar ik heb hier in Parijs een vriendin wonen. Ze is met een Fransman getrouwd en ik zou haar graag willen opzoeken. Ik heb haar gisteren gebeld en gezegd dat ik, als ik gelegenheid had, vanmorgen bij haar langs zou komen. Waarschijnlijk breng ik de hele dag bij haar door.'

Ik zag zijn teleurstelling. 'Nou ja... natuurlijk, dat is ook prima,' zei hij.

'Wat ga jij doen?'

Josh haalde moedig zijn schouders op. 'Maak je over mij geen zorgen, ik heb genoeg te doen. Ik ga kijken hoe Laval het maakt. En als ik tijd heb, zijn er genoeg dingen om te bekijken. Wie weet komen we elkaar zelfs tegen. Misschien kunnen we gezamenlijk ergens lunchen?'

Ik voelde dat ik bloosde. 'Ik... ik geloof dat Beth al plannen had. Je vindt het toch niet erg, Josh?'

'Ben je gek? Geen probleem. Ik begrijp het helemaal. Je hebt toch geen spijt van wat er tussen ons is gebeurd?'

'Nee, natuurlijk niet.' Ik legde mijn hand op zijn arm en voelde me schuldig, maar dat kon ik niet tegen hem zeggen.

'Je kunt maar beter nog even gaan slapen,' zei hij.

Hij liep met me mee naar de deur en ik haatte mezelf. *Zo ben ik helemaal niet.* 'Bedankt voor je aanbod om me Parijs te laten zien. Dat stel ik erg op prijs, ik meen het.'

'Een andere keer misschien,' zei Josh hoffelijk. 'Het is echt geen probleem. Ga nu eerst maar even slapen en ik hoop dat je een leuke dag hebt met je vriendin.'

DEEL VIER

71

Luchthaven Charles de Gaulle, Parijs

Het was tien over zeven en ik voelde me duf. Ondanks het vroege uur bruiste de luchthaven van activiteit; voor de ticketbalie van Turkish Airlines stond nu al een rij. Toen ik aan de beurt was, kocht ik een retour voor dezelfde dag. De prijs van het ticket sloeg een forse deuk in mijn MasterCard en ik hoopte maar dat mijn excursie de prijs waard zou blijken te zijn.

Een uur later ging ik aan boord met alleen mijn grote handtas als bagage, compleet met make-up en een stel schoon ondergoed. Mijn koffer had ik op mijn kamer in het hotel achtergelaten. Ik wilde juist mijn mobiele telefoon afzetten, toen ik zag dat ik een bericht op mijn voicemail had. Het was Frank: *'Kate, ik ben het. Ik heb nieuws, dus bel me als je gelegenheid hebt.'*

Ik vroeg me af wat dat kon zijn, maar juist op dat moment begon een van de stewardessen aan de veiligheidsprocedure. Alle mobiele telefoons moesten worden uitgeschakeld. Voordat ik de mijne afzette, stuurde ik Frank nog snel een sms met de mededeling dat ik de komende vier uur druk was, maar hem zo spoedig mogelijk zou bellen.

Een kwartier later taxieden we al naar de startbaan. Nadat we op kruishoogte waren gekomen en ik een ontbijt had gehad, keek ik een halfuurtje naar een film. Daarna viel ik wonder boven wonder in slaap.

Toen ik wakker werd en even naar het toilet was geweest om me een beetje op te frissen verzocht de steward iedereen al om naar zijn plaats terug te gaan omdat we op het punt stonden aan de landing op Istanbul te beginnen. Ik liep terug naar mijn raamplaatsje en dacht: *Als Josh en Lou eens wisten waar ik was.* Lou zou waarschijnlijk op slag een hartaanval krijgen. Josh zou... Ik wist niet wat Josh zou doen. *Ik hoop alleen maar dat hij het begrijpt als ik hem de waarheid vertel.*

Ik maakte mijn stoelriem vast. De donkere luchten en de regen van Europa waren verdwenen; de zon schitterde op het blauwe water van de Zee van Marmara.

Vijf minuten later maakte de Airbus een perfecte landing. Ik voelde een

217

zweem van verwachting: ik was in Istanbul, de plaats waar Constantine Gamal had gemoord; een oude stad vol Byzantijnse intrige.

De paspoortcontrole en douane passeerde ik zonder problemen, maar weldra zou ik met een andere hindernis worden geconfronteerd: hoe kon ik de plaats delict en de lichamen van de slachtoffers inspecteren zonder officiële goedkeuring van de politie? Ik herinnerde me dat Lou me een keer iets had verteld dat Einstein had gezegd: als je lang genoeg naar een probleem kijkt, dient het antwoord zich vanzelf aan. Welnu, ik pijnigde mijn hersens de hele morgen al met die vraag en eindelijk had ik het antwoord gevonden; ik wist hoe ik die hindernis zou nemen.

In de aankomsthal zette ik mijn mobiele telefoon aan; er kwam bericht dat mijn telefoon ook in Istanbul werkte. Ik vond een wisselkantoor en wisselde honderd dollar voor Turkse bankbiljetten en wat kleingeld.

In plaats van mijn mobiele telefoon te gebruiken, zocht ik een telefooncel op en probeerde Frank te bellen, maar hij was in gesprek. Vervolgens zocht ik in mijn agenda het nummer op van inspecteur Ahmet Uzun op het hoofdbureau van politie in Istanbul. Ik toetste het nummer in en even later hoorde ik een klik, gevolgd door een stem die zei: 'Uzun.'

'Inspecteur Ahmet Uzun?'

'Ja, met Ahmet Uzun. Met wie spreek ik?'

'Met Kate Moran van de FBI, inspecteur. Ik hoop dat u zich me nog herinnert?'

'Kate Moran!' riep Uzun verbaasd uit.

Ik had Uzun in Quantico leren kennen toen hij daar een speciale cursus volgde. Hij was een van de beste moordrechercheurs van Turkije. 'Natuurlijk herinner ik me je nog. Hoe is het ermee? Waaraan heb ik dit genoegen te danken?'

'Ik vroeg me af of u vanmiddag even tijd voor me zou hebben.'

'Tijd? Voor jou? Natuurlijk heb ik tijd voor je. En noem me alsjeblieft Ahmet. Waarvandaan bel je?'

'Het vliegveld van Istanbul.'

Er volgde een stilte en ik kon me voorstellen dat Uzun verbaasd zijn voorhoofd fronste. 'Ben je in Turkije op vakantie?'

'Ik wou dat het waar was. Nee, ik ben hier in verband met die dubbele moorden van gisteren in het verzonken paleis en ik heb je hulp nodig, Ahmet. Kunnen we ergens ongestoord praten?'

Uzun zweeg even, alsof hij nadacht over wat ik allemaal had gezegd.

'Goed. Ik weet een mooi hotel. Heel historisch en heel aangenaam voor een praatje tijdens de lunch.'

'Waarom vertel je me niet gewoon hoe ik op het hoofdbureau van politie kom; dan tref ik je daar.'

Uzun klonk voorzichtig. 'Nee, we kunnen elkaar beter in dat hotel ontmoeten. De naam van het hotel is Pera Palas. Ik zie je daar over een uur.' Hij legde uit hoe ik daar moest komen, toen liet hij de bom ontploffen. 'En tussen twee haakjes: ik ben een halfuur geleden gebeld door je baas, Lou Raines.'

72

Istanbul

De gele taxi zette me vlak voor het Pera Palas Hotel af en ik ging de rijk versierde lobby met marmeren vloeren en hoge zuilen binnen. Ik moest me snel met de stad vertrouwd maken; daarom had ik op het vliegveld een stadsgids gekocht. Die had ik in de taxi door zitten bladeren en het Pera Palas gevonden – een van de fraaie oude hotels langs de route van de Oriënt Express, vooral bekend door het feit dat Agatha Christie daar verbleef als ze in Istanbul was. De directie had van haar favoriete kamer zelfs een miniatuurmuseum gemaakt, compleet met een aantal van haar persoonlijke zaken.

Maar ik was hier niet voor museumbezoek. Nadat ik vijf minuten in de lobby had rondgehangen en me juist weer in mijn stadsgids wilde verdiepen, kwam inspecteur Ahmet Uzun binnen. Hij was een lange, grijzende, knappe Turk met een onberispelijke glimlach. Hij schudde me de hand. 'Wat een aangename verrassing, Kate. Je had me even moeten waarschuwen dat je naar Istanbul kwam, dan had ik iemand kunnen sturen om je van het vliegveld te halen.'

'Eerlijk gezegd was het een nogal overhaaste beslissing en bovendien wordt het geacht een geheim bezoek te zijn, Ahmet.'

'Geheim?' Uzun fronste zijn wenkbrauwen en knikte naar een marmeren doorgang. 'Kom, laten we een kopje koffie gaan drinken, dan kun je me er alles over vertellen.'

De inspecteur had nog niet verteld waarom Lou Raines had gebeld, maar ik had zo'n vermoeden dat ik daar spoedig achter zou komen. 'Bedankt dat je me op zo korte termijn kon ontmoeten,' zei ik.

'Het is me een genoegen. Laat ik eerst iets bestellen,' zei Uzun. 'Wil je onze Turkse koffie eens proberen? Die is sterk, maar ik kan je verzekeren dat je er niet aan doodgaat, tenzij je minstens zes kopjes achter elkaar drinkt.'

'Ik waag het erop.'

Uzun wenkte een kelner in een witte jas en bestelde twee koffie met sandwiches. Het Pera bood een adembenemend uitzicht op de Gouden Hoorn. In de verte was de beroemde Blauwe Moskee te zien en op het woelige water deinden wat vissersboten. De kelner kwam terug met een zilveren blad waarop twee bordjes met lekker uitziende sandwiches stonden en twee kleine, glazen kopjes met stroperige koffie.

'Vertel me dan nu maar waarom je in Istanbul bent,' zei Uzun.

Ik zei hem dat ik van de moorden in het verzonken paleis had gehoord en over de copycatmoorden in Virginia en Parijs.

Hij legde zijn sandwich neer en keek me geïnteresseerd aan. 'Dat klinkt bijna ongelofelijk. Maar waarom is het de bedoeling dat je bezoek aan Istanbul geheim blijft?'

'Om je de waarheid te zeggen, Ahmet, ben ik hier niet in een officiële functie, maar op eigen initiatief.'

Uzun keek niet-begrijpend. 'Dat snap ik niet goed.'

Ik nam een slokje van de mierzoete koffie. 'Ik dacht dat de moorden hier in Istanbul mogelijk in verband stonden met de moorden in Virginia en Parijs, maar ik had geen idee hoe of waarom. Dat is de reden dat ik hierheen ben gekomen. Ik moet de plaats delict zien en de sporen of de eventuele aanwijzingen die je hebt. Ik hoop een of ander verband te vinden.'

'Juist, zit dat zo,' zei Uzun, maar hij leek bepaald niet overtuigd van mijn motieven.

'Ik wil graag al je vragen beantwoorden, Ahmet, maar misschien kun je me eerst over de moorden vertellen. Ik vlieg vanavond weer terug naar Parijs, dus veel tijd heb ik niet.'

'Vanavond al?' zei Uzun verbaasd.

'Ik heb maar vier uur voordat ik weer naar het vliegveld moet. Het is nogal ingewikkeld, maar vertrouw me alsjeblieft. Ik heb alle informatie nodig die je me over de zaak kunt geven.'

Uzun veegde wat kruimels van zijn jasje en haalde zijn schouders op. 'Het is een van mijn zaken. Wat wil je precies?'

'De plaats delict zien – en de lijken. En ik wil graag dat je mijn bezoek onofficieel houdt.'

Uzun dacht even na, tuitte toen zijn lippen voordat hij de kelner riep en om de rekening vroeg. 'Goed dan. Mijn auto staat voor de deur. Zodra je je koffie op hebt, kan ik je naar het lijkenhuis brengen en vervolgens naar de plaats delict.'

Ik zette mijn kopje neer. Uzun betaalde en stak zijn portefeuille weg.

'Hoe zit het met de moorden?' vroeg ik.

Uzun haalde zijn autosleutels uit zijn zak. 'Een ding kan ik je nu al vertellen – het is een bizarre zaak die iedereen op Moordzaken volledig voor een raadsel stelt.'

73

We reden door drukke straten, langs kleurige winkeltjes en straatventers en zetten koers naar het water. De brug over de Gouden Hoorn bood een prachtig uitzicht op het Topkapi Paleis. Onder andere omstandigheden zou Uzun me waarschijnlijk op de interessante plaatsen van de eeuwenoude stad hebben gewezen, maar nu keek hij alleen maar ernstig.

'Wat bedoelde je met bizar?' vroeg ik.

'Ken je de plaats waar de moorden zijn gepleegd, het beroemde verzonken paleis, ook wel de ondergrondse basiliek genoemd?'

Ik knikte. 'Ja, daar heeft Gamal een van zijn vroegere dubbele moorden gepleegd. Ik heb erover gelezen, maar de plaats nooit gezien.'

'Mogelijk toch wel. Heb je de James Bond-films ooit gezien, *The World Is Not Enough* of *From Russia With Love*?'

Ik had geen idee waar hij heen wilde, maar zei: 'Ja, hoezo?'

'Het verzonken paleis is in beide films gebruikt. Weet je dat niet?'

'Nee,' bekende ik.

Maar de inspecteur wist het kennelijk wel en ging erop door. 'Het wordt het verzonken paleis genoemd omdat het daar precies op lijkt. Een ondergrondse citadel. Het is niet ver van de beroemdste kerk van Istanbul, de Agia Sofia. Het wordt dan wel een paleis genoemd, maar eigenlijk is het een enorm ondergronds waterreservoir voor het toenmalige Byzantijnse paleis.'

Hij beschreef de cisterne als een netwerk van ondergrondse gangen met hoge zuilen. Ik huiverde nu al bij de gedachte aan al die griezelige gangen.

'De lijken zijn gisteravond door iemand van het toezichthoudend personeel in een van de grotten gevonden,' vervolgde Uzun. 'Het waren een oom met zijn nichtje. Ze werden kort na de moord gevonden. Waarschijnlijk waren ze nog geen halfuur dood toen er in het verzonken paleis een brandalarm afging. Bij de daaropvolgende veiligheidsinspectie werden de slachtoffers gevonden. Er waren geen getuigen, maar toen ik de lijken zag, begreep ik onmiddellijk dat we een interessante zaak aan de hand hadden.'

'Ga verder.'

'De lichamen waren opengesneden en er was een poging gedaan om ze te verbranden, zoals dat bij veel van Gamals slachtoffers het geval was. De rook van het vuur had het brandalarm geactiveerd. Tussen de lijken vonden we een houten crucifix, maar daar zaten geen vingerafdrukken op. We weten evenmin hoe de moordenaar kans heeft gezien om in het verzonken paleis te komen en ook niet of hij dat samen met zijn slachtoffers heeft gedaan. Het is zeer wel mogelijk dat hij een ingang heeft genomen die gewoonlijk niet door toeristen wordt gebruikt, maar dat weten we nog niet. Hoe het ook zij, de moorden vertoonden zoveel overeenkomst met die van Gamal dat ik aan een copycatkiller dacht.'

Ik huiverde. *Dit klinkt net als Virginia en Parijs.*

'Vandaar dat ik vanmorgen besloot om met Gamals nog in leven zijnde zuster Yeta te bellen,' vervolgde Uzun. 'Ik wilde haar vragen of zij iemand kende die een hechte relatie met haar broer had gehad – een kennis, of een familielid, of mogelijk iemand van wie ze wist dat die Gamal had bewonderd. Ik hoopte op die manier iets aan de weet te komen dat ons naar de copycat zou kunnen leiden. Ik had een beetje het gevoel dat ik me aan een laatste strohalm vastklampte, maar in dit werk grijp je nu eenmaal alles aan om een zaak op te lossen.'

'Wat had Yeta te vertellen?'

'Dat is het bizarre waar ik op doelde.'

'Wat precies?

Uzun keek onthutst en wat hij zei raakte me als een mokerslag. 'Yeta was helemaal in de war. Ze beweerde dat ze zojuist door haar dode broer was gebeld.'

74

Ik schrok van Uzuns onthulling. Nu leken ook mijn eigen verdenkingen gerechtvaardigd, maar ik probeerde kalm te blijven.

'Gamal is dood. Ik was erbij toen hij werd geëxecuteerd.'

Uzun zei: 'Ik weet dat het ongelofelijk lijkt, en ik twijfel er ook niet aan dat hij dood is, maar Yeta hield vol dat de beller exact als haar broer klonk. Toen ik bij haar thuis kwam, was ze zo in de war dat ze op het punt stond de politie te bellen.'

Mijn hart begon sneller te kloppen. 'Wat zei de beller?'

'Hij beweerde dat hij Gamal was en teruggekomen was om iets af te handelen, en dat hij Yeta wilde ontmoeten. Dat zouden zijn woorden zijn geweest.'

Mijn slapen klopten; ik voelde een barstende hoofdpijn opkomen.

'Wat wilde hij afhandelen?'

Uzun schudde zijn hoofd. 'Dat zei hij niet. Maar wie het ook was, het was duidelijk zijn bedoeling om Yeta van streek te maken. Ze is niet het soort vrouw dat zich gemakkelijk van haar stuk laat brengen – ze is een flinke, capabele vrouw die haar leven op de rails heeft weten te houden, ondanks het feit dat ze een moorddadige broer had.'

'Wat zei de beller verder nog?'

'Yeta was zo geschrokken dat ze zich verder niets kon herinneren. Ze zegt dat het gesprek niet langer dan een minuut duurde en dat hij toen ophing. De beller sprak Engels met een Amerikaans accent, net als Constantine.'

'Is ze er absoluut zeker van dat hij klonk als haar broer?'

'Die vraag heb ik ook aan haar gesteld. Ze beweerde dat ze hem in geen tien jaar had gesproken en ik vroeg dus hoe ze er zo zeker van kon zijn. Maar zelf was ze er vast van overtuigd dat ze Constantines stem had gehoord.'

'Ik wil haar graag ontmoeten.'

Uzun haalde zijn schouders op. 'Ik kan het vragen. Maar de vrouw is zo van streek dat je niet verbaasd moet zijn als ze weigert.'

'Vertel haar wie ik ben. Zeg tegen haar dat het echt nodig is dat ik haar spreek. Doe alsjeblieft je best om haar te overtuigen, Ahmet.'

'Ik zal het proberen.'

We gingen een brug over, passeerden een Turks badhuis en stopten ten slotte voor een granieten gebouw met een zware eiken deur waarboven een bord met een Turks opschrift hing.

'Waar zijn we?'

'Het lijkenhuis,' zei Uzun.

We stapten uit en gingen naar binnen, een blauw-met-wit betegelde gang in.

Ik wist dat de doden in moslimlanden snel worden begraven, gewoonlijk bij zonsondergang, maar nooit later dan de volgende dag en dat, hoe vreemd dat ook moge klinken, er bij een moordzaak niet altijd een lijkschouwing wordt gedaan – of op zijn best een zeer oppervlakkige. Gelukkig was Turkije een meer verlicht land en Uzun vertelde me dat de politie zich strikt hield aan wat internationaal gebruikelijk was. Aan het eind van de gang bleven we voor een grijze deur staan.

'De naam van de patholoog is Hakan Sayin. Bereid je voor, Kate. Wat je gaat zien is niet bepaald aangenaam.' Uzun deed de deur open en ik volgde hem naar binnen.

De ene wand van de ruimte die we binnenkwamen werd in beslag genomen door een aantal roestvrijstalen vriescellen. Nabij de gootstenen stond een metalen slagersbank, compleet met de angstwekkende instrumenten van de patholoog: scalpels, messen, roestvrijstalen bakken en verschillende elektrische zagen. In het midden van de ruimte zag ik twee stalen brancards met bloedgoten aan de zijkanten en twee met witte plastic lakens bedekte lichamen erop. Een kale man met een bril op en een groot litteken op zijn wang stond aan een van de wasbakken zijn hadden te schrobben. Toen hij zijn handen had afgedroogd en zich naar ons omdraaide, zei Uzun: 'Kate, mag ik je voorstellen, professor Hakan Sayin. Hij heeft de slachtoffers geschouwd.'

Sayin stak me zijn hand toe en zei in perfect Engels: 'Ahmet heeft me verteld dat u een Amerikaanse bent, van de FBI.'

'Inderdaad.'

'Gaat u mee, alstublieft.' De professor ging ons voor naar de twee brancards, pakte een van de lakens beet en zei tegen me: 'Ik vrees dat deze twee er bijzonder slecht aan toe zijn. Bent u er klaar voor?'

'Ja.'

De professor trok het laken weg en ik zag het lijk van een man wiens lichaam net zo verbrand was als het lijk in Virginia, het vlees grotendeels zwart verkoold. Midden in de borst zat een gat waardoor het hart en andere organen eruit waren genomen. De professor zei: 'Wilt u het andere slachtoffer ook zien?'

Ik knikte. Hij trok het tweede laken weg. Ik begon bijna te huilen terwijl Uzun zei: 'Het nichtje van de man. Ze was ongeveer vijftien jaar oud. Ze heeft hetzelfde lot ondergaan als haar oom.'

Ik zag het gapende gat in de geblakerde borst van het slachtoffer en voelde gal in mijn keel omhoogkomen. Het leek alsof ik nooit zou kunnen wennen aan de aanblik van deze slachtoffers, vooral als ze jong waren; het maakte niet uit hoe vaak ik ze zag.

'Genoeg gezien?' vroeg Uzun.

'Ik dacht het wel.'

We namen afscheid van de professor. Uzun nam me mee naar buiten en stak een sigaret op. 'Wil je nog steeds naar het verzonken paleis?'

Ik voelde mijn bloed koud worden. *Nee, dat wil ik niet. Ik kan de gedachte aan die ondergrondse grafkelder nauwelijks verdragen.* Maar ik wist dat ik de plek moest zien waar de moorden gepleegd waren, al was ik ervan overtuigd dat ik, zodra ik daar binnenstapte, helemaal in paniek zou raken. Ik keek op mijn horloge: ik had nog maar nauwelijks drie uur de tijd voordat ik weer naar het vliegveld moest. De tijd vloog voorbij.

'Ja, daar wil ik zeker heen.'

75

Terwijl we door de stad reden, ging Uzuns mobiele telefoon. Hij stopte langs de rand van het trottoir om het gesprek aan te nemen en sprak snel in het Turks. Toen hij me met gefronst voorhoofd aankeek, begon ik me zorgen te maken. *Met wie spreekt hij?*

Na een paar minuten klapte hij zijn telefoon dicht en keek me aan. 'Dat was een verrassend gesprek.'

Ik voelde me ongerust. 'Wat bedoel je?'

Uzun leek geamuseerd terwijl hij zijn telefoon wegstak en zich weer in het verkeer voegde. 'Dat was Gamals zuster. Je boft toch nog. Ze stemt in met je verzoek. Het is vreemd, maar ik kreeg zelfs de indruk dat ze ernaar uitkijkt om je te ontmoeten. Ik heb met haar afgesproken dat we elkaar over tien minuten voor de ingang van het verzonken paleis treffen. Ze woont daar niet ver vandaan.'

Ik voelde me opgelucht. We reden door een brede straat en Uzun gebaarde vooruit. 'Het verzonken paleis is niet ver.'

Een paar minuten later stopten we voor een laag stenen gebouw met een zware eiken deur en Uzun zei: 'Dit is de ingang voor het publiek. Gewoonlijk staat hier om deze tijd al een rij, maar sinds de moorden is het voor het publiek gesloten en dat zal ook nog wel een aantal dagen zo blijven.'

We stapten juist uit toen Uzuns telefoon opnieuw ging.

'Zou je me even willen verontschuldigen?' zei hij, naar het nummer kijkend.

'Natuurlijk.'

Hij liep een eindje weg om het gesprek ongestoord te kunnen aannemen en ik liep naar de ingang. Toen ik naderbij kwam, zag ik dat het niet zomaar een deur was, maar twee waarvan er eentje openstond. De doorgang werd versperd door een zwaar ijzeren hekwerk. Daarachter was een korte gang met een stenen trap naar beneden. Onmiddellijk voelde ik de claustrofobie weer opkomen; mijn handen werden klam. Mijn hart begon sneller te kloppen en mijn oude angsten staken opnieuw de kop op. *Mijn god, ik wil dit niet nog eens. Moet ik echt naar beneden?*

Uzun stak zijn telefoon weer weg en keek me bezorgd aan. 'Ik vrees dat je bezoek niet doorgaat.'

Zijn toon verraste me. 'Waarom niet? Wat is er aan de hand?'

'Dat was mijn chef,' zei Uzun afgemeten. 'Hij had zojuist Lou Raines aan de telefoon gehad.'

De moed zonk me in de schoenen. Ik voelde dat ik rood werd en wist dat het spel voorbij was. 'Wat... wat zei hij?'

'Hij weet dat je in Istanbul bent en wil dat je aangehouden wordt.'

Zijn woorden troffen me als een mokerslag. 'Aangehouden? Op grond waarvan?'

Uzun was onthutst. 'Dat zei mijn chef niet. Alleen dat hij wil dat ik je in hechtenis neem, zonodig met geweld, waarna ik je op het eerstvolgende vliegtuig naar de Verenigde Staten moet zetten. Wat is dit allemaal, Kate?'

'Heeft Raines dat niet aan je superieuren verteld?'

'Als hij dat heeft gedaan, is mij dat niet bekend. Mijn baas zei dat je orders hebt genegeerd en zonder toestemming van de FBI naar Istanbul bent gekomen.'

Hoe weet Lou dat ik in Istanbul ben? Heeft Josh dat uitgevogeld en aan hem verteld, of heeft Lou dat zelf gedaan? Ik werd opeens kwaad.

'Is dat een reden om mij te arresteren?'

'Ik heb mijn orders, Kate.'

'Heb ik Raines' toestemming nodig om een bezoek aan je land te brengen?'

Uzun wist nog steeds niet hoe hij het had. 'Dat mag jij zeggen. Wat is er gaande?'

Ik zuchtte. 'Ik weet eerlijk gezegd niet goed waar ik moet beginnen. Het is allemaal heel vreemd, Ahmet.'

Uzun legde een hand op mijn schouder, een gebaar dat me het gevoel gaf dat hij me probeerde te helpen. 'Dat wil ik graag geloven, maar waarom begin je niet gewoon bij het begin? Kom, laten we even gaan zitten.'

Hij nam me mee naar een bankje aan de overkant van de straat van waaraf we uitzicht hadden op de Agia Sofia. In de daaropvolgende minuten probeerde ik het hem allemaal uit te leggen. 'Ik zei al dat het vreemd was. Ga je me nog steeds arresteren?'

Uzun trok een diepe rimpel. 'Ik snap er helemaal niets van, maar ik ben bang dat ik je wel degelijk in hechtenis moet nemen. Het spijt me.'

'Ahmet, ik *moet* met Yeta praten. Wat kan dat nu voor kwaad? Laat me dat dan in elk geval nog doen.'

'Orders zijn orders,' zei Uzun vastbesloten. 'Ze niet opvolgen zou meer zijn dan mijn carrière kan verdragen.'

Ik voelde me wanhopig, maar toen zag ik Uzun op zijn onderlip kauwen alsof hij moeite had met zijn eigen beslissing. 'Er is echter iets dat ik nog niet heb genoemd,' zei hij.

'Wat dan?'

'Ik heb mijn baas niet verteld dat ik je ontmoet had,' zei Uzun. 'Daar heeft hij ook niet naar gevraagd. Hij nam klaarblijkelijk aan dat je nog niet had geprobeerd om contact met me te zoeken. Je hebt dus een voorsprong, zij het een heel kleine.'

'Wat wil je daarmee zeggen, Ahmet?'

Hij stond op. 'Tussen jou en mij gezegd en gezwegen: ik heb je helemaal niet gezien. Als ik jou was, zou ik nú uit Istanbul vertrekken. Om mezelf te dekken zal ik een bevel tot aanhouding tegen je moeten uitvaardigen. Dat betekent dat ik mijn mannen ook hier naar het verzonken paleis zal moeten sturen om je te zoeken. Raines zei dat je de plaats delict zou willen bezoeken.'

'Eerst moet ik met Yeta praten; dan moet ik de plaats zien waar de moorden zijn gepleegd. Ik ben niet voor niets helemaal hierheen gereisd.'

'Dat zou dwaas zijn. Je loopt het risico gearresteerd te worden en dan kan ik helemaal niets voor je doen.'

'Dat weet ik, maar mijn besluit staat vast, Ahmet.'

Uzun zuchtte. 'Goed dan. Ik zal je een halfuur geven voordat ik mijn agenten waarschuw, maar ook geen seconde meer.'

'Dank je.'

Hij knikte naar de ingang. 'Dat is de ingang naar de basiliek. Net binnen de deur is een portiersloge en als het goed is, zitten daar twee politiemannen. Ik kan ze vanuit een telefooncel verderop in de straat bellen. Ik zeg niet wie ik ben, alleen dat ik van het hoofdbureau bel. Ik zal zeggen dat je een buitenlandse politieofficier bent die in de zaak geïnteresseerd is en ze vragen om je binnen te laten om de plaats delict te zien. Maar je zult het alleen moeten doen. Ik kan niet riskeren dat ik in je gezelschap word gezien.'

Ik keek met groeiende angst naar de ingang. 'Denk je dat ze zullen doen wat je vraagt?'

Uzun haalde zijn schouders op. 'Het is te proberen. De Technische Recherche is klaar met de plaats delict, dus zou er geen probleem moeten zijn.'

'En Yeta?'

Hij keek op zijn horloge. 'Ze zou hier over vijf minuten moeten zijn. Maar ik kan nu maar beter gaan bellen.'

'Hoe praat ik met Yeta? Ik spreek geen woord Turks,' hielp ik Uzun herinneren.

'Maak je geen zorgen, ze spreekt vloeiend Engels. Ze doceert biochemie aan de Universiteit van Istanbul.'

'Hoe herken ik haar?'

'Ik denk niet dat dat een probleem zou zijn. Ze lijkt sprekend op haar dode broer.'

Dat klonk bijna griezelig. Ik raakte Uzuns arm even aan. 'Nogmaals bedankt.'

Hij keek me ernstig aan. 'Vanaf dit moment ben je helemaal alleen, Kate. Probeer voorzichtig te zijn. Een veel succes met de oplossing van je problemen met Lou Raines.'

Als die ooit opgelost kunnen worden, dacht ik.

Ik knikte dankbaar en Uzun stapte in zijn Renault en startte de motor.

'Denk erom, je hebt dertig minuten en niet meer.'

76

Toen Uzuns auto in het verkeer verdween, voelde ik me plotseling erg alleen en kwetsbaar. En ik was verdomd kwaad omdat Lou me wilde laten arresteren. Ik had nooit verwacht dat hij zoiets zou kunnen doen. Dat kon niet alleen maar zijn omdat ik ongehoorzaam was geweest. Er moest een veel dringender reden zijn.

Wat het ook was, het kon alleen maar ernstig zijn en ik vermoedde dat Stone een of ander vals bewijs voor wat dan ook gevonden had. Die verknipte zak had waarschijnlijk een rotstreek uitgehaald.

'Mevrouw Moran?'

Ik draaide me met een ruk om. Het was vrij druk op het trottoir, maar de vrouw die een paar meter verderop stond, kon ik niet missen. Ze had peper-en-zoutkleurig haar, droeg een donker wollen jasje met een broek en had geen make-up op. Ze vertoonde de bleke huidskleur van iemand die weinig in de zon komt. De gelijkenis met Gamal was frappant. *Ik kijk Gamal aan.*

'J... ja, ik ben Kate Moran,' stamelde ik.

'Ik ben Yeta.' Bijna verlegen stak ze me haar hand toe. Haar accent klonk vaag Amerikaans. Ze had exact dezelfde diepliggende ogen, hoge jukbeenderen en doordringende blik als haar broer. Het was bijna griezelig. Maar in plaats van hardheid zag ik verdriet in Yeta Gamals ogen. In plaats van haat zag ik compassie. Ik schatte dat ze niet ouder dan vijfenveertig was, maar met haar grijzende haar en diepe zorgrimpels leek ze een stuk ouder.

Ik schudde haar de hand. 'Hoe maakt u het? Wat fijn dat u me wilde ontmoeten.'

Yeta keek me aan. 'Inspecteur Uzun heeft me veel over u verteld, mevrouw Moran.'

Ik vraag me af hoe ze zich voelt, nu ze oog in oog staat met degene die eraan heeft meegewerkt om haar enige broer de dood in te jagen. Haat ze me en zint ze op wraak?

Ik keek in haar ogen, maar zag geen spoor van afkeer. Toch hield ik mezelf voor dat dat dit de vrouw was die had geweigerd om tijdens de zaak tegen haar broer als getuige te verschijnen. De vrouw die nooit een

229

kwaad woord over hem had gezegd, hoe wreed zijn misdaden ook waren geweest. Had Yeta Gamal een hechte band met haar broer gehad? En er was nog een vraag die me dwarszat: waarom had ze erin toegestemd om me hier te ontmoeten?

'Ik geloof dat we beter kunnen proberen binnen te komen.' Ik rammelde aan het hek en riep: 'Hallo, is daar iemand?'

Ik tuurde de gang in. Rechts stond een deur open. Te oordelen naar de blauwe weerschijn op de wand en de geluiden die ik hoorde stond er een televisie aan en was er een voetbalwedstrijd aan de gang. Even later verschenen er twee politiemannen. De een was ergens in de vijftig, de ander jong, zo te zien een rekruut. Ze kwamen naar ons toe, de oudere man glimlachend terwijl hij het hek openmaakte met een sleutel die hij aan een lange ketting had zitten. Hij sprak rap Turks.

Yeta gaf antwoord en zei toen tegen me: 'Hij wil weten wie van ons tweeën Madame Moran is. Ik heb gezegd dat u dat bent. Hij zei dat er iemand van het hoofdbureau had gebeld dat je zou komen om de plaats te bezoeken waar de moorden zijn gepleegd.'

Ik keek Yeta aan. 'Ik wil je iets vragen.'

'Pardon?'

'Zou je met me mee naar beneden willen gaan, naar het verzonken paleis?'

Ze keek naar de trap naar beneden met een uitdrukking alsof dit de afspraak niet was. 'Dat... dat was ik niet van plan.'

'Ik weet het, maar ik ben bang voor besloten ruimtes en je zou me er erg mee helpen,' zei ik eerlijk en wees naar de politieman. 'Bovendien spreek ik geen woord Turks. Ik heb iemand nodig om voor me te vertalen. Alsjeblieft.'

Ze aarzelde een hele tijd en leek er erg weinig voor te voelen, maar uiteindelijk zei ze: 'Goed dan. Ik ga met je mee.' Ik kon zien dat ze nog steeds onwillig was.

Ze zei iets tegen de oudste politieman en hij liet ons binnen. Yeta ging eerst; ik volgde. Uit de tv in het kantoor klonk gejuich. De politieman blafte iets tegen zijn jonge collega, die in het kantoor verdween.

'Wat zei hij?' vroeg ik aan Yeta.

'Hij wil weten wie er heeft gescoord.'

De politieman gebaarde dat we mee moesten komen naar de trap.

De gedachte om opnieuw af te dalen in de ingewanden van de aarde vervulde me met angst en mijn handen begonnen te zweten.

Yeta keek me onderzoekend aan. 'Wat is er? Voel je je niet goed?'

'Nee, niets. Ik… ik voel me prima.'

En daarmee dwong ik mezelf haar en de politieman te volgen, de trap af, stapje voor stapje.

Vanaf de overkant van de straat zag de Discipel Kate Moran en Yeta het verzonken paleis binnengaan. Hij droeg een Ray-Ban Aviator zonnebril en een motorhelm en stapte van zijn donkerblauwe Yamaha 250cc.

Hij was Yeta vanaf haar huis op veilige afstand gevolgd en zijn planning was beloond. Hij had aangenomen dat het alleen maar een kwestie van tijd zou zijn voordat Moran van de moorden hoorde die hij in het verzonken paleis had gepleegd en ook dat hij Yeta had gebeld en dat ze naar Istanbul zou komen.

Het maakte allemaal deel uit van zijn strategie om Moran in de val te lokken. Hij had de lijken van zijn slachtoffers met opzet vlak bij een brandalarm in brand gestoken, opdat de politie ze snel zou vinden. En nu had Moran toegehapt, precies zoals hij had gehoopt.

Hij voelde de woede in zich opborrelen terwijl hij zijn motorfiets op slot zette. Alles wat hij nodig had zat in de kleine rugzak, ook zijn slagersmessen. Hij zou ze een paar minuten geven voordat hij de drukke straat overstak naar het verzonken paleis. Met een beetje geluk, als alles volgens plan verliep, zou hij weer moorden.

77

We daalden de trap af. Onze voetstappen echoden tegen de eeuwenoude stenen muren van het trappenhuis. De politieman en Yeta zeiden niets terwijl we naar beneden gingen. Ik beefde, ondanks het feit dat het paleis goed verlicht was. 'Ben je ooit eerder in het verzonken paleis geweest?' vroeg ik aan Yeta. Ik *moest* praten, moest mezelf ervan overtuigen dat er iemand vlakbij was om me te helpen mijn angst onder controle te houden.

'Ja, als kind,' antwoordde ze effen. Ze ging er niet verder op door en ik kreeg de indruk dat ze om de een of andere reden net zo bang was als ik.

Naarmate we verder afdaalden, werd het koeler. We kwamen op een overloop en daar was het dan – het meest ongelofelijke wat ik ooit had gezien. De gigantische ruimte was enorm en leek op een kolossale kathedraal. Voor ons strekte zich zover als het oog reikte een immense gang uit met aan beide kanten honderden, zware, stenen zuilen van minstens twaalf meter hoog. Ik was verbijsterd. 'Ik... ik had geen idee dat het paleis zo enorm was.'

'In de Romeinse tijd was dit het voornaamste waterreservoir van Constantinopel,' vertelde Yeta.

Het reservoir bevatte ook nu nog steeds water – tientallen reusachtige rechthoekige, door felle lampen verlichte bakken. Het gele licht zette het paleis in een gouden glans. Van de vochtige stenen muren droop water en boven de vierkante reservoirs waren houten looppaden aangebracht. Ik begreep nu waarom dit het verzonken paleis werd genoemd – het leek veel op een oude citadel die onder water was gelopen. De politieman gebaarde naar een hoek en zei iets wat door Yeta werd vertaald. 'Hij zegt dat de plaats delict met lint is afgezet en dat we daar niet achter mogen komen. Het is daar.'

'Gaat hij niet mee?'

'Hij zegt dat we alleen kunnen gaan; het is niet ver,' zei Yeta.

Ik zag dat de politieman een blik achterom wierp, naar de trap, alsof hij graag zo snel mogelijk terug wilde naar de televisie. Ik was mijn claustrofobie even vergeten, maar die keerde nu terug en ik rilde van angst.

'Bedank hem voor de moeite.'

Yeta vertaalde, waarop de man knikte en met sloffende voetstappen de trap beklom. Ik wilde niet verder naar beneden, maar wat moest ik? Ik keek Yeta aan en vroeg: 'Je zei dat je hier eerder was geweest. Kun je straks de weg terug vinden?'

'Natuurlijk. Misschien moet ik je ook vertellen dat mijn broer Constantine gefascineerd was door het verzonken paleis.'

Gezien de dreigende atmosfeer was dat nauwelijks een verrassing. 'Vertel.'

'Er gaan verhalen dat hier in de Byzantijnse tijd rituele moorden zijn gepleegd en dat intrigeerde hem. Constantine heeft hier zelf ook twee wrede moorden gepleegd, maar dat was je ongetwijfeld bekend?'

'Ja, dat wist ik.'

Ik wilde Yeta naar het telefoongesprek vragen, maar ze gebaarde naar de laatste treden. 'Kom mee, en wees voorzichtig. Met al dat water kunnen de treden glad zijn. Een ongeluk is wel het laatste wat we kunnen gebruiken.'

78

We kwamen beneden aan de trap. Daar kregen we een nog beter overzicht van de ontzagwekkende ruimte. 'Vertel me van je broers kindertijd,' zei ik.

Er was zo weinig bekend van Gamals privéleven en hij had geweigerd om er tijdens zijn verhoor en het proces over te praten. Het weinige dat het Bureau wist, was bij elkaar gesprokkeld uit het onderzoek van inspecteur Uzun.

Yeta's mond verstrakte. 'Ik heb sommige mensen over Constantine horen praten alsof het tragisch was dat zo'n begaafde psychiater zich had ontpopt als een sadistische moordenaar. Maar het was helemaal geen tragedie. Het antwoord is heel simpel. Constantine had al van heel jongs af aan een kwaadaardig inslag. Het begon met het kwellen en doden van kleine dieren. Aanvankelijk waren dat kikkers en muizen. Later ontwikkelde het zich tot het afslachten van katten en honden in bizarre, zinloze rituelen – tot hij uiteindelijk mijn vader en zuster vermoordde. Ik zou zelfs durven beweren dat mijn broer psychiatrie ging studeren om te proberen zijn eigen ziekelijke gedrag te begrijpen. Niet dat het hem ook maar iets hielp. Hij is nooit veranderd.'

Onze voetstappen echoden tegen de oude muren. Over een houten looppad liepen we naar de plaats delict.

'Je zei dat je broer gefascineerd was door het verzonken paleis?'

Yeta knikte. 'Toen hij elf jaar oud was, nam zijn vader hem een keer mee hiernaartoe. Constantine hield van de sinistere atmosfeer hier en zelfs op die leeftijd was hij al geobsedeerd door de dood. Hij voelde zich aangetrokken tot donkere, ondergrondse ruimtes. Niet lang daarna stopte hij mijn jonge hond onder zijn jas en slachtte het dier in een van zijn rituelen af. Ik dacht altijd dat het hondje weggelopen was, maar jaren later vond Gamal het leuk om me te vertellen wat hij had gedaan.'

Yeta's mond verstrakte bij de herinnering. Nadat we een hoek om waren gegaan, zag ik het lichtgevende gele lint waarmee de plaats delict was afgezet. We bevonden ons in een donkere, afgelegen hoek van het verzonken paleis.

'Heb je ooit een hechte band met je broer gehad?'

Yeta snoof spottend. 'Nee. Constantine was nou niet bepaald een lief kind. Achteraf begrijp ik dat hij altijd al anders was en er een pervers plezier in had om anderen pijn te doen.'

Ik bedacht wat ik over haar broers motieven had willen vragen. 'Wat was volgens jou zijn motief om je vader en zuster te vermoorden?'

Yeta schudde haar hoofd. 'Aanvankelijk dacht ik dat het er misschien mee te maken had dat mijn vader hem vaak had geslagen. Wij waren nog jong toen mijn moeder overleed en dat deed er ook geen goed aan, maar ik ben ervan overtuigd dat Constantine vanaf zijn geboorte een slechte inborst had.'

'Was je vader een brute man?'

'Hij was soms hardvochtig. Maar hij was niet ontaard, zoals Constantine.'

'In welk opzicht was hij hardvochtig?'

'Constantine was hoogbegaafd, maar het was een moeilijk kind; hij was eigenzinnig. Als straf voor wangedrag sloot mijn vader hem soms op in de koelcel in de kelder waar hij zijn verse vlees bewaarde. Soms keek Constantine ook toe terwijl mijn vader aan het slachten was. Daar was hij op een morbide manier door gefascineerd en hij leek er een pervers genoegen in te scheppen om te zien hoe de dieren werden gedood.'

De koelcel was een van de angstaanjagende feiten die inspecteur Uzun over Constantine Gamals verleden had onthuld, maar ik luisterde geïnteresseerd nu zijn zuster me erover vertelde. 'Hoe was hun relatie?'

Yeta haalde haar schouders op. 'Die is altijd stroef geweest. Constantine minachtte mijn vader; hij vond hem dom. Op een dag brak er brand uit in de kelder onder de slagerij. De buren hielpen met blussen en die vonden toen mijn vader en mijn zuster in de koelcel. Hun lichamen waren ernstig verbrand en deels aan stukken gehakt. Mijn zuster was dood, maar mijn vader heeft nog een paar uur in coma gelegen voordat hij overleed. Het leek op een uit de hand gelopen beroving – er was geld uit de winkel gestolen en er waren wat persoonlijke kostbaarheden verdwenen. Gamal werd niet verdacht, maar hij werd tijdens het onderzoek wel verhoord, net als ik. De moorden werden nooit opgelost. Dat gebeurde pas nadat Constantine in Amerika was gepakt.'

We kwamen bij de plek waar de moorden waren gepleegd. Ik zag een heel oud blok graniet dat als zitplaats dienstdeed. Er zaten grote rode vlekken op. Toen ik naar Yeta keek, zag ik dat ze haar ogen afveegde.

'Gaat het een beetje?' vroeg ik.

'Ja. Neem me niet kwalijk. Ik moest aan de pijn denken die de slachtoffers geleden moeten hebben. Ik vond het verschrikkelijk toen inspecteur Uzun het me vertelde. Het is vreselijk verontrustend.'

Ik raakte haar arm aan. 'Dat telefoontje moet ook wel erg verontrustend zijn geweest.'

Yeta leek in de war. 'Het was zo vreemd, ik kon het gewoon niet geloven. De beller klonk precies als Constantine.'

'Maar je had je broer al ruim tien jaar niet gesproken. Hoe kon je er zo zeker van zijn hoe zijn stem klonk?'

Yeta dacht even na voordat ze antwoord gaf. 'Je hebt gelijk, dat kon ik ook niet. Het was heel griezelig, maar het was net of ik het kwaad over de telefoon kon *voelen*. Ik was er zo van overtuigd dat het Constantine was dat ik bijna hysterisch werd. Maar hoe meer ik er later over nadacht, hoe rationeler ik werd. Constantine is dood, dus het moest iemand anders zijn geweest; iemand die een wrok tegen me koestert.'

'Een wrok?'

'Het moest iemand zijn die iets tegen me had, iemand die er om de een of andere duistere reden plezier in had om grappen met me uit te halen.'

'Maar waarom zou iemand dat doen?'

'Constantine heeft zoveel leed veroorzaakt dat ik me zou kunnen voorstellen dat een familielid van een van de slachtoffers me ongerust zou willen maken. Een andere verklaring is er niet, mevrouw Moran.'

'Denkt u werkelijk dat iemand u zou willen treiteren door net te doen of uw broer nog leeft?'

Yeta knikte. 'Ja, dat denk ik werkelijk.' Ze richtte haar aandacht op de plaats delict. 'Bent u speciaal voor deze moorden helemaal naar Istanbul gekomen?'

'Het is veel ingewikkelder.'

'Hoe bedoelt u?'

Ik besloot Yeta alles te vertellen en toen ik uitgesproken was, was ze verbijsterd. 'Waarom zou iemand mijn broers misdaden willen na-apen?'

'Dat weet ik niet.' Ik probeerde moed te verzamelen voordat ik verderging. 'Ik weet dat het volkomen absurd klinkt, maar na alles wat er is gebeurd, hou ik rekening met de hoogst onwaarschijnlijke mogelijkheid dat uw broer zijn executie heeft overleefd.'

Yeta werd lijkbleek. 'Dat kunt u niet ernstig menen.'

'Ik zei dat het een hoogst onwaarschijnlijke mogelijkheid was. Ik weet dat ik hem heb zien sterven. Ik heb gehoord dat hij dood werd verklaard. Maar deze nieuwe moorden hebben me voor een raadsel gesteld. Ik begon me af te vragen of uw broer kans kan hebben gezien om met behulp van een of ander tegengif aan de dood te ontkomen. Ik weet dat het dwaas klinkt, maar u bent biochemicus. Denkt u dat het mogelijk zou zijn? Wat is er? U fronst uw wenkbrauwen.'

Yeta was nog steeds bleek. 'Ja, er zijn antidota, zelfs tegen de meest dodelijke vergiften.'

'Bedoelt u dat uw broer inderdaad zou hebben kunnen overleven?'

Yeta staarde naar het water terwijl ze over mijn woorden nadacht. 'U maakt me bang, mevrouw Moran. Ik zeg alleen wat technisch mogelijk is – dat er antidota kunnen worden gemaakt.' Ze dacht opnieuw na en zei toen met gefronste wenkbrauwen: 'Er is iets dat u misschien moet weten. Toen we kinderen waren, was Constantine in staat om zijn hartslag zo te vertragen tot het leek of hij bijna dood was.'

Nu was het mijn beurt om te schrikken. 'Wat wilt u daarmee zeggen?'

'Hij had een heel goede conditie en zwom elke dag in de Bosporus. Hij pochte altijd dat hij een ademhalingstechniek had ontwikkeld die hem in staat stelde om zijn adem onder water meer dan vijf minuten in te houden. Daarbij vertraagde zijn hartslag tot hij bijna klinisch dood was. Ik denk dat het allemaal deel uitmaakte van zijn fascinatie voor de dood – hij vond het heerlijk om zichzelf tot aan de rand van de sterfelijkheid te brengen.'

Ik was met stomheid geslagen en maakte me grotere zorgen dan ooit. Ik huiverde. Op dat moment besloot ik ook dat ik, zodra ik in Washington terug was, allereerst een verzoek tot opgraving van Gamals lijk zou indienen. Dat was de enige manier om het bewijs te leveren dat hij dood was.

'Wat u me daar vertelt is heel verontrustend. Ik begin me af te vragen of ik mogelijk gelijk heb dat uw broer zijn executie overleefd zou hebben.'

Yeta knoopte met een strak gezicht haar jas dicht. 'Persoonlijk zou ik het pas geloven als ik met mijn eigen ogen had gezien dat Constantine dood en begraven was. Nu moet ik weg. Ik heb over een halfuur een college, als ik mijn verstand er tenminste bij kan houden.'

'Nee, wacht alsjeblieft, Yeta...'

'Het spijt me, maar ik moet werkelijk gaan. Ik ben al laat. U kunt maar beter met me meegaan.'

Yeta liep terug naar de trap. Haar voetstappen klonken hol op het houten looppad. Ik werd overmand door angst bij de gedachte om hier zelfs maar een moment alleen te moeten blijven en ging achter haar aan.

Maar een fractie van een seconde later werd mijn ergste nachtmerrie realiteit. De lichten gingen uit en het hele paleis werd in diepe duisternis gedompeld.

Plop. De Discipel schakelde de stroomonderbreker uit. Hij grijnsde. Hij had zojuist de elektriciteit van de hele benedenverdieping van het verzonken paleis afgesloten. Waar hij stond, in de portiersloge boven, waren de lichten nog aan en hij draaide zich om van de zekeringkast. Op de vloer lag het lichaam van de jonge politieman die hij een breinaald door zijn hart had gestoken.

De idioot had hem binnengelaten toen hij de verdwaalde toerist had gespeeld en met zijn vinger op een stadsplattegrond had staan tikken. De oudere agent lag slap in een stoel. Hij had eenzelfde lot ondergaan als zijn jongere collega: eveneens door het hart gestoken. De Discipel stapte over het lijk op de vloer en haalde een Electra-nachtzichtkijker uit zijn rugzak. Tijd voor een beetje plezier.

Hij liep naar de trap die naar beneden voerde, naar het verzonken paleis, bleef boven in het donkere trappenhuis staan, zette de nachtzichtkijker op en zette hem aan. Nu kon hij in de duisternis daar beneden kijken. Alles was groen gekleurd. Het was bijna magisch zoals de nacht dag was geworden.

Toen hij de trap af ging, piepten de rubberzolen van zijn sportschoenen niet eens.

79

Ik had het willen uitschreeuwen in die inktzwarte duisternis. Ik was verstijfd van angst, te bang om me te verroeren, en het enige wat ik kon denken was: *Mijn god, dit kan niet waar zijn.*

Ik was te bang om zelfs maar een voet te verzetten. *Wat als ik van het looppad stapte en in het water viel?* Mijn hart bonkte tegen mijn ribben. Het was weer net zo als in de catacomben. *Hoe kan dat licht verdomme nou toch uitgaan?* Ik had een afschuwelijk voorgevoel dat er iets ergs te gebeuren stond.

'Yeta? Waar ben je?'

'Ik... ik ben hier.'

Goddank, ik ben niet alleen. Het geluid van haar stem was een heel kleine geruststelling.

'Mevrouw Moran... Ik moet u iets bekennen. Ik ben bang in het donker.'

Er klonk een nerveuze trilling in Yeta's stem. *Fantastisch. En ik ben bang in besloten ruimtes. We zijn een mooi stel bij elkaar.*

'Je moet langzaam en diep ademhalen, dat helpt altijd als je in paniek dreigt te raken. Heb je het gevoel dat je in paniek raakt?'

'J... ja.'

'We moeten om hulp roepen. De politie zou ons moeten horen.'

'M... misschien wel.'

Yeta klonk te verlamd om iets te kunnen doen en daarom riep ik zo hard als ik kon: *'Hallo? Hoort u me? Is daar iemand?'*

Mijn stem galmde door de holle duisternis, maar er kwam geen antwoord.

'We moeten proberen een schakelaar te vinden, of een lamp.'

'Ik... ik heb een aansteker in mijn tas.'

'Waar is je tas?'

'Op de grond. Ik heb hem laten vallen toen het licht uitging.'

'Blijf waar je bent, Yeta. Ik kom naar je toe. Ik zal proberen hem te vinden.'

'Ik zal me niet verroeren,' beloofde ze.

Het was moeilijk om in het donker afstanden te schatten, maar haar stem klonk dichtbij, misschien niet meer dan een paar meter. Ik knielde neer en kroop naar voren, terwijl ik met mijn handen over het plankier tastte.

'Hebt u mijn tas al gevonden?' vroeg Yeta met een angstige stem.

'Nee, nog niet.' Ik spreidde mijn vingers en tastte links en rechts, maar vond niets. Toen hoorde ik een geluid als van een trippelende rat. *O, Jezus, ook dat nog, ratten.* Ik vocht tegen de paniek omdat ik wist dat Yeta anders helemaal gek zou worden. Het ritselende geluid werd harder en toen hoorde ik iets dat leek alsof iemand scherp ademhaalde. Ik dacht: *Yeta hyperventileert.*

'Probeer nog even vol te houden. Je tas moet hier ergens liggen,' zei ik.

Geen antwoord.

'Yeta...?'

Nog steeds geen antwoord. Ik werd bevangen door een primitieve angst die door mijn aderen pompte. 'YETA!'

Mijn stem galmde als een afschrikwekkende echo door de inktzwarte duisternis. Mijn maag verkrampte tot een keiharde kluwen. *Wat is er in godsnaam met Yeta aan de hand? Is ze zo bang dat ze niets meer kan zeggen?*

Ik kroop verder naar voren en voelde plotseling iets zachts onder mijn handen. Het voelde aan als leer. *De tas.* Ik greep hem met beide handen vast. *Goddank.*

'Ik heb hem,' zei ik hardop.

Er kwam nog altijd geen antwoord van Yeta. Ik rommelde in paniek in de tas tot ik iets voelde wat op een sigarettenaansteker leek.

Ik zag kans hem aan te knippen en er flitste een fel licht aan, vlak voor mijn gezicht. Ik wilde schreeuwen, maar mijn keel zat dicht. Tien meter verderop lag Yeta op het plankier met een wond in haar hals waaruit het bloed in stoten naar buiten stroomde.

80

Een paar seconden was ik helemaal verstijfd van schrik. Toen hoorde ik een gorgelend geluid over Yeta's lippen komen en zag haar oogleden bewegen — ze leefde nog. Maar ik kon zien dat ze bezig was dood te bloeden. Wat kon ik doen? Ik werd door paniek bevangen. Mijn hersens probeerden een stroom van vragen te verwerken. De aanval op Yeta was razendsnel en in het pikkedonker gebeurd. Haar aanvaller moest zich hier ergens in het duister schuilhouden. De gedachte trof me alsof ik een klap met en honkbalknuppel kreeg. *Ik ben alleen en ongewapend en ik ben het volgende slachtoffer.*

Ik hield het vlammetje van de aansteker boven mijn hoofd. Ik zag water en hoog oprijzende pilaren en vochtige stenen muren. Maar geen levende ziel. Waar was de moordenaar?

Mijn hart ging zo verschrikkelijk tekeer dat ik het gevoel kreeg dat het zou barsten. Ik werd overspoeld door angst en ik kon nog maar nauwelijks functioneren. Yeta's oogleden bewogen nauwelijks en haar ademhaling was oppervlakkig. Er stroomde bloed uit een klein gaatje in haar hals en nu zag ik dat ze ook nog een wond in de hartstreek moest hebben, want er verspreidde zich een bloedvlek over haar blouse. Beide wonden zouden met een stiletto toegebracht kunnen zijn, zo leek het. Mijn handen beefden zo verschrikkelijk dat ik de aansteker maar nauwelijks vast kon houden, maar ik wist dat ze dood zou bloeden als ik niet snel iets deed. Ik kroop naar haar toe, maar vrijwel op hetzelfde moment dat ik bij haar kwam, slaakte ze een zucht en viel haar hoofd opzij. Ik greep haar hand en voelde haar pols. Yeta was dood.

Achter me hoorde ik een schrapend geluid. Met een ruk draaide ik me om. In het donker bewoog iets. Ik hield de aansteker omhoog, maar alles wat ik zag waren schaduwen en stenen pilaren. Het vlammetje werd zwakker. Ik was doodsbang dat de aansteker uit zou gaan. De gedachte om in deze vijandige duisternis alleen te zijn met een moordenaar verlamde me. Ik had geen wapen, ik was kwetsbaar en doodsbang en ik moest hier weg voordat het te laat was. Voor Yeta kon ik niets meer doen en ik was niet van plan het volgende slachtoffer te worden.

Ik liet Yeta's slappe hand los. Terwijl ik overeind kwam, hoorde ik het geluid opnieuw: een zacht geschuifel als van een sandaal op hout. Of een rat. Maar mijn instinct zei me dat het geen rat was. *Het is Yeta's moordenaar die wacht tot hij kan toeslaan. Wat als Constantine Gamal werkelijk nog in leven is en zich achter een van die zuilen verborgen houdt?* Ik herinnerde me zijn van haat vervulde ogen en ik voelde zijn tanden weer in mijn schouder.

Het geluid klonk nu links van me en ik hield de aansteker in die richting. Niets. Of bewoog er iets achter een van die pilaren?

Ik wachtte niet langer. Ik hield mijn hand om het vlammetje en rende als de duivel in de richting van de trap.

De Discipel keek van achter een van de zware stenen zuilen toe. Hij klemde de breinaald in zijn hand. Plotseling zag hij Moran naar de trap rennen. Hij vond het leuk om met haar te spelen zoals een kat met een muis speelt. Het stomme wijf probeerde er in blinde paniek vandoor te gaan. Ze zag er bang en helemaal in de war uit, precies zoals hij haar wilde hebben. *Allemaal onderdeel van het spel.*

Ze rende met twee treden tegelijk de trap op, maar hij deed geen moeite om haar achterna te gaan. Hij had de sleutelbos van de bewaker in zijn zak zitten. Het ijzeren hek was afgesloten. *Laten we eens kijken of het kreng een uitweg weet te vinden.* Wie was de schranderste? Hij wilde zo lang mogelijk van haar angst genieten. Grijnzend kwam hij achter de pilaar vandaan en volgde haar.

81

Ik rende de trappen op en kwam boven. Het vlammetje was uitgegaan en ik gooide de aansteker weg. Er was maar één ding dat ik wilde: wegwezen. Daarom vergat ik de beide politiemannen. Ik rende naar de uitgang, maar toen ik het hek probeerde te openen bleek het op slot te zitten. Hoewel zich niemand op de trap leek te bevinden wist ik dat Constantine Gamal achter me aan zat; het was alleen maar een kwestie van tijd voordat hij bij me zou zijn.

Ik keek naar de portiersloge. De deur was open en de televisie stond nog steeds aan. 'Hallo!' riep ik. 'Is daar iemand?'

Geen antwoord.

Ik kwam bij de deur en zag de ene politieman op de vloer liggen en de andere slap in een stoel hangen. Op de vloer lagen plassen bloed. Mijn hart ging wild tekeer.

De sleutelbos zat niet langer aan de riem van de oudste man. Nu zou ik weldra sterven. *Iemand heeft de sleutels meegenomen en ik kan niet ontsnappen.* Ik kende geen andere uitgang dan de voordeur. Maar de zekeringkast stond open: iemand had de elektriciteit afgesloten. *En ik weet wie.*

Nu meende ik wel degelijk voetstappen te horen. *Is er werkelijk iemand op de trap of verbeeld ik me dat alleen maar?* Ik wist het niet meer. Ik was totaal in paniek. *Ik zit in de val.*

Mijn verstand zei me dat er reservesleutels moesten zijn; ik begon koortsachtig te zoeken. De portiersloge was ongeveer drie meter in het vierkant, met een tafel en twee stoelen en een oud gasfornuis dat de bewakers klaarblijkelijk gebruikten om op te koken. Ik probeerde niet omlaag te kijken. Toen ik naar de tafel liep om in de laden te kijken stapte ik onvermijdelijk in een plas bloed.

Geen sleutels. Ik keek de kamer rond, op zoek naar een plek waar ze verstopt konden zijn en zag in een van de hoeken een houten kast. Ik rukte de deur open. Het zag ernaar uit dat de kast door de bewakers werd gebruikt om eten in op te bergen. Er stonden blikken en glazen potten, thee en koffie, potten en pannen en helemaal onderin een vijfliterblik olijfolie. Ik tastte op de planken, maar vond niets, tot ik aan de linkerkant van de kast iets voelde: een haak met daaraan een sleutelbos. *Alstublieft, God, laat er een sleutel van het hek bij zitten...*

Ik griste de ring met vijf sleutels van de haak. *Wat nu als ze geen van alle op het hek passen?* Ik moest proberen tijd te rekken door de moordenaar te vertragen. Toen kreeg ik een idee. Ik sleurde het blik olijfolie onder uit de kast. Zo te voelen zat het aardig vol. Ik sjouwde het de gang in, schroefde de dop van het blik en goot de olie over de trap uit.

Toen het blik leeg was, rende ik naar het hek. Mijn hart bonkte zo

241

hard dat mijn borst pijn deed. Ik probeerde de eerste sleutel, maar die paste niet.

Ik vloekte.

Ik probeerde de volgende.

Die paste ook niet.

Ik probeerde de derde – die ging wel in het slot, maar wilde niet omdraaien.

Jezus.

Dichtbij klonken voetstappen. Even later stopten ze. In de stilte die volgde, kon ik iemand zwaar horen ademhalen. Mijn hart hamerde zo in mijn oren dat ik niets meer hoorde. Tot ik plotseling weer een voetstap hoorde, gevolgd door een doffe dreun, toen weer stilte. Zo te horen was de moordenaar op de olie gestuit en had hij moeite met de gladde treden. Misschien was hij uitgegleden. Maar toen hoorde ik de voetstappen weer, nu langzamer. De moordenaar kwam dichterbij. *O god.*

Ik stak de volgend sleutel in het slot, maar ook die deed het niet. Pas bij de laatste sleutel sprong het slot open. Ik viel bijna flauw van opluchting. Met bevende handen schoof ik het hek opzij en rukte de deur open. Een golf verkeerslawaai sloeg me tegemoet. Achter hoorde ik geluiden. Ik rende de drukke straat op.

82

Ik rende als een bezetene, nagestaard door nieuwsgierige voorbijgangers. Tot het tot me doordrong dat ik wel heel dom was – wegvluchten van een plaats delict zou alleen maar aandacht trekken en me er als een crimineel doen uitzien.

Ik vertraagde het tempo en deed alsof ik etalages bekeek. Na een paar minuten was mijn ademhaling weer normaal, maar echt opgelucht was ik niet. Ik begreep heel goed dat Gamal mogelijk vermomd was en zich hier in de menigte bevond.

Ik keek telkens over mijn schouder, maar te midden van al die mensen zou het voor een moordenaar niet moeilijk zijn om me op het juiste moment een mes tussen de ribben te steken. Ik keek naar de gezichten van de voorbijgangers, op zoek naar iemand die op Gamal leek en schrok me wezenloos toen ik een man met donker haar en een zonnebril in het oog kreeg die een meter of tien achter me liep. Hij had ongeveer hetzelfde postuur als Gamal en hij ontweek mijn blik. *Is dat Gamal of ben ik paranoïde?*

Direct daarop hoorde ik het gehuil van politiesirenes. *Zijn de mannen van inspecteur Uzun op weg naar het verzonken paleis om mij op verzoek van Lou te zoeken?* Als ik terugging en vertelde wat er was gebeurd, zouden ze me dan geloven of zou ik alleen nog maar meer moeilijkheden krijgen? Ik kon het risico niet nemen – voorlopig voelde ik me veiliger als ik me bleef verplaatsen. Zo liep ik nog tien minuten en voor zover ik kon nagaan werd ik niet gevolgd.

Daar was een poort die naar een markt voerde. Boven de poort stond met gouden letters: Kapali Carsi. Uit de stadsgids wist ik dat dit de beroemde overdekte grote bazaar van Istanbul was die uit de vijftiende eeuw dateerde. Ik ging de poort door, de bazaar in.

Ik overdacht de situatie waarin ik verkeerde. Omdat ik onschuldig was schrok ik er niet voor terug met de Turkse politie samen te werken, maar als ik me door hen in hechtenis liet nemen, zou ik in hun onderzoek verwikkeld raken en mogelijk wekenlang in Istanbul vastzitten tot de puinhoop opgeruimd was. In het ergste geval werd ik zelfs beschuldigd van de moord op Yeta en de twee politiemannen. Hoewel ik niets had tegen inspecteur Uzun gaf ik er toch de voorkeur aan om Lou uit te leggen wat er gebeurd was. Mijn instinct zei me dat ik als de bliksem moest maken dat ik uit Istanbul weg kwam. Op Gamals terrein voelde ik me niet veilig; Yeta's dood was een bewijs dat ik gelijk had. Misschien zou vluchten de schijn wekken dat ik schuldig was, maar mijn intuïtie zei dat het me in leven zou kunnen houden. Bovendien wilde ik naar huis om Gamals graf te laten openen. Allereerst moest ik zorgen dat ik op het vliegveld kwam. De veiligste manier was gebruikmaken van het openbaar vervoer: mogelijk zou een taxichauffeur zich mij herinneren. Ik zocht in de stadsgids naar een bus die me naar het vliegveld kon brengen en die bleek te vertrekken van een halte op nog geen tien minuten lopen.

De drukke bazaar begon op mijn zenuwen te werken; ik wilde weg voordat ik in de doolhof van straatjes verdwaald zou raken. De man met het donkere haar en de zonnebril had ik niet meer gezien. *Maar dat wil niet zeggen dat hij niet in de buurt is.* Ik kon elk moment een mes in mijn rug krijgen.

Een koopman probeerde me gesuikerde amandelen aan te smeren, maar ik onderbrak zijn verkooppraatje: 'Waar is de dichtstbijzijnde uitgang? De weg naar buiten.'

Hij zei iets in het Turks dat ik niet verstond, maar een andere koopman wees naar de volgende hoek. 'De uitgang is die kant op, mevrouw.'

'Dank u.'

'Wil mevrouw soms mooie leren schoenen kopen tegen een heel lage prijs?'

Ik kon het hem niet kwalijk nemen dat hij het probeerde, maar ik had hier nu geen tijd voor. Toen zag ik dat hij ook zonnebrillen en hoofddoekjes verkocht en ik koos er van elk een uit.

'Wat kost een zonnebril en een hoofddoek?'

'Voor u maak ik een heel speciale prijs, mevrouw.'

Ik had geen zin om te marchanderen. 'Ik neem ze.'

De koopman wilde ze inpakken, maar ik zei: 'Nee, laat maar. Ik wil ze gelijk gebruiken.'

'Zoals u wilt, mevrouw.'

Ik betaalde, deed de zwarte hoofddoek om en zette de zonnebril op.

Toen ik me omdraaide zag ik even verderop een man bij een juwelierswinkeltje staan. Hij droeg een donkere hoed, een zwarte sjaal en een Ray-Ban-zonnebril. Ik wist niet zeker of het dezelfde man was die ik eerder had gezien, maar het lag er dik bovenop dat hij me in de gaten hield. Ik was niet van plan uit te vinden of hij Gamal soms was, maar drong me tussen de winkelende mensen door en haastte me naar de uitgang.

Vanuit de menigte keek de Discipel toe terwijl Kate de hoofddoek omdeed en de zonnebril opzette. Hij had zijn motorfiets achtergelaten en was haar vanaf het verzonken paleis te voet gevolgd. Het gaf hem zo'n kick om te zien hoe bang het kreng was dat het hem niet kon schelen dat ze kans had gezien om hem te vertragen en een stel sleutels te vinden waardoor ze had kunnen ontsnappen. Of dat hij op de gladde trap uitgegleden was en een paar treden naar beneden was gevallen en zijn rechterelleboog had bezeerd. Het hoorde allemaal bij het spel.

Hoewel hij zijn handen had afgeveegd aan een T-shirt dat hij in zijn rugzak had zitten, waren ze nog steeds glad. Dat rotwijf was slim, dat moest hij toegeven. *Maar niet zo slim als ik.*

Op dit moment voedde hij zich met haar angst; hij werd er zelfs een beetje high van, maar als ze dacht hem te kunnen ontlopen had hij nog heel iets anders voor haar in petto. Hij had plannen met Kate Moran. Ze zou zwaar boeten voor wat ze hem had aangedaan. Nu liep ze haastig naar een van de uitgangen van de bazaar. Hij volgde haar.

Ik vond de straat waar de bus van Turkish Airlines stopte. Er stonden twee bussen waar mensen in- en uitstapten. Ik voegde me tussen een stel Zweedse rugzaktoeristen, kocht bij de chauffeur een kaartje en ging ergens in het midden van de bus zitten.

De hele weg hierheen had ik achteromgekeken, maar niemand leek me te volgen. De geheimzinnige vreemdeling met de hoed en de zonnebril was nergens meer te zien. Echter, toen ik voorzichtig naar mijn medepassagiers keek om me ervan te overtuigen dat hij niet in de bus zat, bekroop me een enge gedachte. Als Uzun ook maar een knip voor zijn neus waard was, zou hij het vliegveld in de gaten laten houden. *En als het vliegveld in de gaten wordt gehouden, is mijn paspoort in Istanbul bekend. Als ik probeer in te checken ben ik er onmiddellijk bij.*

Ik zat in de val, maar het was te laat om nu nog van gedachten te veranderen – de bus reed al weg: we waren op weg naar het vliegveld. Ik was ervan overtuigd dat de politie naar me uitkeek. Naar schatting restte me minder dan een uur om te verzinnen hoe ik kon ontkomen.

83

Alexandria, Virginia

Lou Raines smeet de telefoon op de haak en stapte uit bed. Hij trok zijn badjas aan en liep met een nijdige zucht naar het raam. Zijn vrouw logeerde bij hun dochter in Baltimore en dat was gezien zijn stemming maar beter ook.

De regen viel met bakken uit de lucht en de hemel boven het District werd verlicht door bliksemflitsen. Hij had een hele hoop vragen die dringend een antwoord behoefden, maar na het telefoontje dat hij zo juist had gekregen had hij eigenlijk nog maar één vraag: *Wat is er in godsnaam met Kate Moran aan de hand?*

Raines had vandaag voor het eerst in een week een vrije dag en hij had er een reuze hekel aan om thuis te worden gestoord, maar het telefoongesprek van inspecteur Ahmet Uzun was dringend geweest. Het had hem ook diep verontrust. In Istanbul waren opnieuw drie mensen vermoord: een van hen was Gamals zuster, Yeta, de andere twee politiemensen en ze waren alle drie in het verzonken paleis om het leven gebracht. In Yeta's geval was de de modus operandi typisch die van Gamal: een donkere, ondergrondse plaats en een of ander mes als moordwapen. De hemel werd verlicht door een bliksemflits. Raines schudde knarsetandend zijn hoofd terwijl hij naar deze lichtshow van Moeder Natuur keek.

Hij had minstens tien keer geprobeerd om Moran op haar mobiele telefoon te bereiken voordat hij het uiteindelijk had opgegeven en gefrustreerd de hoorn op de haak had gesmeten. Hij had geen flauw vermoeden wat er aan de hand kon zijn. Volgens inspecteur Uzun was Kate Moran spoorloos verdwenen. Getuigen hadden een vrouw die aan haar beschrijving voldeed uit het verzonken paleis zien vluchten.

Raines hield rekening met de mogelijkheid dat ze was gevlucht omdat ze werd bedreigd. Maar Uzun beweerde dat ze in een drukke straat was gezien en dat uit niets bleek dat ze werd achtervolgd. Raines dacht: Hier klopt iets niet. Kate gedraagt zich al vreemd vanaf het moment dat dit gelazer is begonnen.

Hij hield zichzelf voor dat ze zelfs de mogelijkheid had geopperd dat Gamal zijn executie mogelijk had overleefd. Het klonk volslagen krankzinnig. Kerels die terechtgesteld zijn, staan niet op uit de dood. De moorden moesten het werk van een copycat zijn. Maar wie, en waarom? En dan was er de vraag die bepaalde mensen mogelijk zouden stellen: hoe kwam Kate Moran aan de eigenaardige hebbelijkheid om telkens weer ergens op te duiken waar een moord was gepleegd?

Terwijl hij zijn pyjama uittrok en zich aankleedde om naar kantoor te gaan, was er nog iets dat hem ontzettend dwarszat: het feit dat Moran zijn bevelen willens en wetens had genegeerd en naar Istanbul was gevlogen. Als er nu iets was dat hem des duivels maakte was dat het niet opvolgen van orders door zijn team. Discipline was de basis van een goed geleide afdeling. Hij wenste te worden gehoorzaamd en anders brak de pleuris uit.

Hij zuchtte. *Waar ben je nou toch mee bezig, Kate, om zomaar te verdwijnen? De mensen beginnen te denken dat jij iets met die moorden te maken hebt.*

Raines had geen flauw idee hoe en waarom dat zou kunnen zijn, maar hij had het gevoel dat Stone zou proberen om dat voor hem uit te zoeken.

84

Istanbul

Onderweg naar het vliegveld werd de bus ingehaald door een konvooi politiewagens met gillende sirenes. Ik liet me onderuitzakken in mijn stoel en schrok me een ongeluk toen ik inspecteur Uzun achter in een van de auto's zag zitten. Hij was druk aan het telefoneren en keek niet echt vrolijk.

Verdomme.

Ik begreep onmiddellijk dat ik, zelfs als ik kans zag om op het vliegveld te komen, geen schijn van kans had om te ontsnappen. Als Uzun daar stond om me te identificeren, was het met me gebeurd. Ik leek van het ene probleem in het andere terecht te komen. Was er dan helemaal geen uitweg uit deze ellende?

Ik verwachtte half en half dat de bus onderweg naar het vliegveld al zou worden aangehouden en gecontroleerd, maar tien minuten later reden we een helling op. We stopten voor de vertrekhal. Iedereen stapte uit, maar ik bleef als vastgenageld zitten. Ik wist dat ik, als ik uitstapte, net zo goed een bordje met PAK ME DAN op mijn rug had kunnen hebben.

Nadat de laatste passagier was uitgestapt, bleef ik alleen over, samen met een jonge vrouw die gekleed was in een of ander luchthavenuniform. Zij maakte ook geen aanstalten, wat me deed vermoeden dat er mogelijk nog een halte was.

De chauffeur draaide zich naar me om en zei iets in het Turks, alsof hij zei dat ik moest uitstappen. Ik schudde mijn hoofd en bleef zitten. Hij haalde zijn schouders op, draaide zich weer om en reed weg. Toen hij de rijstrook opzocht die naar beneden voerde, begon het me te dagen. *We gaan naar de aankomsthal.*

Vandaar hoefde ik de lift maar te nemen naar de vertrekhal, maar wat had dat voor zin? Uzun zou me toch pakken. De bus stopte, ik stapte uit en volgde de geüniformeerde jonge vrouw de drukke aankomsthal in. Daar wemelde het niet van de politiemannen – Uzun zou zijn troepen wel hebben opgesteld in de vertrekhal.

Dat hielp me nog altijd niet. Wat moest ik: proberen uit Istanbul te ontsnappen of mezelf eenvoudigweg aangeven? Het enige waar ik aan kon denken was proberen om iedereen een slag voor te blijven, net lang genoeg om Gamal op te graven en de kist open te maken om te bewijzen dat ik niet gek was. Ik keek naar de schermen met aankomst- en vertrektijden en zag dat er over drie uur een vlucht naar New York vertrok. Maar in New York was de controle streng; zelfs als ik kans zou zien om een ticket te kopen zou ik daar voor onoverkomelijke problemen komen te staan.

Ik moest een plek hebben waar ik rustig kon nadenken. Daarom zocht ik de toiletten op, liep een leeg hokje binnen en ging zitten. Ik was geestelijk en lichamelijk totaal uitgeput. Ik was nog steeds op vrije voeten, maar het stond vast dat Uzun de hele vertrekhal onder controle had. Als ik me daar vertoonde, zou hij me van een kilometer afstand herkennen. Bovendien zou de politie er inmiddels voor hebben gezorgd dat mijn paspoort door elke computer werd herkend. Ik moest uit de buurt van de vertrekzone blijven.

Toen kreeg ik een idee. Misschien was er toch een uitweg. De donkere wolken braken een heel klein beetje. Ik begon een plan op te stellen om uit Istanbul weg te komen. Maar zou het ook werken?

85

Washington, DC

Raines zat om halftien achter zijn bureau met een kop hete, zwarte koffie, toen er op de deur werd geklopt. Stone kwam binnen. 'Je wilde me spreken, Lou?'

'Ja. Je zult wel blij zijn te horen dat Moran verdwenen is.'

Stone fronste zijn wenkbrauwen. 'In Parijs?'

'Nee, in Istanbul,' antwoordde Raines. 'Ze is spoorloos verdwenen.'

'Wat? Ik dacht dat je zei dat je haar expliciet had verboden daarnaartoe te gaan!'

'Heb ik ook.' Hij vertelde Stone alles wat hij aan de weet was gekomen over wat er in Istanbul was gebeurd.

'Waar is ze verdomme mee bezig?' zei Stone knarsetandend. 'Ik *voel* gewoon dat dat kreng ons op de een of andere manier allemaal in de maling neemt.'

'Kijk uit wat je zegt, Stone,' zei Raines geïrriteerd. 'En schei alsjeblieft uit over wat je *voelt*.'

'Wat wil je dan nog meer, Lou?' zei Stone woedend. 'Een getekende bekentenis? Ik heb bezwarend bewijsmateriaal, die kleren uit haar huis – daar is Diaz op dit moment mee bezig. En ik heb een beschrijving van haar en haar Bronco van die oude dame in het caravanpark.'

Raines schudde zijn hoofd. 'Geweldig. Jammer dat je geen huiszoekingsbevel had voor die kleren. En die dame van het caravanpark is over de zeventig. Ze heeft slechte ogen en volgens Norton valt het te betwijfelen of ze wel helemaal goed bij haar verstand is.'

'En hoe zit het dan met wat jij me zojuist hebt verteld? Dat Moran aanwezig is geweest bij drie moorden en dat getuigen haar hebben zien vluchten? Dat de Turkse politie haar wil ondervragen? Wou je soms zeggen dat dat allemaal niks voorstelt?'

'Je moet de zaken niet verdraaien, Stone. In jouw verdenking zitten trouwens een paar dingen die niet kloppen. De compositietekening, bijvoorbeeld. Het was een man en geen vrouw. Ten tweede was het volgens zeggen een vrouw die daar buiten die camper zou hebben staan schreeuwen. Zou een vrouw sterk genoeg zijn geweest om twee lijken vijftig meter de mijn in te sjouwen?'

'Wil je zeggen dat het Moran niet geweest kan zijn die ons, in een vermomming, bij de mijn op het verkeerde been kan hebben gezet? En vertel me nou niet dat ze niet sterk genoeg is om een lijk te verplaatsen. Ik heb haar in de sportschool bezig gezien en ze is zo fit dat het voor haar een fluitje van een cent moet zijn.'

Raines schudde zijn hoofd. 'Afgezien daarvan, Kate heeft problemen genoeg en ze heeft geen motief voor een van de andere moorden. Bovendien weten we dat er een copycatkiller bezig is. De Turkse politie wil alleen maar met haar praten. Het enige dat ze in Istanbul heeft gedaan, is zich vreemd gedragen.'

'Zo te horen heb jij je twijfels, Lou,' zei Stone op beschuldigende toon. 'Eerlijk gezegd ben ik veel meer geïnteresseerd in de andere feiten. Ik bedoel de kleren en de Bronco. Ik ben van mening dat we meer dan voldoende bewijzen hebben, indirect zowel als direct, om haar te arresteren. Laten we ons dus aan de regels houden, het protocol volgen en haar arresteren.'

'Heb je soms nog meer adviezen voor me, Stone?' zei Raines droog.

'Ja, irrationele mensen doen soms vreemde dingen.' Stone zette zijn vingertoppen op Raines' bureau en boog zich naar hem over. 'De enige manier om erachter te komen hoe dit allemaal in elkaar zit, is haar oppakken en stevig onder druk zetten. Uiteraard ben ik niet blind voor het feit dat jullie dikke maatjes zijn. Of mis ik soms iets?'

'Zoals?' zei Raines dreigend.

'Dat jij en Moran misschien iets met elkaar hebben wat je beoordelingsvermogen vertroebelt? Of heb je gewoon het lef niet om te doen wat je doen moet omdat ze een intieme vriendin is?'

Raines werd rood en sprong overeind. 'Als je nog één keer durft te insinueren dat Moran en ik iets anders dan alleen maar een professionele relatie met elkaar hebben, Stone, dan grijp ik je.'

'Je pakt haar met fluwelen handschoenen aan, daar kan ik niet omheen.'

'Dat is jouw mening.' Raines liep naar het raam en keek naar de neerstromende regen, zijn handen op zijn heupen en zijn gezicht vertrokken van woede. Toen zei hij, zonder zich om te draaien. 'Mijn kantoor uit. Opgelazerd. *Nu.*'

Stone liep naar de deur en zei nors: 'Ik pak haar, Lou. Ik moet nog meer bewijzen verzamelen en nog het een en ander uitzoeken, maar uiteindelijk pak ik haar. Jullie mogen dan maatjes zijn, maar voor mij is ze niks anders dan een stiekem, moorddadig kreng en dat ga ik bewijzen ook. Heb je al aan de mogelijkheid gedacht dat ze uit Istanbul vlucht en ervandoor gaat?'

Raines draaide zich om van het raam en zei fel: 'Dat kun je gevoeglijk vergeten, Stone. Inspecteur Uzun heeft alle grensovergangen gewaarschuwd. Alle uitvalswegen worden gecontroleerd en het vliegveld zit potdicht. Daar is hij op dit moment zelf en hij houdt persoonlijk alle vertrekkende passagiers in de gaten. Volgens hem heeft Moran geen schijn van kans om uit Istanbul te ontsnappen.'

86

Istanbul

Ik verliet de toiletten en ging terug naar de aankomsthal. Het stond vast dat ik gearresteerd zou worden zodra ik mijn paspoort toonde om een vliegticket te kopen, wat betekende dat ik, wilde ik ook maar enige kans maken om uit Turkije weg te komen, me zou moeten vermommen en een vals paspoort moest zien te krijgen.

Hoe ik dat moest doen had ik zo ongeveer bedacht, maar het zou moeilijk en waarschijnlijk ook gevaarlijk zijn. Ik zette mijn zonnebril op, bond de hoofddoek op de Turkse manier strak om mijn hoofd en liep door de aankomsthal naar een van de buffetten om een beker koffie te halen. Toen ging ik zitten, keek naar de mensen en hoopte dat ik zou zien wat ik zocht.

Toen ik bij de politie was, had ik een paar maanden bij een gespecialiseerd team op Dulles Airport gewerkt. Daardoor wist ik waar ik op moest letten. Na twintig minuten kreeg ik een zakkenroller in het oog: een vent van een jaar of dertig met een babyface. Hij liep een beetje mank, maar in zijn donkere zakenkostuum zag hij er heel respectabel uit. In zijn rechterhand droeg hij een leren diplomatenkoffertje en aan een riem over zijn linkerschouder hing een valies. Hij was een van de meest gewiekste zakkenrollers die ik ooit in actie had gezien – zo snel dat het bijna niet te zien was.

Telkens als de schuifdeuren van de bagagehal opengingen en er een stroom passagiers de aankomsthal binnenkwam, kwam babyface in actie. Hij mengde zich tussen de passagiers en liep vervolgens naar de uitgang. Even later kwam hij terug en herhaalde het ritueel zich met een nieuwe groep passagiers. Ik zag zijn handen onder het valies nauwelijks bewegen, maar ik voelde eenvoudigweg dat hij telkens als hij zich in de stroom passagiers mengde aan het 'vissen' was – portefeuilles, portemonnees en andere persoonlijke zaken stal, alles wat hij maar te pakken kon krijgen.

Vliegvelden waren voor zakkenrollers een ideaal jachtterrein – haastige passagiers die zich snel proberen te oriënteren in een vreemde omgeving letten slecht op hun bagage en vormen een perfect doelwit. Maar babyface was ook een vakman die vast niet te lang om de honingpot zou blijven zoemen. Hij zou maken dat hij verdwenen was voordat de beveiliging hem in de gaten kreeg, en inderdaad zag ik hem even later naar de uitgang lopen.

Ik gooide mijn koffiebeker in de afvalbak en volgde hem naar buiten, waar ik hem naar een glimmende, zwarte Mercedes zag lopen die een meter of dertig voorbij de taxistandplaats stond. Achter het stuur zat een grote kerel met een kaalgeschoren hoofd en een gouden ringetje in zijn oor; hij rookte een sigaret. Babyface leunde door het open raampje aan de passagierskant naar binnen en praatte met de chauffeur. Toen gaf hij hem het diplomatenkoffertje.

Die kale moest babyface' kompaan zijn. Hij nam de gestolen goederen in ontvangst en was klaar om ervandoor te gaan zodra het werk was gedaan. Ik was dan ook niet verbaasd toen ik hem het diplomatenkoffertje op de achterbank zag leggen, waarna hij babyface precies zo'n koffertje gaf. Ik nam aan dat dat leeg was en dat babyface het ging vullen. Nu de hele politiemacht zich in de vertrekhal had verzameld, moesten die jongens de dag van hun leven hebben.

Babyface zei nog iets, draaide zich toen om en verdween weer in de aankomsthal om nog een partijtje te gaan vissen. Ik liet hem gaan, wetend dat ik bij zijn kale handlanger moest zijn.

Mijn grote angst was dat hij mogelijk gewapend was. Hij was minstens vijftig kilo zwaarder dan ik, een grote kerel die er zonder meer gevaarlijk uitzag. Ik nam aan dat hij geen Engels zou spreken – hij leek me niet het type dat vreemde talen zou spreken. Dat was jammer, want dat maakte datgene wat ik moest doen alleen nog maar moeilijker. Maar ik had geen keus. Als ik uit Istanbul weg wilde komen, moest ik het tegen deze kerel opnemen. Ik haalde een paar keer diep adem en liep naar de zwarte Mercedes.

87

Toen ik bij de Mercedes kwam, stak de chauffeur juist een sigaret op. Ik rukte het portier open en ging op de achterbank zitten, naast het leren diplomatenkoffertje. 'Taxi?' zei ik, toen de chauffeur zich met een ruk omdraaide.

Hij keek verbijsterd, stak zijn aansteker terug en zei iets in het Turks terwijl hij gebaarde dat ik uit zijn auto moest stappen.

Ik gaf geen krimp. 'Spreek je Engels? Ik moet een taxi hebben naar mijn hotel.'

De man nam me schattend op en leek zich een heel klein beetje te ontspannen voordat hij zijn hand opstak en met zijn duim en wijsvinger aangaf hoeveel Engels hij sprak.

'Beetje Engels. Maar dit is geen taxi, dame. Uit! Weg!'

Ik dacht: *Hij spreekt in elk geval Engels.*

'Taxi daar.' De chauffeur wees naar de rij taxi's dertig meter terug, keek toen naar het zwarte koffertje naast me. 'Weg, weg! Uit!'

Ik keek naar het koffertje. 'Zo te zien hebben jij en je vriend een goeie dag. Hebben jullie veel gestolen?'

Zijn mond viel open terwijl ik mijn legitimatie omhoogstak en zei: 'Zie je die deuren van de aankomsthal? De politie kan elk moment naar buiten komen om je te arresteren, dus ik zou maar vlug maken dat ik wegkwam.'

Ik wist niet of hij verstond wat ik zei en of hij mijn legitimatie van de FBI kon lezen, maar ik wachtte niet langer en greep het koffertje. Maar als ik had gedacht dat hij zich zo gemakkelijk gewonnen zou geven, vergiste ik me schromelijk. Hij werd woedend en graaide naar me, maar ik was de auto al uit.

Tien meter verderop waagde ik een blik achterom en zag de chauffeur uitstappen. Hij zag paars van woede en bleek nog groter en gespierder te zijn dan ik had gedacht. Hij riep iets wat, naar ik aannam, heel lelijke woorden waren en kwam me als een wilde beer achterna. *Jezus.*

Ik vluchtte de drukke terminal binnen.

Buiten voor de ingang van de aankomsthal zag de Discipel Kate Moran met een zwart koffertje uit een Mercedes springen. Dat klerewijf had lef, dat moest hij toegeven. Hij was haar met een taxi vanaf het busstation gevolgd en eenmaal op het vliegveld had hij gezien hoe ze die manke met dat kindergezicht in het oog had gehouden. Het had even geduurd voordat het hem duidelijk werd waar Moran mee bezig was. Hij nam aan dat die vent die ze volgde een zakkenroller was en dat ze een gestolen paspoort wilde hebben.

Hij moest bijna lachen – het was leuk om te zien hoe ze haar best deed om haar leven te redden en uit handen van de wet te blijven. Nu kwam de woedende chauffeur haar achterna. Hij stormde de aankomsthal binnen, waar hij zijn hand in zijn zak stopte. Waarschijnlijk had hij een mes of een pistool; aan de woedende uitdrukking op zijn gezicht te zien was hij van plan om Kate Moran ernstige schade toe te brengen.

De stomme zak – dat kon hij niet toelaten. *Sorry, maat, maar die bitch is voor mij.*

De Discipel trok een breinaald uit zijn mouw en volgde de chauffeur, die zich een weg door de menigte baande. Hij haalde hem in en stak de breinaald net onder zijn derde rib naar binnen, dwars door zijn hart. De grote Turk verstijfde en sperde zijn mond open.

De Discipel liep gewoon door, terwijl zijn slachtoffer in elkaar zakte.

In één snelle beweging had hij de breinaald afgeveegd en weer in zijn mouw gestopt. Achter zich hoorde hij mensen gillen toen ze de chauffeur op de grond zagen vallen en het bloed dat uit de wond in zijn borst spoot. De Discipel was inmiddels al tien meter verder en ging met grote stappen achter Moran aan.

88

Ik hoorde een hoop opschudding achter me, keek om en zag een zee van deinende hoofden en gezichten. Ik wist zeker dat ik iemand had horen schreeuwen, maar ik zag de chauffeur nergens. *Zou hij het hebben opgegeven?*

Ik was niet van plan om te trachten erachter te komen wat de oorzaak van de commotie was. Helemaal aan de andere kant van de terminal ging ik de damestoiletten binnen. In een hokje deed ik het leren koffertje open en bekeek mijn buit. Die bestond uit allerlei gestolen spullen – een stel portefeuilles en portemonnees met bankbiljetten in minstens vier verschillende valuta, twee mobiele telefoons en vijf paspoorten.

Het eerste paspoort dat ik opensloeg was dat van een jonge Duitser, een tiener. Dat legde ik weg. Het volgende was ook een Duits paspoort, deze keer van een vrouw van vijfendertig jaar oud met een bril op en met een Turkse achternaam. Ik nam aan dat ze geëmigreerd was. De overige drie waren van een twintigjarige Brit, een Italiaanse vrouw van vijfenveertig met blond haar en een bejaarde Amerikaanse professor.

Dit was niet bepaald de rijke buit waarop ik had gehoopt. Ik moest een keus maken uit een van de vrouwen – de Italiaanse of de Duits-Turkse dame. *Wat nu als het paspoort inmiddels al was gemeld als vermist of gestolen?* Volgens mij was het daar nog te vroeg voor, maar je kon niet weten.

Ik bekeek de foto's en koos de Duits-Turkse vrouw: ze was meer van mijn leeftijd. Haar naam was Sevim Yaver. Haar haar was donkerder dan het mijne, maar ik zou mijn haren en gezicht met de hoofddoek kunnen bedekken zoals moslimvrouwen dat doen. Ik stak het pasoort in mijn zak en bekeek nog een aantal persoonlijke zaken die ik in de tassen vond, waaronder een bril met een donker montuur, een paar lipsticks en een poederdoos met een spiegeltje. De twee mobiele telefoons stak ik in mijn zak – de overige paspoorten en persoonlijke zaken zou ik in de eerste de beste brievenbus gooien die ik in het terminal tegenkwam, in de hoop dat ze uiteindelijk bij de rechtmatige eigenaars terug zouden komen. Ik stopte mijn eigen paspoort in mijn handbagage en mijn portefeuille en telefoon in de zakken van mijn jeans.

Vervolgens gebruikte ik de poederdoos. Ik deed zoveel make-up op als ik durfde. Mijn lippen maakte ik vuurrood — niet direct mijn kleur, maar hopelijk zou het de aandacht van de rest van mijn gezicht afleiden. Toen deed ik de hoofddoek zo om dat mijn haar volledig bedekt was en zette de bril op.

Ik zie alles vaag. Hoe kan ik in godsnaam weten waar ik naartoe ga?

Ik zette de bril wat meer op het puntje van mijn neus zodat ik eroverheen kon kijken. Nu wist ik tenminste waar ik liep. Ik keek in het spiegeltje en vergeleek mezelf met de pasfoto van de vrouw. De gelijkenis was niet direct sprekend, maar zolang niemand al te goed keek maakte ik een kans.

Het was tijd om het te proberen.

89

Ik nam de lift naar de vertrekhal. Het wemelde er van de politie, zowel in burger als in uniform. De moed zonk me in de schoenen. *Ze zetten werkelijk alles op alles om me te vinden.* Ahmet Uzun zag ik nergens. *Alstublieft, God, laat hem niet op het vliegveld zijn.*

Daar was een brievenbus. Ik gooide de paspoorten en de andere zaken erin. Toen keek ik naar de schermen met vertrekkende vluchten. Met het paspoort van Sevim Yaver zou ik niet rechtstreeks naar de Verenigde Staten kunnen vliegen: dan wilde de Amerikaanse immigratiedienst visa en vingerafdrukken hebben. Ik dacht aan Canada, maar ook daar waren ze scherp en bovendien zag ik geen rechtstreekse vluchten naar Canada. Er was een vlucht van Lufthansa die over goed een uur naar Frankfurt zou vertrekken. Dat zou voor mij beter zijn, gezien het feit dat Sevim Yaver Duits staatsburger was. Ik zou dan kunnen proberen om vanuit Frankfurt op mijn eigen paspoort naar huis te vliegen. Dat gedeelte van de reis zou wel heel riskant zijn, maar ik kon geen andere mogelijkheid bedenken en liep naar de ticketbalie van Lufthansa.

Het meisje dat daar zat, was juist met een klant bezig. Toen ik aan de beurt was, zei ik in het Engels: 'Ik wil graag een enkele reis op de eerstvolgende vlucht naar Frankfurt. Hebt u daar nog plaats?'

Ze bekeek me eens, alsof ze gezien mijn hoofddoek had verwacht dat ik Turks zou spreken, maar zei toen alleen maar: 'Ja, mevrouw, ik geloof dat er nog plaatsen zijn. Ik kijk even voor u.'

Vijf minuten later had ik een businessclass ticket. Ik gaf haar de creditcard van de vrouw, biddend dat die nog niet als gestolen was gerapporteerd, maar het meisje trok hem zonder problemen door haar machine en vroeg of ik even wilde tekenen. Zonder zelfs maar met haar ogen te knipperen gaf ze me de creditcard en het ticket en wees naar de check-in. 'Het instappen begint over twintig minuten. Hebt u bagage, mevrouw?'

'Alleen handbagage.'

'Dan kan ik u hier inchecken.' Ze tikte wat op haar keyboard en gaf me een instapkaart. 'Prettige vlucht, mevrouw.'

Het lijkt veel te gemakkelijk te gaan. Ik voelde me schuldig dat ik Sevim Yavers creditcard had gebruikt, maar troostte me met de gedachte dat de creditcardmaatschappij haar de schade wel zou vergoeden. Mijn hart bonkte toen ik me bij de rij voor de paspoortcontrole aansloot. Ik wist dat ik door het kopen van een enkele reis vlak voor vertrek van de vlucht de autoriteiten waarschijnlijk had gealarmeerd: ik paste in het profiel van een drugssmokkelaar. Maar er was geen weg terug meer.

Twintig meter verderop waren de hokjes waarin de ambtenaren zaten die de pasoorten controleerden. Naast elk hokje stonden geüniformeerde politiemannen die scherp op de gezichten van de vertrekkende passagiers letten. *Als ze mijn gezicht goed vergelijken met het paspoort, is het met me gebeurd.*

Een paar seconden later kwam er een man uit een van de kantoren die naast een van de agenten ging staan die bij de paspoortcontrole stond. Toen wist ik dat het afgelopen was voordat het goed en wel begonnen was.

Het was inspecteur Ahmet Uzun.

90

De paniek sloeg toe en mijn handen begon te zweten. Ik had moeite met ademhalen en kon niet normaal meer denken. Maar ik was nog voldoende bij mijn positieven om te beseffen dat ik, als ik me nu omdraaide en ervandoor ging, direct de aandacht trok. *En als ik in de rij blijf staan, zal Uzun me herkennen. Het is met me gebeurd.*

De rij schoof op. Ik zag dat Uzun het gezicht van iedere passagier die langskwam nauwkeurig bekeek. Ik pijnigde mijn hersens, maar zag geen uitweg meer. Dan zou ik mezelf maar aangeven. Het was dwaasheid om me als een gezochte crimineel te gedragen terwijl ik wist dat ik niets verkeerds had gedaan.

Maar probeer dat de politie maar eens wijs te maken.

Opeens zag ik een rij telefooncellen en die bracht me op een idee. Uzun was verdiept in het bekijken van de gezichten van de vertrekkende passagiers en verder lette niemand op me. Bladerend door mijn agenda vond ik het nummer dat ik wilde hebben. Ik haalde een van de mobiele telefoons uit mijn tas, zette hem aan en toetste het nummer in. Terwijl de telefoon aan de andere kant overging, bleef ik strak voor me uit kijken en zag Uzun zijn mobiele telefoon tevoorschijn halen. Ik zag zijn lippen bewegen. 'Uzun,' zei hij.

Ik wilde het gesprek zo kort mogelijk houden. Zodra er iets over het luidsprekersysteem van het vliegveld omgeroepen werd, zou hij weten waar ik was. 'Ahmet, met Kate Moran.'

Zelfs op dertig meter afstand zag ik hem schrikken. 'Kate, waar bel je vandaan?'

'Allereerst moet je me geloven als ik zeg dat ik niets te maken had met de dood van Yeta Gamal.'

Ik zag hem slikken. 'Ik geloof je, maar waarom ben je op de vlucht?'

'Dat is een lang verhaal, maar in de eerste plaats omdat ik me niet veilig voel, Ahmet. Wat er met Yeta is gebeurd, kan mij ook overkomen.'

'Laat mij je dan beschermen.'

'Met alle respect, maar ik heb het gevoel dat dat weinig verschil zou maken. Het klinkt natuurlijk bizar, maar ik begin er steeds meer van overtuigd te raken dat degene die Yeta heeft vermoord over paranormale gaven beschikt. Ik voel me veiliger als ik op mezelf pas. Je denkt dat ik gek geworden ben, of niet soms?'

'Ik denk dat je gestrest bent en nog steeds niet bent hersteld van Yeta's dood. Dat kan tot gevolg hebben dat je vreemde dingen gaat doen, zoals weglopen. Waar ben je? We moeten praten, Kate.' Hij klonk bezorgd en ik zag dat hij heen en weer begon te lopen terwijl hij naar me luisterde.

'Ahmet, waar het uiteindelijk allemaal op neerkomt, dat is dat ik geloof dat iemand me erin probeert te luizen. Dat is de eerlijke waarheid.'

'Ik zei al dat ik je geloof, Kate. Maar we *moeten* praten. Je moet je melden voor verhoor.'

'Wat gaf Raines als reden waarom hij me gearresteerd wilde hebben?'

'Aanvankelijk zei hij dat het was omdat je zijn orders had genegeerd. Nu zegt hij dat collega's van je bij de FBI bewijsmateriaal hebben gevonden dat jou in verband brengt met veel ernstiger verdenkingen.'

Nu was ik degene die schrok. Ik overschreed de tijdslimiet die ik mezelf voor dit gesprek had gesteld, maar ik kon niet anders; mijn nieuwsgierigheid kreeg de overhand. 'Welke bewijzen? Welke verdenkingen?'

'Dat weet ik niet, Kate. Ik weet alleen dat je jezelf moet melden.'

Ik durf te wedden dat Stone hier achter zit.

Ik haalde een keer diep adem en zei: 'Ik zie je over een uur in het Pera Palas Hotel.' Toen zette ik de telefoon uit.

Ik zag hoe Uzun zijn mannen verzamelde. Nog geen minuut later gingen ze op een holletje naar de uitgang. Ik wendde mijn hoofd af toen Uzun haastig langs me liep. *Mijn list werkte.* Uzun zou des duivels zijn als hij erachter kwam dat hij in de maling genomen was, maar ik had geen keus. Ik bleef in de rij staan. De ambtenaren die de paspoorten controleerden waren relaxter nu de politie verdwenen was. Toen ik aan de beurt was, keek de man nauwelijks naar mijn paspoort en wuifde dat ik kon doorlopen. Een kwartier later ging ik aan boord van de vlucht van Lufthansa naar Frankfurt.

De Discipel sloeg Kate Moran gade terwijl ze de paspoortcontrole naderde. Wat was het kreng ook slim, maar dat had hij altijd al geweten. Hij stond maar een paar meter achter haar in de rij, met zijn eigen paspoort en instapkaart voor de vlucht naar Frankfurt. Direct nadat hij Moran een ticket had zien kopen, was hij zelf naar de balie van Lufthansa gegaan. Een snelle blik op het scherm met de vertrekkende vluchten was voldoende om te weten dat er die avond maar een vlucht van Lufthansa vertrok en dat was die naar Frankfurt; hij kocht een ticket voor diezelfde vlucht.

Hij had haar zien bellen, waarna de politie haastig vertrok. Hij zag Morans reactie en snapte wat er was gebeurd. Dat was verdomde slim – de politie met een telefoontje weglokken. Maar ze zou niet lang zo slim blijven. Ze was alleen nog maar vrij omdat hij dat wilde. Het hoorde allemaal bij het spel. En het moment waarop hij uiteindelijk wraak zou nemen, naderde snel. Als het zover was had hij iets heel speciaals voor haar in petto.

Hij was dicht genoeg bij om haar aan te raken en hij kwam in de verleiding om haar bij de haren te grijpen, maar verbeet zijn woede. *Wraak is een schotel die men bij voorkeur koud opdient.* Hij zag hoe ze zonder problemen door de paspoortcontrole kwam. Toen hij aan de beurt was, gaf de Discipel een van zijn paspoorten en glimlachte vriendelijk naar de ambtenaar. De man bekeek het document en liet hem door.

Deze keer had de Discipel zich vermomd als rugzaktoerist, met een grijze wollen muts een donkergrijze chino en een windjack. Hij droeg een designerbril met getinte glazen en het valse plukje blond haar op zijn kin gaf hem iets jeugdigs, iets hips. Hij liep tien passen achter Moran, bekeek haar figuur en grijnsde. Door alle ellende die ze hem had bezorgd zou hij er meer van genieten om haar te laten lijden dan bij welke van zijn andere slachtoffers dan ook. Haar doden zou de climax vormen van zijn totale moordpartij.

Was dat niet iets om je op te verheugen?

DEEL VIJF

91

'En, wat zeggen we, Diaz?' Stone haalde de wikkel van een plakje Juicy Fruit en keek op Armando Diaz neer. Ze waren in het lab en Diaz zat in een witte jas en met een bril met een zwaar, aluminium montuur over een microscoop gebogen terwijl hij het gouden knopje in zijn linkeroor wreef.

Stone had de pest aan die rotzooi – oorringetjes en bodypiercings. Voor hem waren ze een bewijs dat de drager een weirdo of een masochist was, of beide. Diaz was een tikje vreemd, daar was geen twijfel aan – hij had hem op rolschaatsen naar het werk zien komen, gekleed in een strak Speedopak. Hij droeg nu ook een Speedo onder zijn laboratoriumjas, kon je nagaan. Een eendelig, lichtgevend groen-met-zwart Speedopak. Die gozer was geschift.

'Koop jij ooit nog eens fatsoenlijke kleren, Diaz?'

Diaz keek op van zijn microscoop. 'Wat?'

'Ben je doof? Wat jij draagt is nou niet bepaald normale kantoorkleding, maar meer iets voor het ballet.'

'Dat moet je niet zeggen, man. Niemand kan Speedo dragen zoals een latino dat kan. En de meiden zijn er gek op. Ze kunnen precies zien wat je in de aanbieding hebt. Je zou het echt eens moeten proberen. Wie weet heb je dan meer succes.'

Stone gromde. 'Nou, wat heb je gevonden, Diaz. Krijg ik dat nog een keer te horen?'

Diaz keek weer door zijn microscoop. 'We werken nu vijf jaar samen. Het wordt tijd dat je me Armando gaat noemen.' Hij klonk een beetje geïrriteerd. Met zijn piercings en Speedopak wilde hij graag opvallen, dacht Stone.

'Oké, Armando, vertel op.'

'Ik heb iets interessants gevonden. Het is héél interessant zelfs.'

'Ja? Ik luister.' Stone stak het plakje Juicy Fruit in zijn mond en begon te kauwen.

Diaz keek op. 'De textielvezels die we op de hond in de camper van

Fleist en onder de nagels van het meisje hebben gevonden, komen overeen met de vezels van het broekpak dat je me gegeven hebt, dat met het zilveren borduursel.'

Stone hield op met kauwen en grijnsde. 'Weet je dat zeker? Je kunt je niet vergissen?'

'Kijk zelf maar, als je me niet gelooft. Ze zijn identiek. Als je honderd procent zekerheid wilt hebben, kan ik het eventueel door iemand anders laten bekijken.'

'Doe dat maar.' Stone keek door de microscoop en zag twee sterk vergrote vezels die eruitzagen als gerafeld touw. Ze leken identiek, maar voorlopig zou hij Diaz op zijn woord moeten geloven. 'Hoe lang duurt dat voordat je een bevestiging hebt?'

'Hooguit een halfuur.'

'Diaz, jongen, je hebt mijn dag helemaal gemaakt.'

'Van wie is dat pak, als ik vragen mag?'

'Dat mag je zeker – van je vriendin Kate Moran.'

Diaz keek niet-begrijpend. 'We hebben het hier natuurlijk over contaminatie op de plaats delict, ja?'

'Nee, met een beetje geluk hebben we het hier over moord of medeplichtigheid aan moord,' antwoordde Stone.

Hij haastte zich het lab uit, Diaz met open mond achterlatend.

Met een zelfvoldane grijns op zijn gezicht nam Stone de lift naar boven, naar zijn kantoor. Toen hij uitstapte, zag hij Lou Raines op de gang naar hem toe komen, met een papier in zijn hand en een woedende uitdrukking op zijn gezicht. Hij gebaarde dat Stone mee moest komen naar zijn kantoor.

'Ik heb nieuws voor je, Lou.'

'Ik ook voor jou. Ga zitten.'

Stone nam plaats. Hij voelde dat er iets niet in orde was. 'Wat is er loos? Neem me niet kwalijk dat ik het zeg, maar je kijkt alsof je last van je aambeien hebt.'

Raines zwaaide met het papier in zijn hand. 'Nee, dat niet, maar ik heb wel barstende koppijn. Ik ben zojuist weer gebeld vanuit Istanbul.'

'Vertel,' zei Stone gretig.

'Uzun verwachtte niet anders dan dat ze op het vliegveld zou verschijnen en had overal mensen. Maar wat gebeurt er? Moran belt hem en zegt dat ze alles kan uitleggen en dat ze in een hotel in Istanbul op hem zit te wachten. Uzun gaat erheen, maar al wie er komt, geen Moran. Ze is of van gedachten veranderd, of ze heeft Uzun op een dwaalspoor gezet.'

Stone was opgetogen. 'Ik zei je toch dat ze iets in haar schild voert. Ze zit er tot over haar oren in, dat blijkt wel uit de manier waarop ze zich gedraagt.'

'Ik weet niet waar ze mee bezig is, maar ik erger me rot,' zei Raines bitter.

'Heeft Uzun enig idee waar ze kan zitten?' vroeg Stone.

Raines liet zich in zijn stoel vallen, rommelde in een la en haalde er een grote plastic pot met Tylenol uit. 'Nee, maar als je het mij vraagt, probeert ze ervandoor te gaan. Alleen heeft Uzun haar paspoortnummer in de computer gezet, dus zodra ze probeert om Turkije uit te komen, wordt ze gepakt. Hij heeft de passagierslijsten van alle uitgaande vluchten gecheckt, ook die van charters en privévliegtuigen, maar haar naam komt op geen enkel manifest voor.'

'Zegt Uzun dat ze nog in Istanbul is?'

Raines stopte twee tabletten in zijn mond en spoelde ze weg met een slok water uit de fles die op zijn bureau stond. 'Uzun zegt helemaal niks, alleen dat hij haar niet kan vinden. Hij gaat de banden van de bewakingscamera's nakijken voor het geval ze kans heeft gezien om vermomd aan boord van een vertrekkend vliegtuig te komen. Als dat zo is, is er wellicht kans om haar te pakken voordat ze ergens landt. Intussen kunnen we Moran maar beter bij de immigratiedienst melden voor het geval ze ergens op een vliegveld hier in Amerika opduikt. Nou, kom op: wat had jij voor nieuws?'

Stone ging achter zijn bureau zitten en belde met de immigratiedienst. Toen hij klaar was, had hij een zelfvoldane grijns op zijn gezicht. *Zodra Moran voet op Amerikaanse bodem zet, wordt ze gearresteerd op verdenking van medeplichtigheid aan moord. Dat zou godverdomme tijd worden.* Eindelijk had hij haar te pakken. Zelfs Raines was dan toch eindelijk achterdochtig geworden nadat hij het nieuws had gehoord van de vezels van Morans broekpak.

Stone had de telefoon net weer neergelegd toen Norton zijn kantoor binnen kwam stuiven. 'Pak je jas, Vance; we moeten naar Lou. Ik ben zojuist gebeld door het onderzoeksteam bij de metro in Chinatown.'

'Hebben ze iets gevonden?'

Norton knikte. 'Ja, een paar lijken. Het lijkt erop dat Gamal toch de waarheid heeft gesproken.'

92

Europa

Ik staarde uit het vliegtuigraampje naar de besneeuwde bergen onder me. We waren halverwege de Oostenrijkse Alpen. De gezagvoerder had zojuist aangekondigd dat we zo dadelijk aan de daling op het vliegveld van Frankfurt zouden beginnen. Ik werd geplaagd door zorgen.

Wat nu als de Turkse politie de paspoorten die ik heb achtergelaten, heeft ge-vonden? Uzun is natuurlijk niet gek — die begrijpt wat ik heb gedaan en zal di-rect nagaan welke paspoorten er als vermist of gestolen zijn gerapporteerd. Wie weet staan de Duitsers al klaar om me in Frankfurt te arresteren.

Ik was de hele vlucht te gespannen geweest om me ook maar een mo-ment te kunnen ontspannen. Ik hoorde het geluid van de motoren ver-anderen en voelde dat we begonnen te dalen.

Tien rijen verder naar achteren dronk de Discipel een kop hete koffie en keek naar Kate Morans achterhoofd. Hij genoot. Moran had geen flauw vermoeden dat hij haar volgde. Hij had zich in de handen willen wrij-ven, maar in plaats daarvan grinnikte hij hoorbaar. Nog even en dan zou hij eindelijk wraak kunnen nemen.

Hij kon nauwelijks wachten.

Tien minuten na de landing in Frankfurt stapte ik in de bus die me sa-men met de andere passagiers naar de terminal bracht. Tot nu toe ging alles goed. Als mijn ontsnapping uit Istanbul was ontdekt had de Duitse politie me onder aan de vliegtuigtrap opgewacht. *Maar wat als ze in de aankomsthal staan?*

Even later verergerde mijn angst toen de bus voor de terminal stopte en ik net binnen de deuren een aantal geüniformeerde politieagenten en rechercheurs in burger zag staan.

De Discipel verloor Kate Moran geen moment uit het oog. Ze stond nog geen vijf meter bij hem vandaan. Twee keer had ze omgekeken, maar hem nog altijd niet in de gaten gekregen. En waarom zou ze ook? Zijn vermommingen waren stuk voor stuk zo goed dat hij ervan overtuigd was dat ze hem nooit zou herkennen. Toen de deuren van de bus opengingen en hij de politie zag die net binnen de deuren van de terminal stonden te wachten, schrok hij. Heel even, toen hervond hij zijn zelfvertrouwen. *Ze herkennen me nooit, vergeet het maar. Maar wat nu, als ze op Kate Moran staan te wachten?*

Hij zag haar aarzelen voordat ze door de stroom passagiers werd meegevoerd, wachtte een paar seconden en ging haar toen snel achterna.

93

Frankfurt, Duitsland

Terwijl ik samen met de andere passagiers de terminal binnenging, viel een van de politiemannen me op. Hij was lang en blond en zijn groene uniform stond hem goed. Vanaf het moment dat ik hem in het oog kreeg, bleef hij me volgen.

Ik dacht: *Hij vertrouwt het niet.* Hij keek me lang en doordringend aan en ik voelde mijn maag verkrampen. *Nog even en dan arresteert hij me.*

Maar toen keek hij langs me heen en richtte zijn aandacht op iemand anders. Er ging een golf van opluchting door me heen. Ik liep door naar de bagagehal en de paspoortcontrole.

Doordat ik alleen handbagage had was ik als een van de eersten bij de controle. Ik was er niet erg gerust op. De ambtenaar bekeek mijn paspoort, controleerde het op zijn computer en vergeleek mijn gezicht met de foto. Er moest iets zijn dat hem deed aarzelen want hij keek nog eens naar de foto, toen weer naar mijn gezicht. Maar toen knikte hij beleefd en gaf me mijn document terug. *'Danke sehr, Fräulein. Nächst, bitte!'*

Ik ging de aankomsthal binnen, vond een koffiebar en bestelde een dubbele espresso. Terwijl ik die met kleine slokjes dronk, begon ik me een beetje te ontspannen. Ik was nu zover gekomen, misschien zou ik DC ook wel halen.

Maar hoe langer deze beproeving duurde, hoe groter de kans werd dat ik gepakt zou worden. Ik keek naar de schermen met vertrekkende vluchten. Er gingen diverse naar de Verenigde Staten: twee naar New York, een naar Atlanta, een naar Miami. Er was ook een vlucht van Lufthansa naar het vliegveld Baltimore-Washington, een uur van DC.

Het probleem was dat ik een ticket zou moeten kopen met mijn eigen paspoort en creditcard. Dat betekende dat ik grote kans liep gepakt te worden zodra we in de VS landden. Maar ik had geen keus. Als ik via Canada vloog, zou ik langs de grenscontrole moeten om thuis te komen. Het Duitse pasoort kon ik niet gebruiken – zelfs met een visum werden de vingerafdrukken van de houder nog gecontroleerd.

Om de een of andere reden voelde ik me schuldig als ik aan Josh dacht. Hij zou me vast en zeker nooit meer vertrouwen. Ik vroeg me af of hij nog steeds in Parijs was en kwam in de verleiding om zijn mobiele nummer te bellen, maar dat was te riskant. Ik moest een ticket naar Baltimore-Washington hebben en vlug ook een beetje. Dus dronk ik mijn koffie op, pakte mijn tas en ging op zoek naar de ticketbalie van Lufthansa. Er was alleen nog plaats in de businessclass. Dat kostte me een klein vermogen, maar ik deed het toch.

Istanbul

Ahmet Uzun zat in het kleine kantoor van de luchthavenpolitie naar een tv-monitor te kijken. Drie uur lang had hij de banden van de beveiligingscamera's zitten bekijken. Hij observeerde duizenden passagiers die sinds het eind van de morgen uit Istanbul waren vertrokken. Zijn ogen brandden en hij slaakte een gefrustreerde zucht. De opdracht van zijn chef was heel duidelijk geweest: *Vind Kate Moran.*

Alleen lukte dat niet zo best. Hij had inmiddels zes banden gezien en er lagen er nog vier op hem te wachten. Zo nu en dan zette hij het beeld stil om een gezicht beter te bekijken, maar tot nu toe zonder enig resultaat. Geen spoor van iemand die op Kate Moran leek. Waar was ze gebleven?

Hij was ervan overtuigd dat ze inmiddels al uit Istanbul vertrokken was en dat dat telefoontje met het verzoek om haar in het hotel te treffen een truc was geweest, waarschijnlijk bedoeld om hem van het vliegveld weg te lokken terwijl zij ontsnapte. Maar hoe had ze dat klaargespeeld?

De band was afgelopen en het scherm werd zwart. Uzun geeuwde en wreef zich nog eens in de ogen. Na zes banden begonnen al die gezichten door elkaar te lopen. *Ik word hier hartstikke gek van.*

De brigadier naast hem haalde de band uit het apparaat.

Uzun knikte. 'De volgende, alsjeblieft.'

De brigadier duwde een nieuwe cassette in het apparaat en Uzun ging er opnieuw voor zitten. *Vroeger of later moet ik Kate Moran tegenkomen, daar durf ik een maandsalaris om te verwedden.* Maar zou hij haar nog op tijd vinden?

94

Frankfurt

Ik ging de vertrekhal in en zocht naar mijn mobiele telefoon. Het inchecken en de paspoortcontrole waren zonder problemen verlopen; dat gaf me hoop. Ik nam aan dat de echte problemen pas zouden beginnen als ik voet op vaderlandse bodem zette – er was een gerede kans dat Lou mijn pasoort dan inmiddels al had laten markeren, maar ik had geen andere keus dan het erop te wagen.

De vlucht naar Baltimore-Washington was al afgeroepen, maar ik wilde eerst nog bellen. Ik begon met mijn eigen nummer en luisterde de voicemail af. Er waren ook deze keer weer twee berichten van Paul; hij klonk nijdig. In het tweede bericht zei hij: 'Je bent niet van plan om terug te bellen, of wel soms? Jij bent me er een, Kate! Je geeft geen moer om me. Ik geloof dat ik van het begin af aan gelijk heb gehad en dat ons huwelijk echt voorbij is. Ik vond dat ik je een tweede kans moest geven, maar je bent te dom om die te grijpen. Maar maak je geen zorgen, mijn tijd komt wel. Je krijgt er nog spijt van.'

Ik had geen flauw idee wat Paul bedoelde, maar hij werd duidelijk bitter en haatdragend. Hij klonk zelfs labiel. Ik besloot om de afdeling Moordzaken van de gemeentepolitie te bellen en met hem te praten. Niet dat ik nog van hem hield, maar hij leek onhandelbaar te worden en daar maakte ik me wel zorgen over. 'Mag ik rechercheur Paul Malone, alstublieft.'

Een bekende stem zei: 'Rechercheur Malone is met verlof. Met wie spreek ik?'

'Is dat brigadier Kowalski?'

'Kate? Hoe gaat het met je, lieverd?'

'Z'n gangetje. Eigenlijk wilde ik Paul spreken. Weet u waar hij is?'

'Ja, hij heeft verlof opgenomen en is de stad uit. Hij zei dat hij er even uit moest.'

'Zei hij dat?'

'Ja. Als je het mij vraagt is die jongen zichzelf niet meer sinds jullie uit elkaar zijn. Hij kan niet eens meer een fatsoenlijke relatie aangaan. Weet je wat ik denk? Sinds zijn privéleven in de vernieling is geraakt, werkt hij zich kapot. Het is nog steeds een goeie politieman, maar geestelijk gaat het bergafwaarts met hem.'

'Weet u waar hij nu is?'

'Geen idee. Je kent Paul, die zegt niks. Een van de jongens die dienst heeft op Dulles International heeft hem daar een paar dagen geleden gezien. Hij leek ergens heen te gaan.'

Ik bedankte de brigadier en zette Paul voorlopig uit mijn gedachten. Er waren twee berichten van Frank met het verzoek om hem te bellen. Ik nam aan dat hij ook berichten op mijn mobiele telefoon had achtergelaten. Ik belde zijn mobiele nummer en al na de tweede bel hoorde ik zijn bekende stem. 'Ja?'

'Frank, met Kate.'

Het bleef veelzeggend stil en toen zei Frank: 'Ik probeer je de hele dag al te bereiken. Ik ben doodongerust. Waar heb je in jezusnaam gezeten?'

'Frank, dat geloof je niet als ik je dat vertel.'

'Probeer het toch maar.'

'Parijs, Istanbul, Frankfurt.'

'En nu moet ik zeker beginnen te lachen?'

'Zonder gein. Ik bel je vanaf het vliegveld van Frankfurt, in Duitsland, maar dat moet onder ons blijven. Zeg het vooral niet tegen iemand van het Bureau.'

'Waar ben je in godsnaam mee bezig?' vroeg Frank.

'Dat zal moeten wachten tot ik thuis ben. Als ik thuiskom. Was dat de enige reden waarom je belde, omdat je je zorgen maakte over je kleine zusje?'

'Voornamelijk, ja, omdat je niet terugbelde. Maar luister, ik heb die Lucius Clay eens nagetrokken; bij mijn vriendjes bij het Gevangeniswezen naar de directeur geïnformeerd. Het schijnt dat hij in de problemen is gekomen met zijn superieuren vanwege de opvattingen die hij over bepaalde zaken heeft.'

'Hoe bedoel je dat precies?'

'Er gaan geruchten dat Clay de laatste jaren moeite had met verschillende doodvonnissen die hij moest uitvoeren. Een journalist van de *Richmond Times-Dispatch* heeft hem na een van die executies geïnterviewd en de teneur van dat stuk was dat hij een onwillige staatsbeul was. Het gevolg was dat bij Gevangeniswezen de pleuris uitbrak en dat ze hem de mantel hebben uitgeveegd omdat hij dergelijke dingen openbaar had gemaakt.'

'Verder nog iets?'

'Als verdediging voerde Clay aan dat hij verkeerd was geciteerd, maar zijn collega's hebben de indruk dat hij goed pissig was over de schrobbering die hij had gekregen. Niet dat je daar ooit iets van zult merken. Sindsdien houdt Clay zijn mond dicht en zijn mening blijft uit de krant. Op journalisten heeft hij het niet zo.'

'Wat ben je verder nog aan de weet gekomen?'

'Niet veel, behalve dat hij naar een conferentie is en morgen terug wordt verwacht. Misschien zou ik eens met hem moeten gaan praten.'

Ik dacht even na over wat Frank me zojuist had verteld. 'Als je het maar discreet doet. Je kunt tegen hem zeggen dat je mijn broer bent, dan heb je een binnenkomer, maar zeg niets over de copycatzaak. Ik heb al genoeg problemen.'

'Hoe dat zo?'

'Frank, ik kan je op dit moment niet alles vertellen, maar neem van mij aan dat jij de enige bent aan wie ik nog iets heb.'

'Dat klinkt ernstig.'

'Is het ook. Ik heb een idee dat me mogelijk uit deze situatie kan redden, maar alleen als ik kan voorkomen dat ik gearresteerd word zodra ik in Amerika land.'

'Gearresteerd?'

'Frank, vergeet dat nu eerst maar, dat verhaal hou je van me tegoed. Luister, je moet in de gevangenis van Greensville een paar vragen voor me stellen...'

De Discipel zag Kate Moran haar gesprek beëindigen en naar de gate voor de vlucht naar Baltimore-Washington lopen. Hij sloeg haar op een veilige afstand gade, van achter een opengevouwen krant. Zelf had hij ook een ticket voor dezelfde vlucht gekocht; zijn plaats was acht rijen achter Moran.

Terwijl hij naar haar keek, vroeg hij zich af wie ze had gebeld. Maakte het eigenlijk wel iets uit? *Niemand kan haar redden.* Hij bewonderde haar lichaam: lekker kontje, mooie rondingen. Hij verheugde zich erop om een beetje plezier met haar te maken voordat hij haar martelde en doodde.

Hij zag Moran door de gate gaan. Een paar minuten later stond hij klaar met zijn paspoort en instapkaart en glimlachte naar het aardige meisje van Lufthansa dat zijn papieren bekeek.

Ze glimlachte terug toen ze hem het strookje van zijn instapkaart gaf. 'Prettige vlucht, meneer.'

'Dat zal best lukken.'

95

Istanbul

Uzun kreeg de neiging om met zijn kop tegen de muur te bonken. Hij wilde nooit meer een videoband zien – *nooit meer* – zo lang hij leefde. Hij had zes uur lang onafgebroken naar de banden van de beveiligingscamera's zitten kijken en voelde zich alsof het laatste onsje energie uit zijn lijf was gezogen. Zijn ogen deden pijn van naar dat scherm staren en hij had een barstende koppijn.

Toen hij net begonnen was, werd hij bekropen door een verontrustende gedachte: Wat als Kate Moran zich als een moslimvrouw had vermomd, met een sluier? Hij was nog steeds geen vrouw tegengekomen die op Moran leek. Geen enkele. Maar hij begreep heel goed dat de vermoeidheid hem parten begon te spelen en dat hij fouten kon maken. *Misschien heb ik haar gewoon over het hoofd gezien?*

Daar kwam nog bij dat Uzun een tweestrijd voerde. Hij *wilde* haar niet vinden, maar hij wist dat hij zijn werk moest doen. Hij nam een slok koude koffie en geeuwde zo hard dat het bijna een kreet van pijn leek. De brigadier naast hem zei: 'Gaat het een beetje, inspecteur?'

Uzun was moe. 'Nee, het gaat niet. We moeten weer van voren af aan beginnen, al die banden nog een keer bekijken.'

'Nog een keer?'

'Je hebt me gehoord, brigadier.'

'Jawel, inspecteur.'

Na nog een uur videobanden doornemen had Uzun verschillende vrouwen gezien, van wie eentje met een zwarte hoofddoek, die aan boord van een vlucht naar Frankfurt ging. Dat had Kate Moran in vermomming kunnen zijn. Maar eerlijk gezegd was hij er niet zeker van. Hij wilde juist de band juist terugspoelen om nog eens naar de vrouw te kijken, toen de deur open werd gegooid. Een van zijn wachtmeesters kwam binnen met een plastic supermarktzak in zijn hand.

'Wat is er?' blafte Uzun geïrriteerd.

'Neem me niet kwalijk, inspecteur, maar dit is belangrijk. In een brievenbus in de vertrekhal zijn vier gestolen paspoorten gevonden.'

Nu was Uzuns interesse gewekt. 'Vertel.'

De wachtmeester vertelde wat er was gebeurd en zei: 'Ik hoor van de luchthavenpolitie dat de paspoorten die ze hebben gevonden in de afgelopen vier uur bijna allemaal door de eigenaars als vermist waren opgegeven. Er was ook een vijfde paspoort als verloren of gestolen gemeld, maar dat zat er niet bij.'

'Van wie was dat?'

'Een vrouw van Turkse origine die de Duitse nationaliteit heeft.'

'Haar naam?' zei Uzun.

'Sevim Yaver, zevenendertig jaar oud.'

Uzuns hart begon sneller te kloppen toen hij dat hoorde. 'Heb je gekeken of er sinds die paspoorten als gestolen waren gemeld iemand onder een van die namen voor een vlucht heeft ingecheckt?'

'Ja, meneer. Daarom kwam ik ook, omdat u dat waarschijnlijk wilde weten. Het document van die mevrouw is gebruikt voor de Lufthansa-vlucht naar Frankfurt die om zes uur vertrokken is.'

Met glinsterende ogen wendde Uzun zich weer naar de videoband. Hij spoelde terug naar het deel waarin de vrouw met de zwarte hoofddoek te zien was die hem eerder was opgevallen. Haar gezicht was te goed verborgen om haar trekken duidelijk te kunnen zien, maar de opname was van 17.34 uur. Zesentwintig minuten voor het vertrek van de vlucht. Hij voelde eenvoudigweg dat zij Kate Moran moest zijn.

96

Greensville, Virginia

Frank Moran verliet de Interstate 95 en reed naar de met prikkeldraad bezette muren en de ring van wachttorens van het Greensville Correctional Center. Hij zette de Camaro op de parkeerplaats voor bezoekers en liep naar de ingang van de gevangenis. Achter de receptie zat een met een klembord gewapende vrouwelijke bewaker. Ze keek op en zei: 'Hallo, waarmee kan ik u van dienst zijn, meneer?'

'Ik heb een afspraak met kapitein Gary Tate. Mijn naam is dr. Frank Moran.'

'Hebt u een legitimatie?'

'Jazeker.' Moran gaf haar zijn rijbewijs.

Ze bekeek het en gaf het terug. 'Kapitein Tate verwacht u, dr. Moran. Neemt u even plaats dan zal ik hem zeggen dat u er bent.'

Kapitein Gary Tate was een lange, imponerende zwarte man, krachtig gebouwd en met een eerbiedwaardige houding. Terwijl hij met Moran door de gang liep naar zijn kantoor, zei hij op overwogen lijzige toon: 'Ik heb begrepen dat u met een onderzoek bezig bent, dr. Moran?'

'Inderdaad. Zou ik u een aantal vragen mogen stellen, kapitein Tate?'

Tate haalde zijn schouders op. 'Vraag zoveel u wilt, doctor. Uw vriend bij het Gevangeniswezen vroeg me om alle mogelijke medewerking te geven.'

'Hoe lang werkt u al in Greensville, kapitein?'

'Volgende maand tien jaar. Hoezo?'

'Ik heb begrepen dat u bij nogal wat executies betrokken bent geweest?'

Tate knikte. 'Dat hebt u goed begrepen.'

'Mag ik vragen hoeveel doodvonnissen u hebt helpen voltrekken?'

'Negenentachtig om precies te zijn,' antwoordde Tate kalm.

'Hoeveel daarvan werden door een dodelijke injectie voltrokken?'

'Vrijwel allemaal. Zes door middel van de elektrische stoel, "Old Sparky".'

Moran zei: 'Dan bent u de man die ik moet hebben. Vertelt u me eens, kapitein, is het volgens u, met uw kennis en ervaring, mogelijk dat een veroordeelde een executie door middel van een dodelijke injectie zou kunnen overleven?'

97

Voor de oostkust van de Verenigde Staten

Ik schrok wakker van een hand die op mijn schouder werd gelegd. Ik keek op en zag een slanke jongeman in een marineblauw kostuum over me heen gebogen staan. Heel even dreigde de paniek toe te slaan, maar toen zei hij: 'Wilt u iets drinken, mevrouw?'

Het was een steward met een drankentrolley, maar hij had me de doodsschrik op het lijf gejaagd.

'Ja... een glas water, alstublieft.'

'IJs en citroen, mevrouw?'

'Graag.'

De steward schonk me een glas water in, deed er ijsblokjes en een schijfje citroen in en ging verder. Ik dronk het koude water op, maar voelde me duf en vroeg me af hoe lang ik eigenlijk geslapen had. Ik keek op mijn horloge: bijna zes uur. Ik was zo doodop geweest dat ik vrijwel de hele vlucht had geslapen. Ik ging even naar het toilet om me een beetje op te frissen en toen ik terugliep naar mijn plaats, kondigde de piloot aan dat we over vijfenveertig minuten in Baltimore zouden landen. Ik keek uit het raampje en zag dat we boven het Amerikaanse vasteland vlogen.

Op dat moment keerde mijn onrust terug. *Staat Lou Raines me op het vliegveld op te wachten?* Wat ik tegen Frank had gezegd, was waar: ik had een vaag omlijnd plan om uit de situatie te komen waarin ik me bevond, maar ik als ik dat plan wilde uitvoeren, moest ik wel op vrije voeten blijven. Met bevende handen maakte ik mijn stoelriem vast en bereidde me voor op de landing.

De Discipel dacht: *Nu duurt het niet lang meer.* Hij zat nog steeds acht rijen achter Kate Moran en had het helemaal voor elkaar. Hij wist zelfs waar de eindafrekening zou plaatsvinden – niet in een grot of tunnel, maar op een meer passende locatie, dichter bij huis. Het grote probleem was haar daar te krijgen, maar daar had hij ook al een oplossing voor gevonden. Hij trok aan het belletje en even later verscheen er een stewardess.

'Meneer?'

'Een whisky on the rocks, graag. Twee van die miniatuurflesjes. Schenkt u er een uit, maar maak de tweede niet open.'

'Jawel, meneer.'

Een paar minuten later kwam ze terug en zette zijn drankje voor hem neer. Toen ze weg was, stopte hij het ongeopende flesje in zijn zak. *Voor later.* Allemaal onderdeel van zijn plan. De gedachte dat Kate Moran nog geen tien meter verderop zat en geen flauw vermoeden had van zijn aanwezigheid, wond hem op.

Als het stomme kreng eens wist wat voor martelingen haar te wachten staan. Het is tijd om te boeten, schat.

Toen hij voelde dat het toestel aan de daling begon dronk hij zijn glas leeg, leunde achterover in zijn stoel en maakte zijn stoelriem vast. Er verscheen een zelfgenoegzame grijns om zijn mond. *Nog even en dan heb ik haar helemaal voor mezelf en kan ik doen wat ik wil.* Hij kon nauwelijks wachten.

98

Greensville, Virginia

'Laat me dit nu even goed begrijpen. U vraagt of iemand een executie door middel van een dodelijke injectie zou kunnen overleven?' Tate fronste zijn wenkbrauwen in verbazing.

'Inderdaad,' antwoordde Moran. 'Ik overweeg om een essay over dat onderwerp te schrijven. Vandaar: is dat mogelijk?'

'Bent u doctor in de medicijnen?'

'Ik heb een doctoraal in de criminele psychologie,' antwoordde Moran. 'Maar vanuit uw standpunt bezien vroeg ik me af of er technisch iets mis zou kunnen gaan dat de executie zou kunnen verstoren.'

Tate haalde zijn schouders op, zette zijn pet af en streek met zijn hand over zijn dunner wordende haar. 'Er kan zoveel misgaan, doctor, maar dat gebeurt zelden. Het is hoogst onwaarschijnlijk dat een veroordeelde gevangene een executie zou kunnen overleven. En als ik zeg hoogst onwaarschijnlijk, dan bedoel ik ook *hoogst* onwaarschijnlijk.'

'Maar *zou* het kunnen gebeuren?' hield Moran aan.

'Het zou kunnen. Maar dan zouden er wel heel wat dingen fout moeten gaan.'

'Zou er met de chemicaliën geknoeid kunnen zijn, of zouden de verkeerde chemicaliën gebruikt kunnen zijn?'

Tate schudde zijn hoofd en zette zijn pet weer op. 'Dat kan werkelijk niet gebeuren. De stoffen voor de executie worden geleverd door de dienst voor het Gevangeniswezen. Ze zijn verzegeld en worden tot vlak voor het moment waarop ze worden gebruikt achter slot en grendel gehouden. Het is absoluut onmogelijk om ermee te knoeien of ze te vervangen.'

'Er worden drie verschillende chemicaliën gebruikt, klopt dat? Sodiumthiopental, pancuroniumbromide en ten slotte kaliumchloride, de stof die het hart doet stoppen.'

Tate knikte. 'U hebt uw huiswerk gedaan, doctor. Nadat het infuus met de zoutoplossing bij de veroordeelde is ingebracht en hij tot aan zijn borst met een laken is bedekt, worden de chemicaliën toegediend. Hoezo?'

Moran fronste zijn voorhoofd. 'Ik vroeg me af, wat nu als er een tegengif aan de zoutoplossing was toegevoegd?'

Tate glimlachte. 'U leest te veel boeken. Ik zou niet eens durven zeggen of er überhaupt een tegengif *is* voor deze chemicaliën.'

'Kapitein, ik kan u vertellen dat er voor vrijwel elke giftige stof een tegengif is, zelfs voor de meest dodelijke zenuwgassen, zoals VX en sarin; vergiften die zo sterk zijn dat een lepel ervan voldoende is om een heel dorp uit te moorden.'

Tate dacht er even over na en haalde toen zijn schouders op. 'Als u dat zegt, neem ik dat van u aan. Maar om een tegengif aan een veroordeelde te geven zou iemand de medewerking moeten hebben van iemand binnen de inrichting, iemand met bevoegdheden.'

'Hoe hoog in de hiërarchie zou zo iemand dan moeten zijn? Iemand als directeur Clay, misschien?'

'Veel hoger kun je niet,' merkte Tate op. 'Een andere mogelijkheid zou zijn om moedwillig het verkeerde middel toe te dienen. Begrijpt u wat ik bedoel? Maar nu komen we wel van de realiteit in de fictie terecht, doctor. Zoiets kan ik me binnen de organisatie niet voorstellen. Dan zou zo iemand wel een heel sterk motief moeten hebben.'

'Dus wat zou er mis moeten gaan?' drong Moran aan.

Tate dacht even na. 'Een partij slechte chemicaliën, misschien. Maar ik heb nooit gehoord dat zoiets wel eens is voorgekomen. Of de veroordeelde zou een buitengewoon sterk gestel moeten hebben en op de een of andere manier immuun moeten zijn voor het gif. Maar nogmaals: dat is hoogst onwaarschijnlijk. Het enige wat ik zou kunnen bedenken is dat de infuusslangen door kristalvorming verstopt zouden kunnen raken. Maar voor de executies kijken we dat allemaal na.'

Daar moest Moran op zijn beurt even over nadenken.

'En tijdens de executie? Houdt u de slangen dan in de gaten voor het geval er zich kristallen zouden vormen?'

'Nee, niet echt. Maar daarmee hebben we nog nooit problemen gehad.'

'Kan er verder nog iets fout gaan?'

Tate dacht een ogenblik na en haalde zijn schouders op. 'Iedere gevangene heeft een ander gewicht en een eigen tolerantie voor de chemicaliën. Met tolerantie bedoel ik dat een gevangene bijvoorbeeld jarenlang barbituraten kan hebben gebruikt, waardoor zijn lichaam een grotere weerstand tegen die stoffen kan hebben, met als gevolg dat we meer nodig hebben om hem te doden dan gewoonlijk. Als de beul een inschattingsfout gemaakt zou hebben, zou dat een factor kunnen zijn. Maar daar staat tegenover dat de veroordeelde de executiekamer pas verlaat nadat hij officieel dood is verklaard. In zo'n geval pompen we gewoon door tot het vonnis voltrokken is.'

'Hebt u ooit van een apneist gehoord, kapitein?'

'Een ap-wat?'

'Een apneist is iemand die zijn adem buitengewoon lang kan inhouden, in sommige gevallen wel acht minuten. Op de Canarische Eilanden woont een vrouw, een zekere Audrey Mestre Ferrera, een freediver, die met een diepte van honderdvijfentwintig meter houdster is van het officiële wereldrecord vrijduiken. Terwijl ze haar adem inhoudt, neemt ook haar hartslag af. De sadhoes, de heilige mannen uit India, hebben tijdens het mediteren hun stofwisseling volledig onder controle. Ze ademen vrijwel niet en hun hart staat vrijwel stil.'

Tate was onder de indruk. 'Asjemenou.'

Moran glimlachte. 'Ik heb een beetje onderzoek gedaan.'

'Ik stel uw uitleg zeer op prijs, doctor, maar wat wilde u nu eigenlijk vragen; of we het zouden merken als een veroordeelde tijdens zijn executie zoiets zou uithalen?'

'U haalt me de woorden uit de mond.'

Tate dacht er even over na. 'Tja, dat wordt een andere zaak. Als iemand kans zou zien om zijn hartslag tot vrijwel nul terug te brengen, dan zouden de mensen die de stoffen toedienen dat op hun monitor zien. Een rechte lijn betekent dat de veroordeelde cardiaal dood is. Dan zouden ze van mening kunnen zijn dat de dosis voldoende is en de toevoer vroegtijdig staken.'

'Met als gevolg dat de veroordeelde de executie zou kunnen overleven?'

'Ja, ik neem aan dat dat in zo'n geval zou kunnen,' gaf Tate toe. Toen grijnsde hij. 'Maar op zeker moment merkt iemand dat natuurlijk. Ik bedoel, de man moet ook nog in een lijkzak worden gestopt en er moet een lijkschouwing worden gedaan.' Hij keek op zijn horloge alsof hij een volgende afspraak had.

'Tussen twee haakjes, worden de terechtstellingen op video opgenomen?' vroeg Moran.

'Nee, meneer, dat wordt niet gedaan.'

278

'En bij Constantine Gamal? Ik meen dat er van zijn executie wel video-opnamen zijn gemaakt.'

'Wie heeft u dat verteld?' vroeg Tate argwanend.

'Een van de getuigen. Ik heb de executie van Gamal bij mijn onderzoek als een van de gevallen genomen.'

Tate dacht even na en zei toen eerlijk: 'Dat was een uitzondering.'

'Waarom?'

'Het Bureau van de Gerechtelijk Lijkschouwer had gevraagd de executie te mogen opnemen. Ik meen dat het voor onderzoek was. Het was een eenmalige gebeurtenis.'

Moran knikte bedachtzaam. 'Dus wat gebeurt er daarna precies, nadat de veroordeelde officieel dood is verklaard?'

Tate zei: 'We brengen het lijk direct weg, voordat het koud kan worden. Het ene moment ligt hij nog hier en even later ligt hij in een witte lijkzak met een labeltje aan zijn teen in de vleeswagen, onderweg naar het Bureau van de Gerechtelijk Lijkschouwer in Richmond, vijfennegentig kilometer hiervandaan.'

'Wordt daar direct lijkschouwing verricht?'

Tate schudde zijn hoofd. 'Nee. De veroordeelde wordt pas de volgende morgen om zeven uur uit de lijkzak gehaald. En dan wordt er een autopsie gedaan.'

'Door de gerechtelijk lijkschouwer?'

'Niet altijd.'

Moran fronste zijn wenkbrauwen. 'Hoe bedoelt u?'

'Als u precies wilt weten hoe het zit, kunt u dat beter op het Bureau van de Lijkschouwer in Richmond vragen, maar ik heb gehoord dat het vaak door leerlingen wordt gedaan. Dan heb ik het over afgestudeerden die patholoog-anatoom willen worden. Bij zo'n veroordeelde stelt de autopsie natuurlijk weinig voor. We weten tenslotte al hoe hij gestorven is. De lijkschouwer moet zich er alleen van overtuigen dat de dood het gevolg is van de executiemethode.'

Moran liet het even bezinken. 'Nog één vraag, kapitein. Is er ooit iemand uit Greensville ontsnapt?'

Tate glimlachte. 'Eentje, een jaar of wat geleden. In de winter, in de sneeuw, in een oranje gevangenisoverall. We hadden hem binnen een uur weer te pakken.'

'Ik begrijp dat u weg moet, kapitein,' zei Moran, 'maar het valt me in dat ik nog een paar vragen heb.'

'Zegt u het maar.'

'Wanneer is directeur Clay terug van die conferentie?'

'Ik meen dat hij vandaag weer thuis is. Maar hij is pas overmorgen weer hier. Hoezo?'

'Ik moet hem spreken. Weet u zijn huisadres?'

Tate keek zijn bezoeker recht aan. 'Dergelijke informatie wordt om veiligheidsredenen niet verstrekt.'

Moran glimlachte. 'Ik begrijp het. Nog één ding. Weet u ook wie op het bureau van de lijkschouwer dat verzoek indiende om Gamals executie op video op te nemen?'

'Nee, meneer, dat weet ik niet,' antwoordde Tate.

'Maar ik neem aan dat dat niet de eerste de beste kan zijn geweest, is het wel? Ik bedoel, als het zo uitzonderlijk is, dan moet dat verzoek wel van de gerechtelijk lijkschouwer zelf zijn gekomen, denkt u ook niet? Of een van zijn assistenten, in elk geval iemand aan de top.'

'Ja, meneer, dat denk ik wel.'

99

Chinatown, Washington DC

Stone liet het licht van zijn zaklamp over de twee ondiepe graven dwalen. De lucht van rottende menselijke resten drong in zijn neus. Hij en Raines bevonden zich in een van de onderhoudstunnels op tachtig meter van het metrostation Chinatown. Een paar krachtige halogeenlampen verlichtten de plaats delict. Vlakbij was een regenwaterafvoer. Bovengronds stroomde het van de regen; het water droop door ventilatieroosters boven hun hoofd op de kleischalie waarmee de bodem van de tunnel was bedekt.

Diaz zei tegen Raines: 'Ze zijn krap negentig centimeter diep begraven en naast elkaar. Degene die dit heeft gedaan heeft eerst vijftien centimeter kleischalie weg moet halen en toen dieper in de grond moeten graven voordat hij de lijken met schalie kon bedekken.'

Raines keek naar de twee skeletten naast elkaar in hun ondiepe graf. Hij vond het een zielig gezicht. Naast de lijken lag een hoop rottende vodden en ander bewijsmateriaal te wachten op nader onderzoek, waarna de hele boel in zakken zou worden gedaan. Hij keek links en rechts door de tunnel. 'Onder al die losse stenen is de grond aardig hard, dus dat is geen gemakkelijk karwei geweest. De moordenaar moet een houweel en een schep hebben gehad en genoeg tijd om het vuile werk te doen. Dat betekent dat het gebeurd moet zijn op een moment dat er geen treinen reden en geen onderhoudsploegen aan het werk waren.'

Diaz knikte instemmend. 'Dat moet wel, anders had de moordenaar het risico gelopen om te worden gezien.'

'Heb je het geslacht vast kunnen stellen?'

De resten waren vrijwel helemaal vergaan, maar volgens hem was het ene slachtoffer zeker een volwassene; het tweede skelet zag eruit als dat van een jong volwassene of een tiener.

Diaz zei: 'Een man van tussen de vijfendertig en vijftig en een puber, een vrouw van tussen de vijftien en de twintig. Dat is alles wat ik er van kan zeggen tot we het labwerk hebben gedaan.' Hij gebaarde naar de plastic zakken. 'De kleding die ze droegen was door het hoge vochtgehalte hier beneden vrijwel volledig weggerot, maar ik kan wel zeggen dat het geen dure spullen waren. In een van de zakken van de jas die de man droeg, zat een bonnetje van een kledingdepot van de baptistengemeente in het District. Zie je wel?'

Raines zakte door zijn knieën om beter te kunnen kijken. In een van de bewijszakken zat een vaalbruin bonnetje waarop hij het logo van het kledingdepot herkende. Hij was er nu wel van overtuigd dat ze Gamals slachtoffers hadden gevonden en hij voelde woede in zich opwellen. 'Dat doet alleen een monster, een thuisloze vader en zijn dochter vermoorden. Moge de Heer hun genadig zijn.'

Stone wendde zich naar Diaz, die een waterdichte nylon broek droeg en een regenjack met de letters FBI in goud op de rug. Hij vroeg zich af of die vent zijn Speedopak er soms onder had zitten. 'Verder nog iets dat je is opgevallen?'

Diaz knipoogde. 'Afgezien van dat lullige jasje dat je aanhebt, bedoel je?'

'Heel grappig, Armando.'

· 'Dit is me opgevallen.' Diaz knielde en pakte met een pincet twee natte stukjes papier van de rottende hoop die nog in zakken moest worden gedaan. Om ze beter te kunnen bekijken legde hij ze op een stuk wit plastic.

'Wat is dat?' vroeg Raines.

'Twee bonnetjes van een hostel van het Leger des Heils. Ze zijn voor twee bedden, de nacht voor die waarvan Gamal beweerde dat hij ze zou hebben vermoord. Wat het tijdstip betreft zitten we dus goed: drieëntwintig november, bijna vijftien maanden geleden. Thanksgiving, als ik me goed herinner.'

Raines haalde diep adem tussen zijn opeengeklemde tanden door en blies het weer uit. 'Toen zal de metro niet zo erg vaak hebben gereden, wat het gemakkelijker maakte om zijn slachtoffers te begraven.'

Stone leek tevredengesteld. 'Ik geloof dat we moeten aannemen dat Gamal de waarheid heeft gesproken, Lou.'

Raines negeerde de opmerking en knikte naar Diaz. 'Bedankt, Armando.'

'Zeg, kan een van jullie me soms vertellen hoe dat zit met dat broekpak dat ik op het lab heb? Stone zegt dat het van Kate is. Ik snap het niet zo goed.'

Stone wilde iets zeggen, maar Raines legde hem met een blik het zwijgen op en zei: 'Wij ook niet, dus laten we dat voorlopig maar onder ons houden, Armando. We moeten eerst een aantal zaken met Kate ophelderen, oké?'

'Prima.' Diaz fronste zijn wenkbrauwen alsof hij wilde zeggen dat hij het geen erg bevredigend antwoord vond, maar haalde toen zijn schouders op en ging weer aan het werk.

Raines keek omhoog naar het water dat uit het rooster droop. Op zijn gezicht lag een afwezige uitdrukking, alsof hij met zijn gedachten heel ver weg was.

Stone kwam naast hem staan. 'Ik weet dat we nog het een en ander moeten onderzoeken voordat we zekerheid hebben, maar ik durf te wedden dat David Bryce en zijn dochter door iemand anders zijn vermoord. En misschien durf ik ook nog wel een wedje te maken over wie dat kan zijn geweest. Wat denk jij, Lou?'

'Je weet dat ik niet van wedden hou. Ik geloof dat je op de zaak vooruitloopt, Stone. Je bent ervan overtuigd dat je in de zaak Bryce op alle punten gelijk hebt, maar je kunt niet alleen op je instincten vertrouwen. Maar aangezien je waarschijnlijk van het begin af aan gelijk hebt gehad dat Gamal de Bryces niet had vermoord, wil ik wel naar je luisteren.'

Raines' mobiele telefoon ging. Hij liep weg om het gesprek aan te nemen en toen hij klaar was en zijn telefoon weer wegstak, kwam Stone naar hem toe. 'Problemen?'

Raines keek gespannen terwijl hij in zijn zakken naar zijn autosleutels zocht. 'Dat was inspecteur Uzun in Istanbul. Hij weet waar Moran is: in een vliegtuig op weg hierheen.'

Stones gezicht begon te stralen. 'Waarheen precies?'
'Ze is onderweg naar Baltimore International. Kom mee.'

100

Baltimore International Airport, Maryland

Ik zat stijf rechtop in mijn stoel toen het vliegtuig landde. Toen we vijf minuten later bij de gate waren, was mijn lichaam gespannen als een veer. Ik dacht aan Josh. Ik was hem een uitleg schuldig. De verleiding was groot om hem te bellen zodra ik uit het vliegtuig was, maar als mijn gesprekken in de gaten werden gehouden, liep ik de kans te worden gepakt.

De deuren gingen open. De passagiers stonden op en pakten hun handbagage uit de lockers boven hun hoofd. Maar ik zat als vastgenageld aan mijn stoel. *Wat nu als ik, zodra ik uitstap, word opgepakt door gewapende politieagenten? Of wie weet word ik gevolgd tot in de aankomsthal en daar overmeesterd en geboeid.*

Eén ding wist ik zeker. Als ik nu werd gearresteerd, was alle hoop om te bewijzen of Gamal dood of levend was, vervlogen. Ik móest op vrije voeten blijven. Ik vond het niet erg om Lou onder ogen te komen – dat was onvermijdelijk – maar dat wilde ik alleen op mijn voorwaarden. De passagiers liepen langs me heen door het gangpad. Ik haalde een keer diep adem en dwong mezelf om op te staan en mijn tas uit het bagagevak te pakken. Vanuit mijn ooghoek zag ik iets bewegen en ik keek om. Ik was niet de laatste die uitstapte. Ongeveer acht rijen naar achteren zat een man met een zonnebril op. Van onder een grijze wollen muts stak wat blond haar en midden op zijn kin had hij ook een plukje blond haar. Hij droeg een grijs Reebok-windjack en leek me het type van een rugzaktoerist. Hij lachte even naar me en verdween toen achter de stoel voor hem om zijn spullen te pakken.

Ik draaide me om en keek naar de uitgang, waar drie leden van de bemanning geduldig stonden te wachten. Even voelde ik iets van angst toen ik mijn tas pakte en door het gangpad liep.

De Discipel zag Kate Moran het vliegtuig verlaten, maar pas nadat ze hem had aangekeken en hij naar haar had geglimlacht. *Stom wijf! Ik zie jou, maar jij ziet mij niet. Is het niet verbazend wat je met een vermomming kunt doen?*

Het moment waarop ze niet langer op vrije voeten zou zijn, was aangebroken. Hij pakte zijn tas van de stoel naast hem en rommelde er even in tot hij de injectiespuit had gevonden. Die had hij al gevuld met benzo – de hoeveelheid was voldoende om een man van honderd kilo te vellen. Een vrouw van Morans gewicht zou geen enkel probleem zijn. Vervolgens haalde hij twee plastic breinaalden uit de voering van zijn tas. Eentje stak hij in zijn binnenzak en de andere verdween in zijn rechtermouw. Hij stond op en ging achter zijn volgende slachtoffer aan.

101

Washington-Baltimore Interstate Highway

Stone hield het gas op de plank; de motor van de Ford brulde als een razend geworden dier. De sirene gilde. De snelheidsmeter zat tegen de honderdtachtig aan – in een kwartier hadden ze veertig kilometer afgelegd. 'Nog vijf minuten, dan zijn we er,' zei Stone toen het bord dat het vliegveld Baltimore-Washington aangaf, langsflitste en hij in de verte een vliegtuig zag dat bezig was te landen.

Naast hem beëindigde Lou Raines zijn telefoongesprek. 'De commandant van de luchthavenpolitie stuurt alle beschikbare mensen naar de aankomsthal. Hij zegt dat de vlucht van Lufthansa twintig minuten geleden is geland en dat een aantal passagiers de paspoortcontrole mogelijk al is gepasseerd.'

'Shit. Zouden ze haar gemist kunnen hebben?' zei Stone ongerust.

'Dat is mogelijk. Maar hij zei dat hij Moran zal vinden als ze nog in de terminal is.'

Baltimore International Airport, Maryland

Mijn hart ging tekeer als een stoommachine toen ik me aansloot bij de rij voor de paspoortcontrole. Ik zag het gebruikelijke groepje ambtenaren en gewapende agenten van de luchthavenpolitie rondhangen. Ik was doodsbang om oogcontact met een van hen te maken voor het geval ik argwaan zou wekken.

Ik had een bejaard echtpaar voor me en een meisje met een gescheurde spijkerbroek, sneakers en een rugzak. Het echtpaar was snel klaar en de vrouwelijke immigratieambtenaar gebaarde dat het meisje naar voren kon komen. Terwijl die haar pasoort toonde, begonnen mijn handen te zweten — ik was verschrikkelijk bang dat ik, zodra ik mijn paspoort liet zien, gearresteerd zou worden.

Achter me zag ik geen politie, maar wel de passagier die ik ook in het vliegtuig had opgemerkt — de man met het blonde haar, het kleine blonde sikje en de wollen muts. Hij was de volgende die in de rij naast me aan de beurt was, maar deze keer keek hij me niet aan. Waarom wist ik niet, maar een stemmetje in mijn hoofd zei: *Er is iets vreemds aan die vent.* Ik kon werkelijk niet zeggen wat het was.

'Volgende!'

Ik draaide me met een ruk om en zag de ambtenaar gebaren dat ik naar voren moest komen. Mijn knieën knikten toen ik met mijn paspoort in mijn hand op haar toe liep.

102

Ik gaf mijn paspoort aan de immigratieambtenaar en wachtte terwijl ze het document bekeek. Ik was doodsbang. Ze keek naar mijn foto en toen naar mijn gezicht voordat ze het paspoortnummer in haar computer voerde. *Word ik nu gearresteerd?*

Een paar seconden later knikte ze kort, gaf me mijn paspoort terug en zei opgewekt: 'Welkom thuis, mevrouw Moran. Volgende!'

De Discipel zag Kate Moran door de paspoortcontrole gaan. Hij stond in de rij ernaast en de ambtenaar die met zijn paspoort bezig was, nam alle tijd. Het was een grote, zwaargebouwde kerel met een enorme buik. De Discipel begon te zweten toen hij Moran naar de douane zag lopen — hij wilde haar niet uit het oog verliezen. Hij keek ongeduldig naar de ambtenaar die zijn paspoortnummer traag in de computer toetste. *Schiet toch op, verdomme.*

Maar de man had totaal geen haast. Uiteindelijk sloeg hij het pasoort dicht en gaf het terug. 'Volgende!'

'Luie donder,' mompelde de Discipel.

De ambtenaar werd rood. 'Zei je iets, vrind?'

'Ik? Dat moet u zich hebben verbeeld.' De Discipel greep zijn handbagage en volgde Kate Moran naar de douane.

103

Met piepende banden stopte Stone voor de aankomstterminal. Hij en Raines sprongen uit de auto, maar op dat moment verscheen er vanuit het niets een agent van de luchthavenpolitie. 'Hé, je mag hier niet parkeren, vrind. Dit is een verboden zone. *Moven* die auto, *nu!*'

Raines negeerde het bevel. 'Werkt die radio van je?'

De agent reageerde niet op de vraag. 'Ik zei *moven!*'

'Roep de commandant van de luchthavenpolitie op. Zeg tegen hem dat ik bevestigd wil hebben dat de hele aankomstterminal afgegrendeld is.'

De agent zette zijn handen op zijn heupen en zei: 'En wie ben jij dan wel, meneer?'

Raines drukte de man zijn legitimatie onder de neus. 'Ik ben de man die jou een schop onder je reet verkoopt als je niet onmiddellijk doet wat ik zeg. Er is zojuist een vrouw vanuit Frankfurt gearriveerd, een zekere Kate Moran, en ik wil dat die onmiddellijk aangehouden wordt.'

Ik voelde een nieuwe golf van angst terwijl ik naar de douane liep. Daar stonden een stuk of wat geüniformeerde ambtenaren. Toen ze me zomaar door lieten lopen kon ik het nauwelijks geloven. Ik kreeg nieuwe hoop. Er stond niemand klaar om me te arresteren. *Of staan ze soms in de aankomsthal klaar om me te grijpen?*

De schuifdeuren naar de aankomsthal gingen open en ik zag een zee van wachtende gezichten — chauffeurs en vertegenwoordigers van bedrijven, de meesten met een bordje in hun handen — maar er was geen enkele geüniformeerde agent te bespeuren. Ik slaakte een zucht van opluchting.

Zou Uzun niet in de gaten hebben gehad hoe ik hem had misleid? Dat kon niet. Uzun was een sluwe politieman; hij zou ongetwijfeld al weten wat er was gebeurd. Wat betekende dat hij Lou Raines had gewaarschuwd, die op zijn beurt inmiddels alle vliegvelden in de gaten liet houden, daar twijfelde ik niet aan.

Terwijl ik te midden van andere passagiers de aankomsthal binnenging, werd mijn vrees bewaarheid; ik bleef als aan de grond genageld staan.

Recht voor me, op nog geen twintig meter, stonden zes agenten in uniform. Een paar van hen hadden een radio terwijl de anderen hun hand op de kolf van hun pistool hielden. Ik probeerde kalm te blijven, maar mijn benen begonnen te trillen en ik werd bevangen door een gevoel van verslagenheid.

Daar heb je het dan. Ze pakken me.

Ik twijfelde er geen seconde aan of die agenten stonden op mij te wachten. *Ik moet op vrije voeten blijven.* Een van de agenten kreeg me in de gaten en fronste zijn wenkbrauwen. Hij stootte een collega aan waarop ze iets tegen hun collega's zeiden en op me toe kwamen. 'Kate Moran?' zei een van hen hardop.

Ik gaf geen antwoord, maar baande me een weg door de menigte, dook onder het hek door en rende door de drukke aankomsthal.

104

De Discipel bleef achter Kate Moran terwijl ze tussen de mensen liep. Hij had de dunne injectiespuit in zijn linkerzak en het miniatuurflesje whisky in zijn rechterzak. Het wachten was nu op het juiste moment om toe te slaan.

Verdomme.

Op het moment dat hij de wachtende politieagenten zag, wist hij dat hij reddeloos verloren was. Hij zag hoe Moran op enige meters voor het kordon van luchthavenpolitie als aan de grond genageld bleef staan.

Hij had zijn plan helemaal voor elkaar: volg haar tot de uitgang, steek de naald in haar lijf en giet de whisky over haar kleren. Binnen een paar seconden zou ze net een zombie zijn en bijna bewusteloos. Dan zou hij de boze echtgenoot spelen wiens vrouw tijdens de vlucht te veel had gedronken en met een taxi naar huis moest worden gebracht.

Alleen kon hij dat plan nu wel vergeten en dat maakte hem ziedend. Dat Moran verdacht werd van betrokkenheid bij de moorden in Istanbul was duidelijk, maar hij had niet verwacht dat de politie haar hier in Baltimore zou staan opwachten om haar te arresteren. Hij vloekte — had hij zich dan toch bij zijn oorspronkelijke plan moeten houden? Maar daar was het nu te laat voor.

Hij zag Moran heel even aarzelen, tot een van de agenten naar voren kwam en zei: 'Kate Moran?'

Terwijl de agent op haar af kwam, zag de Discipel Moran onder het hek door duiken en er tussen de mensen vandoor gaan. Ze rende als de duivel, met de politie achter haar aan.

Verdomme. Ik moet haar pakken voordat de politie dat doet.

Hij zette de achtervolging in.

105

Ik drong me tussen de mensen door. Pas vijftig meter verderop waagde ik het achterom te kijken. Twintig meter achter me baanden twee agenten zich een weg tussen de passagiers door. De voorste was lang en gespierd; hij bulldozerde iedereen eenvoudig opzij. De mensen begonnen te schreeuwen toen ze zagen dat de agenten hun pistolen hadden getrokken.

Plotseling hoorde ik een kreet: *'Sta of ik schiet!'*

Ik wachtte op de kogel, maar die kwam niet. Ik nam aan dat de agent blufte en alleen maar had gehoopt dat ik zou blijven staan. Geen enkele politieman met ook maar een beetje verstand zou in een menigte op een ongewapende verdachte schieten. Ik begon terrein te winnen en had de twee agenten inmiddels dertig meter achter me gelaten. Ik zigzagde tussen de mensen door en schreeuwde: *'Uit de weg!'*

De mensen gingen opzij en ik had ruim baan. Na nog eens vijftig meter waagde ik opnieuw een blik achterom, maar kon mijn achtervolgers niet meer vinden tussen de krioelende menigte. Ik keek weer naar voren en zag rechts van me een brede, lange gang met aan beide zijden deuren. Buiten adem rende ik de gang in. Halverwege kwam ik tot de ontdekking dat de gang doodliep.

Ik probeerde de deuren aan beide kanten. Ze zaten allemaal op slot.

De laatste deur had een pictogram voor een herentoilet. Nergens zag ik een damestoilet. De deur zat niet op slot. Ik kon geen kant meer uit en dus ging ik naar binnen, liep langs de wasbakken, de hokjes en de urinoirs in de hoop een raam te vinden dat groot genoeg was om door naar buiten te klauteren.

Er was verder niemand op het toilet. Hoog in de muur zat een raam. Daar was een metalen rooster voor en het stond halfopen, maar ik kreeg geen kans om te proberen omhoog te klimmen, want op dat moment hoorde ik op de gang rennende voetstappen.

Ik schoot een van de hokjes binnen en deed de deur op slot. Direct daarop hoorde ik iemand het toilet binnenkomen. Ik hoorde schoenen kraken en het geluid van iemand die op adem probeerde te komen. Ik vloekte binnensmonds en klemde mijn tanden op elkaar. Het had zo weinig gescheeld of ik zou zijn ontsnapt – nog tien seconden langer en ik zou uit het raam zijn geklommen.

Het werd stil. Er zat een kiertje tussen de deur en het kozijn; daar probeerde ik doorheen te gluren. Aanvankelijk zag ik alleen maar witte tegels, maar na een paar seconden ving een glimp op van een blauw uniform. De moed zonk ik me in de schoenen. Ik had half en half verwacht dat ik zou worden gepakt, maar nu het zover was, werd ik overspoeld door een gevoel van wanhoop. *Als ze me vinden, is het met me gebeurd.*

Ik gluurde nog eens door de kier, zag de uitgestrekte arm van de politieman, de donkere vorm van een pistool en toen heel even zijn gezicht: het was de grote kerel die zich als een bulldozer een weg tussen de mensen door had gebaand. Hij verdween uit het zicht, maar even later hoorde ik links van me een deur rammelen en wist dat ik geen schijn van kans had om te ontsnappen.

Hij probeert de deuren. Ik kroop nog verder in het hokje en begon te bidden.

106

Agent Chuck Delano kwam buiten adem het toilet binnen, zijn Glock getrokken. Hij keek in het rond, naar de wasbakken, de hokjes en de urinoirs.

Delano zag dat het raam halfopen stond en kwam in de verleiding om daar eerst naar te kijken, maar voelde instinctief dat hij de toiletruimte moest doorzoeken. Als de vrouw hier naar binnen was gegaan, had ze geen tijd gehad om door het raam te ontkomen; ze zou zich eerder in een van de hokjes schuilhouden.

Toen Delano de vrouw de gang in had zien rennen, was hij haar achternagegaan. Hij had zijn maat Maguire, die achterop was geraakt, gewenkt dat hij hem moest volgen. Waar bleef Maguire verdomme nou toch? Terwijl hij met zijn pistool in beide handen geklemd verder naar binnen liep, hoorde hij plotseling een geluid en draaide zich met een ruk om.

Hij verwachtte Maguire te zien, maar in plaats daarvan zag hij een man het toilet binnenkomen. Hij had een blond sikje, droeg een grijze wollen muts en had een rugzak bij zich. De man grijnsde en stak zijn hand met een snelle beweging uit. Delano voelde een steek en gromde.

Jezus!

Toen hij omlaag keek, zag hij tot zijn afgrijzen dat er een lange naald tussen zijn ribben stak. Hij voelde een ondraaglijke pijn in zijn borst en zakte met een gesmoorde kreet in elkaar.

De Discipel liet de breinaald in de wond zitten, knielde naast de man neer en wrong de Glock uit zijn handen. *Waar is Moran gebleven? Ik weet dat ze hier ergens moet zijn.* Hij liep naar het eerste hokje en duwde de deur voorzichtig open.

107

Ik hoorde een geluid dat klonk als een gesmoorde kreet van pijn. Het kwam uit de toiletruimte. Omdat ik wilde weten wat het was waagde ik het nog eens door de kier tussen de deur te kijken. Ik kon mijn ogen niet geloven: de politieman lag op de grond. Hij had een lange, dunne naald in zijn borst en er liep een stroompje bloed over de witte tegels naar de hokjes. *O mijn god...*

Ik zag het bloed over de vloer tussen mijn voeten door lopen. Toen hoorde ik nog een geluid dat klonk alsof een van de deuren open werd gedaan. De betekenis trof me als de klap van een voorhamer – de moordenaar is hier binnen!

Ik had de aanvechting te gaan gillen, en hoorde hem al aan een volgende deur rammelen. Hoe wist hij dat ik hier was? Ik probeerde wanhopig om niet in paniek te raken, mijn ademhaling onder controle te houden. Ik had geen wapen, helemaal niets. Ik voelde me kwetsbaar – ik had geen idee hoe ik me zou kunnen beschermen. Maar ik wist dat ik niet mocht wachten tot de moordenaar het hokje binnen zou komen. Wat moest ik? Als ik naar buiten kwam, liep ik het risico te worden vermoord.

Maar toen gebeurde er iets vreemds. Ik meende in de verte stemmen te horen die snel dichterbij kwamen. Maar ik hoorde nog iets – deze keer hier binnen, in de toiletruimte – het geluid van snelle voetstappen, wat gegrom en een krakend geluid. Ik had geen idee wat dat allemaal te betekenen kon hebben en daarom waagde ik het om nog een keer door de kier van de deur te kijken.

De politieman lag nog steeds op de vloer en er spoot bloed langs de naald in zijn borst. Zijn oogleden trilden en ik wist zeker dat ik hem hoorde ademhalen.

Hij leeft nog.

Ik verzamelde genoeg moed om op de wc-bril te gaan staan en over de deur van het hokje te kijken en het eerste dat me opviel was dat het raam dat ik had gezien nu wijd openstond.

Is de moordenaar weg? Of wil hij me laten geloven dat hij weg is? Waarom zou hij door het raam naar buiten gaan?

Ik stapte van de bril af, deed de deur open en keek voorzichtig om de hoek. De toiletruimte leek verlaten.

Wat als hij in een van de andere hokjes zit, klaar om toe te slaan?

Maar toen de seconden verstreken en er niemand verscheen, begon ik te geloven dat hij inderdaad weg was. Ik keek in de andere hokjes. Die waren leeg. Ik begreep het niet. *Waarom zou de moordenaar weggaan als hij me bijna te pakken had?*

De politieman maakte een rochelend geluid en ik knielde naast hem neer. Hij ademde oppervlakkig. Het was overduidelijk dat hij zou sterven als hij niet onmiddellijk medische hulp kreeg, Plotseling hief hij zijn linkerhand op en wilde de naald pakken die in zijn borst stak.

Ik greep zijn hand vast. 'Alstublieft, niet aanraken. Blijf stil liggen en probeer niet te bewegen.'

'Het… het doet pijn. Het doet… zo'n pijn. O, jezus…!' Zijn stem was schor van de pijn en opeens schokte zijn lichaam en hij deed zijn mond open alsof hij moest braken, maar in plaats daarvan stroomde er bloed uit zijn keel. Hij knipperde met zijn ogen. Zijn handen beefden en ik wist dat hij stervende was.

'Niet doodgaan. Alstublieft!' smeekte ik.

Even later draaide hij met zijn ogen, slaakte een diepe zucht en stierf. Ik voelde me zo machteloos. Achter me klonken haastige voetstappen en ik draaide me met een ruk om. 'Steek je handen omhoog en verroer je niet!' Een politieman richtte zijn pistool op me.

Toen verscheen er nog een politieman, ook met getrokken pistool.

'We hebben haar!' brulde iemand.

Ik voelde me licht in mijn hoofd. In de gang echoden stemmen. Nu begreep ik waarom de moordenaar vertrokken was – hij had versterking horen naderen.

Er kwamen nog eens vier agenten met getrokken pistool het toilet binnenstuiven. Twee waren van de luchthavenpolitie, de andere twee waren Raines en Stone. Ze keken verbijsterd toen ze me geknield naast de dode politieman zagen liggen, de vloer rood van het bloed.

'Sta op!' riep Stone.

Ik probeerde overeind te komen, maar dat ging blijkbaar niet snel genoeg, want Stone greep me bij mijn haren, sleurde me overeind en met een triomfantelijk gezicht haalde hij een stel handboeien tevoorschijn.

'Kate Moran, ik arresteer je op verdenking van moord op Otis en Kimberly Fleist.'

108

Virginia

Frank Moran reed de gehuurde pick-up het terrein van het psychiatrisch ziekenhuis Bellevue op en stopte. Hij zette een bril op, haalde een stel toneeltanden uit zijn zak, stak die in zijn mond en grijnsde naar zichzelf in de achteruitkijkspiegel. 'Die vooruitstekende tanden staan me eigenlijk wel goed.'

Hij keek naar Bellevue en aarzelde, keek nog eens en zei tegen zichzelf: 'Wil je nou wel eens ophouden met je druk te maken, man? Gewoon flink zijn en doen.'

Gary Vasem was een lange, gespierde, goed uitziende kerel, permanent gebruind, met een coup soleil en gebleekte tanden. Hij was het avondhoofd van de Psychiatrische Inrichting Bellevue en was bezig een aantal dossiers door te nemen toen er een man van middelbare leeftijd in een blauwe overall binnenkwam. Vasem keek op en glimlachte. De man die voor hem stond leek een beetje op een langere versie van Tommy Lee Jones, alleen had hij vooruitstekende tanden. 'Meneer?'

De man keek naar Vasems naamplaatje. 'Heb jij hier de leiding, Gary?'

'Inderdaad, meneer.'

'Is professor Jenks aanwezig?'

'Nee, meneer, die is naar huis.'

De bezoeker toonde een legitimatie. 'Die boft toch maar dat hij geen ploegendienst hoeft te doen. Mijn naam is Moran. Ik ben van de telefoonmaatschappij. Ik heb de oorspronkelijke PABX hier nog geïnstalleerd. Maar dat is jaren geleden. Lang voor jouw tijd, jongeman.'

Vasem schonk hem een prodentglimlach, gestreeld omdat hij *jongeman* tegen hem zei, terwijl hij bijna veertig was. Die achthonderd dollar die hij kortgeleden aan botox had gespendeerd, waren klaarblijkelijk welbesteed geweest.

'Ik denk dat er hier sindsdien nogal wat veranderd is, meneer.'

Moran knikte. 'Ja, ik zie dat het bestuur eindelijk een paar centen heeft uitgegeven aan een likkie verf. Je ziet er aardig fit uit, Gary. Train je veel?'

Vasem straalde helemaal. 'Vrijwel elke dag.' Hij was ontzettend trots op zijn lichaam.

'Dat kan ik zien,' zei Moran bewonderend. 'Je ziet er prima uit, man. Maar eh, jullie hebben problemen met de telefoon. Het was dringend, zeiden ze.'

De verpleger fronste zijn wenkbrauwen. 'Volgens mij werkt alles goed. Wie heeft die storing gemeld?'

Moran keek op zijn klembord. 'Hier staat dat professor Hicks het gefikst wilde hebben. Volgens hem zat er op een paar lijnen zo nu en dan een bromtoon. We hebben het vandaag hartstikke druk gehad, vandaar dat ik nou pas kom.'

Gary keek bedenkelijk. 'Ik weet niet of ik wel bevoegd ben om u aan de telefoon te laten werken, meneer.'

Moran trok zijn schouders op en zei zonder blikken of blozen: 'Hé, het maakt mij niet uit, Gary, maar de voorrijkosten worden wel doorberekend. De verdeelkast zit in de kelder, of niet? Misschien zou je het aan dr. Hodge kunnen vragen? Die herinner ik me nog van de laatste keer dat ik hier was. Je zou haar even kunnen bellen en zeggen dat Moran er is.'

'Dr. Hodge is de hele week in Vegas voor een medisch congres, meneer.'

Moran grijnsde. 'Die tante boft toch maar. Wedden dat ze in haar vrije uren achter de trekkasten zit?'

Vasem lachte. 'Denkt u dat?'

'Reken maar. Dus, wat gaan we doen, Gary? Moet ik weggaan of blijven? Jij bent hier de baas. Jij moet het zeggen.'

De verpleger haalde zijn schouders op. 'Ach, ik denk dat het wel goed is.'

Moran knikte. 'Zo mag ik het horen, Gary. Niet kletsen maar doen. Ik ga de bedrading controleren.'

109

Baltimore International Airport, Maryland

Vijf minuten na mijn arrestatie werd ik geboeid door Stone en Raines naar een onopvallende groene Ford gebracht die buiten voor de aankomsthal stond.

Ik voelde me niet op mijn gemak met Raines. Hij had mijn handbagage doorzocht en mijn penning in beslag genomen, alsof hij me duidelijk wilde maken dat er tussen ons geen enkele vriendschap meer bestond. Maar ik voelde een sterke behoefte om hem alles uit te leggen. 'Lou, we moeten praten...'

Hij keek me met een ijzige blik aan. 'Dat kun je wel zeggen, Kate. Goeie god, je hebt wel een paar vragen te beantwoorden. We praten in de auto.'

Bij de Ford gekomen duwde Stone me op de achterbank en kwam naast me zitten, terwijl Raines achter het stuur plaatsnam.

'Zijn die handboeien echt nodig?' zei ik.

Raines keek me strak aan. 'Wat denk je zelf, Kate? We hebben bewijzen die jouw aanwezigheid op de plaats delict van Fleist aantonen. En dan heb ik het nog niet eens over wat we zojuist in dat toilet hebben gezien.'

'Wat voor bewijzen?'

'Speel alsjeblieft niet de vermoorde onschuld, Moran,' zei Stone. 'In de camper van Fleist hebben we vezels gevonden die afkomstig zijn van een broekpak dat jouw eigendom is. En we hebben een getuige die jou de avond dat Fleist werd vermoord met hem heeft horen ruziemaken. De vraag is waarom je hem en zijn dochter hebt vermoord en waarom je hebt geprobeerd om het er als een copycatmoord te doen uitzien.'

Ik was met stomheid geslagen. 'Dat is krankzinnig. Ik heb Fleist noch zijn dochter of wie dan ook vermoord.'

'Dat zullen we nog wel eens zien,' zei Stone. 'En hoe zit het met die agent van de luchthavenpolitie?'

'Ik heb het gezicht van de moordenaar niet gezien, die is net voordat jullie kwamen door het raam ontsnapt. Maar ik wéét dat het dezelfde man is als de moordenaar in Istanbul.'

'Dat komt goed uit, zeg,' zei Stone minachtend. 'Wou je ons vertellen dat er iemand aan een internationale moordtournee bezig is en jou voor een aantal van die moorden wil laten opdraaien?'

'Dat is precies wat ik je wil vertellen. En je kunt me ook maar beter geloven, Stone.'

'Nou, dat doe ik dus niet. Ik geloof alleen de bewijzen. Vertel ons dus maar eens wat jij van de dood van Otis en Kimberly Fleist weet, Moran.'

Ik was woedend. 'Stone, als jij niet zo verblind was door de walging die je voor me voelt, zou je weten dat ik de Fleists onmogelijk vermoord kan hebben.'

'Vertel dat maar aan de openbaar aanklager als die de bewijzen voor zijn neus heeft. Er is al lang geen sprake meer van redelijke twijfel, Moran.'

Ik wendde me naar Raines. 'Lou... Je moet naar me luisteren.'

Raines keek kwaad en startte de auto. 'Je hebt gelijk, we moeten praten. Je hebt heel wat uit te leggen, dus het lijkt me het beste dat je daar nu onmiddellijk mee begint.'

De Discipel stond buiten de aankomstterminal en zag hoe Kate Moran geboeid werd afgevoerd. De stomme trut had zich laten pakken. Daarmee had ze zijn hele plan in de war gegooid.

Hij had nog maar nauwelijks door het raam van dat toilet kunnen ontsnappen – als hij nog een paar seconden had getalmd, zou hij diep in de problemen hebben gezeten. Het raam bleek op een smal steegje tussen de gebouwen uit te komen. Een paar minuten later was hij ongehinderd door een personeelsingang aan de zijkant van de terminal naar buiten gewandeld.

Bingo. Hij had erop gerekend dat de politie Moran via de voorkant naar buiten zou brengen, en dat bleek inderdaad het geval te zijn. Bleef de vraag hoe hij haar in handen zou kunnen krijgen.

Hij zag dat ze door twee agenten van de FBI achter in een auto werd gestopt en begreep dat hij snel zou moeten handelen. Hij liep naar de taxistandplaats, waar een zwarte chauffeur met een opzichtige rode vlinderstrik in de voorste auto zat en zei: 'Zeg, moet je luisteren – als je doet wat ik zeg, krijg je tweehonderd dollar fooi van me.'

De chauffeur keek hem aan. 'Ik denk dat je de verkeerde voor hebt, vrind. Zo eentje ben ik echt niet.'

'Ik wil dat je achter een andere auto aan gaat.'

De taxi was oud en volgens de Discipel was de teller al minstens twee keer over de kop gegaan, maar hij hoopte dat hij nog goed genoeg was.

De ogen van de chauffeur begonnen te glinsteren. 'Kijk, dat wordt een ander verhaal. Tweehonderd dollar, zei je? Stap als de donder in, man.'

De Discipel stapte achter in de taxi. 'Zie je die groene Ford die daar net wegrijdt?'

De chauffeur draaide zich om en zei: 'Wat is dit, een ogentest? Natuurlijk zie ik die. Ik ben niet blind, man.'

'Vergeet die tweehonderd. Als je kans ziet om die Ford bij te houden, maak ik er vijfhonderd van.'

110

Psychiatrische Inrichting Bellevue, Virginia

Frank Moran was een uur lang bezig om de dossiers in de kelder door te spitten. De reis naar Bellevue was een idee van hemzelf. Hij had niets tegen Kate gezegd, maar hij hoopte dat het bezoek de moeite waard zou zijn.

Hij had een aantal mappen uit de archiefdozen gehaald en de inhoud op de tafel uitgespreid, maar de zwakke, stoffige tl-buizen aan het plafond hielpen niet veel. Het deksel van de telefoonkast had hij opengemaakt zodat de bundels gekleurde draden zichtbaar waren, voor het geval de verpleger argwaan zou krijgen en naar beneden kwam om te kijken wat hij deed.

Hij had net een volgende doos opengemaakt toen hij voetstappen de trap af hoorde komen. Hij graaide de documenten bij elkaar en verstopte ze onder de tafel. De zonnebankgebruinde Gary verscheen op de trap, bleef halverwege staan en riep: 'Lukt het een beetje daar beneden?'

Moran liet zijn vooruitstekende tanden zien en gebaarde naar een donkere hoek. 'Ja, dat gaat prima. Het licht is niet best, maar eh, raad eens wat ik heb gezien?'

'Wat dan?'

'Een rat, daarzo.'

'Een *rat*?'

'Nou en of. D'r zullen nog wel meer zitten ook, dus je kunt maar beter de ongediertebestrijding bellen. Ik heb een reuze pest aan die krengen, ze geven me de griezels. Ik ben altijd bang dat ik gebeten word en een van die rotziektes krijg die knaagdieren bij zich hebben. Het was een flinke kanjer die ik daar zag.'

Gary maakte aanstalten om weer naar boven te gaan. 'Ik... ik kwam alleen maar even kijken of alles in orde was.'

Moran liet zijn valse tanden nog een keer zien. 'Maak je over mij maar geen zorgen. Zodra ik klaar ben, kom ik boven.'

'Ja... ja, prima.' De verpleger ging naar boven, lachte nog een keertje nerveus en deed de deur weer dicht.

Moran trok een dikke, bruine map uit de stapel, begon hem door te bladeren en fronste zijn wenkbrauwen. Hij legde de map op tafel en bekeek de pagina's bij het licht van zijn zaklamp. In de daaropvolgende twintig minuten nam hij het hele dossier door.

Toen hij tussen de pagina's een vel van een geel schrijfblok vond, kreeg hij kippenvel. Hij las de met de hand geschreven tekst en werd lijkbleek. 'Jezus.'

Moran keek met een starre blik naar het velletje papier en zei tegen zichzelf: 'Frank, jongen, het is gewoon niet te geloven wat je hier hebt gevonden.'

111

Ik vertelde Lou Raines alles, van het begin tot het eind, en legde ook uit waarom ik zijn orders niet had opgevolgd. Raines keek me zo nu en dan in de achteruitkijkspiegel aan. Stone luisterde ook, mar volgens mij interesseerde het hem totaal niet wat ik te vertellen had; hij had voor zichzelf al besloten dat ik schuldig was.

'Ben je klaar, Moran?' vroeg hij nuchter.

'Ik heb jullie alles verteld wat ik weet. Ik begrijp niet hoe een getuige me in het caravanpark gezien zou kunnen hebben. Ik heb daar geen antwoord op, behalve dat het doorgestoken kaart moet zijn.' Ik staarde Raines in de achteruitkijkspiegel aan, maar hij negeerde mijn blik. Ik stond bijna op instorten. 'Hoe komt het dat ik het gevoel krijg dat zelfs jij me niet gelooft, Lou?'

Raines ontweek mijn vraag. 'Krijg ik je theorieën nog te horen over wie de boosdoener zou kunnen zijn?'

Ik hoorde de wanhoop in mijn eigen stem. 'Het enige wat ik zeker weet, is dat iemand probeert om mij voor de Fleist-moorden op te laten draaien. Maar waarom iemand dat zou willen doen, is me volkomen duister, afgezien van de verdenking die ik over Gamal had.'

Raines keek me afwijzend aan. 'Dat is volslagen krankzinnig. Daar geloof ik geen bliksem van. Heb je ooit gehoord dat iemand een executie met een dodelijke injectie heeft overleefd?'

'Dat wil niet zeggen dat het niet zou kunnen gebeuren, Lou.'

'Het is een lulverhaal,' was Stones commentaar. Hij vervolgde tegen Lou: 'Ik zei toch dat ze geschift was? Duidelijker kan het niet, of wel?'

Raines keek me in de spiegel aan. 'Je moet daar echt over ophouden, Kate. Het is te gek om zelfs maar over te praten. Gamal is dood verklaard, zijn lijk is geschouwd en hij is begraven.'

Maar ik gaf niet op. 'Hoe kunnen we er zo zeker van zijn dat het zijn lijk is dat begraven is? Hoe kunnen we ook maar *iets* met zekerheid zeggen, tenzij we Gamal opgraven?'

Raines zuchtte gefrustreerd. 'Stel mijn geduld niet op de proef, Kate. Hij is dood, afgelopen.'

'En die geheimzinnige telefoontjes dan die ik in de cottage kreeg?'

'Je hebt ons zelf verteld dat je er aanvankelijk niet zeker van was of je inderdaad was gebeld of je dat alleen maar had verbeeld.'

'Dat tweede gesprek weet ik heel zeker...' voerde ik aan.

'Dat kan best zo zijn, maar op dit moment vind ik het veel belangrijker dat je mijn orders hebt genegeerd en keihard tegen Cooper hebt gelogen.'

'Dat was niet mijn bedoeling, maar ik *moest* die plaats delict in Istanbul zien, Lou.'

'Je hebt Cooper ook in de problemen gebracht. Hij heeft een eerdere vlucht genomen en is vandaag thuisgekomen.'

Ik wilde vragen wat voor problemen dat waren toen Stone zich erin mengde. 'Je kunt niet om de feiten heen, Moran — die textielvezels die we hebben gevonden en onze getuige.'

Ik keek hem strak aan. 'Ik ben rechercheur, Stone. Ik weet hoe bewijsmateriaal op een plaats delict wordt verzameld. Denk je nu echt dat ik, als ik de Fleists om welke reden dan ook, had vermoord, zo dom zou zijn om sporen na te laten?'

Stone zei: 'Ik hoef geen vragen te beantwoorden, Moran, jij wel. Maar nog even, dan heb ik het antwoord op de grote vraag — waarom je David en Megan hebt vermoord en het hebt doen voorkomen alsof het om een copycatmoord ging.'

Ik werd helemaal dol en als ik niet geboeid was geweest, zou ik hem een klap in zijn bek hebben gegeven.

Hij keek me zelfvoldaan aan. 'Ik heb je te pakken, Moran. Je bent er gloeiend bij, dus waarom zou je niet bekennen? We hebben trouwens nog een lekker toetje voor je.'

'Wat voor toetje?'

Stone zei: 'Het lijkt erop dat Gamal die andere twee moorden inderdaad heeft gepleegd, precies zoals hij beweerde. En we hebben bewijs.'

Mijn hart begon sneller te kloppen. 'Over wat voor bewijs heeft hij het?' vroeg ik aan Raines.

Raines zei toonloos: 'Gamal heeft de waarheid gesproken over die lijken. We hebben ze gevonden waar hij zei dat ze lagen, in de metrotunnel in Chinatown. Het lab is nog bezig, maar het ziet ernaar uit dat hij beide slachtoffers heeft vermoord rond dezelfde tijd als waarop hij David en Megan zou hebben vermoord.'

112

'Zeg, meneer, weet u zeker dat u die vijfhonderd in uw zak hebt zitten?'
Na de Ford tien kilometer te hebben gevolgd, wierp de taxichauffeur
een bezorgde blik achterom.

'Ja, natuurlijk.'

'Zou ik ze even mogen zien? Ik krijg allerlei soorten mensen in mijn
wagen en je moet een beetje uitkijken dat je niet wordt getild. Niet dat
ik zeg dat u zo bent, maar het zou toch helpen als ik de poen even kon
zien, begrijpt u wat ik bedoel?'

De Discipel staarde in gedachten verzonken voor zich uit.

De taxi zat ongeveer honderd meter achter de Ford en hij was ervan
overtuigd dat de twee agenten haar naar Washington brachten, waarschijnlijk naar het bureau op Judiciary Square. Hij *moest* ze tegenhouden.
Maar hoe?

'Hoort u wat ik zeg, meneer?' zei de taxichauffeur.

'Ja, ik heb de centen in mijn zak en ja, ik zal ze je laten zien. Haal die
Ford in en stop op de eerstvolgende parkeerplaats.' Hij haalde zijn portefeuille uit zijn zak en begon bankbiljetten te tellen.

'Inhalen?'

'Dat zei ik, ja. Kom op, vlug een beetje,' zei de Discipel ongeduldig.

De chauffeur trapte het gaspedaal in, koos de linkerrijstrook en haalde
de Ford in. Terwijl ze passeerden wierp de Discipel een blik in de auto.
Hij zag Moran met een van de agenten achterin zitten, de andere reed.
De taxi begon vaart te minderen. 'Rij door!' zei hij tegen de chauffeur.

'Dat kan niet, meneer, we krijgen een verkeerslicht.'

De Discipel keek naar voren en zag het licht juist oranje worden. *Shit.*
Hij wilde niet naast de Ford komen te staan. De chauffeur bleef vaart
minderen, maar de Discipel schreeuwde: 'Rij door! Ik heb niks met die
lichten te maken.'

'Meneer, als er politie staat, ben ik de lul...'

'Rij door, godverdomme! Ik maak er duizend van!'

'Duizend?'

'Je hebt me gehoord. Doe wat ik zeg!'

De hebzucht van de chauffeur won het van zijn verstand. Hij trapte het gaspedaal weer in en schoot het kruispunt over, toen juist het licht op rood sprong. Honderd meter verderop zag de Discipel een parkeer-haven en hij wees. 'Stop daar.'

'U hebt me een overtreding laten begaan. Wat is er loos, meneer?' vroeg de chauffeur.

De Discipel stak zijn portefeuille weer in zijn zak. 'Een kleine wijzi-ging van de plannen. Ik wil er hier uit.'

'Meneer, voor mijn part stap je in Kentucky uit, zolang ik die rooie rug nou maar krijg die je me hebt beloofd.'

De Discipel stapte uit en stak de man het bundeltje bankbiljetten door het raam toe. 'Bedankt.'

'U ook bedankt.' De chauffeur keek met een stralend gezicht naar het geld in zijn hand.

De andere hand van de Discipel kwam in een flits omhoog. Hij stak de injectienaald diep in de hals van de chauffeur.

'Wat krijgen we nou, godver...' wist de chauffeur nog uit te brengen, maar het volgende moment draaide hij met zijn ogen en viel zijn hoofd opzij.

De Discipel deed het portier aan de kant van de chauffeur open. De oude taxi had voorin geen aparte stoelen, maar een doorlopende voor-bank. Niettemin kostte het de Discipel de grootste moeite om de be-wusteloze man opzij te schuiven, naar de passagierskant, voordat hij zelf in kon stappen. Hij draaide zich om en zag dat het licht weer op groen was gesprongen. Even later passeerde de Ford. Kate Moran zat achterin en staarde strak voor zich uit.

'Nou heb ik je te grazen, vuil kreng,' mompelde de Discipel, terwijl hij zich in het verkeer voegde en de Ford achternastoof.

113

Ik had grote moeite om wat Raines me zojuist had verteld tot me door te laten dringen. *Gamal heeft de waarheid gesproken over die lijken. We hebben ze gevonden waar hij zei dat ze lagen, in de metrotunnel in Chinatown.* Ik dui-zelde en had een gevoel of ik flauw zou vallen.

'Heb je gehoord wat ik zei?' zei Raines.

'J... ja.'

'De slachtoffers waren een thuisloze zwarte man en zijn twaalfjarige dochter die vermist werden uit een opvanghuis van het Leger des Heils. Ze waren gezien in Chinatown en verdwenen rond het tijdstip waarop David en Megan werden vermoord.'

Raines' onthulling was een dusdanige schok voor me dat ik misselijk werd. 'Ik... ik voel me niet goed. Kunnen we even stoppen?'

Stone wilde er niet van horen. 'Je blijft in de auto tot we op het hoofdbureau zijn. Die geintjes van jou, daar trappen we niet in, Moran.'

'Het is geen geintje. Ik ben misselijk.'

'Je kotst maar een eind weg, maar we stoppen niet voordat we in DC zijn.'

Raines kwam niet tussenbeide en ik voelde me erg eenzaam. Ik zei tegen hem: 'Ik... ik was ervan overtuigd dat Gamal loog. Ik had nooit verwacht dat we in de metro iets zouden vinden.'

'Nou, dat gebeurde dus wel,' antwoordde Raines. 'De eerste resultaten van het onderzoek en de modus operandi wijzen erop dat Gamal de moordenaar moet zijn geweest en dat betekent dat hij in Chinatown was toen David en Megan werden vermoord.'

Ik raakte steeds meer in paniek en kon nog maar nauwelijks ademhalen. 'Maar hij... hij had beide moorden kunnen plegen.'

'Inderdaad,' zei Lou Raines. 'Dat is altijd mogelijk. Maar ik ben er nog niet zo zeker van. Vertel het haar maar, Stone.'

Stone zei: 'Nadat Gamal de slachtoffers begraven had en bezig was de sporen uit te wissen, werd hij gezien door iemand van de metro. Die bevestigt Gamals bewering dat hij 's middags in de tunnel was. Hij kan David en Megan dus niet rond diezelfde tijd hebben vermoord. Dat moet iemand anders zijn geweest.'

Stone deed geen enkele moeite om zijn beschuldigende toon te verhullen. Ik begon alle hoop te verliezen dat ik Raines van mijn onschuld zou kunnen overtuigen. 'Jezus, Lou, je wéét hoeveel ik van David en Megan hield. Ik zou ze toch niet hebben kunnen vermoorden.'

Stone gaf antwoord en zo te horen had hij plezier in de situatie. 'O nee? Hoe zit het met het motief?'

'Welk motief?'

'Geld. Je hebt een grote erfenis gekregen.'

'Ik heb nooit ook maar een cent van dat geld aangeraakt. En het was Davids idee om me tot zijn erfgenaam te benoemen.'

Stone grijnsde gemeen. 'En je weet zeker dat je hem niet hebt aangemoedigd, Moran?'

'Val toch dood jij.' Discussiëren met Stone had geen enkele zin.

Ik wendde me weer tot Raines: 'Lou, ik heb de moordenaar daar in dat toilet *gezien*. Ik vergis me echt niet.'

Raines keek me in de achteruitkijkspiegel aan. 'Ik beweer niet dat dat niet waar is, maar de luchthavenpolitie heeft de hele omtrek afgezocht en niets gevonden. Ze hebben geen enkele verdachte persoon gezien die ervandoor probeerde te gaan.'

'Baltimore International is een grote, drukke luchthaven. De moordenaar kan gemakkelijk ontkomen zijn.'

'De beveiligingsdienst van de luchthaven is ingelicht en het signalement van de man die jij beweert te hebben gezien is verspreid. De wachtcommandant zal het ons laten weten als ze iets vinden. Moet je luisteren, Kate. We zijn al heel lang vrienden, maar ik kan niet voorbijgaan aan het feit dat er over jou een paar heel belangrijke vragen onbeantwoord zijn. Ik kan evenmin voorbijgaan aan het feit dat je in de loop der jaren door je werk een aantal vijanden hebt gemaakt, dus misschien probeert iemand inderdaad om je erin te luizen. Ik geef toe dat dat een mogelijkheid is, dus denk niet dat ik je zomaar laat vallen. Maar we gaan naar het bureau en we zoeken dit tot op de bodem uit. Intussen hou jij je mond een poosje dicht, Stone, oké?'

Stone grijnsde nog steeds en leunde achterover. 'Je zegt het maar.'

'Lou, wat ik je heb verteld, is de zuivere waarheid.'

'Laat het voor nu even zitten, Kate. Ik zou het op prijs stellen als we ons de rest van de rit allemaal kalm hielden.'

Raines bepaalde zijn aandacht bij de weg. Hij zei dan wel dat hij me niet liet vallen, maar ik kreeg nu niet direct de indruk dat hij aan mijn kant stond. Ik voelde me machteloos en verraden. Wat Raines me zojuist had verteld, werd me te veel. Mijn maag speelde op, ik voelde gal in mijn keel opstijgen en kokhalsde.

'Jezus, Moran!' Stone wendde zich van me af.

Raines minderde vaart. 'Laat haar uit de auto, Stone, voordat ze de hele boel onderkotst!'

114

De Discipel hield een snelheid van honderdtwintig kilometer per uur aan en bleef honderd meter achter de Ford. Hij had het blonde sikje van zijn kin gehaald en zijn bril afgezet. Nu zette hij de pet van de chauffeur op en pakte de injectiespuit. Hij gebruikte zijn ellebogen om het stuur vast te houden, prikte de naald door het rubberdopje van het flesje en vulde de spuit met benzo. Het enige wat hij nu hoefde te doen, was zorgen dat hij dicht bij de Ford kwam en zijn plan uitvoeren.

Hij wilde het zo doen – zodra ze de snelweg hadden verlaten, zou hij de Ford passeren, er vlak voor gaan rijden en dan op de rem trappen, waardoor er een kop-staartbotsing zou ontstaan. Hij zou uitstappen, zich duizend keer verontschuldigen en zeggen dat zijn passagier opeens ziek was geworden. Hij zou vragen of ze hem konden helpen de taxichauffeur uit de auto te halen. Als ze dat deden zou hij – *klabots* – de ene met de injectienaald prikken, zijn pistool grijpen en zijn maat overhoopschieten. Het was een beetje riskant, maar hij had er alle vertrouwen in dat het hem zou lukken. Daarna was Moran aan de beurt.

Naast hem snurkte de taxichauffeur luidruchtig. Had hij misschien te veel benzo gebruikt en had die gozer daardoor een beroerte gekregen? Niet dat het hem ook maar ene moer kon schelen. Hij tastte opzij en voelde de pols van de man. Zwak.

Hij leunde weer achterover in zijn stoel en zag iets op de vloer liggen. Het was een metalen ploertendoder – het type met een veer die naar buiten schoot als je een felle beweging met je pols maakte. Die had de chauffeur kennelijk als bescherming bij zich gehad. De Discipel stak hem in zijn zak. Die kon hem misschien van pas komen als hij met die FBI-agenten afrekende.

Hij keek naar de borden langs de weg. Verderop was Claremont Crossroads. Daarna kwam er een winkelcentrum bij de afslag net voor de Eisenhower Freeway. Hij zou snel moeten handelen.

Maar plotseling sloeg zijn hart een keer over. De Ford remde hard en sloeg rechtsaf, naar het winkelcentrum. De auto reed met een vaart naar het parkeerterrein, in de richting van een stil gedeelte en stopte, waarna de deuren opengingen. Moran kwam eruit en boog zich voorover alsof ze moest overgeven. Een van de agenten stapte eveneens uit en ging naast haar staan. Dit was perfect.

Hij remde, ging rechtsaf en reed het parkeerterrein op.

Ongeveer honderd meter voor de Ford minderde hij vaart. Hij dacht koortsachtig na hoe hij zijn plan moest aanpassen en opeens – *tjsakka!* – dat was het. Hij wist *exact* wat hij zou gaan doen.

Moran stond nog steeds voorovergebogen met die FBI-agent naast haar.

Hij voelde of zijn gordel goed vastzat, trapte toen het gaspedaal in en stormde op Moran af. Binnen een paar seconden was de afstand afgenomen tot minder dan vijftig meter. Ze zou geen tijd hebben om uit de weg te gaan.

Hij grijnsde toen Moran verschrikt opkeek en de auto op zich af zag stormen. *Te laat, kreng.* De Discipel trapte het gas op de plank en de taxi schoot brullend vooruit.

115

Hoe ik het ook probeerde, ik kon niet overgeven. Het enige wat ik deed was kokhalzen, een reactie op alle opgekropte angst en spanning. Ik kon wel janken. Ik wist dat ik Lou Raines er niet van had kunnen overtuigen dat ik geen moordenaar was.

'Moet je nou nog kotsen of hoe zit dat?' Stone gaf me een por met zijn vinger. Hij stond vlak naast me, zijn hand op het openstaande achterportier gesteund. Raines was voorin blijven zitten en trommelde ongeduldig met zijn vingers op het stuur.

'Ik... ik ben nog niet klaar.'

'Nou, schiet dan verdomme een beetje op,' zei Stone geagiteerd.

Ik keek naar het winkelcentrum en dacht: *Wat, als ik ervandoor ga?*

Raines riep: 'Hoe is het met haar?'

Stone nam niet eens de moeite om te antwoorden, maar porde nog een keer, deze keer met de knokkels van zijn gebalde vuist. 'Kom op, Moran. Kotsen of instappen.'

Stone stond ongeveer twee meter bij me vandaan. Zijn arm lag op het geopende portier. Hij woog goed honderd kilo, en was een beetje te zwaar. Ik schatte de afstand naar het winkelcentrum op tweehonderd meter en nam aan dat ik harder kon lopen dan hij. Maar ik was geboeid. Daarbij had ik Stone op de schietbaan bezig gezien: hij was een prima schutter. Hij zou me neerschieten voordat ik vijftig meter had afgelegd.

Ik maakte aanstalten om weer in de auto te stappen toen er iets vreemds gebeurde. Een oude grijze taxi kwam met hoge snelheid dwars over het parkeerterrein op ons af. Achter de voorruit was het gezicht van de chauffeur vaag zichtbaar. Ik kon mijn ogen niet geloven – die taxi lag op een ramkoers met de Ford.

'Stone! Achter je!' riep ik.

Stones hand ging onmiddellijk naar zijn holster. 'Geen geintjes, Moran.'

Ik wilde schreeuwen dat hij opzij moest springen, maar Stone had nu het motorgeraas van de taxi gehoord, want plotseling draaide hij zijn hoofd met een ruk om. Toen was de taxi al bij ons. Ik liet me op de grond vallen en rolde weg. Een seconde later hoorde ik remmen krijsen. De taxi boorde zich met een oorverdovende klap in de Ford.

116

Drie seconden voordat hij op de Ford klapte, ging de Discipel op de rem staan. Daardoor nam zijn snelheid wel af, maar hij deed toch nog goed vijftig toen hij de andere auto raakte. *Boem!* Met een klap als een donderslag botste de taxi tegen de achterkant kant van de Ford. De Discipel voelde zichzelf uit zijn stoel omhoogkomen, maar zijn veiligheidsgordel trok hem op tijd terug.

Een seconde later steeg er een wolk van stoom onder de motorkap uit. De Discipel had erop gerekend dat de oude taxi geen airbag zou hebben en dat bleek te kloppen. Hij voelde zich een beetje duf van de klap, maar hij had niets.

Geweldig! Het was gelukt!

Moran was op het laatste moment opzij gerold, maar een van de agenten was door de kracht van de botsing tegen de zijkant van de Ford gesmeten en lag nu op de grond. De andere zat nog voorin en probeerde zich van de opgeblazen airbag te ontdoen.

De Discipel sprong uit de taxi terwijl de agent die op de grond lag overeind probeerde te krabbelen. Hij zag er versuft uit; er stroomde bloed uit zijn neus. De Discipel grijnsde terwijl hij hem van achteren naderde.

'En waar wou jij dan wel heen?'

Voordat de man om kon kijken had de Discipel de ploertendoder al opgeheven en hem een klap op zijn achterhoofd gegeven. De agent gromde een keer. Voor alle zekerheid gaf de Discipel nog maar twee klappen, waarna hij als een vormeloze hoop op de grond bleef liggen. Uit een diepe wond in zijn achterhoofd stroomde bloed.

De Discipel zag Moran wegstrompelen. Zij kwam straks wel aan de beurt – eerst moest hij hier nog iets afhandelen. Hij knielde naast de agent neer, deed zijn jasje opzij en zag de Glock. Hij trok het wapen uit de holster, wrong er ook nog twee reservemagazijnen uit en greep de FBI-penning. Hij stond op en liep naar de Ford.

Hij grinnikte toen hij Lou Raines herkende, die nog steeds met de airbag worstelde en met zijn gezicht tegen het zijraam gedrukt zat. Zijn ene oog was open, het andere dicht. *Grappig. Net als op de film, alleen loopt dit verkeerd af.*

'Hallo, Lou,' zei de Discipel met een grote grijns om zijn mond. 'Zo komen we elkaar toch weer tegen. Ben je klaar om de duivel te begroeten?'

Raines keek op en er verscheen een uitdrukking van puur afgrijzen op zijn gezicht toen hij zijn aanvaller herkende. De Discipel hief de Glock op en schoot Raines dwars door de ruit twee keer in het hoofd. Daarop draaide hij zich om. Moran was inmiddels een meter of zeventig gevorderd naar de ingang van het winkelcentrum.

Ze kon hard lopen, maar hij ook.

Hij zette de achtervolging in.

117

Verdwaasd van schrik rende ik naar het winkelcentrum. Telkens weer zag ik die botsing gebeuren: de taxi die tegen de Ford aan knalde, Stone die door de lucht vloog, tegen de zijkant van de auto werd gesmakt en op de grond viel. Toen ging de deur van de taxi open en ik zag een man uitstappen. Hij liep naar Stone en gaf hem een klap met een ploertendoder.

In mijn hoofd gingen allerlei alarmbellen af. *Dit is niet zomaar een ongeluk.*

Ik strompelde achteruit en kon nauwelijks overeind blijven toen ik zag wat er gebeurde: de man schoot Lou Raines in koelen bloede dood. Toen draaide hij zich om en keek mij aan; en dat was het moment waarop ik de volgende schok kreeg: het was die kerel die ik in het vliegtuig had gezien. Ik wist het zeker. De man met de grijze wollen muts en een baardje. Maar nu was zowel de baard als de muts verdwenen. Hij had een vermomming gebruikt. Het was alsof ik een stomp voor mijn hoofd kreeg. *Het moet Gamal in een vermomming zijn. Of ben ik paranoïde?* Vast niet. Zeker weten deed ik het niet, maar hij had bewezen dat hij de kunst van het vermommen verstond en hij had ongeveer hetzelfde postuur als Gamal.

De moordenaar kwam op me af. Ik rende naar het winkelcentrum.

De Discipel rende over het parkeerterrein. Hij was in topconditie en het kostte hem geen enkele moeite het tempo vol te houden. Hij zag Moran in het winkelcentrum verdwijnen. Er keken wat mensen naar hem, maar hij had het pistool al in zijn zak gestoken. Hij wist dat hij snel moest handelen; het zou niet lang duren voordat de politie of de beveiligingsmensen van het winkelcentrum zouden verschijnen.

Even later ging hij de hoofdingang van het winkelcentrum binnen. Hij keek in het rond en zag Moran een meter of vijftig verderop rennen. Ze verdween juist links om een hoek.

Voordat hij verderging nam hij zijn omgeving als een jager in zich op. Er waren maar weinig klanten in het winkelcentrum. Beveiliging zag hij helemaal niet – wel wat moeders met wandelwagentjes, een stuk of wat bejaarde mensen en winkelpersoneel, voornamelijk tieners, die verveeld voor de deur stonden.

Hij begon plezier in de jacht te krijgen. Hij was ervan overtuigd dat hij Moran te pakken zou krijgen, klopte op de zak waarin de Glock zat en betastte de injectiespuit in de andere. Deze keer zou ze niet ontkomen.

118

Stone kwam kermend bij bewustzijn en krabbelde overeind. Hij duizelde en zag alles dubbel, maar bleef overeind door tegen de Ford te leunen. Zijn hoofd voelde alsof hij een klap met een krik had gekregen; hij was misselijk van de pijn. Hij voelde iets langs zijn hoofd lopen en zag zijn eigen bloed op de grond druppelen. *Jezus.* Heel voorzichtig betastte hij zijn achterhoofd. Het voelde aan alsof het tot pulp was geslagen; hij kon zijn hoofd maar nauwelijks omdraaien. Hij hoopte maar dat hij geen schedelbreuk had. Langzaam werd hij wat helderder. Hij draaide zich om en knipperde met zijn ogen.

Lou Raines' bebloede gezicht hing half uit het verbrijzelde zijraam. Hij had twee kogelgaten in zijn hoofd, eentje boven zijn linkeroog en een tweede net boven de neus. De binnenkant van de auto en de leeggelopen airbag zaten onder het bloed en de hersenmassa.

Ongelovig strompelde Stone naar de auto. Hij wist dat het geen zin had, maar toch voelde hij Raines' pols. Dood. Wat was er in jezusnaam gebeurd? Hij wist nog dat hij van achteren geraakt was. Toen moest hij het bewustzijn hebben verloren. Hij strompelde naar een grijze taxi die van voren helemaal in elkaar zat. Op de voorbank lag een zwarte man van middelbare leeftijd. Stone voelde zijn pols. Niets. Aan de foto op het legitimatiebewijs op het dashboard zag hij dat het de taxichauffeur was. Had hij een hartaanval gekregen en was hij toen tegen de Ford aan geklapt? Maar waarom lag hij dan rechts voorin? En wie had Raines doodgeschoten? Hij tastte instinctief naar zijn pistool. Dat was verdwenen. Hij keek op de grond rondom de auto's, maar zag zijn wapen nergens liggen.

Zijn hoofd deed verschrikkelijk pijn, maar hij zag kans zijn telefoon uit zijn zak te halen en toetste een nummer in.

'Norton,' zei een nasale stem.

'Gus, ik ben het, Stone.'

'Waar zit je, Vance? Je klinkt een beetje vreemd.'

'Nou, ik voel me ook een beetje vreemd, Gus. Raines is zojuist doodgeschoten. Ik neem aan dat Moran dat heeft gedaan en zij is er nu vandoor. Ze is gewapend, gevaarlijk en wanhopig.'

'Moran?'

'Je hebt me gehoord. Zij was de enige die in de buurt was. Ik neem aan dat dat loeder mijn pistool heeft gebruikt, want het is weg.'

'Heeft ze *Lou* doodgeschoten?'

Stone werd woedend. 'Ben je soms doof? Hoe vaak moet ik het nog zeggen?'

'Waar ben je?'

Stone vertelde het hem. 'Ik sta vlak voor een winkelcentrum. Mogelijk is ze naar binnen gegaan. Waarschuw iedereen die je te pakken kan krijgen, de plaatselijke politie en iemand van onze mensen hier in de buurt. En probeer de beveiliging van het winkelcentrum te bereiken. Ik wil dat de tent helemaal uitgekamd wordt. En ik wil Moran hebben, dood of levend.'

'Hé, kalm aan, Vance.'

'Doe godverdomme wat ik zeg. Ik blijf aan de lijn. En zorg dat ik een ambulance krijg.'

'Ben je gewond?'

'Natuurlijk ben ik gewond, godverdomme! Moran heeft me op mijn kop geslagen. Nou, vooruit, doe wat ik gezegd heb.'

Met de telefoon tegen zijn oor geklemd keek Stone in de richting van het winkelcentrum en liet zich met veel moeite op een knie zakken. Jezus, wat deed zijn hoofd pijn. Hij trok zijn rechterbroekspijp omhoog en haalde een .38-revolver met een korte loop uit een enkelholster. Deze troef had hij nog achter de hand. Als hij Moran had gevonden, zou hij die .38 gebruiken. Geen waarschuwing, helemaal niks; dat stadium waren ze voorbij.

Hij kwam overeind en strompelde naar het winkelcentrum. Elke stap kostte hem grote moeite en zijn hoofd begon steeds erger te bonken. Een oude dame met een roze kleurspoeling kwam langzaam voorbijgereden in een oude, metalliek blauwe GM. Stone stak zijn hand op en richtte zijn revolver op de auto, maar toen hij zijn penning wilde pakken, merkte hij dat die verdwenen was. *Shit.*

'FBI. Stoppen, mevrouw.'

De dame stopte en sloeg verschrikt haar hand voor haar mond. Stone rukte de deur met zoveel geweld open dat de bejaarde vrouw een doordringende gil slaakte – alsof zijn kop godverdomme nog niet genoeg pijn deed. Hij stapte in en zag op de achterbank een stel boodschappentassen van Wal-Mart liggen. 'Rustig aan maar, mevrouw. Ik ben een FBI-agent. Ik wil dat u me naar het winkelcentrum rijdt.'

De vrouw keek hem niet-begrijpend aan. 'W... waarom? Kunt... kunt u niet lopen?'

Nu ging Stone volledig door het lint. Hij tastte naar zijn achterhoofd, voelde het kleverige bloed aan zijn vingers. 'Natuurlijk kan ik wel lopen, maar ik heb godverdomme een groot gat in mijn hersens, mevrouw, en ik zit achter een voortvluchtige aan. Rij me onmiddellijk naar het winkelcentrum!'

119

Toen ik het winkelcentrum binnenging waagde ik een blik achterom. De moordenaar kwam ongeveer honderd meter verderop over het parkeerterrein op me af. De moed zonk me in de schoenen. Ik keek om me heen, maar zag nergens een beveiligingsman – er was vrijwel niemand in het winkelcentrum. Het zou trouwens ook weinig zin hebben gehad om de bewaking te waarschuwen, want dan zou ik mezelf verraden, en dus ging ik verder. Ik moest daar weg en vlug ook.

En ik moest Frank bellen. Ik probeerde mijn mobieltje, maar had geen ontvangst. Verderop zag ik een speelgoedwinkel van Toys Я Us en een bord dat aangaf dat er rechts toiletten en telefoons waren. Daar ging ik heen. De telefooncellen bevonden zich halverwege de gang, onder een roltrap.

Ik keek nog eens over mijn schouder, maar zag geen spoor van mijn achtervolger en belde Franks mobiele nummer. De telefoon ging wel over, maar er werd niet opgenomen. *Waar zit hij, verdomme? Ik hoop niet dat hij aan de zuip is.*

Deze keer liet ik een bericht achter op zijn voicemail, zei dat ik geland was, dat ik hem dringend moest spreken en dat ik hem op zijn mobiele nummer zou bellen. Toen dacht ik aan de enige persoon die me zou kunnen helpen: Josh. Ik vond zijn nummer in het adresboek van mijn mobiele telefoon.

Hoe zal hij reageren? Zal hij de telefoon woedend neergooien of zal hij geloven wat ik te zeggen heb? Er was maar één manier om erachter te komen. Ik aarzelde, bijna bang om te bellen, maar toetste toen zijn mobiele nummer in.

Bij de tweede bel nam hij op. 'Cooper.'

'Josh, met Kate.'

Er volgde een lange stilte. 'Je hebt dus eindelijk besloten om te bellen. Waar ben je?'

Aan Josh' toon kon ik duidelijk horen dat ik uit de gunst was. Ik vroeg me af of Raines en Stone hem al hadden verteld dat ze me van moord verdachten. 'Ik ben in de Claremont Mall, langs de vijfennegentig. Ooit van gehoord?'

'Jazeker. Ik ga daar vaak shoppen met Neal. Wat doe je dáár nou toch?'

'Josh, voordat je iets zegt, wil ik je vragen om alsjeblieft goed te luisteren naar wat ik ga zeggen, want het is belangrijk. Ik ben een uur geleden op het vliegveld van Baltimore geland.'

Ik snakte ernaar om hem alles te vertellen, vooral over Raines' dood, maar ik werd verteerd door schuld en de woorden wilden eenvoudig niet komen. Ik wist dat ik heel voorzichtig zou moeten beginnen. Ik wachtte op Josh' reactie, maar aan de andere kant bleef het stil. Ik nam aan dat hij wist dat ik gearresteerd was. 'Ik... ik moet met je praten, Josh. Ik moet uitleggen wat er is gebeurd. Ben je er nog?'

'Ja, ik ben er nog,' zei hij effen. Hij klonk afstandelijk, bijna kil. Of zat hij soms op het hoofdbureau en kon hij niet vrijuit praten?

'Ben je op kantoor?'

'Nee, ik ben thuis. Ik begrijp het niet goed. Heeft Lou gezegd dat je me moest bellen? Als het namelijk om je bagage gaat die je in Parijs hebt achtergelaten, die heb ik mee teruggenomen en op kantoor neergezet. Dat moest van Lou.'

Thuis. Hij woonde in Gretchen Woods, misschien vijf kilometer hiervandaan. Ik vertelde hem de waarheid. 'Daar bel ik niet voor. Ik ben op het vliegveld gearresteerd door Lou en Stone, maar ik ben ontsnapt.'

'*Ontsnapt?* Dat meen je niet. Ben je gek geworden? Wat bezielt jou eigenlijk?'

'Dat vertel ik je als ik je zie. Ik heb je hulp nodig, Josh, of ik kom nog veel verder in de problemen. Alles wat je in de afgelopen dagen over me hebt gehoord, is niet waar. Iemand probeert me erin te luizen en ik begrijp niet waarom. Ik begrijp er helemaal niets van, maar neem alsjeblieft van me aan dat ik onschuldig ben.'

Weer volgde er een stilte en toen zei Josh zacht: 'Ik weet niet waar je het over hebt, Kate. Moet je horen, ik bedoel dit niet beschuldigend, maar je hebt me in een heel moeilijke positie gebracht door op die manier uit Parijs te vertrekken. Lou heeft me op non-actief gesteld. Hij wil dat er een onderzoek komt.'

'Dat spijt me vreselijk, Josh. Ik wilde je niet in de problemen brengen.'

Als Josh op non-actief was gesteld, wist hij waarschijnlijk niet wat er allemaal was gebeurd. Ik dacht: *Hij heeft me bij mijn voornaam genoemd, dat is tenminste iets.* Maar op het moment dat ik hem Lous naam hoorde noemen, kromp ik ineen. Hoe ik het ook probeerde, ik had nog steeds niet de moed om hem te vertellen dat Lou dood was.

'Ik weet dat het wel een beetje laat is om nu nog met verontschuldigingen aan te komen, maar ik moest naar Istanbul om zelf de plaats te zien waar de moorden waren gepleegd. Ik had gehoopt daar aanwijzingen te vinden die me zouden kunnen helpen te begrijpen hoe het met die moorden zit. In plaats daarvan werd het alleen maar erger. En nu heb ik je hulp nodig, Josh. Echt waar. Je moet me hier komen ophalen. Zou je dat voor me kunnen doen? ik moet met je over de zaak praten, kijken of we samen verder kunnen komen.'

Ik hoorde een stilte en toen een zucht. 'Er is nog een reden waarom ik thuis ben, Kate. Neal is ziek. Hij zweet en hij heeft maagkrampen en voelt zich echt beroerd. De dokter is op dit moment bij hem om hem een injectie te geven. Ik kan nu niet weg.'

'Ach… wat spijt me dat nou voor Neal.' Josh kon niets voor me doen; ik stond er dus alleen voor. 'Je hebt gelijk, je kunt beter bij je zoon blijven. Daar hoor je.'

'Kate, doe jezelf een groot plezier — doe iedereen een plezier, mij inbegrepen — en geef jezelf aan. Wil je dat voor me doen?'

Ik hoorde de bezorgdheid in zijn stem en ik wist zeker dat hij om me gaf, maar ik wist ook dat ik wat misschien een heel goede relatie had kunnen worden, finaal had verknald. Ik wilde hem daar, op dat moment vertellen dat Lou dood was. *Ik heb gezien hoe Lou van heel dichtbij in zijn hoofd werd geschoten door een man die volgens mij Gamal is.* Maar wat had het voor zin? Josh kon me niet helpen. Hij zou me misschien nauwelijks geloven.

'Ik… ik zal erover nadenken,' loog ik en kon wel janken.

'Ik meen het,' zei Josh. 'Het is voor iedereen het beste.'

'Je kunt me echt niet helpen?' Ik moet wanhopig hebben geklonken.

'Het spijt me, Kate, echt waar, maar ik kan mijn zoon op dit moment, niet alleen laten. Niet voor wie of wat dan ook.'

'Ik… ik begrijp het.' In mijn hart wist ik dat het onredelijk was om hem nog een keer te vragen. Ik kon niet van Josh verwachten dat hij zijn zoon alleen zou laten en het risico lopen om nog verder in de problemen te komen.

'Ga naar de eerste de beste politieman en geef jezelf aan, Kate. Alsjeblieft.'

O, Josh, waarom heeft het zo moeten lopen?

'Ik… ik hoop dat Neal vlug weer opknapt.'

'Ik ook. De dokter roept me. Ik moet ophangen.'

'Pas goed op jezelf, Josh.'

'Jij ook,' zei hij en een seconde later werd de verbinding verbroken.

120

Met het neerleggen van de telefoon vervloog alle hoop die ik ooit mocht hebben gekoesterd over een relatie met Josh. Ik mocht hem erg graag, maar misschien verwachtte ik eenvoudig te veel.

Ik streek met mijn hand door mijn haar en probeerde na te gaan wat me nu te doen stond. Veel opties had ik niet meer. Ik zou kunnen proberen om ongezien in een bestelwagen te komen die het winkelcentrum verliet, of ik zou een auto kunnen stelen, maar dan liep ik de kans betrapt te worden. Ik wilde juist Franks nummer nog eens proberen toen de harde realiteit tot me doordrong. Misschien had Josh gelijk en was het inderdaad tijd om mezelf aan te geven.

Ik hoorde voetstappen en draaide me om, verlamd van schrik. Dertig meter verderop stond de moordenaar en keek me recht aan.

De Discipel kwam bij een Toys Я Us en ging rechtsaf, een gang in. Hij had Kate Moran deze kant op zien gaan. Hij kwam op een kruising met links en rechts een gang.

Fuck.

Welke kant zou Moran op zijn gegaan? Er zat niets anders op dan beide gangen te proberen. Hij haalde de FBI-penning uit zijn zak, toen het pistool en ging rechtsaf. Hij had geluk: even verderop zag hij haar staan, bij een telefooncel, onder een roltrap.

Ze zag er vreselijk uit, met verwarde haren en besmeurde ogen. Een seconde later keek ze op en zag hem staan. Haar ogen werden groot van schrik en hij grinnikte. Het gaf hem een enorme kick om haar angst te zien.

Ze deed een paar stappen achteruit, draaide zich om en zette het op een lopen.

De Discipel rende haar achterna.

121

Ik wierp al rennend een blik achterom en trachtte een glimp op te vangen van het gezicht van mijn belager. Ik wist het niet zeker, maar mijn instinct zei me dat het Gamal in vermomming moest zijn. Maar wie zou dat willen geloven? Hij was hooguit veertig meter achter me en probeerde me in te halen, maar werd gehinderd door een paar moeders met wandelwagentjes die zijn pad kruisten. Ik bevond me nu in de hoofdgalerij van het winkelcentrum. Personeel en bezoekers bleven staan en keken me na terwijl ik langs kwam rennen, maar niemand probeerde me tegen te houden. Ik trok een sprintje, rende een roltrap op, kwam in een brede gang en ging aan het eind daarvan langs een andere roltrap weer naar beneden. Ik had geen idee waar ik heen ging, maar ik hoefde niet om te kijken om te weten dat ik nog steeds werd gevolgd ik kon zijn voetstappen horen.

Ik rende de roltrap af en zag een grote beveiligingsman met het postuur van een profworstelaar uit het niets opduiken die me met uitgestrekte armen de weg probeerde te versperren. 'Ho, dame! Stop!'

Ik probeerde langs hem heen te schieten en hij schreeuwde: 'Ho, wacht even! Staan blijven, dame!'

Hij zag kans me bij mijn jasje te grijpen, maar ik rukte me los en rende verder terwijl ik achter me iemand hoorde schreeuwen: 'FBI. Die vrouw is een gevaarlijke voortvluchtige!'

Ik keek om en zag de moordenaar met in zijn ene hand een pistool en een penning in de andere. *Was het de Glock van Stone?*

Nu zetten zowel de beveiligingsman als de moordenaar de achtervolging in. Jezus, dit was absurd. Ik kon eenvoudigweg niet geloven dat ik in een winkelcentrum achterna werd gezeten door een psychopaat en een beveiligingsman alsof ik de crimineel was.

Plotseling verschenen er nog eens twee beveiligingsagenten die me de weg wilde versperren. Maar ik had zo'n vaart dat ik langs ze heen schoot voordat ze me konden grijpen. Tien seconden later bereikte ik de uitgang van het winkelcentrum en stoof bijna buiten adem door de automatische deuren naar buiten. Tot mijn schrik zag ik Stone – die zijn linkerhand tegen zijn achterhoofd gedrukt hield – met veel moeite uit een gedeukte blauwe auto stappen. Er zat een bejaarde dame achter het stuur. Ik rende gewoon door en hij staarde me met grote ogen aan.

Even later hoorde ik hem schreeuwen: 'Moran!'

Toen was ik inmiddels al een meter of dertig bij hem vandaan en zigzagde met pijnlijke benen en brandende longen tussen de geparkeerde auto's door.

Plotseling klonken er twee schoten.

Beng!

Beng!

Ik hoorde de kogels langs me heen fluiten. Eentje sloeg vlak voor me in het asfalt, maar ik rende door, bukkend en zigzaggend, zonder op de pijn in mijn longen te letten, tot ik op een leeg gedeelte van het parkeerterrein kwam en mijn pas inhield. Hijgend keek ik om en probeerde op adem te komen. De moordenaar en de beveiligingsman waren nergens meer te zien, maar Stone kwam dwaas hinkend in mijn richting.

Ik rende nog een honderd meter door tot ik er zeker van was dat hij me niet meer zou kunnen raken. Toen knapte er iets in me; ik kreeg een gevoel alsof mijn wil helemaal was verdwenen.

Waarom? Waarom doe ik mezelf dit aan? Waarom neem ik het risico om te worden doodgeschoten?

Ik besloot daar en op dat moment dat ik mezelf aan Stone zou uitleveren. Ik liet me op het asfalt vallen en bleef hijgend liggen, wachtend tot Stone me zou komen arresteren. Terwijl ik daar lag en me ellendig voelde, hoorde ik een auto naderen. De beveiliging van het winkelcentrum, dacht ik. Maar wat als de moordenaar in die auto zat?

Naast me stopte een donkerblauwe LandCruiser. 'Stap in,' zei de chauffeur.

Met open mond staarde ik naar Josh, die achter het stuur zat.

'Ben je doof? Ik heb mijn nek gewaagd door hier te komen, Kate. Stap in, nu! Als Stone dichterbij komt, herkent hij me.'

Zonder een woord te zeggen, krabbelde ik overeind, stapte in en klapte het portier dicht. Josh draaide de LandCruiser met gillende banden honderdtachtig graden om en we scheurden weg van het winkelcentrum.

122

Zes minuten later stopten we voor een keurig huis in Gretchen Wood. Josh drukte op een afstandsbediening, zijn garagedeur ging open en hij reed de LandCruiser naar binnen. Langs de wanden stonden rekken met gereedschap en verf; in een hoek zag ik een oude vrieskist.

Josh zei: 'De LandCruiser heb ik van mijn zus geleend omdat mijn eigen auto in de garage is. Maar voor het geval je je zorgen maakt: ik denk dat Stone te ver weg was om het kenteken te kunnen lezen.'

'Wat als hij de chauffeur heeft gezien?' Ik hoorde de garagedeur weer dichtgaan, maar we bleven in de auto zitten.

'Dat zullen we dan gauw genoeg merken, maar ik betwijfel het. En ik heb ook geen politiehelikopters in de lucht gezien, dus maak je geen zorgen. Zou je me willen vertellen wat daar gaande was? Ik kreeg de indruk dat Stone van plan was om je te doden.'

'Niet alleen Stone.' Plotseling voelde ik me emotioneel en lichamelijk helemaal leeg. Ik stond op het punt van instorten. 'Het is een lang en vreemd verhaal, Josh, dat je misschien niet zult geloven. Maar het was echt niet mijn bedoeling om je bij je zoon weg te halen. Hoe is het nu met hem?'

Josh streek met een vermoeid gebaar zijn hand over zijn gezicht. 'Toen ik de telefoon neerlegde, was de dokter net klaar met hem. Na die steroïdeninjecties knapte Neal enorm op en volgens de dokter komt het allemaal goed. Mijn zuster Marcie kwam langs om te kijken of ze soms iets kon doen en die zit nu bij hem. Ze woont net om de hoek.'

'Een hechte familie, hè?'

Josh grijnsde. 'Niet altijd. Maar als je met je rug tegen de muur staat, zijn ze er voor je.'

'Waarom veranderde je van gedachten en kwam je toch helpen?'

Hij keek strak voor zich uit en dacht na voordat hij zijn gezicht naar me toekeerde. 'Daar kan ik eerlijk gezegd niet direct antwoord op geven. Ik besef dat ik mezelf in grote moeilijkheden kan brengen en mijn carrière in de waagschaal stel, voor zover die al niet in het slop is geraakt. Misschien heeft het te maken met wat er in Parijs tussen ons is gebeurd. Dat betekende iets voor mij. Ik vertrouw je en ik wil dat je me alles vertelt. Vanaf het moment dat je me in Parijs hebt gedumpt. Goed?'

Gedumpt. Het klonk alsof ik Josh in de steek had gelaten – en dat was ook wel zo, maar zo wilde ik er niet over denken. 'Kunnen we daar *achtergelaten* van maken in plaats van gedumpt? Dan lijk ik niet zo'n bitch.'

Josh glimlachte en maakte aanstalten om uit te stappen. 'Goed, je hebt me in Parijs *achtergelaten.* Zo beter?'

Ik stak mijn geboeide handen omhoog. 'Alleen dit nog.'

'Daar kunnen we hier in de garage wel iets aan doen. Daarna gaan we naar binnen. Je hebt zo het een en ander uit te leggen.'

123

Tien minuten later had Josh mijn handboeien met behulp van een ijzerzaag en een betonschaar losgemaakt. Via een deur in de garage kwamen we in de keuken.

Josh deed zijn jasje uit. 'Marcie zal nog wel boven zijn. Kom mee, dan zal ik je aan haar voorstellen.'

Ik ging mee naar boven, naar een slaapkamer tegenover de trap. Neal lag in een eenpersoonsbed en leek veel op de foto's die ik van hem had gezien, alleen hadden de steroïden hem wat dikker gemaakt. Naast zijn bed zat een knappe vrouw van voor in de dertig met kastanjebruin haar. Ze stond op toen we binnenkwamen.

'Hoi, Marcie. En hoe is het met mijn jongen?' zei Josh.

Neal keek me wat weifelend aan voordat hij zei: 'Dat gaat best, pap.'

Josh gaf zijn zoon een knuffel en zijn zuster lachte vriendelijk naar me voordat ze Josh' arm aanraakte en zachtjes zei: 'Het is goed met hem. De dokter zei dat we zijn temperatuur in de gaten moesten houden en dat hij later nog even langs zou komen. Maar hij is over het ergste heen, dus maak je nu maar geen zorgen.'

Ik zag de enorme opluchting op Josh' gezicht en begreep nu pas goed wat het voor hem moest zijn geweest om mij te komen ophalen. Hij moest doodongerust zijn geweest.

'Dank je, Marcie, fijn dat je hier kon blijven. Jongens, dit is mijn collega, Kate Moran.'

Marcie gaf me een hand. 'Josh heeft me van je verteld.'

'Leuk kennis te maken, Marcie.' Ik vroeg me af hoeveel Josh haar had verteld. 'Dat zal vast niet alleen maar goeds zijn geweest?'

Marcie glimlachte. 'Eerlijk gezegd zei hij niet zo erg veel, alleen dat jullie samenwerkten. En neem van mij aan dat het een compliment is als Josh zoiets zegt. Meestal zegt hij helemaal niets.'

Ik kwam in de verleiding om te zeggen: '*Je broer is een goeie vent en ik sta bij hem in het krijt,*' maar misschien zou dat lomp zijn. Daarom zei ik maar niets.

Marcie zei: 'Wat denken jullie ervan: blijft pappa een poosje bij Neal terwijl ik Kate mee naar beneden neem voor een kopje koffie?'

'Koffie zou lekker zijn, dank je.'

Marcie ging weg. Ik wilde haar volgen en Josh knipoogde naar me. 'Ik kom er zo aan. Als je je soms eerst een beetje wilt opfrissen, de badkamer is verderop in de gang.'

Ik moest er aardig gehavend uitgezien. 'Bedankt voor alles, Josh. Echt, dat meen ik, de deur uitgaan terwijl Neal ziek was… Ik weet niet goed wat ik moet zeggen.'

'We praten straks wel.' Hij keek me een poosje doodringend aan terwijl hij Neal over zijn haar streelde. 'Ga koffiedrinken.'

124

Nadat ik me een beetje had opgefrist en mijn haar geborsteld, ging ik naar beneden, naar de keuken. Marcie had koffie gezet en ik ging bij haar aan de keukentafel zitten. 'Doe er zelf maar melk en suiker in,' zei ze.

Verse koffie was precies wat ik nodig had om een beetje op te kikkeren. Ik dronk hem zwart met alleen wat suiker. 'Het spijt me dat ik je broer op zo'n ongelegen moment van huis heb gesleurd.'

Ik zei niet waarom ik Josh van huis had gesleurd en gokte erop dat hij zijn zuster de werkelijke reden niet had verteld. Marcie reageerde in elk geval niet. Ze knikte alleen maar even. 'Met Neal komt het best goed. Hij heeft zo nu en dan slechte momenten en soms is het zelfs een beetje zorgelijk, maar hij is telkens weer opgeknapt.'

'Heb jij kinderen, Marcie?'

'Twee — een jongen en een meisje van vijf en acht jaar. Het beste dat me ooit had kunnen overkomen, ook al zijn het soms lastpakken. Mijn man heeft een week vrij en is samen met de kinderen een paar dagen naar zijn familie in New York. Ik ben thuisgebleven omdat er in huis het een en ander moet gebeuren. Heb jij kinderen?'

Haar gezicht betrok op het moment dat ze het zei en ze sloeg haar hand voor haar mond terwijl ze de ander in een troostend gebaar op de mijne legde. 'Neem me niet kwalijk, Kate. Ik dacht eraan op het moment dat ik het zei. Josh heeft me verteld wat er met je verloofde en zijn dochter is gebeurd en ik herinner me er destijds over in de kranten te hebben gelezen.'

'Het geeft niet, echt niet. Josh en jij kunnen het goed met elkaar vinden, geloof ik?'

'Ja, dat gaat best. Hoewel je dat nooit zou hebben gedacht als je ons als tieners bezig had gezien. Josh is een goeie vent. Hij heeft zijn werk altijd heel serieus genomen.'

Marcie schonk ons nog eens in. Ik vond haar nu al aardig. 'Josh heeft me een heel klein beetje van zijn huwelijk verteld,' zei ik zacht en deed mijn best om het niet te laten klinken alsof ik nieuwsgierig was, maar dat was ik wel.

Marcies gezicht versomberde. 'Hij had het er erg moeilijk mee. Dat zie je vaak bij mannen. Statistisch gezien hebben mannen het moeilijker met een echtscheiding dan vrouwen. Wist je dat?'

Ik wist wat het met David en Paul had gedaan. 'Hoe was dat bij Josh?'

'Na de scheiding trok Josh zich een jaar lang helemaal in zichzelf terug en sprak er met geen woord over. Daarna was hij eroverheen. Als je het mij vraagt pasten hij en Carla totaal niet bij elkaar.'

'Wat was ze voor iemand?' Zodra ik het vroeg, wist ik dat Marcie doorhad dat ik bepaalde gevoelens voor Josh had, maar ze liet niets merken.

'Carla was een heel apart meisje, gemengd bloed, half Porto Ricaans – exotisch en een tikje zwoel, zo zou je haar kunnen beschrijven. Josh viel als een blok voor haar. Maar ze was egoïstisch en humeurig en had een heel kort lontje. Carla was niet echt geschikt voor het huwelijk of het moederschap. Op zekere dag kwam ze een knappe, rijke kerel tegen en toen was het gebeurd. Ze ging met hem naar San Francisco en liet een briefje voor Josh achter. Ze nam niet eens afscheid van haar zoon. Begrijp je zoiets nu?'

'Wat moet dat erg zijn geweest voor Neal.'

Marcie nam een slokje en zette haar mok neer. 'Die arme jongen miste zijn moeder verschrikkelijk, al was het dan ook niet zo'n beste moeder geweest. Hij is een hele tijd van streek geweest en deed niets anders dan huilen. Maar Josh is moeder en vader tegelijk voor hem geweest, al was dat soms ook niet gemakkelijk.'

'Belde Carla dan helemaal nooit? Wilde ze haar zoon niet zien?'

'De eerste weken nadat ze was vertrokken heeft ze een paar keer gebeld, maar dat hield algauw op. Ik denk eerlijk gezegd dat Carla zo met zichzelf bezig was dat ze niemand miste.'

'En nu? Belt ze helemaal nooit? Zelfs niet met Kerstmis of op Neals verjaardag?'

'Nooit. Misschien krijgt ze op zekere dag last van haar geweten, maar tot op heden is dat niet het geval.'

Marcie dronk haar koffie op. 'Ik kan maar beter naar Neal gaan. Neem gerust meer koffie. Ik zal mijn broer aflossen. Jullie zullen wel het een en ander te bepraten hebben.'

Ik hoorde haar de trap opgaan. Natuurlijk had ik het mezelf maar wijsgemaakt dat ik mijn plan om uit deze toestand te komen helemaal voor elkaar had; het was niet echt zo. *Het is een riskant en gevaarlijk plan en ik heb Josh' hulp nodig. Of zal hij zeggen dat ik gek ben als hij hoort wat ik van plan ben?*

Ik schonk mezelf nog een kop koffie in toen Josh de keuken binnenkwam. 'Hoe is het met Neal?' vroeg ik.

'Goed. Hij slaapt. Ik denk dat deze dag nogal wat van hem heeft gevergd.' Josh keek naar de mokken en de koffiepot. 'Heeft Marcie je iets te eten aangeboden?'

'We hebben zoveel gepraat dat ze daar waarschijnlijk niet aan heeft gedacht, maar ik heb geen trek. Wil jij iets?'

'Ik zou wel een glas koud water lusten. Ik voel me aardig gespannen.'

'Ik pak het voor je. Gewoon uit de kraan?'

'Ja, hoor.'

'Ik schonk hem een glas water in en hij ging tegenover me zitten, hield het koude glas tegen zijn voorhoofd en zei: 'En, hoe is het nu met je?'

'Dat weet ik eigenlijk niet. Ik dacht dat ik het allemaal voor elkaar had, maar nu heb ik mijn twijfels,' bekende ik.

'Twijfels waarover?'

Ik wilde zeggen: *Over het plan dat ik had opgesteld waarmee ik mijn onschuld zou kunnen bewijzen. Ik heb je hulp heel hard nodig, maar ik ben bang om het te vragen, want misschien denk je dat ik gek ben. Ik kreeg het gevoel alsof er een grote, donkere wolk boven me hing.*

'Over alles. Ik heb niets verkeerds gedaan Josh, echt niet. Ik wil zo vreselijk graag dat je dat gelooft. Ik weet niet wat er de afgelopen dagen allemaal is gebeurd. Ik ben bang en helemaal in de war.'

Hij pakte mijn hand vast en ik voelde zijn kracht. 'Je kunt het beste gewoon bij het begin beginnen. Vertel me gewoon wat er is gebeurd, Kate. Dan begrijp ik misschien iets van deze verschrikkelijke puinhoop. Begin helemaal bij het begin en vertel me alles wat er is gebeurd.'

125

Ik vertelde Josh alles en toen ik klaar was, voelde ik me een stuk beter.

Maar het gevoel van opluchting was van korte duur. Josh schudde zijn hoofd en zuchtte. 'Ik ben het met je eens dat het allemaal heel vreemd is wat er in de afgelopen vier dagen is gebeurd. Maar wat het Bureau betreft, zit je natuurlijk diep in de problemen, Kate.'

'Dat hoef je me niet te vertellen.'

'Misschien toch wel. Zou je jezelf niet liever aangeven? Denk daar eens over na.'

Ik schudde heftig mijn hoofd. 'Daar héb ik over nagedacht, Josh. Als ik mezelf meld, kom ik het fijne van deze zaak nooit te weten. Dan draai ik de gevangenis in, of in het gunstigste geval kom ik op borgtocht vrij, met een verbod om me meer dan honderd meter van mijn woning te verwijderen. En ik moet je nog iets vertellen.' Ik had hem nog steeds niet van Lou Raines verteld, maar het moment van de waarheid was nu toch werkelijk aangebroken. Ik keek hem recht in de ogen. 'Lou is dood, Josh.'

Josh keek als met stomheid geslagen. Hij keek me alleen maar met grote ogen aan terwijl ik hem de details vertelde voor zover ik me die kon herinneren. Ik legde mijn hand op zijn arm. 'Het spijt me heel erg voor je, Josh. Ik weet hoe close hij met jou en je familie was.'

Josh drukte zijn vlakke hand tegen zijn voorhoofd. *'Jezus.'*

'Je gelooft toch wat ik je heb verteld, is het niet?' zei ik.

Hij schudde zijn hoofd en staarde me aan. 'Ik kan bijna niet geloven dat Lou er niet meer is.'

'De moordenaar schoot hem zonder ook maar een greintje genade te tonen in zijn hoofd. Hij kan het onmogelijk hebben overleefd. Het was Gamal, daar ben ik van overtuigd.'

Josh zei niets.

Ik zei: 'Je denkt dat ik rijp voor het gekkenhuis ben, is het niet?'

'Dat heb ik niet gezegd.' Maar hij fronste zijn wenkbrauwen, keek me aan en vroeg: 'Wat is er met Stone gebeurd?'

Ik vertelde hem dat ik had gezien hoe Stone werd aangevallen. 'Hij kon nog op me schieten, dus ik denk dat hij het wel overleeft. Na die aanrijding was hij flink duf, dus wie weet denkt hij dat ik hem een klap op zijn hoofd heb gegeven.'

Josh slaakte een diepe zucht en ik voelde dat hij zijn twijfels had. 'Heb je de man die Lou doodschoot goed kunnen zien?'

'Zijn gezicht niet. Daar had ik geen tijd voor. Maar hij had dezelfde lengte en hetzelfde postuur als Gamal en hij gebruikt vermommingen. Daarom had ik hem in het vliegtuig niet direct in de gaten. Ik begrijp nog steeds niet helemaal wat hij van plan is.'

Josh zag bleek en schudde zijn hoofd. 'Kom nou toch, Kate. Het kan Gamal onmogelijk zijn geweest.'

'Ik heb je verteld dat Yeta zei dat het mogelijk was dat haar broer zijn executie had overleefd. En ik ben ervan overtuigd dat ik iemand heb gezien die hem geweest zou kunnen zijn.'

'Ik hoor wat je zegt, maar Kate, ik kan echt niet van je aannemen dat de man die je zag Gamal was.' Josh stond op, liep naar het raam en keek naar buiten, de tuin in, zijn knokkels op het aanrecht gesteund. Hij leek heel ver weg.

Ik vroeg me af of hij onbewust al bezig was zich van me te distantiëren en ik zei: 'Wat denk je? Dat je spijt hebt dat je me hebt geholpen? Dat je spijt hebt over wat er in Parijs tussen ons is gebeurd omdat dat de zaak alleen nog maar gecompliceerder maakt?'

Hij keek om en schudde langzaam zijn hoofd. 'Nee, dat denk ik absoluut niet.'

'Wat denk je dan wél?'

'Twee dingen. Wat er in godsnaam gaande is en hoe we jou uit deze onvoorstelbare puinhoop kunnen redden. We moeten hier goed over nadenken, Kate. We moeten het reëel bekijken. Als het Gamal niet is, wie kan hier dan wél achter zitten? Kun je iemand bedenken die een wrok tegen je koestert?'

'Ja, Stone. Maar ik heb gezien dat die een klap op zijn kop kreeg.'

Josh haalde zijn schouders op. 'Dat wil nog niet zeggen dat hij dat niet in scène gezet zou kunnen hebben om zichzelf te dekken of dat hij er op een of andere manier bij betrokken is. Verder nog iemand?'

'Ik weet dat het vreemd klinkt, maar Paul, mijn ex, gedraagt zich de laatste maanden heel vreemd. Hij is agressief geworden en hij dreigt. Hij is plotseling erg verbitterd over het feit dat ons huwelijk afgelopen is, al was hij dan ook degene die wilde scheiden. Ik krijg de indruk dat hij op instorten staat.'

'Denk je dat hij tot zoiets als dit in staat is?'

Ik dacht goed na voordat ik zijn vraag beantwoordde. 'Er is een tijd geweest dat ik nee zou hebben gezegd, maar nu weet ik het niet meer. Het is alsof ik Paul niet meer ken. Hij is een compleet ander mens geworden. En er is nog iets. Hij heeft zes jaar geleden in het District aan het onderzoek naar een van Gamals dubbele moorden meegewerkt, dus hij kent Gamals modus operandi en alle details van de misdrijven die niet naar buiten zijn gebracht. Verder is hij op dit moment met verlof en niemand weet waar hij is. Het laatste wat ik van hem weet is dat hij op het vliegveld Dulles is gezien.'

Josh trok zijn wenkbrauwen op. 'Dat is een heel interessant toeval.'

Ik stond op. 'Ik heb een idee dat zou kunnen helpen om antwoorden op een aantal vragen te vinden.'

'Ik luister.'

'We maken Gamals graf open.'

'Dat kun je niet serieus menen.'

'We moeten de zekerheid hebben dat hij begraven is. Er is geen andere mogelijkheid.'

Josh staarde me stomverbaasd aan. 'Dat zou ons beiden nog veel verder in de problemen kunnen brengen.'

'Wil je me helpen? En voordat je antwoord geeft, wil ik dat je weet dat ik er alle begrip voor heb als je nee zegt.'

Josh stak afwerend zijn hand op. 'Nu vraag je te veel, Kate. Ik moet aan Neal denken. Hij heeft een vader met een baan nodig, geen vader die door het Bureau ontslagen is. Hij is trots op me. Mijn ontslag zou een enorme klap voor hem zijn en dan denk ik niet aan mezelf.' Hij stak zijn duim en wijsvinger op met een heel klein beetje ruimte ertussen. 'Ik ben toch al zo dicht bij een ernstige reprimande en mogelijk ontslag.'

Ik begreep Josh' weigering, maar toch was het een klap voor me, al wilde ik dat niet laten merken. Ik kon niet van hem verlangen dat hij voor mij zijn carrière op het spel zette. Hij zou zelfs de gevangenis in kunnen draaien en hij had al genoeg gedaan. 'Ik begrijp het. Ik neem het je niet kwalijk.'

'En wat ga jij nu doen?'

'Ik ga het alleen proberen. Ik wil graag eerst even wat rusten als je het niet erg vindt. Zodra het donker is, ben ik verdwenen.' Na alle stress en het reizen voelde me nu toch echt helemaal uitgeput.

Josh schudde zijn hoofd. 'Wees toch verstandig, Kate. Vergeet het. Dat kun je niet in je eentje.'

'Misschien niet, maar ik moet het in elk geval proberen.'

126

Josh bracht me naar de logeerkamer. Neal sliep en Marcie was naar huis gegaan, na te hebben beloofd later die avond terug te komen. 'Helaas is dit de slechtste kamer van het huis. De kinderen van de buren houden van heavy metal.'

'Maak je geen zorgen. Ik ben zo moe dat ik overal doorheen slaap.'

Josh had een peinzende uitdrukking op zijn gezicht, alsof hem iets dwarszat. Hij zei: 'Mag ik nog van gedachten veranderen?'

'Waarover?' vroeg ik.

'Met je meegaan naar de begraafplaats.'

'Nee. Ik wil niet dat je nog meer problemen krijgt, Josh.'

'Ik zit er nu al zo diep in, dat het weinig meer uitmaakt. Ik heb trouwens besloten dat ik je dit niet alleen kan laten doen. Ik ben daar keihard in.'

Ik begreep het niet goed. 'Waarom ben je van gedachten veranderd?'

Josh zuchtte en keek me aan. 'Ik denk dat ik je ervan af wilde brengen om naar de begraafplaats te gaan omdat je daardoor nog verder in de problemen zou komen, maar dat werkte niet. Als ik eerlijk ben tegen mezelf, geloof ik dat je de waarheid vertelt. Daar komt het in feite op neer.'

'Het betekent heel veel voor me om je dat alleen maar te horen zeggen.'

Het was precies wat ik nodig had. Ik stond op en gaf hem een knuffel.

Hij gaf me een vluchtige kus op mijn wang, ging toen omlaag en kuste me in mijn hals. Ik stribbelde niet tegen. Zijn kussen waren warm en teder en plotseling voelde ik zijn lippen op de mijne. Zo bleven we een hele tijd staan, heen en weer wiegend in elkaars armen. Het was een heel goed gevoel, het gevoel om beschermd te worden, veilig in de armen van een man. Tot we ons ten slotte van elkaar losmaakten.

'Voel je je goed?' vroeg Josh.

'Het was niet mijn bedoeling om dat weer te laten gebeuren,' zei ik.

Hij grijnsde. 'De mijne ook niet, maar het voelde verdomd goed. Zo goed dat ik het nog eens wil doen. Onder andere omstandigheden zou ik zelfs vragen of je mee naar bed ging.'

'Onder andere omstandigheden, zou ik ja zeggen.' Ik raakte Josh' gezicht aan.

Hij pakte mijn hand vast. 'Ik moet bij Neal blijven, zodat Marcie even rust heeft. Ik wil zeker weten dat alles goed met hem is.'

'Ik begrijp het. Je bent een goede vriend, Josh Cooper.'

Hij knipoogde. 'En jij kunt goed zoenen. Wat dacht je, zal ik je zo rond negen uur wakker maken? Dan heb je zes uur.'

'En Neal? Hoe moet het met hem als wij weggaan?'

'Marcie blijft bij hem.' Josh draaide zich om en keek me aan voordat hij de kamer verliet. Ik zag de zorgelijke trek op zijn gezicht.. 'Ik hoop bij god dat we niet gepakt worden op dat kerkhof, anders kunnen we het allebei wel schudden.'

'Je kunt nog eens van gedachten veranderen.'

Hij schudde zijn hoofd. 'Mijn besluit staat vast. Probeer een beetje te slapen.' Hij knipoogde naar me, sloop de kamer uit en deed de deur heel zacht achter zich dicht.

Ik was doodmoe en ging direct liggen.. Toen bedacht ik dat Stone hier in Amerika het signaal van mijn mobiele telefoon zou kunnen peilen; ook als de telefoon niet werd gebruikt, zond hij een identificatiesignaal uit. Ik zette hem af en haalde de simkaart en de batterij eruit. Nu was er geen signaal meer. Als ik wilde bellen, zou ik het gesprek zo kort mogelijk moeten houden en de simkaart en de batterij er na afloop onmiddellijk weer uithalen. Ik bleef maar denken aan wat ik tegen Josh over Stone en Paul had gezegd. Kon een van hen hier bij betrokken zijn? Maar waarom dan? Ik probeerde die gedachte van me af te zetten, ging weer liggen en sloot mijn ogen. Nog geen minuut later sliep ik.

DEEL ZES

127

Claremont-winkelcentrum, Virginia

Het winkelcentrum leek net een filmset, maar dan zonder camera's. Stone telde zes auto's van de plaatselijke sheriff, twee ambulances en twee helikopters. Het geluid van de rotorbladen maakte zijn hoofdpijn alleen nog maar erger. Een van de ambulancebroeders had het gat in zijn hoofd verbonden en wilde dat hij meeging naar het ziekenhuis, maar Stone weigerde.

De broeder zei: 'Doe niet zo eigenwijs, meneer. Mogelijk is uw schedel beschadigd. Er moeten foto's worden gemaakt.'

'Later. Ik heb het druk.'

'Nou zeg, u hebt in meer dan één opzicht een harde kop,' zei de broeder.

Stone liep naar een leeg gedeelte van het parkeerterrein, verbaasd nagestaard door de broeder. Er was een derde helikopter bijgekomen, een Bell, die aanstalten maakte om te landen. Stone keek terwijl hij een keer rondcirkelde alvorens op het zwarte asfalt te landen. Terwijl de rotorbladen uitdraaiden, stapte er een lange man met opgetrokken schouders uit, die werd gevolgd door Gus Norton. Ze renden met gebogen hoofden tot ze helemaal vrij van de rotorbladen waren.

Stone kwam met uitgestoken hand op Bob Fisk af, het hoofd van het bureau Washington van de FBI. De twee mannen kenden elkaar al heel lang. 'Fijn dat u zo snel gekomen bent, meneer.'

Fisk was een man met een verweerd gezicht die op Harvard had gestudeerd. Hij was tevens een humeurig stuk vreten dat heel omzichtig benaderd moest worden. 'Wat is hier in godsnaam gebeurd? Het lijkt wel een slagveld.'

Fisk keek eens naar het verband om Stones hoofd, de ambulances en de ziekenbroeders, de twee autowrakken en de met lakens bedekte lichamen van de taxichauffeur en Lou Raines. Politieagenten en beveiligingsmensen van het winkelcentrum hielden de drommen mensen op afstand.

Stone nam Fisk mee naar de plek waar het allemaal was gebeurd. 'Dat zal ik u laten zien, meneer.'

Hij tilde het laken van Lou Raines' hoofd. Het lag scheef en de mond stond open.

Fisk bekeek het lijk. Met een stem die schor was van emotie zei hij: 'Lou en ik zijn op dezelfde dag in dienst van het Bureau gekomen, samen afgestudeerd. Hij was een goeie vriend en een verdomd goeie kerel. Weten we welk beest hiervoor verantwoordelijk is en waarom?'

Stone trok het laken weer over Raines heen. 'We vermoeden dat het een van onze eigen agenten is geweest.'

Fisk was ontzet. 'Wat zeg je daar?'

'Haar naam is Katherine Moran.'

'Ik ken Moran. Heb je daadwerkelijk *gezien* dat ze Raines doodschoot?'

'Nee, meneer. Ik was een poosje buiten bewustzijn. Maar ze is ervandoor gegaan. Ik denk dat ze mijn wapen heeft gestolen en Raines ermee heeft doodgeschoten. We hebben opnamen van haar ontsnapping door het winkelcentrum – beveiligingsmensen kijken op dit moment de videobanden na. Ze zeggen dat ze vrijwel overal bewakingscamera's hebben hangen.'

'Maar waarom zou zij Raines in godsnaam doodschieten?'

'Dat weten we op dit moment nog niet, meneer.'

'Zijn daar geen video-opnamen van?' vroeg Fisk.

'Zo ver reiken de camera's klaarblijkelijk niet. Ze bestrijken de onmiddellijke omgeving van het winkelcentrum en een deel van het parkeerterrein.'

Fisk keek naar het uitgestrekte winkelcentrum en slaakte een zucht. 'En hoe zit het met getuigen?'

'Het parkeerterrein was op die tijd zo goed als leeg. Er heeft zich niemand gemeld die iets zou hebben gezien. Ik was buiten bewustzijn toen er werd geschoten, dus we zullen moeten wachten tot de kogels in Lous hoofd zijn onderzocht.'

Fisk schudde zijn hoofd. 'Ik kan dit niet geloven. Een van onze eigen agenten. Dat slaat alles.'

'Het moet haar zijn geweest, meneer. Waarom is ze anders gevlucht? Ik heb haar aangeroepen en geschoten, maar ze trok zich er niets van aan en ging ervandoor.'

'Je kunt me maar beter alles vertellen. Wat heb je exact gezien toen je bij het winkelcentrum kwam?'

'Ik heb Moran in een blauwe LandCruiser zien stappen, die vervolgens met hoge snelheid wegreed. Ik was te ver weg om te kunnen zien of ze hulp had, of mogelijk de chauffeur gijzelde. Helikopters speuren

330

de wegen af, maar tot dusver hebben we de LandCruiser nog niet kunnen vinden.'

Fisk leek verbijsterd. 'Ik weet niet wat moeilijker te geloven is – dat Lou in koelen bloede is vermoord of het feit dat Moran onze hoofdverdachte is. Heeft ze een psychiatrisch verleden?'

'Ik weet dat ze in het verleden in therapie is geweest,' zei Stone.

'Ja, dat is het halve land, godverdomme. Ik weet dat haar verloofde en zijn dochter door Gamal zijn vermoord. Maakte ze de laatste tijd een labiele indruk?'

'Mogelijk hebt u gehoord dat Gamal beweerde dat hij Bryce en zijn dochter niet had vermoord?'

Fisk knikte. 'Dat heeft Lou me verteld, maar wat heeft dat met dit alles te maken?'

'Wel, u vroeg dus of Moran een psychiatrisch verleden had. Vanmorgen zei ze tegen Lou en mij dat ze geloofde dat Gamal zijn executie had overleefd en dat ze hem ervan verdacht dat hij achter de recente copycatmoorden zat.'

'Wat? Dat meen je toch zeker niet?'

'Ze is gek, meneer. Maar u kent de hele geschiedenis niet, dus laat ik u vertellen hoe het in elkaar steekt.' Stone vertelde het hele verhaal en eindigde met de arrestatie van Kate Moran op het vliegveld van Baltimore en de schietpartij bij het winkelcentrum. 'Ik weet niet of Lou u dat heeft verteld, maar ik had mijn eigen theorie dat Moran haar verloofde en zijn dochter heeft vermoord. We arresteerden haar op verdenking van de dubbele moord op Fleist en zijn dochter en ik denk dat toen de stoppen bij haar zijn doorgeslagen.'

Fisk schudde verbijsterd zijn hoofd. 'Daar heeft Lou met geen woord over gesproken.'

'Ik denk dat dat komt omdat hij en Moran maatjes waren. Hij had moeite de mogelijkheid onder ogen te zien dat iemand van ons team een moord gepleegd had. Maar ik heb bewijzen die Moran met het misdrijf in verband brengen, plus een getuige.'

'Ga door.'

Stone vertelde hem de details en Fisk was ontzet. 'Dat is allemaal nieuw voor me. Waarom ben ik niet op de hoogte gehouden?'

'Ik denk dat Lou het zelf nauwelijks kon geloven.' Stone keek naar Raines' lijk. 'Jammer, anders zou hij waarschijnlijk nog hebben geleefd. Als u het mij vraagt is Moran volledig geflipt nu ze weet dat we haar op het spoor zijn. Dat bewijst deze rotzooi hier wel.'

Fisk wees naar de dode taxichauffeur. 'Welke rol heeft hij hierbij gespeeld?'

'De ambulancebroeders vermoeden dat hij een hartaanval heeft gehad en daardoor de macht over het stuur is kwijtgeraakt. Het ziet ernaar uit dat Moran van de botsing gebruik heeft gemaakt om te ontsnappen.'

Fisk klemde zijn kaken op elkaar en sloeg met zijn vuist in zijn handpalm. 'Ik wil aan het eind van de middag een dossier van deze hele zaak op mijn bureau hebben. Ik wil het bewijsmateriaal persoonlijk beoordelen, begrepen?'

'Ik zal ervoor zorgen, meneer.'

Fisk maakte aanstalten om naar de helikopter terug te gaan. 'Ik geef jou de leiding over dit onderzoek, Stone. Moran moet worden gepakt. Koste wat kost.'

'Jawel, meneer.'

Terwijl Fisk met grote stappen naar de helikopter liep, legde Stone zijn hand op zijn verbonden hoofd en zei tegen Norton: 'Moran heeft hulp nodig. Waar zou ze heengaan?'

'Jij kent haar beter dan ik.'

Stone knipte met zijn vingers. 'Die broer van haar. Laat zijn huis in de gaten houden, de klok rond, begin daar onmiddellijk mee. Misschien neemt ze contact met hem op. Waar is Cooper? We hebben alle beschikbare agenten nodig.'

'Lou heeft hem op non-actief gesteld, weet je nog?'

'Waar woont hij?' vroeg Stone.

'Ergens in Gretchen Woods.'

Stone fronste zijn wenkbrauwen toen hij dat hoorde. 'Dat is nog geen tien minuten hiervandaan.'

'Wat zou dat?'

'Hij en Moran leken het aardig goed met elkaar te kunnen vinden, vond je ook niet? Wat heeft Cooper voor een auto?'

'Een ouwe BMW.'

'Weet je dat zeker?'

'Ja, waarom dat?'

Stone wreef peinzend over zijn kin. 'Omdat ik een idee heb, daarom. Zoek uit waar hij precies woont.'

'Waarom wil je dat weten?'

'Omdat we bij hem op bezoek gaan, oen.'

128

Richmond, Virginia

Lucius Clay was de rozenstruiken aan het snoeien in de voortuin van zijn huis ten noorden van Richmond. Hij droeg een wollen trui met leren elleboogstukken en een paar versleten werkschoenen en terwijl hij daar zo bezig was, hoorde hij de Duitse herders in hun kennel aan de zijkant van het huis blaffen.

Aan het eind van de oprijlaan was een blauwe Camaro gestopt waar een man uitstapte. Clay bekeek hem argwanend terwijl hij op het huis kwam toelopen. De honden gingen wild tekeer. Hij had beveiligingscamera's op alle hoeken van het terrein staan en op verschillende plaatsen in huis was een vuurwapen verstopt, voor het geval een van zijn vroegere of huidige gedetineerden een wrok tegen hem koesterde. De bezoeker had een paardenstaart en een pokdalige gezicht en zag eruit als een voormalige gedetineerde. 'Komt u niet verder, meneer,' riep Clay.

De man glimlachte. 'Mooie tuin. Die rozen zien er bijzonder goed uit.'

Clay bekeek zijn bezoeker behoedzaam aan. 'Als u iets verkoopt, dan heeft mijn vrouw het al; en als ze het nog niet heeft, weet ik vrijwel zeker dat we het niet nodig hebben.'

'Directeur Clay? Ik ben geen verkoper, meneer. Mijn naam is dr. Frank Moran, vroeger van de FBI.'

Clay had een vaag vermoeden dat hij het gezicht van de man eerder had gezien. Of leek hij op een acteur? Was het Tommy Lee Jones? Maar dan met een dun paardenstaartje. 'Ken ik u?'

'Nee, maar ik geloof dat u mijn zuster kent, agent Kate Moran. Zou ik even met u kunnen praten, meneer?'

Clay floot, waarop de honden stil werden. 'Kunt u zich legitimeren, dr. Moran?'

De man haalde zijn rijbewijs tevoorschijn en hield het zo dat de directeur zijn foto kon zien. Clay bekeek hem nauwkeurig, maar was nog steeds op zijn hoede. 'Waar wilt u over praten?'

Moran stak zijn rijbewijs weer weg. 'Ik zou het op prijs stellen als ik u een paar vragen zou mogen stellen, meneer Clay. Ik denkt dat u me kunt helpen.'

'Heeft kapitein Tate u dat allemaal verteld?'

'Dat heeft hij inderdaad, meneer Clay.'

Clay zuchtte. 'Dan heeft Tate meer fantasie dan ik zou hebben gedacht. Het is absoluut onmogelijk dat een veroordeelde een executie zou kunnen overleven, dr. Moran. Daarvoor zijn er te veel beveiligingen ingebouwd. Waar is die verhandeling voor die u schrijft?'

'Voor een gerenommeerd medisch tijdschrift,' zei Moran vaag. 'Ik had het er terloops met Kate over en zij vond dat het misschien goed zou zijn om u naar uw mening te vragen.'

Clay liep naar de hondenkennel. De honden jankten zachtjes toen ze hem aan zagen komen. 'U zei dat mevrouw Moran in het buitenland is?'

'Dat klopt.'

'Wanneer is ze terug?'

'Dat kan ik niet met zekerheid zeggen. Hoezo?'

Clay schudde zijn hoofd. 'Zomaar. Maar om terug te komen op waar we het over hadden, een veroordeelde kan zijn executie niet overleven. Hij kan niet doen alsof hij dood is. Dat kan eenvoudigweg niet.'

Moran zei: 'Zelfs niet met hulp van iemand binnen de gevangenis, iemand in een hoge positie? Ik bedoel, als iemand een ongeoorloofd gebruik van zijn bevoegdheid zou maken? Iemand in uw positie bijvoorbeeld, directeur Clay? U zou toch vrijwel kunnen doen wat u wilde.'

Clay bleef bij de hondenkennel staan en nam zijn bezoeker scherp op. 'Wat wilt u precies suggereren, dr. Moran?'

Moran keek de directeur strak aan. 'Het is puur hypothetisch. Tate leek van mening te zijn dat het met hulp van binnenuit mogelijk zou zijn. Ik wilde uw mening graag horen.'

'Die heb ik u zojuist gegeven,' zei Clay scherp.

'Wilt u zeggen dat u niet gelooft dat iemand in een hooggeplaatste positie binnen de gevangenis zijn bevoegdheid onverstandig zou gebruiken, directeur?'

Clay wendde zijn hoofd af en toen hij Moran weer aankeek, waren zijn wenkbrauwen gefronst. 'Tate mag denken wat hij wil. Maar vindt u het erg als ik iets zeg?'

'Absoluut niet.'

'Misschien kunt u me vertellen waarom ik het gevoel krijg dat dit gesprek helemaal niets te maken heeft met de een of andere wetenschappelijke studie.'

'Wat geeft u die indruk, directeur?' zei Moran.

'Mijn ingebouwde bullshitdetector. Als u nou eens niet langer ouwehoert en gewoon zegt wat u wilt. Ik neem aan dat u ergens heen wilt, is het niet, dr. Moran?'

Moran keek naar de twee Duitse herders die gehoorzaam in de kennel zaten en hem met belangstelling bekeken, schopte toen een paar steentjes weg voordat hij Clay weer aankeek. 'Ik had gedacht dat ik enigszins omzichtig te werk zou kunnen gaan, maar ik merk dat dat moeilijk wordt. Men zegt dat u problemen hebt met de Dienst voor het Gevangeniswezen omdat u twijfels hebt over de doeltreffendheid van de doodstraf. Dat u ethische problemen had met het uitvoeren van de doodstraf bij aan uw zorg toevertrouwde gedetineerden.'

'Ik begrijp de logica van dit gesprek niet zo goed.'

'Ik vertel u alleen maar wat ik bij geruchte heb gehoord,' zei Moran. 'Is dat juist?'

Clay werd rood. 'Wilt u op enigerlei wijze suggereren dat ik geneigd zou zijn om de executie van een veroordeelde te verstoren vanwege mijn persoonlijke opvattingen?'

'Dat mag u me vertellen, directeur.'

Clay werd woedend. 'Wat "mag" ik u vertellen? Uw suggesties zijn absurd.'

'En de executie van Constantine Gamal? Hoe stond u daar tegenover?'

'Voor wie schrijft u eigenlijk, Moran? En wat heeft dit met elkaar te maken? Werkt u soms voor een van die kranten die mijn woorden proberen te verdraaien.'

'U hebt het bij het verkeerde eind, directeur –'

Clay liet hem niet uitspreken. 'Ik heb u verder niets te zeggen en ik heb geen flauw idee wat u wilt suggereren, alleen dat u me woorden in de mond wilt leggen. Je moet als de donder maken dat je wegkomt, Moran, of wie je verdomme ook mag zijn. Wegwezen. Of ik laat de honden los.'

'Ik ben geen journalist, directeur Clay, echt niet. Als u nog even naar me zou willen luisteren, dan zal ik u proberen uit te leggen –'

'Ik heb u gevraagd te vertrekken.' Clay legde zijn hand op de grendel van de kennel en maakte aanstalten om de deur open te doen.

Moran zag de vastberaden trek op Clays gezicht en tikte bij wijze van groet met zijn vingers tegen zijn voorhoofd. 'Ook goed, directeur. Blijft u rustig hier, ik kom er wel uit.'

129

Gretchen Woods, Virginia

Nadat ik een uur geslapen had, werd ik met een schok wakker. Telkens weer zag ik de beelden uit Parijs en Istanbul voor mijn geest, Jupe die ik had doodgeschoten en de verminkte lichamen van Yeta en de politieman. Ik baadde in het zweet.

Toen dacht ik aan Josh. Het was heel moedig dat hij me probeerde te helpen en daar zelfs zijn carrière voor op het spel wilde zetten, maar ik had het gevoel dat ik hem weinig keus had gelaten.

Plotseling hoorde ik het geluid van een auto die voor de deur stopte, gevolgd door het dichtslaan van portieren en voetstappen die het pad op kwamen. Mijn hart begon sneller te kloppen. Ik wilde opstaan en voorzichtig een blik uit het raam werpen, toen ik Josh haastig de trap op hoorde komen. Met een lijkbleek gezicht kwam hij mijn kamer binnen. 'Stone en Norton staan voor de deur.'

Direct daarop ging de bel. Mijn hart sloeg een keer over. 'Wat moeten die hier?'

Het zweet stond Josh op zijn voorhoofd en hij veegde het met de rug van zijn hand weg. 'Ik weet het niet, Kate, maar blijf hier en hou je doodstil.'

Josh ging weer naar beneden en ik bleef doodsbang achter. Ik hoorde hem de voordeur opendoen. Er klonken stemmen in de gang, maar wat er werd gezegd was niet verstaanbaar. Wat was er aan de hand?

Tegen Josh' advies in sloop ik naar de deur en deed die op een kier open, maar zag toen plotseling Neal uit zijn kamer aan de andere kant van de gang komen. Hij was in pyjama en schrok toen hij me zag. 'Waar is pappa?' zei hij hardop.

Ik verstarde, bang dat ze hem beneden hadden gehoord. Heel even dreigde ik in paniek te raken, niet wetend wat te doen, maar toen nam mijn instinct tot overleven het over.

'Neal, blijf op je kamer, lieverd. Je pappa komt zo boven...'

'Ik wil dat hij nú komt. Ik heb buikpijn.'

Jezus. Wat nu als Neal naar beneden ging en over mij begon te praten?

Waarom is Kate nog boven, pappa? Ik durfde er niet eens aan te denken. Hij wilde naar de trap lopen, maar ik greep hem bij zijn hand.

'Neal, lieverd, doe alsjeblieft wat ik zeg,' fluisterde ik.

Maar hij luisterde niet. Hij maakte zich los en begon te huilen.

'Neal, blijf hier.'

'Nee, ik ga naar pappa...'

Als ik hem naar beneden liet gaan, was het afgelopen met me. Ik pakte zijn hand en toen hij opnieuw probeerde zich los te rukken, fluisterde ik: 'Weet je wat ik fijn vond toen ik een klein meisje was en me niet lekker voelde?'

Neal hield op met tegenstribbelen, maar hij huilde nog wel. Hij schudde zijn hoofd. 'Ik wil naar pappa.'

Ik probeerde zo zacht mogelijk te praten. 'Neal, je pappa heeft beneden een heel belangrijk gesprek met mensen van zijn werk en hij mag nu niet gestoord worden, maar hij heeft gevraagd of ik op je wilde letten. Weet je wat ik kan doen om te zorgen dat je buikpijn weggaat? Ik kan je over je buik wrijven. Deed je mamma dat wel eens?'

Neal keek me aan, niet goed wetend wat te doen.

Ik stak mijn hand uit en wreef hem heel zacht over zijn buik. 'Beloofde ze wel eens dat ze een verrassing voor je had als je een zoete jongen was geweest?'

Nu wilde hij wel luisteren. Hij zette grote ogen op. 'Wat voor verrassing?'

'Een grote verrassing.' Ik bleef over zijn buik wrijven, met grote, draaiende bewegingen. 'Is dat lekker?'

Hij knikte en wreef slaperig in zijn linkeroog. 'Ja, maar ik wil mijn pappa.'

'Dat weet ik, maar we moeten heel stil zijn.'

'Ik heb nog steeds buikpijn.'

'Ik zal nog een beetje wrijven, dan wordt het beter. En als je héél stil bent, beloof ik je een héél mooi cadeautje. Wat dacht je daarvan?'

Neal knikte. We hadden een deal.

Plotseling hoorde ik stemmen in de voorkamer. Had Stone ons gehoord? Wat nu als hij naar boven kwam? Ik probeerde een manier te bedenken om te ontsnappen.

Ik keek om me heen, zag een zijraam en wees. 'Wat is er buiten dat raam, Neal?'

'De tuin.'

Het raam zou maar nauwelijks breed genoeg zijn om doorheen te kruipen en ik wist ook niet of Neal gelijk had. Ik probeerde me te herinneren hoe Josh' huis eruit had gezien toen we binnen waren komen rijden en ik had het akelige gevoel dat onder het raam een betonnen pad liep. Maar als het niet anders kon, zou ik moeten springen. Ik begon te bidden dat Stone de trap niet op zou komen.

130

Stone drukte nog maar eens op de bel. Norton stond naast hem. Er verscheen een gestalte achter de matglazen ruit. Cooper deed de deur open; hij was gekleed in een joggingpak.

Stone glimlachte. 'Hallo, Coop, neem me niet kwalijk dat we je storen, maar we waren in de buurt en ik moet even met je praten.'

'Praten waarover?' zei Cooper met gefronst voorhoofd. 'Mijn zoon is ziek. Kan het niet wachten?'

'Nee, eigenlijk niet. We hebben een dringend probleem,' antwoordde Stone zonder verdere uitleg en keek Cooper strak aan. 'Mogen we binnenkomen, Coop?'

Cooper zuchtte vermoeid. 'Zoals ik zei, mijn zoon is ziek. Daar heb ik mijn handen aardig vol aan...'

Norton kwam tussenbeide. 'Je luistert niet, Coop. Vance bedoelt dat het dringend is. Het gaat om Moran.'

'Wat is er met Moran?'

Stone lette scherp op Coopers reactie. 'Als je er geen bezwaar tegen hebt, bespreek ik dat liever binnen.'

Cooper ging hen schoorvoetend voor naar de huiskamer en gebaarde naar de bank.

'Dus, wat is er met Kate?'

'Heb je haar kortgeleden nog gezien?' informeerde Stone.

'In Parijs, maar ik dacht dat je dat wist.' Cooper fronste zijn wenkbrauwen. 'Moet je horen, zou je me willen vertellen wat er loos is?'

'Hoe is het met je zoon?' vroeg Norton.

'Dat heb ik je net verteld. Neal is ziek. De dokter is nog maar net de deur uit.'

'Maar het komt allemaal wel weer goed?' vroeg Norton.

'Volgens de dokter wel, maar er moet bij hem gewaakt worden en dat doe ik om en om met mijn zuster. Dus, wat is er, jongens? Heeft dit probleem met het werk te maken?'

Stone trok een gezicht. 'Het is inderdaad een probleem, Coop. Een heel groot probleem.' Hij vertelde het hele verhaal en toen hij uitgesproken was, keek hij weer hoe Cooper reageerde.

'Lou Raines is *dood*?' zei Cooper geschrokken.

Stone liep naar het raam, deed het gordijn een stukje opzij en keek naar buiten. 'Dat zei ik, ja. En het is zeer wel mogelijk dat je vriendin Moran dat heeft gedaan. Ze is op dit moment onze enige verdachte.'

'Maar dat is toch krankzinnig! Ik kan niet geloven dat Kate Lou zou vermoorden. Absoluut niet.'

'Waarom niet?'

'Ze is geen moordenaar. Kom op, Stone, wees reëel.'

Norton keek hem aan. 'Geen moordenaar? Wat dacht je van de bewijzen die haar in verband brengen met de Fleistmoorden?'

Cooper zei: 'Misschien heb je iets, maar ik geloof het niet zomaar. Ik zou eerst maar eens afwachten hoe die bewijzen uitpakken. Maar dat Kate Lou zou hebben vermoord? Dat kan helemaal niet, jongens.'

Stone begon door te kamer te lopen. Hij keek naar de boeken en naar Coopers verzameling cd's. 'Als je zo lang in dit werk zit als ik, krijg je een neus voor dat soort dingen. Ze heeft het gedaan, Coop, en vergis je niet, ik pak haar.'

Stone nam een foto in zijn handen van Cooper en zijn zoon staande naast een BMW. 'Heb je die BMW nog steeds?'

Cooper fronste zijn wenkbrauwen. 'Ja… Hoezo?'

'Mooie wagen. Je hebt geen LandCruiser?'

'Nee.' Cooper probeerde verbaasd te kijken. 'Hé, jongens, waar willen jullie nou eigenlijk heen? Als jullie iets te zeggen hebben, doe dat dan gewoon.'

Stone schudde zijn hoofd en zette de foto terug. 'Ik ben alleen maar nieuwsgierig. We draaien in een kringetje rond, Coop. Daarom hebben we alle beschikbare mensen nodig voor het onderzoek. We gaan de klok rond werken en daar hebben we jou ook bij nodig. Ik heb nu de leiding en ik hef je non-actiefstatus op. Ik weet dat het slecht uitkomt, maar het is alle hens aan dek totdat Moran gepakt is. Zou je zuster op je zoon kunnen passen?'

Cooper haalde zijn schouders op. 'Later op de avond waarschijnlijk wel, als ze klaar is met haar werk, zo tegen elf uur.'

Stone liep naar de deur. 'Dan verwacht ik je om halftwaalf op het bureau. Ik stel je medewerking op prijs, Cooper.'

Terwijl Stone samen met Norton het pad af liep, keken ze nog eens om. Ze zagen de vage gestalte van Cooper achter het matglas van de voordeur verdwijnen. Stone tuitte zijn lippen en keek peinzend. 'Heb jij hetzelfde gevoel als ik, Gus?'

'Ik heb honger. Ik heb mijn lunch gemist. Wat voor gevoel heb jij?'

'Dat er met meneer Cooper iets niet in de haak is. Hij schrok van het bericht van Lou, maar voor mijn gevoel niet half genoeg. Hij deed alsof. En dat deed hij goed, dat moet ik toegeven.'

Ze stapten in de auto. Norton haalde zijn schouders op. 'Dat heb ik niet opgemerkt. Wat had je dan verwacht dat hij zou doen, huilend over de vloer rollen?'

'Mijn instinct zegt me dat Cooper iets achterhoudt, daar durf ik mijn kop om te verwedden.'

'Denk je dat?'

'Dat denk ik. Ik ken hem, Gus. Ik heb het gevoel dat hij me om de een of andere reden niet vertrouwt.'

Norton gebaarde naar Stones verbonden hoofd. 'Weet je zeker dat je door die klap op je kop geen dingen ziet die er niet zijn, Vance?'

'Leuk, hoor. Wacht maar, dan zie je dat ik gelijk krijg. We gaan zijn huis in de gaten houden, de klok rond. Maar het moet wel ultra discreet gebeuren, door de beste mensen. Cooper is een pro en die ruikt op een kilometer dat hij wordt gevolgd. Zeg dus tegen je mensen dat ze extra voorzichtig moeten zijn. En nog iets.'

Norton startte de motor. 'Wat dan?'

'Zoek snel uit of iemand van Coopers familie of vrienden een blauwe LandCruiser heeft.'

131

Ik hoorde gedempte stemmen op de gang. De voordeur ging open en werd gesloten. Josh kwam met grote stappen de trap op. Hij zag Neal en mij op de overloop staan. 'Hé, alles goed met jullie?'

Ik vertelde Josh wat er was gebeurd. Hij glimlachte en zei tegen Neal: 'Nou, jij hebt het goed voor elkaar, zeg. Wrijven je over je buik en je krijgt nog een cadeautje ook. Gaat het nu weer een beetje, kerel?'

'Ja, hoor.'

'Mooi zo,' zei Josh. Hij kuste Neal en knipoogde naar mij. 'Ik kom er zo aan. Even deze kleine man naar bed brengen.'

Ik ging terug naar mijn kamer. Ik was vreselijk nerveus en wilde niet dat Josh me alleen liet, maar ik kwam in de verleiding om tussen het gordijn door te gluren om te kijken of Stone en Norton weg waren.

Ik wachtte tot ik een auto hoorde starten, keek toen door de kier van de gordijnen en zag hun auto wegrijden. Ik ging op het bed zitten en dacht aan Josh' bezorgde gezicht toen hij de trap op was komen stuiven. Ik nam aan dat er iets goed fout zat.

Tien minuten later kwam Josh binnen.

'Hoe is het nu met hem?' vroeg ik.

'Nog een beetje onrustig, maar hij valt wel in slaap.' Josh ging op het voeteneind van het bed zitten. 'Jezus, dat was kantje boord daar beneden. Ik wist niet of ik wel kalm zou kunnen blijven.'

'Wat is er gebeurd?'

Josh' gezicht verhardde. 'Stone is zo vasthoudend als een terriër, hij wil je koste wat kost vinden. Als hij er ooit achter komt wat ik heb gedaan, kan ik het bij het Bureau verder wel schudden. Dan schoppen ze me zo de straat op.'

'Josh, het spijt me...'

'Hé, maak je geen zorgen, het was mijn eigen beslissing.'

'Maar ik heb je aangezet om die te nemen.'

'Nee, dat heb je niet. Het was mijn eigen besluit.' Hij glimlachte moedig. 'Als ik de elektrische stoel krijg, hou jij dan mijn handje vast?'

'Dat beloof ik. Ik wil toch al een ander kapsel hebben.' Ik probeerde om er luchtig over te doen, net als Josh, maar ik was zo gespannen dat ik nauwelijks kon lachen.

Hij legde zijn hand op de mijne. 'Ik weet het, het is niet grappig, maar soms moet je proberen te lachen.'

'Dus, wat heeft Stone je verteld?'

'Vrijwel alles, alleen in zijn versie van het verhaal ben jij de hoofdverdachte. Hij wil niets minder dan jouw hoofd op een zilveren schaal en hij heeft alle beschikbare agenten op de zaak gezet. Het is moeilijk om met zekerheid te zeggen dat hij je erin wil luizen, maar ik vertrouw hem niet. Dat is gewoon een gevoel.'

Ik zat gevangen tussen woede en wanhoop en kon wel huilen. Josh voelde mijn stemming aan, want hij kneep in mijn hand. 'Ik weet dat je niet schuldig bent. Daar ben ik van overtuigd. Maar ik maak me wel zorgen.'

'Waarover?'

'Stone schijnt te vermoeden dat ik je help. Hij weet alleen niet hoe.'

'O, nee...'

'Hij vroeg zelfs of ik een blauwe LandCruiser had.'

Ik werd nog mismoediger. 'Wat heb je gezegd?'

'Ik heb dat natuurlijk ontkend, maar het zou me niet verbazen als hij na ons gezellige praatje beneden in de verleiding is gekomen om het huis in de gaten te laten houden. Zijn excuus om langs te komen was dat hij me vanavond weer aan het werk wil hebben. Is dat niet aardig? Ik probeer je op te sporen terwijl je je bij mij thuis verborgen houdt.'

Ik stond op. 'Ik kan niet blijven, Josh. Zodra we Gamals graf hebben geopend, ben ik weg, maakt niet uit wat we daar vinden.'

'Dat hoeft helemaal niet.'

'Jawel. Ik wil jou en Neal niet verder in gevaar brengen.'

'En waar ga jij dan heen?'

'Ik bedenk wel iets,' antwoordde ik.

Josh maakte aanstalten om weg te gaan. 'Nou, daar hebben we het nog wel over. Ik zal wat kleren van Carla voor je pakken, die zullen je wel passen. Ik zal vragen of Marcie tegen achten hier kan zijn. Wij gaan naar het kerkhof, doen wat we moeten doen en dan kan ik nog om halftwaalf op kantoor zijn.'

Hij wilde weggaan en opeens werd ik weer onrustig. 'Waar ga je heen?'

'Naar de garage. Even wat spulletjes in de auto leggen. Als we een graf gaan openmaken hebben we spades nodig.'

132

Mijn god, wat haat ik de smerige smaak van de nederlaag. Ik haat verliezen. Maar Kate Moran zou niet wegkomen met wat ze hem had aangedaan.

'Hier moet u eruit, meneer.'

De Discipel draaide zijn hoofd om naar de bestuurder van de shuttlebus die hem uit zijn dagdroom had gewekt. 'Dank u.'

De bestuurder wees. 'Daar is de taxistandplaats. Er rijdt ook een bus naar het centrum.'

De Discipel stapte uit de shuttlebus die de verbinding onderhield tussen het winkelcentrum en het openbaar vervoer. Hij was zo dichtbij geweest. Hij had Moran bijna te pakken gehad toen die andere agent ten tonele was verschenen en de hele boel in de war had gestuurd.

Hij was Moran gevolgd naar de uitgang van het winkelcentrum en had haar naar buiten zien vluchten. Hij had haar net achterna willen gaan toen hij die agent uit een oude blauwe Cadillac zag stappen met een oude dame achter het stuur. *Ik dacht dat ik die klootzak hard genoeg op zijn kop had geslagen om hem af te maken.* Toen zag hij hem een revolver opheffen en op Moran schieten, maar ze rende gewoon door, dwars over het parkeerterrein, om in een blauwe LandCruiser te stappen, die direct wegreed.

Wie zat er in die LandCruiser en waarom had die persoon Moran helpen ontsnappen? Dat was hem een raadsel.

Hij besloot om snel te maken dat hij wegkwam, want hij verwachtte niet anders of binnen de kortste keren zou het hier wemelen van de politie. Hij wilde zijn eigen plannen niet in gevaar brengen, alleen maar omdat hij zo nodig een oude rekening wilde vereffenen. Daarom was hij door een van de andere uitgangen naar buiten gegaan, had de shuttlebus gezien en was erin gesprongen. Nu was hij tegenover een taxistandplaats uitgestapt.

Wat hij nodig had was een plek waar hij veilig was terwijl hij zich voorbereidde op de laatste overrompelende aanval. Hij wist exact waar die plek was. En Moran? Waar zou die zich verborgen houden? Hij kende haar gewoontes net zo goed als die van hemzelf. Ze zou niet naar de cottage gaan, niet nu ze de politie op haar hielen had. Veel opties had ze niet. Haar broer Frank was een mogelijkheid. De FBI zou zijn huis waarschijnlijk in de gaten houden, maar mogelijk bood haar broer desondanks hulp bij het vinden van een veilige schuilplaats.

Hoe het ook zij, hij meende een feilloze manier te hebben om Kate Moran op te sporen, onverschillig waar ze zich verborgen hield. Hij klopte op de bobbels in zijn zakken waar hij het Glock pistool had zitten, de injectiespuit en de extra ampullen. Hij was er weer helemaal klaar voor. Hij liep naar de rij taxi's. De chauffeur van de eerste wagen was een Pakistani, een goed uitziende man met een gouden tand. De Discipel stapte in en de chauffeur vroeg: 'Waarheen, meneer?'

'Rij maar in de richting van de stad. Ik beslis onderweg wel.'

133

Het was maar een korte wandeling van het plaatselijke bureau van de FBI op Judiciary Square naar het park. Frank Moran ging op een bankje zitten, haalde zijn handen uit de zakken van zijn donkerblauwe windjack en blies erin om ze een beetje warm te houden. Hij keek naar links en hij keek naar rechts en zette zijn zonnebril van vijf dollar recht. Niet dat hij nu direct een zonnebril nodig had, want de zon was verdwenen achter dreigende donkere wolken die slecht weer aankondigden.

Hij zag Diaz op rolschaatsen aankomen. Hij droeg een zwarte Speedobroek en een dikke zwarte trui. Als een balletdanser laveerde hij met zijn atletische gestalte tussen de voetgangers door. Hij kwam naast Frank tot stilstand en grijnsde.

'Hé, Frank, hoe gaat-ie, makker?'

'Z'n gangetje, Armando. Ik probeer de demonen buiten de deur te houden.'

Diaz droeg een dunne Ray-Ban. Hij ging op de bank zitten en gaf Moran bij wijze van groet een klap op zijn hand. 'Dat wil zeggen dat je van het vuurwater afblijft?'

'Dat probeer ik. Ik zag je aankomen. Als je zo blijft schaatsen zaag je je ballen er nog een keer af, weet je dat?'

Diaz grijnsde. 'Denk je?'

'Zeker weten, man.'

'Toen je belde kon ik niets zeggen. Het leek me beter om onder vier ogen te praten.'

Moran blies nog eens in zijn handen. 'Geen probleem.'

'Je zei dat je Kate zocht,' begon Diaz.

Moran knikte. 'Ze heeft een paar keer een bericht op mijn voicemail achtergelaten en ik heb geprobeerd om haar terug te bellen, maar ze neemt niet op. Ik dacht dat jij misschien wist waar ze was. En je moet me een plezier doen, Armando. Ik weet dat ik gebruikmaak van het feit dat we vaak hebben samengewerkt en al heel lang vrienden zijn, maar ik vroeg me af wat de laatste ontwikkelingen zijn in die copycatzaak.'

Diaz fronste zijn wenkbrauwen. 'Hoezo? Je bent niet meer bij dat soort zaken betrokken.'

'Laten we zeggen dat ik gewoon geïnteresseerd ben. Dus, hoe zit het met Kate? Ik heb alles geprobeerd om haar te vinden.'

Diaz' gezicht verstrakte. 'Net als het halve Bureau.'

Franks fronste zijn wenkbrauwen. 'Wat bedoel je?'

'Ze zoeken haar.'

'Ik begrijp het niet goed,' antwoordde Moran.

Diaz nam zijn zonnebril af. Hij keek ernstig. 'Je weet dat ik Kate graag mag, Frank. Ze is een van de besten in dit vak, maar naar ik heb begrepen zit je zuster aardig in de stront.'

Moran zei: 'Waar heb je het in godsnaam over, man?'

Diaz zuchtte en zette zijn zonnebril weer op. 'Heeft ze je niets verteld? Dan kan ik je misschien maar beter vertellen hoe de zaken liggen.'

134

Gretchen Woods, Virginia

Ik douchte en trok de kleren van Josh' ex aan: een zwarte spijkerbroek en een donkerblauwe coltrui. Carla en ik hadden dezelfde maat. Ik had net mijn haar opgebonden toen Josh op de deur klopte, zijn hoofd om de hoek stak en enigszins wrang glimlachte.

'Mag ik vragen wat je denkt?' zei ik.

'Mag ik zeggen dat die kleren jou veel beter staan dan Carla?'

'Bedankt voor het compliment, maar ik denk dat je staat te liegen.'

Josh lachte en hij kwam verder de kamer binnen. 'Het is de zuivere waarheid. Donkere kleding voor een bezoek aan het kerkhof. Ik vond dat we het enigszins ingetogen moesten houden.'

'Ben je altijd zo bij de pinken?'

'Dat probeer ik wel.'

Ik zag dat hij een zwarte coltrui had aangetrokken, een donkerblauwe spijkerbroek en een paar oude werkschoenen. Die donkere kleding stond hem goed – zijn figuur kwam er goed in uit.

'Hoe is het nu met je?' vroeg Josh.

'Ik ben zenuwachtig.'

'Ik denk dat alleen al de gedachte Gamals lijk op te gaan graven vol-doende is om iedereen de kriebels te geven.'

'Wil je wedden of hij daar wel of niet ligt?' vroeg ik.

Josh trok een wenkbrauw op. 'Ik ben gewoonlijk niet zo'n gokker, maar ik durf er wel iets om te verwedden dat Stone zijn verspieders in-middels in stelling heeft gebracht.' Hij liep naar het gordijn en leek in de verleiding te komen om het een beetje opzij te doen en naar buiten te kijken, maar deed het niet.

Plotseling voelde ik me weer schuldig dat ik hem in gevaar bracht. 'Josh, het staat me helemaal niet aan dat je nog meer risico's loopt om me te helpen.'

'Mij ook niet.' Hij glimlachte met een resolute uitdrukking op zijn ge-zicht. 'Maar zoals ik zei: mijn besluit staat vast, dus maak je verder geen zorgen.'

Ik kreeg de indruk dat het geen zin had om er nog langer over te pra-ten, maar ik dacht aan Neal. 'Ik kan je dit niet laten doen, Josh. Ik kan je niet alles dat belangrijk voor je is op het spel laten zetten. Neals vei-ligheid, je carrière...'

'Zoek je nog steeds ruzie?'

'Nee, dat niet, maar luister alsjeblieft naar me –'

Josh zuchtte. 'Kate, het is eenvoudigweg een kwestie van geloof. Ik ge-loof dat je onschuldig bent en dat je de Fleists of David en Megan nooit kwaad gedaan zou kunnen hebben. Het maakt niet uit wat Stone zegt. Ik wil je helpen om dat te bewijzen.'

Dat ontroerde me zo dat ik me naar hem over boog en zijn wang kuste. 'Bedankt voor het vertrouwen. Dat betekent heel veel voor me.'

Josh legde zijn hand op de wang waarop ik hem had gekust. 'Hé, be-dankt. Maar als dit allemaal achter de rug is en we zijn er heelhuids doorheen gekomen, gaat het je wel iets meer kosten dan een kusje.'

'Wat dan?'

'Een weekend samen met een aantal degelijke slaapkamercapriolen, en dat is dan alleen nog maar het begin.'

'Ben jij altijd zo'n keiharde onderhandelaar?'

Hij knipoogde. 'Alleen met mensen om wie ik geef.'

'Nou, goed dan.'

Josh liep naar de deur. 'Kleed je verder aan, dan gaan we naar bene-den. Marcie kan elk moment hier zijn en als we veilig weg willen ko-men, zullen we een goed ontsnappingsplan moeten hebben.'

Een paar minuten later volgde ik Josh naar de keuken, waar hij twee stevige spades en een pikhouweel bij de achterdeur had klaargezet. Hij pakte twee paar tuinhandschoenen van de keukentafel en gaf die aan mij, samen met een grote zaklamp en een snoerloze boormachine. 'Als jij deze bij je houdt, dan neem ik het graafgereedschap. Ik denk dat we zo alles wel hebben.'

Over een stoel hing een oude marinejekker. Die trok hij aan. 'Tussen twee haakjes, terwijl jij je aankleedde, heb ik vanuit de donkere slaapkamer even naar buiten gekeken.'

Mijn hart begon sneller te kloppen. 'Heb je iets gezien?'

'Verderop in de straat staat een servicewagen van de kabeltelevisie die ik hier nooit eerder heb gezien. Het lijkt me vrij stom van Stone om dat ouwe trucje te gebruiken, maar het kan best. En er staan nog twee onbekende auto's. Misschien heeft een van de buren bezoek, misschien ook niet. Maar maak je geen zorgen, ik heb een strategie om uit de belegerde vesting te ontsnappen.'

Voordat ik kon vragen wat dat was, ging de bel en mijn hart sloeg over.

'Dat zal Marcie zijn.' Josh pakte een donker windjack en een sjaal van een haak aan de achterkant van de keukendeur en gaf die aan mij.

'Trek die aan, want het zal straks best koud zijn. Ik praat even met Marcie en dan zijn we weg.'

'Wat ga je haar vertellen?'

'Niets. Hoe minder ze weet, hoe beter het is.'

Ik keek naar de boormachine. 'Waar is deze eigenlijk voor?'

'Om het deksel van de kist los te schroeven.'

135

Ik wachtte in de keuken terwijl Josh naar de deur ging. Hij praatte met Marcie terwijl ze de huiskamer binnengingen en even later hoorde ik hun stemmen daar, nogal hard, maar niet zo dat het leek alsof ze ruzie hadden. Een paar minuten later kwam Josh samen met zijn zuster de keuken binnen.

'Je ziet er goed uit in die jeans,' zei Marcie tegen me. 'Ik wou dat ik een kleinere maat kon dragen. Maar wie weet, misschien als dit allemaal voorbij is en ik een beetje ben afgevallen.' Ze keek haar broer vragend aan en zei: 'Waarom wil je me niet vertellen wat jullie van plan zijn?'

'Marcie, met alle respect, maar het is beter dat je het niet weet,' zei Josh.

Marcie klonk teleurgesteld. 'Oké, als jij het zegt.'

'Het is voor je eigen bestwil.'

Marcie keek eens naar het gereedschap dat haar broer bij elkaar had gezocht en naar de werkhandschoenen die ik in mijn hand had. 'Zo te zien gaan jullie tuinieren. Misschien kunnen jullie, als je klaar bent, mijn achtertuin ook even doen?'

Wat moest ik zeggen? *Nee, we gaan een lijk opgraven.* 'Het spijt me dat we het je niet kunnen vertellen, Marcie. Maar Josh heeft gelijk: hoe minder je weet, hoe beter het is.'

'Het is niet gevaarlijk of zo, hoor,' loog Josh met een glimlach. 'Gewoon een beetje tuinieren, net wat je zei.'

Marcie klonk beschuldigend toen ze tegen haar broer zei: 'Waarom dan al die geheimzinnigheid? Als je maar voorzichtig bent, meer wil ik niet zeggen. Ik wil dat je heelhuids terugkomt. Voor Neal. Je bent alles wat die jongen heeft.'

Dat bracht mijn schuldgevoel in volle hevigheid terug, maar Josh pakte me bij de arm. 'Kom we gaan de achterdeur uit. Marcie, jij kunt nu maar beter naar boven gaan. Je weet wat je moet doen – als er problemen zijn, bel je me op mijn mobieltje.'

'Gedraag je netjes en wees voorzichtig.' Ze verliet de keuken en even later hoorde ik haar de trap opgaan.

Josh keek me aan. 'Klaar?'

'Josh, Marcie heeft gelijk –'

Voordat ik verder nog iets kon zeggen, duwde hij me naar de achterdeur. 'Zo gaan we het doen. Jij komt achter me aan en zegt niets tenzij het absoluut noodzakelijk is, oké?' Hij deed het licht in de keuken uit, duwde de achterdeur open en nam me mee naar buiten, het donker in.

136

Ik volgde Josh over een pad naar het eind van de tuin. De vlagerige wind voorspelde slecht weer en de maan was maar zo nu en dan tussen de dreigende wolken te zien. We kwamen bij een muur. Erachter zag ik het huis van Josh' buren. Achter een van de ramen op de bovenverdieping brandde licht achter de gesloten gordijnen. 'Dat is het huis van de familie Calvin,' fluisterde Josh. 'Ze hebben geen kinderen. Marcies huis is er recht tegenover. Het enige wat we hoeven te doen, is over de muur klimmen. De zijuitgang leidt recht naar Marcies auto.'

'En dat kunnen we veilig doen?'

'Had ik je verteld dat de buren een Duitse herder hebben met een fantastisch goed gehoor?'

'*Jezus christus, Josh...*'

Josh grijnsde terwijl hij op de muur klom en zijn hand uitstak om me omhoog te trekken. 'Maak je geen zorgen, Rufus is bijna familie. Bovendien heb ik iets meegebracht om hem bezig te houden.' Hij haalde iets uit zijn zak dat in krantenpapier verpakt zat en ik rook vers vlees. 'De prime rib voor morgenavond. Zie je nou wat ik allemaal voor je doe? Ik lijd zelfs honger voor je.'

'Wat een eer.'

De hond moest het vlees ook hebben geroken, want ik hoorde een korte blaf, die werd gevolgd door het geluid van snel naderende hondenpoten. Een grote bruin met zwarte hond verscheen vanuit het duister.

'Hallo, Rufus. Kijk eens wat ik heb, brave jongen.' Josh gooide de lap vlees op het gazon en de hond viel er onmiddellijk op aan. 'Kom op, over de muur.'

'Zeker weten dat het veilig is?'

'Die hond is eigenlijk een poes, alleen weet hij dat zelf niet.'

Om het te bewijzen sprong Josh bij de buren in de tuin; de hond lette niet eens op hem. Josh gebaarde dat ik moest volgen. Ik sprong ook en kwam naast de hond terecht die plotseling opkeek en begon te grommen alsof hij niet goed wist wat hij met een vreemdeling naast hem moest.

Josh haalde nog een lap vlees uit de krant en gaf die aan hem. 'Hier, jongen. Pak het dan.' Hij gooide het vlees een eind weg en de hond rende erachteraan. Josh pakte me bij de arm en nam me mee naar de zijuitgang. Verderop zag ik een straat met aan beide kanten keurige huizen.

'Blijf hier staan,' zei Josh en liep weg om in de straat te gaan kijken. Even later kwam hij weer terug. 'Zo te zien is alles veilig. Deze keer nemen we de auto van Marcies man.'

Ik volgde hem naar een huis met erkers en een blauwe Volvo stationcar voor de deur. Josh haalde een stel sleutels uit zijn zak en maakte het portier open, stapte in en deed de deur aan de andere kant voor me open. Hij stak de sleutel in het contactslot en wilde juist starten toen zijn telefoon ging. Hij keek naar het nummer. 'Het is Stone. Wat zou die willen?'

'Neem je op?'

'Ben je gek? Laat hem maar zweten.'

Het was ijzig koud en aan de wolken te zien kon het elk moment gaan regenen. Het begon harder te waaien en de wind rukte aan de auto. 'We krijgen slecht weer.'

Ik had het nog niet gezegd of de regen kletterde op het dak van de Volvo. 'Uitgezocht weertje voor een bezoek aan het kerkhof.'

Josh startte de auto, zette de ruitenwissers aan en reed weg.

De twee FBI-agenten in de donkergroene Ford Taurus genoten van hete koffie uit een thermosfles. Ze zagen de vrouw het huis van Cooper binnengaan. Een van de agenten zei: 'Zo te zien is zijn zuster gearriveerd. Wat wil je doen?'

Zijn collega keek op zijn horloge. 'Laten we nog even wachten. Kijken of Cooper naar zijn werk gaat.'

Een kwartier later kletterde de regen op het dak van de Ford, maar nog steeds was er niemand naar buiten gekomen. De agent haalde zijn mobiele telefoon uit zijn zak en toetste een nummer in. Bij de tweede bel werd er opgenomen. 'Met Stone.'

'Met Jackson. Coopers zuster is een kwartier geleden teruggekomen, maar Cooper heeft zich nog steeds niet vertoond.'

Stone dacht een ogenblik na. 'Ik zal hem eerst even bellen. Kijken of hij naar het bureau komt.'

Het bleef een poosje stil, maar toen zei Stone: 'Hij neemt niet op. Ik krijg zijn voicemail.'

'Wat denk je ervan, Vance?'

'Staat zijn auto nog steeds in de garage?'

'Dat moet wel. Sinds we hier zijn is er niemand weggereden.'

'Was zijn zuster lopend of met de auto?'

'Lopend. Het regent hier dat het giet, man. Ik kan niet precies zeggen waarom, maar ik krijg het gevoel dat er iets loos is. Wil je dat we aanbellen en een praatje met zijn zuster maken?'

Stone dacht even na en zei toen: 'Nee, wacht tot ik er ben. Ik kom eraan.'

137

Interstate 95, ten zuiden van Richmond, Virginia

Ik hield de zijspiegel goed in de gaten, maar het zag er niet naar uit dat we werden gevolgd. Nu we werkelijk op het punt stonden om Gamals kist op te graven, was ik zo zenuwachtig als wat, maar Josh leek de rust zelve.

'Mag ik vragen hoe jij kans ziet om zo kalm en beheerst te blijven?' vroeg ik.

Josh klopte zich op de borst en zei: 'Dat is allemaal schijn. Vanbinnen ben ik één bonk zenuwen.'

'Zeg, schei uit, wil je? Ik reken op gedegen leiderschap.'

Josh' telefoon ging. Hij keek naar het nummer, maar nam niet op. 'Het is Stone weer. Wedden dat hij een bericht achterlaat?'

Inderdaad piepte de telefoon even later. Josh belde om het bericht te horen.

'Wat zei Stone?' vroeg ik.

Hij glimlachte. 'Woordelijk? "Cooper? Waar zit je godverdomme. Bel me onmiddellijk terug. Het is dringend." Wat zeg je me daarvan? Een baas die tegen je vloekt.'

Ik vertrouwde het niet. 'Volgens mij heeft hij ons door.'

'Rustig. Dan zou ik het wel van Marcie hebben gehoord.'

'Zou ze praten als Stone weer bij je op de stoep stond en haar zou ondervragen?'

Josh lachte. 'Er is heel wat meer voor nodig dan Stone om Marcie bang te maken. Waar is dat kerkhof eigenlijk?'

Gamal was begraven op Sunset Memorial Park in Chesterfield County, Virginia, een niet-confessionele begraafplaats langs de Interstate 95. Ik keek op de kaart. 'Neem de volgende afslag rechts en dan rechtdoor. Dan zouden we het moeten zien liggen.'

Josh ging rechtsaf. We kwamen in een kleine plaats met een paar winkels, een restaurant en een motel. De regen viel nu werkelijk met bakken uit de lucht; het donderde en felle bliksemflitsen verlichtten de donkere wolken.

'Het kerkhof moet aan de linkerkant zijn,' zei ik.

'Aha,' zei Josh, terwijl we door een brede straat reden.

Ik zag het ook. Maar er was nog iets: aan de overkant van de straat, recht tegenover het kerkhof, lag het bureau van de plaatselijke sheriff – een beige geschilderd, houten gebouw met een plat dak – en daar brandden alle lichten. Het kleine beetje vertrouwen in de goede afloop dat ik had was op slag verdwenen.

Josh zei: 'We boffen niet. Zo te zien worden de geliefde overledenen hier goed bewaakt.'

De begraafplaats was omgeven door een lage stenen muur met een ijzeren hek erop. Achter de hekken zag ik de donkere omtrekken van grafzerken en eenvoudige stenen kruisen, afgetekend tegen de door bliksemflitsen verlichte hemel. Ik was nog steeds vastbesloten om Gamals graf te openen.

Wat zullen we daar aantreffen? Staan we straks oog in oog met het verrotte lijk van Constantine Gamal of vinden we een lege kist?

Beide vooruitzichten deden me huiveren en om het allemaal nog erger te maken, zag ik beweging achter de gesloten jaloezieën van het politiebureau. *Wat als we op heterdaad worden betrapt?*

'Je bent nerveus,' zei Josh.

'Dat ben ik zeker. Verdomd nerveus.'

'En misschien een beetje prikkelbaar?'

Ik was zo bang dat ik me moest beheersen om mijn nagels niet in Josh' arm te zetten. 'Neem me niet kwalijk. Ik ben gewoon gespannen omdat ik me afvraag wat we zullen vinden.'

'Dat zullen we gauw genoeg weten, als de plaatselijke veldwachters zo vriendelijk willen zijn om binnen te blijven.' Josh reed langzaam langs de begraafplaats, tot we een verlaten pad tussen de bomen door zagen. Daar draaide hij in. Hij reed nog een meter of dertig door, stopte toen en trok de handrem aan. 'Dichterbij kunnen we niet komen. Maar goed dat we regenkleding hebben meegenomen. We zullen terug moeten lopen en over de muur van het kerkhof klimmen.'

Ik nam aan dat we doornat zouden zijn zodra we uitstapten, maar daar maakte ik me nog het minst zorgen over.

Josh deed het portier open en zei: 'Gebruik die zaklamp alleen als het echt niet anders kan, anders zien ze ons aan de overkant misschien. Ik pak de spullen en dan gaan we dit raadsel oplossen.'

138

Een ijzige regen vermengd met natte sneeuw sloeg ons in het gezicht toen we uit de auto sprongen en onze regenkleding aanschoten. Ik greep de zaklamp, de boormachine, de handschoenen en een van de scheppen, terwijl Josh de rest van de spullen in een zeildoekse zak deed die hij over zijn schouder gooide.

We liepen terug naar het kerkhof. Josh klom op het hek en stak me zijn hand toe. Hij trok me omhoog en samen klommen we eroverheen. We kwamen op een grindpad.

Josh zei: 'Herinner je je die griezelfilms nog van vroeger?'

'Wat is daarmee?'

'Ik heb zo'n idee dat dit nog erger wordt dan al die griezelfilms bij elkaar.'

'Jij weet echt hoe je een meisje moet opvrolijken.'

'Ja, vind je ook niet?' Josh veegde zijn natte gezicht af en ik volgde hem over het pad tussen de graven door. 'Ik weet niet hoe het met jou is, maar ik heb nog nooit van mijn leven een graf geopend.'

'Ik ook niet,' zei ik.

'Dus, waar is het graf?'

We liepen tot helemaal achter aan de begraafplaats. Het schijnsel van de straatverlichting was hier nog juist voldoende om iets te kunnen zien en volgens mij moesten we er nu bijna zijn. 'Het is in de noordoostelijke hoek van de begraafplaats en er staat alleen een houten bordje met wat cijfers bij. De plaats is niet bekendgemaakt, maar Lou wist dat van de Dienst voor het Gevangeniswezen.'

Zo nu en dan deed ik de zaklamp eventjes aan en direct weer uit. Ik zorgde dat ik met mijn rug naar de voorkant van het kerkhof stond die hiervandaan ongeveer honderd meter verwijderd was en hoopte maar dat ze het licht in het politiebureau aan de overkant niet zouden zien. Ik liep nu voorop, langs een aantal nieuwe grafzerken en vond uiteindelijk wat ik zocht: een houten bordje met daarop alleen: No. 1134526. Het was het nummer dat Constantine Gamal in de gevangenis had gehad en dat gaf nu zijn graf aan.

Direct ernaast was een nieuw gedolven graf, helemaal klaar om een volgende kist in neer te laten. Naast het bordje op Gamals graf lag een grote hoop aarde. Het open graf was afgedekt met een groen dekzeil, in het midden ingezakt onder het gewicht van een plas ijskoud regenwater. Mijn maag draaide om bij de gedachte aan wat we op het punt stonden te gaan doen.

Josh trok een paar werkhandschoenen aan en trapte eens met zijn hak in de grond. 'Ik denk niet dat we het pikhouweel nodig hebben,' zei hij. 'De grond lijkt aardig zacht. We kunnen maar beter beginnen, anders zijn we morgenochtend nog bezig. Aangezien dit jouw idee was wil je misschien de eerste spade in de grond steken?'

'Dat is heel vriendelijk van u, collega.'

Josh lachte met valse bravoure. 'Zeg nooit dat ik niet weet hoe ik een dame moet behandelen.'

Ik stak de spade in de drassige grond en zette mijn voet erop. De aarde was zacht en de eerste plag kwam er gemakkelijk uit. Josh volgde mijn voorbeeld. We groeven door zo snel als we konden.

139

Gretchen Woods, Virginia

De twee agenten zagen de zwarte Chrysler voor hun auto stoppen. De koplampen doofden en Stone stapte uit. Hij kwam door de stromende regen op hen toe gerend, gevolgd door Norton. De twee mannen stapten achter in de Ford en schudden het water van hun jas, doorweekt als ze zelfs na dat kleine stukje al waren. 'Wat is er godverdomme gebeurd?' wilde Stone weten.

Een van de agenten zei: 'Er is nog niets veranderd. De zuster is nog binnen, maar Cooper is niet naar buiten gekomen, in elk geval niet voor zover wij hebben kunnen zien. Heb je hem nog weer geprobeerd te bellen?'

Stone liet zijn tanden knarsen. 'Ja, ik heb zelfs een bericht achtergelaten, maar die klootzak reageert niet.'

'Wat is er verder aan jouw kant nog gebeurd?'

Stone veegde de regen van zijn gezicht. 'We houden het huis van Frank Moran in de gaten, maar zijn zuster heeft zich daar niet vertoond.

Ik bedacht nog iets – ze zei tegen Lou dat Gamals graf geopend moest worden. Geloof je dat? Die is helemaal mesjoche. Maar ik ga dat kerkhof wel in de gaten laten houden, want je weet maar nooit of ze daar opduikt.'

'Wat gaan we doen, blijven we hier gewoon in de zeikregen zitten?' vroeg de tweede agent.

Stone keek naar het huis. 'Nee, ik geloof dat het tijd wordt om te gaan horen wat die zuster te vertellen heeft.'

Hij stapte uit en rende het pad op, gevolgd door Gus Norton en de twee agenten. Hij drukte op de bel en even later ging de buitenlamp aan. Stone nam aan dat Coopers zuster haar bezoekers door het spionnetje bekeek en drukte nog eens op de bel.

'Ja? Wie is daar?' vroeg een vrouwenstem.

Stone hield zijn legitimatie voor het kijkgaatje. 'Ik ben special agent Stone, mevrouw, een collega van uw broer. Mag ik vragen met wie ik het genoegen heb?'

Een korte stilte. 'Ik ben Marcie, Josh' zuster.'

'Ik moet hem spreken, mevrouw. Het is dringend.'

'Josh is er niet. Hij is een halfuur geleden naar zijn werk gegaan.'

Stone keek de beide agenten eens aan en zei tegen de vrouw: 'Is dat zo? Dan moet ik u daarover spreken, mevrouw.'

'Het spijt me, maar Josh' zoon is ziek en ik kan niet bij hem weg. U zult Josh moeten bellen–'

'Mevrouw, dat heb ik al geprobeerd,' onderbrak Stone haar ruw. 'Doet u die verrekte deur open, anders trappen we hem in. U hebt precies vijf seconden om te beslissen, dus wat wordt het?'

Er volgde een stilte waarin alleen het geluid van de regen op het afdak boven de deur te horen was. Toen ging de deur net voldoende open om het gezicht te kunnen zien van een vrouw met kastanjebruin haar die Stone kwaad aankeek. 'Agent Stone, ik weet niet waar dit over gaat, maar ik ken mijn rechten. Als u binnen wilt komen, zult u een bevel tot huiszoeking moeten hebben. Dus als u dat niet kunt tonen, kunt u beter vertrekken voordat ik de politie bel.'

Maar Stone gaf geen krimp. 'Ik heb u gezegd, ik moet met uw broer praten.'

'En ik heb u gezegd dat Josh naar zijn werk is–'

Stone duwde de deur open. 'Waar hij heen is, weet ik niet, maar hij is niet naar zijn werk, mevrouw. Ik geloof dat u en ik eens moeten praten.'

140

Sunset Memorial Park, Chesterfield County, Virginia

Mijn botten deden pijn van het graven en ik leunde op mijn schop om uit te rusten. Het was zwaar werk, maar we hadden ruim een meter aarde uitgegraven en op de hoop naast het open graf direct naast dat van Gamal gegooid. 'Wie zou er in godsnaam doodgraver willen worden,' zei ik.

Josh pauzeerde ook om op adem te komen en veegde zijn voorhoofd af. 'Tegenwoordig beulen ze zich echt niet meer af, ze gebruiken zo'n minigraafmachine.'

Ik veegde de regen uit mijn gezicht met de mouw van mijn trui. 'Help me onthouden dat ik de volgende keer een minigraafmachine huur.'

'Bedoel je dat er een volgende keer komt?' Josh lachte, maar dat verlichtte de grimmige stemming niet. En om het allemaal nog erger te maken hield het nog steeds niet op met regenen. Bliksemschichten schoten door de donkere wolken en het graf begon zich met ijskoud water te vullen. We groeven weer verder. Een poosje later hadden we een diepte van ongeveer anderhalve meter bereikt. De aarde was zacht. De hoop die we hadden opgegooid begon in het open graf naast ons te vallen. De natte sneeuw beet in mijn gezicht. Zo nu en dan moest ik stoppen om mijn ogen af te vegen, maar Josh ging door tot zijn schop op iets hards stootte. 'Ik geloof dat we het deksel van de kist te pakken hebben,' zei hij.

We haalden nog wat meer aarde weg en toen ik de zaklamp aandeed, zagen we het geverniste deksel van een goedkope kist. *Wat zal erin zitten?*

Josh schraapte de aarde van het deksel, maar het waterpeil begon nu snel te stijgen en het open graf veranderde in een modderpoel.

'We hoeven de kist er niet uit halen,' zei Josh. 'We kunnen ook alleen het deksel eraf halen. Die zit gewoonlijk met vleugelmoeren vast, maar ik heb die boormachine meegenomen voor het geval er extra schroeven in zitten.'

'Dit was mijn idee, Josh. Laat mij dat doen.'

'Ik ben hier toch, dus dan kan ik het net zo goed doen.'

Terwijl ik bijlichtte, begon Josh de koperen vleugelmoeren van het deksel los te draaien. Even later kwam hij overeind. 'Ik geloof dat ze dat allemaal zijn, dus die boormachine hebben we niet nodig. Het deksel zou gemakkelijk open moeten gaan. Ben je er klaar voor?'

Mijn hart ging zo verschrikkelijk tekeer dat mijn borst pijn deed. 'Ben je gek? Ik ben hier *nooit* klaar voor.'

'Daar gaat-ie dan.' Josh holde aan elke kant van het graf een voetsteun uit zodat hij stevig stond, boog zich toen voorover en probeerde het deksel met de zijkant van zijn spade open te wrikken. Aanvankelijk gaf het hout niet mee, maar na een paar pogingen kwam het deksel krakend los.

'Hebbes,' zei Josh. Met zijn gehandschoende hand tilde hij het deksel verder omhoog. Er steeg een afschuwelijke stank uit de kist op.

'*Jezus...* Dat is niet best.'

De stank van rottend vlees drong mijn neus binnen. Het rook als een giftig gas. Ik deinsde terug, maar het enige wat ik kon denken, was: *Gamals lijk ligt dus toch in de kist.* Ik bedekte mijn mond en deed de zaklamp aan, net op het moment dat Josh het deksel helemaal opentrok, maar ik durfde niet te kijken.

'Jezus, Kate!' riep Josh uit. 'Schijn in die kist.'

Ik dwong mezelf om de lichtbundel op de kist te richten en zag een rottend lijk dat niets menselijks had. Het was een of ander dier met hoeven, het lichaam bedekt met smerige wol en een kop met een paar gekrulde horens. Ik deinsde terug.

'*Wat... wat is dat in godsnaam?*'

'Een ram,' antwoordde Josh. 'Zijn keel is doorgesneden.'

Ik zag dat de hals van het dier was doorgesneden en gestold bloed dat zijn wol rood had gekleurd. Ik was zo in de war dat ik geen woord kon uitbrengen, maar op dat moment greep Josh me bij de arm. Beiden hoorden we het geluid van een naderende auto. We zagen de lichtbundels van een paar koplampen de weg naar het kerkhof opzwaaien.

141

Gretchen Woods, Virginia

'Dus, waar zit die broer van je, verdomme?' Stone beende heen en weer door de keuken, bleef voor Coopers zuster staan en keek haar doordringend aan. 'Ik vraag je iets, dame, en ik raad je aan antwoord te geven. Cooper heeft me verteld dat zijn zoon ziek was en dat jij zou komen oppassen. Daarna zou hij vannacht dienstdoen, maar tot dusver is hij nog niet verschenen.'

Marcie keek Stone minachtend aan. 'U hebt het recht niet om Josh' huis op deze manier binnen te dringen...'

'Daar heb ik alle recht toe. Ik heb de leiding in een belangrijke moordzaak. Je broer wordt geacht daar ook aan te werken, maar nu blijkt hij plotseling verdwenen te zijn, onder verdachte omstandigheden.'

'*Welke* verdachte omstandigheden?'

'Mijn mensen hebben het huis in de gaten gehouden. Cooper is niet weggegaan, of hij is niet via de voordeur vertrokken maar de achterdeur uitgeglipt. Waarom zou hij dat doen? Hij is ook niet boven bij zijn zoon; dat hebben we al gecheckt. Hij is nergens in dit klerehuis. Dus waar zit, hij, godverdomme?'

Marcie gaf geen krimp. 'Heeft iemand u wel eens verteld dat u aardig grof in de mond bent, agent Stone?'

Stone keek haar dreigend aan. 'Nou moet je eens goed luisteren, dame. Voor mij maakt Cooper zich schuldig aan plichtsverzuim. Dat is een ernstig vergrijp waarvoor hij ontslagen kan worden. Dus geef verdomme antwoord.'

'Of anders? Gaat u dan soms slaan?' zei Marcie uitdagend.

'Nee, ik laat je arresteren wegens belemmering van de rechtsgang,' antwoordde Stone.

Gus Norton kwam de kamer binnen. 'Dit heb ik op een stoel in een van de slaapkamers gevonden.' Hij liet een lange damesbroek en een grijs truitje zien.

Stone bekeek de kleren en glimlachte. 'Kijk eens aan, Marcie. Wat hebben we hier? Weet je van wie deze kleren zijn?'

'Van Josh' ex-vrouw.'

'Probeer deze keer gewoon eens de waarheid te vertellen.'

'Ik weet niet wat u —'

Gus Norton zei: 'Ik heb die kleren eerder gezien. Die zijn van Kate Moran. Die kent u toch, is het niet?'

Marcie bloosde. 'Nee, ik —'

'Zit ons toch niet te belazeren, mens,' zei Stone agressief. 'Deze kleren zijn voor mij een bewijs dat je steun en bijstand verleent aan een voortvluchtige crimineel, te weten Kate Moran. Dus je kunt me verdomme maar beter vertellen wat je weet of ik arresteer je hier ter plekke op verdenking van een hele rits misdrijven. En wie moet er dan op die jongen van je broer passen?'

Marcie beet op haar onderlip. Een seconde later ging de deur naar de garage open en kwam een van de twee agenten die in de auto hadden gezeten binnen. 'Je raadt nooit wat we hebben gevonden.'

'Verras me eens,' zei Stone onbewogen.

'Een blauwe LandCruiser.'

142

Sunset Memorial Park

Ik zag de koplampen van de auto voor het hek van de begraafplaats stoppen.

'Dat gereedschap moet weg,' zei ik tegen Josh die achter me aan uit het graf klom. We gooiden al het gereedschap in het open graf naast ons, behalve de zaklamp, kropen door de modder en verborgen ons achter een grafzerk.

We zagen een man uit een donkere suv stappen en het hek van de begraafplaats binnengaan. Hij had een capuchon op en scheen met een sterke zaklamp in het rond. 'Het zou iemand van een bewakingsdienst kunnen zijn die zijn ronde doet,' fluisterde Josh.

Ik was niet overtuigd. 'Met dit weer?'

'Misschien heeft hij het licht van onze zaklamp gezien en is op onderzoek uitgegaan.'

'Shit.'

De man liep behoedzaam tussen de graven door, liet de bundel van zijn zaklamp in het rond dwalen en kwam onze kant op. Nog een paar minuten, dan zou hij voor ons staan.

'Ik kruip terug in Gamals graf,' fluisterde Josh. 'Je kunt maar beter met me meekomen. Als we dat dekkleed over ons heen trekken, vindt niemand ons.'

'Vergeet het maar. Ik kruip daar niet weer in. Dat graf openmaken was al erg genoeg.' Ik huiverde bij de gedachte aan dat verrotte kadaver. 'Ik word er niet goed van.'

'Jezus, Kate, het is de enige plek om ons te verbergen.'

Ik keek naar Gamals graf, naar het water dat over de randen naar binnen liep, maar voordat ik kon protesteren had Josh mijn hand gegrepen. Hij trok me mee naar het graf en rukte het groene dekzeil van het graf ernaast.

'Ik ga eerst en dan kom jij.' Hij liet zich in het modderige gat glijden, zette zijn voeten op de randen van de kist zodat hij vanaf zijn borst boven de opening van het graf uitstak en strekte zijn hand naar me uit. Ik zag het licht van de zaklamp van de indringer steeds dichterbij komen, maar ik kon me niet bewegen. Het was alsof mijn lichaam aan de grond genageld was.

Ik wist waar we bovenop zouden komen te liggen: op het door de maden vergeven overschot van de ram. Ik weet niet wat me banger maakte: de gedachte in dat graf te moeten kruipen of het besef dat Gamal nog in leven was.

'In godsnaam, Kate, kom erin...' smeekte Josh.

Ik dwong mezelf om naar de rand van het graf te kruipen en Josh trok me er verder in. De stank was onvoorstelbaar. Josh trok het dekzeil over de opening en we werden in duisternis gedompeld. Ik lag boven op Josh en kon zijn gezicht maar nauwelijks onderscheiden. Ik voelde zijn lichaam tegen het mijne schuren terwijl hij probeerde een zo comfortabel mogelijke houding te vinden. Mijn gewicht moest hem bijna platdrukken.

'Doe ik je pijn?' vroeg ik.

'Niks zeggen,' fluisterde hij.

De regen droop door een gat in het dekzeil en liep over onze gezichten. Ik lag met mijn gezicht tegen Josh' hals gedrukt en rook de muskusachtige geur van zijn zeep – het maskeerde de stank van het rottende beest onder ons een heel klein beetje.

'Geen geluid, Kate,' fluisterde hij.

Er kroop iets over mijn linkerbeen. *Was dat een insect of een rat?* Ik wilde me bewegen, maar juist op dat moment hoorde ik iemand door de modder soppen. Zo te horen was de bezoeker vrijwel boven ons. Door een klein gaatje in het dekzeil viel een straaltje licht van de zaklamp onze schuilplaats binnen en instinctief wendde ik mijn hoofd af. Dat was het moment waarop ik de door de wormen aangevreten kop van de ram vlak bij Josh' schouder zag. Ik kokhalsde, maar Josh sloeg snel zijn hand voor mijn mond.

Even later verdween het licht en hoorden we de man weglopen. We verroerden ons niet. Het duurde nog eens vijf minuten voordat we de auto hoorden starten en wegrijden en Josh zei: 'Kom voorzichtig overeind.'

Ik zette mijn handen tegen de zijkanten van het graf en duwde mezelf omhoog, waarna hij overeind krabbelde en het dekzeil wegtrok. 'Het is me het avondje wel. Blijf jij hier, dan ga ik kijken of onze vriend weg is.'

'Ik ga mee.'

'Nee, een is genoeg, ik wil niet dat we gezien worden.' Josh klauterde uit het graf en verdween tussen de zerken terwijl ik achterbleef in het smerige gat. Ik kon mijn paniek maar nauwelijks de baas blijven en wilde er ook uit klimmen, maar al snel was Josh gelukkig terug.

'De kust is veilig. Wie het ook geweest mag zijn, hij is nu weg.'

Hij stak me zijn hand toe en trok me uit het graf. In de verte zag ik een paar rode achterlichten. Toen ik me omdraaide in wat Gamals graf had moeten zijn, leek alle opgekropte angst en afschuw in een keer terug te komen en ik strompelde achteruit.

Josh legde zijn hand op mijn rug. 'Rustig aan maar, het is voorbij. Voel je je een beetje beter?'

Ik keek naar het graf. 'Nee. Nu ik weet dat Gamal nog in leven is, ben ik doodsbang. Hij moet onze moordenaar zijn.'

Josh begon het gereedschap te verzamelen. 'Dat weten we niet met zekerheid. Er is ongetwijfeld iets vreemds aan de hand, maar trek geen overhaaste conclusies. Je mag me een ongelovige Thomas noemen, maar ik kan nog altijd niet geloven dat hij de beul te slim af is geweest.'

'Maar het klopt immers allemaal?'

'Kate, wees nou redelijk. Je bent te veel van streek om verstandig te kunnen redeneren.'

Misschien heeft Josh gelijk. Ik keek naar de dode ram. 'We moeten het graf afdekken voordat er weer iemand komt.'

'Wil je het niet dichtgooien?'

'Waarom? Ik wil alleen maar dat onze mensen zien wat we hebben gevonden. Misschien geloven ze me dan. Laten we het dekzeil eroverheen trekken. Daarna kun jij naar je werk, Josh, anders begint Stone zich af te vragen waarom je verdwenen bent. Hij is waarschijnlijk nu al achterdochtig genoeg.'

'Wat ga jij doen?'

'Ik ga naar Frank om hem te vertellen wat we hebben gevonden.'

'Goed, maar laten we het hoofd koel houden. We houden voorlopig vast aan onze plannen en zien dan wel waar we terechtkomen.' Josh liet zich weer in het graf zakken en legde het deksel op de kist, waarna we het dekzeil over de opening trokken. 'We rijden naar kantoor en daarna neem jij de auto mee.'

'Josh, je hebt al genoeg gedaan...' zei ik protesterend.

Hij schudde zijn hoofd. 'Als je met de bus wilt moet je dat zelf weten, maar neem gerust de auto. Na vanavond heb je me ervan overtuigd dat er iets heel vreemds aan de hand is.'

Ik wist dat ons nog een hard gevecht te wachten stond, ondanks de bewijzen die we hadden gevonden. 'Hoe overtuigen we Stone?'

Josh greep een schop en schudde zijn hoofd. 'Als dit hem niet op andere gedachten brengt, dan weet ik het ook niet meer.'

143

Washington DC

Vijftig minuten later stopten we voor ons kantoor op Judiciary Square en Josh zei, terwijl hij de deur opendeed: 'Zeker weten dat je niet wilt proberen om Stone zelf te overtuigen?'

Ik schudde mijn hoofd. 'Ik zou er maar niet op rekenen dat hij zo gemakkelijk capituleert, maar ik wens je veel succes.'

Josh boog zich naar me over en kuste me op de wang voordat hij uitstapte, de regen in. 'Ik zal mijn best doen. Je houdt contact, begrepen?'

'Beloofd.' Ik wachtte tot hij bij de ingang was, startte toen en reed weg. Honderd meter verderop bedacht ik dat ik moest kijken of er berichten waren op mijn mobiele telefoon. Ik stopte langs de stoeprand, deed de simkaart en de batterij in de telefoon en zette hem aan. Na een paar minuten gaf hij verschillende keren een signaal dat er een bericht voor me was. Ik telde acht voicemailberichten en toetste het nummer in om ze af te luisteren.

Paul had drie keer gebeld zonder een bericht achter te laten. De overige vijf berichten waren van Frank, die me verspreid over vier uur alleen maar had gevraagd om hem dringend te bellen; bij elk bericht leek zijn stem ongeruster te worden. Het laatste bericht was van twintig minuten geleden.

Ik zette de telefoon weer af, haalde batterij en de simkaart eruit en reed verder tot ik bij een benzinestation aan de Potomac kwam. Ik stapte uit, rende door de regen naar een telefooncel en belde Franks mobiele nummer. Bij de tweede bel nam hij op. 'Moran.'

'Frank, ik ben het.'

Zijn stem klonk dringend. *Kate?* Ik probeer je al uren te bereiken. Waar zit je in jezusnaam?'

'Ik heb je berichten zojuist gekregen. Luister, Frank...'

'Nee, jij moet luisteren. Ik heb met Diaz gesproken. Hij vertelde me dat Lou Raines doodgeschoten is. Hij zei ook dat Stone denkt dat jij dat hebt gedaan en dat hij nu naar je op jacht is en zelfs bewijzen heeft.'

'Ik heb Lou niet doodgeschoten...'

'Zusje, dat denk ik natuurlijk ook niet,' zei Frank sussend. 'Maar als jij me nu eens vertelt wat er godsnaam allemaal gebeurt?'

'Er is een heel opzienbarende ontwikkeling. Ik kan over de telefoon niets zeggen en we zullen elkaar ergens moeten treffen waar het veilig is. Ik denk dat Stone er wel op heeft gerekend dat ik contact met jou zou opnemen en dat hij je huis in de gaten houdt en je telefoon afluistert.'

Het bleef even stil aan de andere kant. 'Waar had je gedacht dat we elkaar zouden kunnen treffen?'

'Herinner je je die zaak nog waar je graag ging lunchen?' Ik nam aan dat hij wist wat ik bedoelde: een Cajunrestaurant dat Falgo's heette, net achter Constitution Avenue.

Frank zei: 'Prima. Laten we zeggen: over een uur.'

Dat gaf mij de tijd om een belangrijk telefoongesprek te voeren met Brogan Lacy. 'Frank, het is van het grootste belang dat je, als je ook maar vermoedt dat je gevolgd wordt, van de ontmoeting afziet en een bericht op mijn mobiele telefoon achterlaat. Dan bel ik je terug.'

'Doe ik. Tussen twee haakjes, je bent niet de enige met sensationeel nieuws.'

Ik hoorde de opwinding in Franks stem. 'Wat bedoel je?'

'Daarom heb ik geprobeerd je te bereiken. Ik heb iets, Kate. Iets dat zo verdomde vreemd is dat je met je oren zult staan te klapperen.'

144

Ik reed naar Falgo's, zette de Volvo op een parkeerterrein aan de overkant van de straat en liep naar het restaurant. Het zag er binnen gezellig en warm uit met drukbezette tafels en gele schemerlampjes. Het regende niet meer, maar het was nog steeds bitter koud.

Heel even kwam ik in de verleiding om naar binnen te gaan en een kop warme, verse koffie te bestellen, maar ik liep terug en ging weer in de Volvo zitten. Toen het vijf minuten over de afgesproken tijd was, begon ik me zorgen te maken. Ik was bang dat Frank gevolgd was en had moeten besluiten om onze afspraak te annuleren.

Weer verstreken er tien minuten en nog altijd was er geen spoor van hem te bekennen. Ik voelde me hopeloos toen ik mijn mobieltje uit mijn zak haalde en de simkaart en batterij er weer inzette. Er bleek inderdaad een bericht voor me te zijn, een voicemail van Frank.

'Kate, ik hoop dat je dit bericht ontvangt. Ik weet vrijwel zeker dat ik word gevolgd, dus we zullen een nieuwe afspraak moeten maken. Bel me.'

Het bericht was van negen minuten geleden. Mijn hart ging tekeer toen ik Franks nummer belde. Hij nam bij de eerste bel al op en klonk gejaagd. 'Ben je in de buurt van ons rendez-vous?' vroeg hij.

'Ik zit aan de overkant van de straat in een auto,' zei ik.

'Blijf waar je bent. Het duurt misschien even, maar ga niet weg. Zet je telefoon direct uit, Kate. Ik wil niet dat ze je peilen. Kijk over tien minuten of er een bericht is.'

Verdomme, er gaat ook niets goed. Weer haalde ik de simkaart en de batterij uit de telefoon. Tien minuten later wilde ik ze er juist weer inzetten om te kijken of er een bericht was, toen ik plotseling banden hoorde krijsen en Franks blauwe Camaro links om de hoek zag komen. Hij reed Falgo's voorbij, maar draaide op het allerlaatste moment scherp naar rechts, het parkeerterrein op, doofde zijn koplampen en kwam recht op me af.

Ik was er vast van overtuigd dat hij boven op de Volvo zou knallen en sprong eruit, maar op het laatste moment stuurde Frank de Camaro keurig een donkere plek tussen twee andere auto's in. Hij stapte uit, deed de deuren op slot en kwam op me af gerend. 'Ik word gevolgd,' riep hij en sprong in de Volvo. 'Stap in en hou je hoofd omlaag.'

Ik sprong in de auto en zakte onderuit, net op het moment dat een donkerblauwe auto slippend de hoek om kwam scheuren. De chauffeur hield het voertuig in bedwang en reed nog vijftig meter door alvorens vaart te minderen. Ik zag dat er twee mannen in zaten. Ze keken even in het rond, maar gingen er toen in volle vaart vandoor. Ik keek Frank aan en zag dat zijn gezicht nat was van het zweet. 'Die klootzakken zijn me gevolgd vanaf het moment dat ik de deur uitging. Stone moet aardig wanhopig zijn om zoveel man op je te zetten.'

'Daar lijkt het wel op.'

'Momentje. Ik moet het een en ander uit de auto halen.'

Ik wachtte terwijl Frank uitstapte en op een holletje terugging naar de Camaro. Hij haalde er een dikke map uit en iets wat op een sporttas leek, sloot de auto weer af en kwam teruggerend.

'Je had gelijk toen je zei dat de executie op video was opgenomen. Dat gebeurde in opdracht van het bureau van de lijkschouwer van Richmond voor onderzoeksdoeleinden. Tate wist niet wie daar opdracht toe had gegeven, maar het moet de chef-patholoog of een van de hoofdassistenten zijn geweest.'

Ik fronste mijn wenkbrauwen. 'Wil je beweren dat het Brogan Lacy kan zijn geweest?'

'Ik beweer niks, maar misschien zou je het haar eens moeten vragen.'

'Waarom zou ze zoiets doen?'

'Dat weet ik ook niet. Ben je van plan om naar haar toe te gaan?'

Ik knikte. 'Vanavond om acht uur. Ik heb haar een uur geleden gebeld en gezegd dat ik met haar wilde praten over de autopsie van Gamal en dat het dringend was. Ze zei dat ze nog laat op kantoor was en wilde me wel ontvangen. We kunnen maar beter die kant opgaan.'

'Goed, maar ik heb zelf ook een paar ideeën uitgewerkt,' zei Frank.

'Wat bedoel je?'

'Alles op zijn tijd. Jij eerst.' Frank stopte de map in zijn jasje en gooide de tas op de achterbank.

'Je gelooft me vast niet, Frank.' Ik startte de Volvo en ging linksaf, naar de uitgang van het pakeerterrein.

'En jij mij niet,' zei Frank grimmig. 'Maar probeer het eens.'

Het was opgehouden met regenen toen de gehuurde groene Nissan de hoek om kwam. De bestuurder stopte langs de stoeprand en liet de motor lopen terwijl hij door de beregende voorruit tuurde. Hij had de Camaro gevolgd vanaf Franks huis en steeds een veilige afstand aangehouden, maar nu was de Camaro verdwenen. Hij was te voorzichtig geweest en had te veel afstand gehouden; hij vloekte binnensmonds. Er waren zelfs geen achterlichten te zien. *Dat klereding is gewoon verdwenen.*

Hij keek naar het restaurant en het parkeerterrein aan de overkant van de straat. Hij keek naar de auto's, maar zag geen Camaro.

Hé, wacht eens even...

In een geparkeerde Volvo dook plotseling het hoofd van een man op en direct daarna dat van een vrouw. Het was te donker om te kunnen zien wie het waren, maar direct daarop stapte de man uit en liep naar een andere auto – zo te zien een donkere Camaro die in de schaduw stond. De Discipel herkende Morans broer onmiddellijk en hij grijnsde triomfantelijk toen hij hem iets uit de Camaro zag pakken, waarna hij terugrende naar de Volvo. Die reed direct daarna weg, de parkeerplaats af en rechtsaf in de richting van de Potomac. De Discipel reed voorzichtig weg, doofde zijn koplampen en volgde de Volvo.

145

In de daaropvolgende kilometers stortte ik mijn hart uit. Ik vertelde Frank alles wat er was gebeurd, vanaf het moment dat ik in Parijs was geland tot de moorden in Istanbul en de ontdekking die Josh en ik op het kerkhof hadden gedaan.

Frank leek moeite te hebben om het allemaal op te nemen. 'Weet je *zeker* dat jullie het goede graf hebben geopend?'

'Zo zeker als het maar kan.'

'*Jezus,* dat is niet te geloven.'

'Ik durf mijn kop erom te verwedden dat Gamal nog leeft.' Ik had in de afgelopen twee dagen nauwelijks geslapen, de vermoeidheid begon zijn tol te eisen en ik had een gevoel alsof er een strakke band om mijn hoofd zat. Onder het rijden masseerde ik mijn voorhoofd. 'Dat is het wel zo ongeveer. Wat heb jij ontdekt dat zo belangrijk is?'

Frank schudde zijn hoofd alsof hij nog steeds verbijsterd was. 'Eerlijk gezegd dacht ik dat ik vrij sensationeel nieuws had, maar je hebt me overtroefd.'

'Vertel het toch maar.'

'Twee dingen,' zei Frank. 'Om te beginnen Clay. Ik heb hem thuis opgezocht. Ik kreeg sterk het gevoel dat hij iets verbergt. Hij werd bijzonder prikkelbaar toen ik vroeg of een veroordeelde met hulp van binnenuit aan executie kon ontkomen. Vervolgens wist hij zichzelf ervan te overtuigen dat ik weer een van die journalisten was die hem door het slijk wilde halen, maar het kan ook zijn dat hij alleen maar deed alsof om me kwijt te raken. Toen zei hij dat ik als de bliksem moest maken dat ik van zijn terrein af kwam anders zou hij zijn honden op me afsturen. Zoiets geloof je toch niet?'

'Dat klinkt niet als de Lucius Clay die ik ken. Wat probeert hij te verbergen?'

Frank tuitte zijn lippen. 'Dat is de grote vraag. Vervolgens ben ik naar Bellevue gegaan. Het leek me de moeite waard om de rapporten eens te bekijken uit de tijd dat Gamal daar werkte. Je weet wel, misschien wat aantekeningen in de dossiers die ons een aanwijzing zouden kunnen geven. Ik dacht: wat nu als er in Bellevue een patiënt was die Gamal kende of die door hem werd behandeld en die besloot om zijn moorden te gaan na-apen?'

'Het Bureau zou het ziekenhuis moeten dagvaarden om kopieën van die dossiers te krijgen.'

'Dat weet ik en daarom heb ik het maar gelijk goed gedaan en de originele dossiers meegenomen en een partij statussen van patiënten van Gamal die het Bureau niet eens zou hebben gekregen omdat die vertrouwelijk zijn.'

'Hoe heb je dát voor elkaar gekregen?'

'Met charme en sluwheid.'

Ik wierp een zijdelingse blik op de dikke map die Frank op schoot had. 'Zijn dat die dossiers?'

Hij knikte. 'Ik heb nog geen gelegenheid gehad om ze allemaal te bekijken, maar ik heb wel iets gevonden dat je nauwelijks zult geloven, Kate.'

'Wat dan?'

'Brogan Lacy is bij Constantine Gamal onder behandeling geweest.'

Ik was zo verbijsterd door Franks onthulling dat ik de auto in een parkeerhaven stilzette. 'Wanneer?'

'Nu bijna zes jaar geleden, direct na haar scheiding, is ze ingestort. Ze is een paar maanden opgenomen geweest in Bellevue en een van de psychiaters die haar behandelden was Gamal. Het heeft mogelijk niets te betekenen, maar het is een beetje ironisch, vind je ook niet? Heeft David tegen jou nooit gezegd dat ze onder behandeling was geweest?'

'Nee, geen woord. Maar misschien wilde hij haar privacy beschermen.' Ik keek naar de tas op de achterbank. 'Wat zit daarin?'

'Het stel kleren waar je om vroeg.'

Ik pakte de tas, ritste hem open en haalde er een blauwe trui uit, een groene stretchbroek en een paar halfhoge bruine laarzen. Zo te zien was alles minstens een maat te groot. 'Heeft iemand wel eens tegen je gezegd dat je moet leren om beter te combineren?'

Frank grijnsde. 'Hé, je weet toch dat ik kleurenblind ben. Ik heb mijn best gedaan. Die kleren zijn van mijn maat z'n ex.'

We reden weer verder en waren om kwart voor acht bij het bureau van de lijkschouwer. Ik reed de openbare parkeerplaats aan de overkant van de straat op. Die was vrijwel leeg, met maar vier auto's. 'Wil je dat ik met je meega?' vroeg Frank.

Ik begon me om te kleden. 'Dit doe ik liever alleen. Meer mensen kan het alleen maar nog gecompliceerder maken. Wat is er? Je kijkt zo zorgelijk.'

Frank fronste zijn voorhoofd. 'Ik zit te denken dat het feit dat Brogan Lacy een patiënt van Gamal was de zaak op de een of andere manier vertroebelt. Denk je dat ze mogelijk bij dit alles betrokken is?'

'Ik weet niet wat ik moet denken, alleen dat ik me niet kan voorstellen dat ze een motief zou hebben om de man te helpen van wie ze geloofde dat hij haar dochter had vermoord.'

'Maar Gamal beweerde dat hij dat niet had gedaan,' hielp Frank me herinneren.

Ik wist op dat moment helemaal *niets* meer zeker, alleen dat Brogan Lacy me misschien zou kunnen helpen om een aantal belangrijke vragen te beantwoorden. Ik trok de trui aan die Frank had meegebracht. 'Ik moet met haar praten. En ik heb meer substantiële bewijzen nodig voordat ik met ik-weet-niet-wie van het Bureau kan gaan praten om Stone van mijn nek te krijgen.'

'Gamal ligt niet in zijn graf. Is dat niet substantieel genoeg?'

Frank vertelde wat kapitein Tate had gezegd over hoe een veroordeelde zijn executie mogelijk zou kunnen overleven. 'Ik geloof dat we voldoende twijfel kunnen zaaien om een groot vraagteken bij Gamals dood te plaatsen.'

'Dat ben ik met je eens.' Ik vertelde hem wat Yeta had gezegd. 'Maar ik wil dat we zeker van onze zaak zijn. Ik wil overstelpende bewijzen hebben.'

Frank keek naar het gebouw waarin het kantoor van de lijkschouwer gevestigd was. 'Goed dan, maar als je ook maar enige twijfel over Lacy hebt, moet je als de bliksem maken dat je wegkomt. En als je over een halfuur nog niet terug bent, bel ik je, dus je moet je telefoon aan laten staan. Maak je over mij geen zorgen, ik heb genoeg te lezen.' Hij greep de tas van de achterbank en knipte de binnenverlichting aan. 'Ik moet al die dossiers nog doornemen. Daar ben ik nog wel een paar uur zoet mee en je weet nooit wat ik nog meer tegenkom.'

Ik was klaar met omkleden. 'Daar gaan we dan.'

Frank legde zijn hand op mijn arm. 'Doe rustig aan, oké? En kijk uit.'
'Dat ben ik wel van plan,' zei ik en stapte uit de Volvo.

146

Richmond, Virginia

Ik stak de straat over en liep naar de ingang van het bureau van de lijk-schouwer. Ik had verwacht dat er binnen een beveiligingsman zou zitten, maar ik zag niemand. Ik deed de simkaart en de batterij in mijn mobiele telefoon, zette hem aan en toetste het nummer in.

Er werd direct opgenomen. 'Brogan Lacy.'

'Met Kate Moran. Ik sta voor de deur,' zei ik.

'Ik kom eraan,' zei Lacy.

Het gesprek had nog geen tien seconden geduurd en ik nam aan dat dit voor Stone niet genoeg was geweest om na te gaan waar ik me bevond. Even later zag ik Lacy door de gang aan komen lopen. Ze droeg een donker, tweedelig pakje en had een sleutelbos bij zich. Ze liep op me toe, toetste een code in op een paneel aan de muur en maakte de deur open.

'Komt u binnen, mevrouw Moran.' Haar manier van doen was uitgesproken koel.

'Is er geen beveiligingsman?' vroeg ik.

'Jawel, maar die is waarschijnlijk aan zijn ronde bezig.' Lacy liet me in haar kantoor en gebaarde naar een stoel. 'U wilde me spreken over de autopsie van Gamal.'

'Hebt u die persoonlijk gedaan, dr. Lacy?'

Ze keek haast beledigd. 'Nee. Die is door een jonge patholoog-ana-toom uitgevoerd, een zekere John Murphy.'

'Er was dus inderdaad een lijk?'

Ze keek me met gefronste wenkbrauwen aan. 'Natuurlijk was er een lijk. Wat is dat nu voor een vraag?'

'Dat vertel ik u straks. En wat toonde de autopsie aan?'

'Datgene wat aangetoond moest worden: dat de dood het gevolg was van executie door een dodelijke injectie.'

'Hebt u foto's van de autopsie?'

'Ja, natuurlijk. Moet u horen, waar wilt u heen met deze vragen?'
'Daar kom ik zo aan toe. Zou ik die foto's mogen zien?'

Lacy klonk onwillig. 'Daar heb ik eigenlijk geen tijd voor, mevrouw Moran. Ik ga eten met een collega en ik wil niet te laat komen.'

'Alstublieft. Het zou me een enorme hoop rompslomp besparen en ik wil liever niet hogerop gaan. We zijn geen van beiden gebaat bij wrijvingen tussen uw dienst en de FBI, maar ik moet die foto's echt zien, dr. Lacy.'

'Om welke reden?'

'Dat kan ik op dit moment niet zeggen.'

Brogan Lacy zuchtte en keek op haar horloge. 'Wacht u dan maar even.'

Ze verliet de kamer en kwam even later terug met een grote manilla envelop. Ze maakte hem open en legde meer dan tien kleurenfoto's op tafel. 'Opnamen van het lichaam voor, tijdens en na de schouwing.'

Ik keek naar het stapeltje en haalde er een van de foto's uit – een opname van het hoofd en schouders van een man die op een roestvrijstalen tafel lag, zijn ogen gesloten en duidelijk dood. De foto was scherp en en face. Ik pakte nog twee foto's van de man, maar nu en profil.

Ik haalde diep adem en liet die hoorbaar ontsnappen. Er was geen twijfel aan. Het lijk was onmiskenbaar dat van Constantine Gamal.

147

Ik zat peinzend voor me uit te staren. Het leek zeker dat Gamal dood was. Ik stond voor een raadsel. Half en half had ik verwacht dat er een ander lijk op de autopsietafel had gelegen. Was er met de foto's geknoeid of waren ze in scène gezet om het eruit te doen zien alsof Gamal overleden was?

'Wat is er?' vroeg Lacy.

Ik trachtte mijn gedachten te verbergen, bekeek de rest van de foto's en deed ze terug in de envelop. 'Niets. Het Bureau van de Lijkschouwer heeft naar ik meen een videoband van de executie. Die zou voor onderzoeksdoeleinden zijn gemaakt.'

Lacy reageerde verrast. 'Hoe... hoe weet u dat?'

'Toen de directeur me naar de getuigenkamer bracht, zag ik iemand die bezig was achter de doorkijkspiegel een videocamera op te stellen. Executies worden gewoonlijk niet gefilmd, dus het kostte weinig moeite om erachter te komen dat dit op verzoek van het Bureau van de Lijkschouwer gebeurde. Ik wil graag weten wie daar opdracht toe had gegeven.'

'Ik meen dat de chef-patholoog-anatoom dat verzoek persoonlijk aan directeur Clay had gedaan, maar dat zult u moeten nagaan.'

'U dus niet?'

'Nee, natuurlijk niet.'

'Hebt u de band gezien?'

Lacy schudde haar hoofd. 'Nee. Ik kon mezelf er niet toe brengen om de executie nog eens te zien.'

'Mag ik hem zien?'

Opnieuw leek Lacy onwillig. 'Ik denk niet dat dat mogelijk is.'

'Waarom niet?'

Lacy keek op haar horloge. 'Zoals ik al zei, ik heb een afspraak. Dit is niet het juiste moment en er zijn bepaalde regels. U zou een officieel verzoek moeten indienen.'

'Probeert u iets voor me verborgen te houden, dr. Lacy?'

Lacy klonk beledigd. 'Iets *verborgen* houden? Hoe bedoelt u?'

'Luistert u nu eens, ik was getuige van de executie. Wat is er nu zo bijzonder aan als ik die nog een keer zie? Het zou ons beiden een hoop gedoe besparen als ik niet langs de officiële weg ga. Nu zijn wij tweeën de enigen die ervan weten.'

Lacy dacht even na. Ze leek nog steeds te aarzelen, maar gaf ten slotte toe. 'Goed dan. Komt u maar mee.'

'Waarheen?'

'Verderop in de gang is een ruimte waar de banden worden bewaard en ook afgespeeld kunnen worden.'

Ze nam me mee naar een kamertje dat weinig groter was dan een ruime kast, met een tafel en een paar stoelen, opname- en afspeelapparatuur en een safe. Ze maakte de safe met een nummercode open. De banden stonden keurig naast elkaar, elk met een witte sticker op de rug. Ze pakte een band met het opschrift: 14 JANUARI. LIJST NO. 2315B.

Lacy zette de videorecorder aan, stopte de band erin en keek me aan.

'Klaar?'

'Ja hoor.'

148

Het scherm werd eerst blauw, toen flikkerde het. Na een paar seconden kwam de executiekamer in beeld, leeg, op de stalen brancard na. Het beeld was niet helemaal scherp. Ik hoorde een deur opengaan en er verscheen een man met grijs haar die tegen de camera zei: 'Ben je er klaar voor, Tod?'

'Ik wel,' kwam het antwoord van iemand die niet in beeld was.

Lacy zei: 'Dat zijn Tod Simpson en Fred Banks die bezig zijn de camera in te stellen. Ze werken voor het Bureau van de Lijkschouwer.'

Het beeld werd scherper en ging vervolgens op zwart, alsof de camera was uitgezet. Toen het beeld terugkeerde, duurde het nog een paar minuten voordat de deur weer openging. Gamal, die tegenstribbelde, werd door zes bewakers binnengebracht en op de brancard vastgesnoerd. Zijn handen, armen en benen werden met leren riemen vastgezet, waarna het blauwe plastic gordijn enige tijd gesloten werd. Toen het weer openging, waren de infusen aangebracht, drie in elke arm. Gamal kromde zijn rug en keek met grote, uitpuilende ogen om zich heen. Ik herinnerde me de rilling die er door me heen was gegaan toen Gamal me met een blik vol haat had aangekeken.

'Geniet maar van de voorstelling, want je gaat ervoor betalen. Geloof je me niet? Wacht maar af. Ik overwin de dood en kom terug om je met me mee te nemen naar de hel, Kate. Dat beloof ik je.'

De herinnering ging als een elektrische schok door me heen terwijl het schouwspel zich voor mijn ogen herhaalde. De dodelijke cocktail begon algauw te werken. Gamal knipperde met zijn ogen. Zijn hoofd viel opzij toen de sodiumthiopental die hem in slaap bracht, werd geïnjecteerd. De pancuroniumbromide verlamde zijn longen en bezorgde hem een hoestbui. Hij vocht om adem te krijgen; zijn lichaam schokte heftig. Toen begonnen zijn lippen te trillen en hij blies de laatste adem uit. De kaliumchloride had zijn hart doen stoppen.

Er viel een stilte.

Een van de bewakers verdween achter het gordijn, kwam terug en liep naar directeur Clay. Hij fluisterde hem iets in het oor, waarop Clay op zijn horloge keek en in de rode telefoon tegen de directeur van de Dienst voor het Gevangeniswezen zei: 'Meneer de directeur, de gedetineerde Constantine Gamal is om eenentwintig uur negentien dood verklaard.'

De directeur verliet de executiekamer en een bewaker sloot de gordijnen voor het raam van de getuigenzaal. Ik lette scherp op of ik nog ademhaling zag, maar Gamals borst bewoog niet. Geen enkel teken van leven, zelfs niet de geringste spiertrekking. Gamal leek dood te zijn. Maar was hij ook dood? Of had de schoft iedereen in de maling genomen?

Naast me zei Brogan Lacy: 'Wat is er?'

'Niets,' zei ik, maar ik voelde dat ik beefde.

Lacy zette de videorecorder af. 'Dat was het dan.'

'Zijn er verder geen beelden?'

'Hoe bedoelt u?'

'Ik bedoel na de executie.'

'Ik neem aan dat er opnamen zijn van de broeders die het lichaam weghalen,' antwoordde Lacy.

'Staat dat op de band?'

Lacy haalde haar schouders op. 'Misschien. Zeker weten doe ik het niet.'

'Ik wil de band graag helemaal tot het eind zien.'

Lacy fronste haar voorhoofd. 'U hebt me nog steeds niet verteld *waarom* u die wilt zien. Waarom vertelt u me dat niet, mevrouw Moran?'

'Ik beloof u dat ik u dat later zal vertellen. Kunt u weer helemaal vanaf het begin beginnen?'

'Wat zoekt u precies?'

'Als ik dat ontdek, bent u de eerste die het hoort.' Ik wist dat we iets over het hoofd moesten hebben gezien. Ik was ervan overtuigd dat Gamal ons allemaal te pakken had genomen. Maar hoe?

Lacy spoelde de band terug.

149

Gretchen Woods, Virginia

'Je bent hem *kwijt*? Hoe kun je hem godverdomme nou toch *kwijtraken*? Zijn die kerels die je erop hebt gezet soms blind?' schreeuwde Stone in zijn mobiele telefoon. Hij was zo kwaad dat hij een stoel door Josh Coopers keuken schopte. Hij kletterde over de tegelvloer.

Het was tien uur geweest en de ondervraging van Coopers zuster had niets opgeleverd; de vrouw beweerde absoluut niets te weten en had daar alleen maar gezeten, zo brutaal als de beul en zonder zich ook maar iets aan te trekken van zijn dreigement dat hij haar zou arresteren.

Marcie Cooper was naar boven gegaan om te kijken hoe het met haar neefje was en Gus Norton was met haar meegegaan om haar in de gaten te houden. Een minuut later was Stones mobiele telefoon gaan trillen. Het gesprek had hem razend gemaakt.

'Frank Moran is eenvoudig verdwenen, Vance,' vervolgde de agent aan de telefoon bedeesd. 'We houden het huis van zijn zuster nog steeds in de gaten, maar ze heeft zich niet vertoond.'

'Vertel me van haar broer,' snauwde Stone.

'We hadden twee teams op zijn huis gezet. Hij is veertig minuten geleden weggereden en onze jongens zijn hem gevolgd, maar ze zijn hem kwijtgeraakt.'

'Twee teams?' tierde Stone. 'Zal ik jou eens wat vertellen? Als dit voorbij is krijgen er een paar mensen ongenadig op hun sodemieter. We zitten zwaar in de stront, man. Hebben we ook maar enig idee welke kant hij op kan zijn gegaan?'

De agent zei: 'We denken dat hij naar de Eisenhower Freeway is gereden.'

'Geweldig. Dat betekent dat hij overal kan zitten. Ik durf te wedden dat die lul een afspraak met zijn zuster heeft. Hij is een van de weinige contacten die ze heeft en nota bene hem raken we kwijt.'

'We blijven proberen. Kate Moran komt zeer binnenkort boven water. En als dat gebeurt, grijpen we haar, let op mijn woorden.' De agent klonk heel zelfverzekerd.

'Nou, tot nu toe heb je er anders weinig van gebakken,' zei Stone bitter. 'Waar ben je nu?'

'Ik ben net terug op kantoor.'

Stone hoorde wat rumoer aan de andere kant van de lijn. Er klonken harde stemmen en de agent zei onzeker: 'Kun... kun je even aan de lijn blijven, Vance?'

'Hoezo, wat is er loos?'

'Een ogenblik, alsjeblieft.'

Na tien seconden had Stone schoon genoeg van de gedempte stemmen aan de andere kant. Hij schreeuwde: 'Hé! Wat is er allemaal gaande?'

Een paar seconden later kwam de agent weer aan de lijn. 'Vance? Je gelooft niet wie hier is. Cooper komt net binnenstappen. Hij zegt dat hij je dringend moet spreken.'

Richmond, Virginia

Frank Moran zat in de Volvo met de binnenverlichting aan en bladerde door de dossiers. Hij was ongeveer op de helft en had nog steeds niets interessants gevonden.

Toen hoorde hij een geluid. Bewoog daar iets? Hij fronste zijn wenkbrauwen en tuurde door de voorruit over de donkere parkeerplaats, maar zag niets. Hij draaide het zijraam naar beneden om beter te kunnen zien.

Had hij het zich alleen maar verbeeld? Nee, daar was het weer, een schaduw die over de auto viel. Toen hij zich omdraaide om naar de achterkant van de Volvo te kijken, voelde hij plotseling de loop van een revolver in zijn nek en hoorde hij het geluid van een haan die werd gespannen. Een stem zei: 'Draai je niet om, tenzij je een kogel in je hoofd wilt hebben. Begrepen?'

Frank Moran knikte. 'Ja.'

'Als je mijn instructies opvolgt, blijf je leven, Moran. Als je het verknalt, ruk ik je hart uit je donder.'

150

Washington, DC

'Oké, Cooper, begin maar.'

'Waar is Stone? Ik had gevraagd of hij erbij wilde zijn,' protesteerde Cooper. Hij zat in een kamer op de derde verdieping van het plaatselijk bureau van de FBI tegenover Jeb Walsh, een al wat oudere agent met een kwabberig gezicht. De tweede agent heette Branson. Op de dag dat hij hier op het bureau Washington was begonnen, was hij aan beiden voorgesteld.

Walsh zei: 'Stone is onderweg hierheen, maar hij zei dat je, om tijd te besparen, mij maar vast moest vertellen wat je te zeggen had.'

Cooper zweeg.

Walsh zei: 'We hebben niet de hele avond de tijd, Cooper. En nu praten, anders ben je nog niet jarig.'

Cooper vertelde wat er op het kerkhof was gebeurd.

De twee agenten keken elkaar ongelovig aan. Walsh zei ernstig: 'Gebruik je medicijnen, Cooper? Drugs?'

'*Nee.*'

'Je zit ons te belazeren, man.'

'Alles wat ik jullie heb verteld is de zuivere waarheid,' antwoordde Cooper.

Walsh zuchtte en streek met zijn hand over zijn hangwangen. 'Moet je horen, dat hele kerkhofgebeuren klinkt tamelijk vreemd, dus waarom laten we alle bullshit niet gewoon weg en vertel je ons waar Moran is. Dat is de enige manier waarop je haar kunt helpen. Het is ook de enige manier om jouw lezing van het gebeurde bevestigd te krijgen. Weet je wat ik zal doen? Ik zal persoonlijk naar haar toe gaan om haar op te pakken, voordat Stone haar in zijn klauwen kan krijgen.'

'Hoe weet ik dat ik je kan vertrouwen?' vroeg Cooper.

'Omdat je niemand anders hebt die je kunt vertrouwen,' zei Walsh. 'Dit is je laatste kans. Praten of wegwezen. Wil je echt door het Bureau op straat worden gezet?'

'Als het bevolkt wordt door mensen als Stone zou dat misschien helemaal zo slecht nog niet zijn.'

'Je mag hem niet zo erg, hè?'

'Ik *vertrouw* hem niet zo erg. Hij is veranderd sinds ik in New York met hem samenwerkte. Hij is bitter en vol wrok.'

Walsh boog zich naar voren, zijn vingertoppen gespreid op het bureau. 'Hé, zo slecht is Stone nou ook weer niet. Als je dit goed aanpakt, maakt hij het je niet moeilijk, dat beloof ik.'

'Meende je dat, toen je zei dat je haar zelf zou inrekenen en niet Stone?'

'Dat heb ik gezegd. Dus, waar is Moran?'

Cooper dacht even na en zei toen: 'Kate is naar Richmond gegaan, naar het Bureau van de Lijkschouwer.'

'Waarom?'

'Ze moest met dr. Brogan Lacy praten over de autopsie die op Gamal was gedaan.'

'Wanneer zou ze daar zijn?' vroeg Walsh.

'Ze is ruim een uur geleden op weg gegaan. Ze moet daar nu zijn.'

'Het is te hopen dat je de waarheid spreekt, Coop, anders heb je kans dat Stone jouw ballen gebruikt als hij een spelletje golf gaat spelen.'

'Het is de waarheid. Doe wat je hebt gezegd, bel haar en ga zelf naar haar toe.'

Walsh glimlachte, pakte de telefoon en toetste een nummer in. 'Wie bel je?' vroeg Cooper.

'Stone.'

'Walsh! Vuile schoft die je bent!'

Walsh haalde zijn schouders op. 'Er zijn wel eens ergere dingen tegen me gezegd. Maar Stone heeft de leiding over deze zaak. Ik doe alleen maar wat hij zegt.'

151

Richmond, Virginia

De band startte weer vanaf het begin en in een impuls zei ik tegen Brogan Lacy: 'Kunt u de band doorspoelen tot het moment waarop Gamal de middelen toegediend krijgt?'

Ze aarzelde, spoelde toen versneld verder naar het moment waarop de bewaker aanstalten maakte om Gamal met de katheter te verbinden.

'Van hieraf,' zei ik.

Ze drukte op een knop en de band vertraagde tot normale afspeelsnelheid.

Ik keek strak naar het scherm, zag hoe Gamal op de brancard werd vastgesnoerd. Daarop ging het blauwe gordijn dicht. Toen het enige minuten later weer openging, waren de infusen aangebracht.

Ik zei tegen Lacy: 'Wordt volgens u de juiste procedure gevolgd? Ik bedoel, de manier waarop de middelen worden toegediend.'

Ze knikte. 'Ja. Hoezo?'

'Ik leg u dat zo uit,' zei ik en keek naar de beelden van het moment waarop de sodiumthiopental werd toegediend. 'Dat lijkt ook allemaal goed?'

'Het lijkt allemaal heel normaal te gaan.'

Ik keek aandachtig naar het scherm en lette scherp op of ik zelfs maar de kleinste onregelmatigheid kon ontdekken. 'Ik neem aan dat niemand alleen maar aan de hand van deze beelden zou kunnen zeggen *welke* middelen er precies worden toegediend. Dat valt onmogelijk te zeggen. Of wel soms? Er zou van alles in die infuusflessen kunnen zitten.'

Lacy schudde haar hoofd. 'Dat is hoogst onwaarschijnlijk. Ik geloof dat er bij de toediening van de middelen heel strenge regels gelden. Vergissingen zijn uitgesloten, als u dat soms bedoelt.'

'Kom nou, dokter, we hebben allemaal wel eens gehoord dat er verkeerde medicijnen worden toegediend. Dat gebeurt in ziekenhuizen toch ook?' zei ik.

Lacy fronste haar voorhoofd. 'Ja, dat is waar, maar bij terechtstellingen worden consequent maar drie middelen gebruikt. Een vergissing is hoogst onwaarschijnlijk. Ik heb in elk geval nog nooit gehoord dat dat ooit gebeurd zou zijn. Waar wilt u heen?'

'Ik dacht alleen maar hardop. Laten we verdergaan.' Ik hield mijn ogen op het scherm gericht. Uiteindelijk werd het derde middel, kaliumchloride, in Gamals arm geïnjecteerd. Een paar seconden later verstijfde zijn lichaam. *Was hij daar begonnen zijn adem in te houden?*

Ik dacht van niet. Gamals gezicht werd lichtelijk rood en toen knipperde hij met zijn ogen. Ik was ervan overtuigd dat hij inmiddels stervende was en dat ik niets ongewoons had gezien. Helemaal niets. Maar ergens in mijn achterhoofd bleef het knagen. *Wat heb ik gemist? Er moet iets zijn.*

152

Het had er alle schijn van dat Gamal dood was zoals hij daar op die brancard lag. Opnieuw zag ik rechts in beeld Clay zijn prevelementje houden tegen de directeur van het gevangeniswezen. Toen verliet hij de executieruimte en de bewaker schoof het gordijn dicht. Er klonk geschuifel van voeten toen de toeschouwers de zaal verlieten. Direct daarop ging de deur van de executiekamer weer open en nu verschenen er twee mannen in witte jassen. Een van hen droeg een bril en had een donkere snor, maar het gezicht van de tweede ging verborgen achter dat van zijn collega; hij stond met zijn rug naar de camera, zodat ik hem niet kon zien. De infusen werden uit Gamals armen verwijderd, waarna hij in een witte lijkzak werd gestopt en op de brancard naar de deur gereden.

'Kent u een van deze twee mensen?' vroeg ik aan Lacy.

'Ik ken deze...' zei ze en wees op de man met het donkere haar. 'Ik meen dat hij Buck Ryan heet. Hij is een van de gevangenbewaarders. Maar de tweede man herken ik niet direct. Ik kan zijn gezicht trouwens niet zien.'

Ik staarde naar de tweede man: zijn hoofd was afgewend en ik kon zijn trekken zelfs niet en profil zien. Zorgde hij er met opzet voor dat zijn gezicht niet in beeld kwam? Daar leek het bijna op. Het was moeilijk om zelfs maar een glimp van hem op te vangen. Terwijl hij naar de deur liep en de kamer uitging, moest hij zich iets naar rechts draaien om de brancard door de deur te manoeuvreren, maar ik kon hem nog steeds niet goed bekijken. Was ik iets op het spoor of zat ik er helemaal naast? Ik wist het werkelijk niet.

Ik veranderde van onderwerp en zei zonder omwegen: 'Waarom hebt u me niet verteld dat u destijds opgenomen bent geweest in Bellevue en onder behandeling was van Gamal?'

Lacy werd lijkbleek. 'Hoe... hoe weet u dat?'

'Zou u mijn vraag willen beantwoorden?'

Haar toon was afwerend. 'U hebt het recht niet om uw neus in mijn persoonlijke zaken te steken. Absoluut niet.'

'Ik zou graag een verklaring willen hebben. Tenzij u iets probeert te verbergen.'

'Wat zou ik willen verbergen?' zei Lacy verschrikt.

'Dat mag u me vertellen,' zei ik.

Lacy keek me met een ijskoude blik aan. 'Ik hoef u helemaal niets te vertellen. Maar als u het zo graag wilt weten, na mijn scheiding van David raakte ik in een depressie. Het was geen gemakkelijke beslissing om uit dat huwelijk te stappen.'

'Ik weet niet of ik dat moet geloven. David vertelde me dat het zijn besluit was om te scheiden.'

'U kunt geloven wat u wilt,' zei Lacy strijdvaardig, 'maar mijn verblijf in Bellevue gaat u niets aan.'

'Misschien toch wel als de FBI ten tijde van het onderzoek naar de dood van David en Megan had geweten dat er een verband bestond tussen Gamal en u. Hoe hebben we dat over het hoofd kunnen zien? Ik denk dat dat kwam doordat Gamal van het begin af aan onze hoofdverdachte was. We vonden het niet nodig om uw privéleven nader te onderzoeken.'

Lacy keek me met gefronste wenkbrauwen aan. 'Wat wilt u suggereren?'

'Ik suggereer niets. Ik denk alleen maar hardop.'

'Dan kunt u uw neus maar beter niet in mijn privézaken steken, mevrouw Moran. Dat heeft hier niets mee te maken.'

Voor het eerst kreeg ik een heel andere kant van Brogan Lacy te zien. Ze leek een heel andere vrouw. *Is ze werkelijk alleen maar kwaad omdat haar privacy is geschonden of zit er meer achter?*

'Ik heb nog een laatste vraag. Waarom Bellevue?'

'Ik dacht dat u dat wel zou weten,' zei Lacy kregel.

Ik begreep haar niet. 'Hoe bedoelt u?'

Ze drukte op een knop en de band kwam uit de videorecorder. 'Bellevue wilde me maar wat graag helpen omdat Davids vader vroeger in het bestuur van het ziekenhuis had gezeten en zeer gul aan het exploitatiefonds had bijgedragen. Net zoals ze hadden geholpen bij de behandeling van de ernstige psychische aandoeningen van Davids broer Patrick.'

'Wat zegt u?'

Lacy keek me aan alsof ik niet goed wijs was. 'Patrick leed onder andere aan meervoudige persoonlijkheidsstoornis – of heeft David u dat niet verteld?'

Ik was verbijsterd. 'Nee. Hij heeft me alleen verteld dat Patrick last had van depressiviteit.'

'Het was veel meer dan dat. Patrick had zoveel comorbide psychische aandoeningen dat hij het grootste deel van zijn volwassen leven in Bellevue heeft doorgebracht. Het ergste was dat hij psychopathische neigingen had. Maar om u de waarheid te zeggen wist Patrick niet wie hij was. Toen zijn toestand verergerde, sprak hij met verschillende stemmen en deed verschillende karakters na, behalve wie hij zelf was. Als je hem bezig zag, was het net een acteur die een voorstelling gaf. Meervoudige persoonlijkheidsstoornis komt vaker voor bij mensen die in hun jeugd een ernstig trauma hebben opgelopen, bijvoorbeeld als gevolg van seksueel misbruik of mishandeling. Ik denk dat het een opluchting moet zijn geweest toen hij stierf.'

'Wilt u zeggen dat er als kind iets met Patrick is gebeurd?'

'Het is niet aan mij om daarover te praten,' zei Lacy en wilde duidelijk verder niets zeggen.

'Is hij ooit onder behandeling van Gamal geweest?'

'Dat moet haast wel, gezien het feit dat Gamal een van de vooraanstaande psychiaters was van Bellevue en de meer ernstige gevallen behandelde.' Lacy's geduld was nu duidelijk op want ze stond op en zei, nog steeds met een bittere klank in haar stem: 'Als u nu dan zo goed zou willen zijn om te gaan, ik heb hier nog het een en ander af te maken.'

Ik wist vrijwel niets van Davids broer, maar wilde nu zoveel mogelijk van hem aan de weet komen. 'Had Patrick een beroep?'

Lacy stak de cassette in de hoes. 'Zijn vader stond erop dat hij medicijnen ging studeren, maar tijdens zijn studie ging zijn geestelijke gezondheid steeds verder achteruit en hij is nooit afgestudeerd.'

Ik wilde nog meer vragen, maar Brogan Lacy keek op haar horloge en zei kil: 'En nu moet u weggaan. Ik heb werk te doen.'

Terwijl ze de videocassette in de safe zette, ging mijn mobiele telefoon; ik nam op. Even was er alleen maar stilte, maar toen hoorde ik Frank zeggen: 'Kate, je moet direct hierheen komen. Ik heb iets in dat dossier gevonden.'

'Wat dan?'

Weer volgde er een stilte en toen zei Frank: 'Dat kun je beter zelf zien, Kate. Luister —'

De verbinding werd verbroken.

Het had dringend geklonken. Ik pakte mijn tas. 'Ik moet weg,' zei ik tegen Lacy.

'U bent me nog een verklaring schuldig,' zei ze.

'Ik bel u nog wel, dokter.' Ik liep zo snel als ik kon naar de deur.

153

De beveiligingsman liet me door de voordeur naar buiten en ik stak de straat over naar het parkeerterrein. Ik was teleurgesteld dat de videoband niets had opgeleverd. En het maakte me verdrietig dat David me de waarheid niet had verteld. Dat was niets voor hem. Zou hij het misschien te moeilijk hebben gevonden om over de geestelijke toestand van zijn broer te praten?

Mijn gedachten gingen terug naar de dag dat ik gebeld was door een van de doktoren van Bellevue, zes maanden nadat David en Megan waren vermoord: het verlies van zijn broer had Patrick zo wanhopig gemaakt dat hij het ziekenhuis had verlaten, naar de Potomac was gelopen en zichzelf had verdronken. Zijn kleren waren bij Headland Point gevonden. Op zijn kamer lag een briefje waarin stond dat hij het verdriet niet langer kon verdragen. Maar zijn lijk was nooit gevonden en aangenomen werd dat het door de sterke stroom naar zee was gevoerd.

Ik werd overspoeld door een stortvloed van gedachten die mijn knieën deden knikken. Ik herinnerde me een van de profielen die Frank over onze onbekende dader had opgesteld: een man van tussen de vijfentwintig en veertig jaar oud en lichamelijk in goede conditie, gediagnosticeerd als paranoïde schizofreen met psychopathische neigingen, van meer dan gemiddelde intelligentie en met een academische opleiding. Dat gedeelte van het profiel paste goed bij Patrick. Alleen was Patrick dood.

Maar mijn voorstellingsvermogen werkte op volle toeren. Patrick had medicijnen gestudeerd; hij zou verstand hebben gehad van dodelijke vergiften. En hij was een patiënt van Bellevue die Gamal naar alle waarschijnlijkheid had gekend. De politie had gezegd dat zijn lichaam naar zee was gevoerd, maar daar waren geen harde bewijzen voor. Wat als Patrick nog leefde en in dit alles verwikkeld was? Wat als hij onze copycatkiller was? Of Gamal had helpen ontsnappen?

Maar als Patrick nog leefde en hierbij betrokken was, waarom zou hij dan helpen om Constantine Gamal aan de beul te laten ontsnappen? En waarom zou hij iedereen laten denken dat hij dood was? Mijn hersens zaten zo in de knoop dat ik geen enkel zinnig antwoord kon bedenken.

Ik zag de Volvo staan. *Zal Frank denken dat ik gek ben als ik hem dit vertel?* Toen ik dichterbij kwam, zag ik dat de binnenverlichting brandde, maar er zat niemand in de auto. Ik keek naar binnen. Leeg.

De sleutels zaten nog in het contact. Heel even voelde ik angst, maar toen bedacht ik dat Frank waarschijnlijk even was gaan plassen. Ik keek uit over het donkere parkeerterrein. Toen viel me iets vreemds op. Eerder had ik vier auto's geteld, maar nu stonden er vijf, waaronder een groene Nissan die half in de schaduw stond. Ik was ervan overtuigd dat ik de donkere omtrekken van een gestalte achter het stuur zag zitten.

Een fractie van een seconde later kwam een Taurus met gillende banden en felle koplampen de parkeerplaats op gescheurd. Ik rende geschrokken naar de Volvo. De Taurus stopte en Stone sprong eruit, gevolgd door nog twee agenten. Stone had zijn wapen getrokken. 'Je bent aangehouden, Moran! Ga op de grond liggen met je gezicht naar beneden en doe je handen op je rug. *Nu!*'

Ik was nog vijf meter van de Volvo. Als ik het op een lopen zette, zou Stone me neerschieten – ik kon aan zijn uitdrukking zien dat hij niet in de stemming was om erover te onderhandelen. Maar ik *moest* ontsnappen. *Waar ben je Frank, als ik je nodig heb?*

Ik trachtte tijd te rekken. 'Oké, ik zal doen wat je zegt,' riep ik terug.

Stone hield zijn pistool op me gericht terwijl ik mijn handen omhoog-stak en deed alsof ik ging liggen. Maar ik maakte de afstand tussen me-zelf en de Volvo kleiner en toen ik dicht genoeg bij was, rukte ik de deur open en dook naar binnen.

Stone schoot. Ik hoorde de kogel in de voorruit slaan terwijl ik haastig de sleutel omdraaide. De motor sloeg aan. Stone kwam als een dolle stier op me af en ik trapte het gas in, net op het moment dat er een tweede schot klonk en een kogel door het dak sloeg en langs mijn hoofd suisde. Een volgende kogel vloog langs mijn rechterschouder en ver-brijzelde de achterruit. Ik wist niet of het Stone was die schoot of een van zijn mensen, maar ik hoorde hem schreeuwen: 'Stop of ik schiet je dood, Moran!'

Ik trapte het gas op de plank, de motor van de Volvo brulde als een wild dier en ik scheurde met gillende banden het parkeerterrein af.

154

De Volvo werd nog drie keer getroffen – een kogel vloog door de voor-ruit en de andere twee gingen door het dak. Ik hield het gas op de plank en probeerde door de half verbrijzelde vooruit iets te zien. Ik had geen licht aangedaan. Daardoor kon ik maar nauwelijks zien waar ik mee be-zig was. Ik stuurde naar links, reed met hoge snelheid de parking af en stuiterde van de stoeprand.

Ik negeerde alle verkeerslichten. Er sloegen geen kogels meer in, maar tweehonderd meter verder, net voor een bocht, zag ik een paar felle koplampen in mijn achteruitkijkspiegel. Dit moesten Stone en zijn mannen zijn.

Intussen had ik een flinke voorsprong opgebouwd. Ik hield mijn aan-dacht bij de weg, nam wat gas terug tot ik door de bocht was en trapte het pedaal toen weer in. De motor brulde, de Volvo schoot vooruit en de Ford Taurus verdween uit het zicht.

Stone zat voorin naast Norton, die reed. Hij deed zijn best om het gat van honderd meter tussen de twee auto's kleiner te maken. Stone was woest: de Volvo was te ver weg om een goed schot op af te kunnen vuren.

Plotseling zag Norton in zijn achteruitkijkspiegel een paar felle koplampen die met hoge snelheid dichterbij kwamen. 'Wat krijgen we nou…?'

'Wat is er?' wilde Stone weten.

'De een of andere klootzak achter ons. Het lijkt wel of hij ons wil rammen!'

Stone boog zich uit het raam om beter te kunnen zien en juist op dat moment werden ze rechts ingehaald door een groene Nissan. Hij kon het gezicht van de chauffeur niet goed zien, dat bleef in het donker, maar wie het ook mocht zijn, hij kwam opzettelijk naar links en ramde de Ford. De auto schudde. Norton deed zijn uiterste best om de wagen onder controle te houden. 'Jezus, die gozer is gek…'

Stone zag dat ze een bocht naderden en schreeuwde: 'Hou je ogen op de weg, Gus!'

Maar ze werden opnieuw geramd, deze keer nog harder. De Ford gleed naar de linkerkant van de weg, in de richting van een vangrail.

'*Jezus christus,*' schreeuwde Stone.

Norton deed wanhopige pogingen om de auto recht te houden, maar verloor de macht over het stuur en de Ford schoot door de vangrail.

155

Honderd meter verder keek ik nogmaals in de spiegel. Het leek alsof er twee auto's tegelijk door de bocht kwamen, maar plotseling zwenkte een van de auto's naar links en verdween. Ik knipperde met mijn ogen en vroeg me af of ik het me had verbeeld. Het leek alsof een van de auto's dwars door de vangrail was gegaan.

Ik had nu nog maar één stel felle koplampen achter me aan. Op dat moment begon mijn telefoon te trillen. Ik hield het stuur met een hand vast; met de andere rommelde ik in mijn tas, in de veronderstelling dat het Frank was. Maar toen ik opnam, bleef het stil.

'Frank? Ben jij dat?'

Na een korte stilte zei een hese mannenstem: 'Kate, eindelijk spreken we elkaar dan toch.' Het was Franks stem niet en ook niet die van iemand anders die ik kende.

'Met… met wie spreek ik?'

'Ik dacht dat je dat inmiddels wel uitgevogeld zou hebben, Kate. Of moet ik het je echt voorkauwen?'

De stem kreeg een bekende klank. Ik dacht aan David. Toen viel het kwartje en mijn hart sloeg over. *Patrick?*

'Goed zo, knappe meid!'

'W-waar ben je?' Ik was zo perplex dat ik zo gauw niets anders kon bedenken.

'In de auto achter je, maar kijk liever niet om. We willen niet dat je je in de vernieling rijdt, of wel soms?'

De koplampen zaten nu vlak achter me.

'Waar is Frank? Wat heb je met hem gedaan?'

'Houd je mond,' zei Patrick streng. 'Zet je auto aan de kant en hou je telefoon open.'

'Waar is Frank?' herhaalde ik koppig.

'Gekneveld op mijn achterbank. Maar of hij blijft leven of niet hangt helemaal van jouw medewerking af, Moran. Als je ook maar even moeilijkheden maakt, schiet ik hem door zijn hoofd. Begrepen?'

'J... ja, begrepen.'

'Doe dan wat ik zeg. Zet de auto langs de kant, zet de motor af en stap uit. Doe de deur dicht, hou je handen langs je lichaam en draai je om met je gezicht naar mijn auto. Doe het nu! Stoppen.'

Ik stopte langs de stoeprand en deed wat me was gezegd: ik stapte uit, sloot het portier van de Volvo en draaide me om. De donkergroene Nissan remde en kwam vlak achter me tot stilstand, net op het moment dat het licht begon te sneeuwen.

De bestuurder stapte uit en ik herkende de man uit het vliegtuig. Ik wist dat het Patrick moest zijn, maar hij was veranderd – zijn haar was lichter en zijn gezicht magerder dan op de foto's die ik van hem had gezien – maar hoe langer ik naar hem keek hoe zekerder ik werd dat het Davids broer was. Hij had een automatisch pistool in zijn hand. Hij liep voor de auto langs naar de rechterkant, rukte het portier open en gebaarde dat ik achter het stuur moest gaan zitten.

'Jij rijdt.'

Ik stapte in en hij ging naast me zitten. Ik wierp een blik over mijn schouder en zag Frank op de achterbank liggen. Zijn handen waren met een dik blauw nylontouw op zijn rug gebonden. Ik kon niet zien of hij levend of dood was.

'Rijden,' zei Patrick.

'Waarheen?'

Hij keek me aan en ik zag de waanzin in zijn ogen toen hij me met het pistool in mijn ribben porde. Hij grijnsde. 'Naar een diepe, donkere plek waar je je helemaal thuis zult voelen, Moran.'

156

Het begon harder te sneeuwen. Ik vond de knop voor de ruitenwissers, maar kon me onmogelijk op de natte weg concentreren. Patrick hield het pistool nog steeds op me gericht en mijn handen beefden.

Hij zei: 'Volg de Interstate naar het zuiden. En pas op – als je er ook maar aan durft te denken om iets te proberen, zijn jij en je broer er geweest.'

'Ik dacht dat je dood was.'

Patrick lachte. 'Dat dachten veel mensen. Een goede grap. Dat aandoenlijke afscheidsbriefje dat ik David zo vreselijk miste – Jezus, wat een onzin. Ik *haatte* hem.'

Ik wist niet wat ik hoorde. 'Waarom dat?'

'Wat kan jou dat schelen? Misschien vertel ik het je nog wel voordat je sterft. Ik wil eigenlijk wel graag zien hoe je dan reageert. Gewoon doorrijden.'

Frank kermde even, maar werd toen weer stil.

'Wat heb je met hem gedaan?' vroeg ik.

Patrick deed met zijn duim en twee vingers een injectiespuit na. 'Ik heb hem iets gegeven dat een tikje sterker is dan een tequila slammer. Maak je geen zorgen, hij komt straks wel bij.'

'Wat is er met Gamal gebeurd? Is hij dood of levend?'

Patrick genoot van mijn nieuwsgierigheid. 'Dat zou je wel graag willen weten, hè? Nou, ik kan je vertellen dat onze oude vriend Constantine je verwacht.'

Ik kreeg een schok van angst. 'Waar is hij? Heb je hem met een tegengif in leven gehouden? Is hij zo ontkomen aan executie?'

Patrick zwaaide met het pistool. 'Daar kom je gauw genoeg achter als je hem ziet. En voor het geval je je afvraagt wat we van plan zijn, dat merk je dan ook gelijk. Rij nou eerst maar gewoon door.'

Mijn maag verkrampte. *Gamal leeft nog.* Ik wist dat Frank en ik vermoord zouden worden, en als Gamal daar iets mee van doen had, zou hij dat op een afschuwelijk pijnlijke manier doen. Mijn hart ging tekeer als een wilde.

'Wat heb ik je ooit voor kwaad gedaan? Ik kan me voorstellen dat Gamal me haat, maar van jou begrijp ik het niet.'

Er kwam een uitdrukking van pure boosaardigheid op zijn gezicht.

'Snap je dat niet? Ben je dan echt zo stom?'

'Waar heb je het over?'

Patricks mond vertrok van woede. 'Doe toch niet zo onschuldig. Mijn ouders hebben me geen cent nagelaten. Ze hebben alles aan mijn kleine broertje gegeven. *Alles.* Geld dat mij toekwam, ging naar David en die liet alles aan *jou* na.'

'Dus *daar* draait het allemaal om?' zei ik verbluft. 'Om *geld?*'

Dat maakte Patrick nog veel kwader. 'Jij hebt godverdomme alles ingepikt dat van mij was! En dan vraag jij je af waarom ik je haat?'

Opeens vielen alle puzzelstukjes op hun plaats en nu werd ik zelf woedend. 'Hoe kon je je eigen broer en je nichtje in koelen bloede vermoorden? Hoe *kon* je?'

Het venijn verspreidde zich over zijn hele gezicht. 'David en dat mispunt van een dochter van hem verdienden te sterven. Het was altijd David dit en David dat. David de jongen met de mooie blauwe ogen, David die overal de beste in was – sport, carrière, relaties. Hij had alles en ik moest in zijn schaduw leven. En wat kreeg ik van mijn ouders? Een stel gestoorde hersens en een plaats in het gekkenhuis.' De manier waarop Patrick grijnsde, verried de waanzin. 'Maar maak je geen zorgen, David heeft geboet voor wat hij me heeft aangedaan. En Megan ook, dus we staan quitte. Ik dacht dat je dat wel graag wilde weten.'

De emoties overmanden me. Ik wilde huilen en ik wilde Patrick vermoorden voor wat hij had gedaan. De gedachte hoe hij David en Megan had laten lijden veroorzaakte een stekende pijn in mijn borst. Hoe kon iemand tot zoveel wreedheid in staat zijn? Hoe slecht was iemand die ervan kon genieten om een veertienjarig meisje op een afschuwelijke manier te zien sterven?

'David heeft altijd alleen maar geprobeerd om je te helpen – en daar heb jij hem om vermoord?'

'Hé, misschien heb ik hem vermoord, misschien ook niet.'

'Wat bedoel je?'

'Dat merk je wel. David kan me geen reet schelen. Wat heeft hij nou eigenlijk gedaan om me te helpen? Die paar keer dat hij bij me op bezoek is geweest? Een paar zielige pogingen om echt een broer voor me te zijn, wat ook niks werd? Nee, dan Gamal. Dat was een vent die me leerde inzien wat een duistere, gevaarlijke geest kan presteren.'

'Hoe bedoel je dat?'

Patrick lachte schamper. 'Zoek dat zelf maar uit. Linksaf de tolweg op.'

We waren al op het platteland van Virginia en naderden de tolweg. Ik begreep dat het geen zin had om te proberen redelijk met Patrick te praten. Als twintig jaar behandeling in een psychiatrische inrichting niet had geholpen, welke hoop kon ik dan nog koesteren?

'Waar we nu heengaan, daar wacht Gamal op ons, is het niet?'

De blik waarmee Patrick me aankeek was er een van pure slechtheid. 'Daar moet je wel op rekenen. Jezus, dat zal een leuke ontmoeting worden. En hou je ogen op de weg, godverdomme.'

157

Washington DC

Josh Cooper hoorde de sleutel rammelen in de deur van het kantoor waarin hij opgesloten zat. De deur ging open en agent Walsh stond kauwgum kauwend in de deuropening. 'Heb je het hier een beetje naar je zin, liever?'

Cooper haalde zijn schouders op. 'Een bed zou wel lekker zijn. Tijdschriften, kabeltelevisie, wat hapjes en zo.'

Walsh' grijns verdween en hij kwam verder de kamer in. 'Heel leuk, maar dat heb je allemaal niet nodig, Cooper. Je mag eruit omdat er slecht nieuws is.'

Cooper keek hem lelijk aan. 'Waar heb je het over?'

'Stone heeft net buiten Richmond een ongeluk gehad. Zijn auto is total loss, maar Norton en hij hebben alleen wat schrammen en builen. God beschermt de gerechtigen.'

Cooper sprong overeind. 'Wat is er gebeurd?'

Walsh haalde de kauwgum uit zijn zak, draaide er tussen duim en wijsvinger een balletje van en schoot dat precies in de prullenmand. 'Naar ik heb begrepen is je vriendinnetje Moran weer verdwenen. Dat is godverdomme net de Rode Pimpernel — we zoeken ons helemaal het lazarus, maar niks. Heb jij soms nog een paar ideeën, Cooper?'

'Hoe moet ik dat nou weten? Ik heb jullie alles verteld wat ik weet.'

Walsh wreef zich in de handen en wees met zijn duim naar de deur. 'Stone wil je spreken. Hij wacht op ons langs de Interstate 95. Zal ik je eens een goeie raad geven? Je kunt maar beter zorgen dat je hem iets kunt vertellen. Stone is echt in de stemming om je tong er door je reet uit te rukken.'

Veertig minuten later werd Cooper door Walsh op acht kilometer ten noorden van Richmond een motel binnengebracht. Norton deed de deur open terwijl Stone naast het bed stond te bellen. Hij had een brace om zijn nek, zijn gezicht was met pleisters versierd, zijn linkerpols was verbonden en zijn rechteroog zag er lelijk gezwollen en bloeddoorlopen uit.

Stone was klaar met bellen en keek zijn bezoeker dreigend aan. 'Laat ik je gelijk waarschuwen, Cooper. Als je probeert om een loopje met me te nemen, krijg je een knal voor je kop, dat zweer ik je.' Hij trok een stoel bij en ging tegenover Cooper zitten.

Norton kauwde op een reep en zei: 'Wou je iets hebben? Koffie? Coke? Een paar donuts?'

Cooper zei: 'Koffie zou wel lekker zijn. Met halfvolle melk, opgeschuimd, beetje kaneel erop. Zoetjes, geen suiker. Een donut zou er ook wel ingaan. Met frambozenjam en van die glinsterende dingetjes.'

'Ik heb het tegen Stone, mongool,' zei Norton.

Stone gromde en sloeg met zijn vuist op tafel. 'Niks koffie, godverdomme en ook geen donuts. Ga zitten, Cooper.'

'Ik dacht dat hij vroeg wat ik wilde hebben en dus zei ik dat.'

Stone liep rood aan. 'Kijk uit, jij. Vertel nog eens wat er op dat kerkhof is gebeurd.'

Cooper staarde hem aan. 'Dat heb ik al aan Walsh verteld.'

'Dan vertel je het nou aan mij. En schiet een beetje op, want ik heb weinig tijd en nog minder geduld.'

'Ik vertrouw je niet, Stone. Jij voert iets in je schild.'

'Cooper,' zei Stone ongeduldig, 'het kan me geen reet schelen wat voor gevoel jij krijgt, maar ik heb de leiding over dit onderzoek en ik kan je verzekeren dat je maar beter kunt praten. Anders laat ik je in een cel gooien en daar kom je dan pas weer uit als die jongen van je een volwassen vent is. Is dat duidelijk?'

Cooper keek naar Norton en Walsh. 'Ik weet niet wat er met Stone is, maar ik hoop dat jullie eerlijk zijn.'

'Wat bedoel je daarmee?' vroeg Norton.

'Ik bedoel dat ik Stone niet vertrouw.'

'*Praten*, Cooper, voordat ik mijn geduld verlies,' zei Stone. 'Vertel me alles.'

Cooper sprak een paar minuten lang en toen hij klaar was, stond Stone met een zucht op en drukte zijn hand tegen zijn gehavende gezicht. Hij leek diep in gedachten en scheen moeite te hebben om tot een besluit te komen.

Cooper zei: 'Geloven jullie me nou?'

Stone draaide zich met een ruk om. 'Ben jij wel helemaal lekker? Ik geloof geen woord van jouw mooie praatjes tot we dat kerkhof binnenstebuiten hebben gekeerd. Ik heb er nog meer mensen heen gestuurd. Het is best mogelijk dat jullie het verkeerde graf hebben geopend. Maar Moran vinden heeft op dit moment prioriteit. Ik durf te wedden dat haar broer Frank haar helpt – die is ook verdwenen. We gaan al haar telefoongesprekken natrekken, en ook haar e-mails. Dus, Cooper, heb jij enig idee waar ze deze keer kan zitten?'

Cooper sprong getergd overeind. 'Nee, geen flauw idee. Wou je me vertellen dat je nog steeds niet gelooft dat ze onschuldig is?'

Stone keek hem strak aan. 'Na wat er met Lou is gebeurd? Na alles waarbij ze betrokken is? En dan heb ik het nog niet eens over het feit dat ik door haar toedoen bijna ben verongelukt. Ik durf er iets om te verwedden dat die kloot van een Frank in die auto achter ons zat toen we van de weg werden geduwd.'

'Dat betwijfel ik, Stone. En het is onmogelijk dat Kate Lou iets aangedaan zou hebben. Je zit helemaal verkeerd, man. Kate of Frank zou nooit iemand vermoorden.'

'Dat is een hele goeie.' Stone wees naar de brace om zijn nek. 'Denk je dat ik dit kloteding voor de gein om mijn nek heb? Nou moet je eens goed luisteren, Cooper. Het is best mogelijk dat het allemaal bullshit is wat jij me hebt verteld. Voor mij is dat teringwijf zo schuldig als de hel. Dat is vandaag al de *tweede* keer dat ze geprobeerd heeft me te vermoorden. Als ze zich de volgende keer dat ik haar tegenkom weer verzet is ze dood, dat verzeker ik je.'

Cooper zei: 'Wat is dat toch tussen jou en haar, Stone? Goed, ze zet je voor gek en jij legde bijna het loodje. Maar wat wil je nu eigenlijk: oog om oog?'

Stone keek Cooper strak aan. 'Ik ben meer het soort jongen dat voor beide ogen gaat.'

Cooper zuchtte. 'Weet je wat het met jou is? Jij zit zo vol haat dat je de waarheid niet eens meer wilt accepteren. Je bent echt dom, Stone. Heel erg dom. Of misschien neem je ons allemaal in de maling en ben je juist heel slim.'

'Wat bedoel je daarmee?'

'Je haat Kate zo verschrikkelijk dat je alles in het werk zult stellen om haar te vernietigen. Misschien ben je zelfs wel betrokken bij alles wat er is gebeurd.'

Stones gezicht vertrok van woede. Hij greep Cooper bij de keel en duwde hem tegen de muur. 'Denk je dat? Dan zal ik je vertellen wat *ik* denk. Jij bent hier de mongool, Cooper, want na dit kun je het Bureau wel vergeten, dat garandeer ik je.' Hij liet Cooper los en zei tegen Norton: 'Sluit deze loser weer ergens veilig op en dan gaan we Moran zoeken en het karwei afmaken.'

158

Virginia

Met bevende handen reed ik verder over het platteland van Virginia. Het sneeuwde niet meer, maar het was zo koud dat er vast nog meer zou komen. Er was verkeer op de weg en ik zag zelfs een politiewagen, maar ik kon niets doen om de aandacht te trekken zonder het risico te lopen door Patrick te worden neergeschoten.

'Ga je me nog vertellen waarom je Gamal hebt helpen ontsnappen?' Ik hoorde de angst in mijn eigen stem.

Hij bleef het pistool op me gericht houden. 'Dat begrijp je vanzelf als we er zijn. Gewoon doorrijden.'

Ik kon merken dat het geen enkele zin had om een gesprek te beginnen omdat Patrick me in spanning wilde houden. Net als Gamal gaf het hem een kick om zich te laten gelden. Maar ik had nog steeds vragen die om een antwoord schreeuwden.

'Waarom heb je me zo om de tuin geleid? Jij was het toch, of niet soms? Jij en Gamal?'

Patrick grijnsde. 'Vond je ons kat-en-muisspelletje dan niet leuk, Moran?'

'Nee, niet echt, maar ik wil graag weten waarom je het speelde.'

'Dat is nogal makkelijk. Om je te laten voelen wat het is om te worden opgejaagd als een dier, zoals jij Gamal hebt opgejaagd. En we vonden het leuk om te zien wie de slimste was en wie er zou winnen. Weet je wat het mooiste was? Dat ik je op elk moment dat ik dat wilde had kunnen doden, Moran. Elk moment. Ik kon exact het moment bepalen waarop je zou sterven. Dat maakte het zo leuk.'

'Is Yeta daarom vermoord? Gewoon voor de grap?'

Er verscheen een boosaardige uitdrukking op Patricks gezicht. 'Dat kreng had haar eigen broer verraden. Ze kreeg wat ze verdiende.'

'Wie heeft haar vermoord, jij of Gamal?'

'Je snapt het nog steeds niet, is het wel?' schamperde Patrick. 'Je snapt nog steeds niet waar het écht om gaat en wat je te wachten staat.'

'Wat moet ik snappen?'

Hij gaf geen antwoord. Ik naderde een zijweg en realiseerde me plotseling dat we ergens in de buurt van Angel Bay waren – we waren er gekomen via een route die ik niet kende.

We kwamen bij een bos waar nauwelijks sneeuw lag. Tussen de bomen liep een onverhard pad.

'Die kant op,' beval Patrick, naar het pad wijzend.

Toen ik aarzelde, werd hij kwaad. 'Hoor je me niet, godverdomme?'

Mijn handen beefden zo verschrikkelijk dat ik moeite had om de wagen op de weg te houden. 'Ik… ik heb je gehoord. Al dit moorden slaat nergens op, Patrick. Waarom doe jet het? *Waarom*?' Ik was doodsbang bij het vooruitzicht wat Frank en mij te wachten stond.

Patrick werd razend. Hij richtte het pistool op de achterbank en schoot. Er zat een demper op en het schot was niet meer dan een droge kuch. Ik hoorde de doffe klap van de inslag; Frank maakte geen geluid. Had Patrick hem gedood? Ik waagde een blik achterom en zag dat de kogel een gat in de leren bekleding had gemaakt, net boven Franks hoofd. De stank van cordiet verspreidde zich door de auto.

'Volgende keer is het zijn kop,' zei Patrick kwaad. 'Hou die auto godverdomme op de weg!'

Ik kneep in het stuur, maar kon het beven van mijn handen niet bedwingen. Het was duidelijk dat Patrick genoot van mijn angst.

'Ik begrijp niet waarom je wilde dat ik de schuld zou krijgen van de dood van David en Megan.'

'Om het spelletje nog leuker te maken, idioot. Het leek ons een prachtige ironie als jij van die moorden verdacht zou worden. Het maakte allemaal deel uit van het voorspel. Nu zullen Constantine en ik je de prijs uiteindelijk met je leven laten betalen. Vaart minderen, Moran.'

We naderden een stenen brug over een smalle rivier. Aan de andere kant was een gazen hek dat zich naar beide kanten uitstrekte, met net over de brug een openstaande poort. Nu realiseerde ik me dat we aan de achterkant van Manor Brook waren. Dit was een oude, ongebruikte toegangsweg waar ik wel eens met David had gewandeld.

'Rij naar binnen,' beval Patrick. 'Rij door tot ik zeg dat je moet stoppen.'

We hobbelden over de brug. Frank kermde een keer, maar werd ook direct weer stil. Na honderd meter te hebben gereden bereikten we de achterkant van het huis. Het licht van de koplampen bescheen het graniet. Het huis bood een donkere, sombere aanblik.

'Uitstappen,' zei Patrick.

Mijn bloed werd ijskoud en ik had het gevoel alsof ik aan de stoel vastgenageld zat, zo bang was ik bij het vooruitzicht aan wat er komen ging.

'Stap godverdomme uit!' Patrick hief het pistool op.

Met knikkende knieën kwam ik uit de auto.

Patrick kwam naar me toe en gebaarde naar een stenen trap die naar de kelder voerde. 'Daar gaan we heen. Als je ervandoor probeert te gaan, schiet ik eerst je broer een kogel in zijn kop en daarna krijg jij er eentje in je rug.'

Hij haalde een Maglite-zaklamp uit zijn zak. 'Trek je broer uit de auto.'

Dat zou ik onmogelijk alleen kunnen. 'Hij is te zwaar...'

Patrick spande het pistool en richtte het op Frank, die op de achterbank lag. 'Dat is dan jammer. Je sleept hem langs de keldertrap naar beneden of ik schiet hem nu direct dood. Jij mag het zeggen. Wat wordt het?'

Ik greep Frank met beide handen vast en trok uit alle macht, maar kreeg maar nauwelijks beweging in hem.

'Uit de weg,' zei Patrick.

'Alsjeblieft, schiet hem niet dood,' smeekte ik.

'Uit de weg, zei ik!' Hij richtte het pistool op mijn gezicht en dwong me opzij te gaan, stak toen zijn hand naar binnen en sleurde Frank aan zijn kraag uit de auto. Hij was sterker dan ik had gedacht: hij zag kans om Frank in zijn eentje naar de keldertrap te brengen.

'Pak hem bij zijn benen,' beval hij.

Het begon weer te sneeuwen toen ik Franks benen pakte. We droegen hem de trap af en bleven staan voor een verrotte houten deur die half uit de scharnieren hing. Frank was nog steeds buiten bewustzijn, zijn ogen gesloten, zijn mond open en zijn lichaam helemaal slap. Ik ging bijna door mijn rug, zo zwaar was hij, maar ik durfde niet te klagen.

'Laat hem los,' beval Patrick.

Ik deed wat hij zei.

Patrick trapte de deur in en bij het licht van Patricks lamp zag ik weer een trap. Nog nooit van mijn leven was ik zo bang geweest.

Patrick zei: 'Dat wordt leuk om jullie beiden om zeep te helpen. Moorden in paren, precies zoals Constantine altijd zo graag deed. Alleen zijn het deze keer dan broer en zus.'

Zonder verdere waarschuwing gaf hij een duw tegen Franks slappe lichaam. Het rolde de donkere trap af en even later hoorde ik een doffe klap. Ik werd er helemaal ziek van. Wat als Frank zijn hoofd had beschadigd?

'Vuile rotschoft!' schreeuwde ik.

Patrick greep me ruw bij mijn haar en trok mijn gezicht tot vlak bij het zijne. Hij genoot duidelijk van mijn doodsangst. 'Hé, het feest is nog niet eens begonnen, Moran. Jij vraagt je natuurlijk af wat je onder aan die trap te wachten staat. Zal ik je eens iets vertellen? Er staat je de grootste verrassing van je leven te wachten.'

159

Patrick gaf me een duw en ik strompelde de trap af. Hij knipte het licht aan en de kelder baadde in een zee van licht. Frank lag onder aan de trap. Hij was nog steeds bewusteloos en had een snee in zijn voorhoofd. Ik knielde bij hem neer en voelde zijn pols. Hij leefde nog en er ging een golf van opluchting door me heen.

'Doorlopen,' beval Patrick en porde me met het pistool in mijn rug. 'Maak je maar geen zorgen over Frank. Rechtdoor.'

Ik rook de geur van wierook – en nog iets anders, maar ik kon niet thuisbrengen wat. Schoorvoetend liep ik verder. Patrick greep Frank bij de kraag van zijn jasje en begon hem over de grond te slepen.

'Voor je uit kijken, Moran. En maak een beetje voort.'

Ik dwong mezelf om voor me uit te kijken. We stonden in een gang met een gewelfd plafond. Langs de wanden waren rekken vol met stoffige wijnflessen. Mijn gedachten werden maar door één ding in beslag genomen: *Waar is Gamal?*

Mijn hart bonkte tegen mijn ribben en ik zag alle plaatsen weer voor me waar Gamal zijn bloederig handwerk had verricht. Ik trachtte elke gedachte aan de martelingen die me te wachten stonden opzij te schuiven, maar dat was onmogelijk. *In deze kelder ga ik sterven.*

We kwamen aan het eind van de gang en gingen een grote ruimte binnen. Patrick liet Franks kraag los. Die viel met zijn hoofd op de grond, nog steeds bewusteloos. Verderop zag ik het schijnsel van kaarsen, maar mijn aandacht werd afgeleid door Frank, die kreunend bij kennis kwam. Patrick gaf hem een klap op zijn hoofd met de kolf van zijn pistool. Ik schoot te hulp, maar Patrick greep me weer bij mijn haren en trok me vooruit.

'Je hoeft geen verpleegstertje te spelen, Moran. Ik kom hem zo wel halen. Doorlopen. Ik heb een verrassing voor je en ik kan bijna niet wachten om je gezicht te zien.'

Ik strompelde verder door een volgende gang. Patrick haalde een schakelaar aan de wand over en een elektrische generator startte brommend op. Plotseling werd de hele kelder fel verlicht door halogeenlampen. In een hoek zag ik tegen de muur iets wat op een stalen operatietafel leek. Er stond een houten tafel naast met daarop een verzameling operatie-instrumenten en slagersmessen: een boor, een elektrische zaag, hamers en hakmessen. Naast al deze dodelijke werktuigen lag een bruinleren slagersgordel.

'We zijn er.'

Ik beefde van angst toen ik me realiseerde dat Patrick het niet tegen mij had. Zijn blik gleed naar de andere kant van de ruimte. In een cirkel brandden dikke waskaarsen. Wat ik daar zag verkilde me tot op het bot. In het midden van de cirkel stond Constantine Gamal, zijn gezicht verlicht door flakkerend kaarslicht en zijn handen als een hogepriester opgeheven.

160

Sunset Memorial Park, Chesterfield County, Virginia

De twee agenten zaten in hun auto in de stromende regen; ze hielden het kerkhof in het oog. Sneeuwen deed het niet meer. Een van de mannen zat te dutten, terwijl de andere koffie dronk. Hij zag een auto met gedimde lichten voor het kerkhof stoppen. Er stapte iemand uit die met een zaklamp in de hand door het hek naar binnen ging. De agent nam nog een slok koffie en zette het bekertje in de bekerhouder. Hij greep zijn regencape van de achterbank en stootte zijn collega aan. 'Hé, Sullivan, wakker worden. Ik geloof dat we beet hebben.'

Met getrokken pistolen liepen ze de begraafplaats op. Het hek stond nog open. Helemaal achteraan op het kerkhof zagen ze het licht van de zaklantaarn. Dichterbij gekomen zagen ze een gestalte met een capuchon op. Hij stond over een van de graven gebogen en scheen met zijn zaklamp in het rond. Hij moest hen hebben horen naderen, want hij draaide zich met een ruk om en richtte het licht van de lamp op hen. Beide agenten richtten hun wapen op hem. Een van hen riep: 'FBI! Doe dat klerelicht uit mijn gezicht en hou je handen zo dat ik ze kan zien!'

De gestalte gehoorzaamde onmiddellijk en de twee agenten naderden hun doel. Een van hen trok de capuchon van zijn hoofd. Voor hen stond een verschrikte man van middelbare leeftijd die een uniformpet op had met een insigne waarop ATLAS SECURITY stond.

'Wat heb jij hier te zoeken?' vroeg een van de agenten.

'Gewoon… mijn werk. De firma waar ik voor werk beveiligt begraafplaatsen.'

'Heb je een legitimatie bij je?'

'Hé, dat kan ik ook aan jullie vragen, jongens.'

De agent liet zijn FBI-penning zien. 'Nou tevreden?'

'Ja, nou wel.' Hij liet de legitimatie zien die hij aan een ketting om zijn hals droeg. 'Mag ik vragen wat de FBI hier op een avond als deze te zoeken heeft?'

'Ik meen dat ik jou als eerste iets had gevraagd.'

De bewaker haalde zijn schouders op. 'Ik kreeg een melding dat iemand eerder vanavond lichten op het kerkhof had gezien, dus ben ik een paar keer langs geweest om te kijken.'

'Lichten? Hoe bedoel je, *lichten*?' vroeg de agent.

'Een zaklantaarn of zoiets. Maar ik heb niets bijzonders gezien, behalve dan dat graf net naast jullie.'

De agenten draaiden zich om terwijl de nachtwaker een groen dekzeil bescheen dat in het midden was doorgezakt. Er stond een plas water in. Ernaast was een bordje met alleen een nummer erop.

De bewaker zei: 'Daar keek ik naar toen jullie me de doodschrik op het lijf joegen. Een kerkhof is geen plaats om iemand zo de stuipen op het lijf te jagen.'

'Wat is daarmee?'

'Hier hebben ze een paar weken geleden een ter dood veroordeelde begraven, een zekere Gamal. Iemand heeft dat dekzeil over het graf getrokken. Ik heb eronder gekeken en ontdekte dat het graf van die vent geopend was.'

'*Wat?*'

'Ja, en jullie raden nooit wat erin ligt.'

161

Washington, DC

Josh Cooper liep getergd heen en weer in de cel. In de kamer ernaast hoorde hij Walsh bezig met het koffiezetapparaat. Door de traliedeur van de cel zag hij verderop in de gang een eerstehulptrommel hangen. Hij riep: 'Walsh! Kom eens even.'

Walsh verscheen in de deuropening met een sandwich in zijn hand. 'Wat is er, Cooper?'

'Ben je de enige hier?'

'Ik dacht het wel,' zei Walsh met volle mond. 'Hoezo?'

'Ik heb dorst. Ik moet water hebben.'

Walsh at eerst zijn broodje op. Hij veegde zijn handen af met een papieren servetje. 'Nog even en dan vraag je of ik naar de afhaalchinees wil gaan.'

'Alleen maar een beetje water, meer niet.'

Walsh verdween en kwam even later terug met een plastic bekertje water. 'Je kunt niet zeggen dat ik niet goed voor je zorg.'

'Bedankt, maat.'

'Ik ben je maat niet, Cooper.'

'Nee, dat is duidelijk.'

Toen Walsh weer weg wilde gaan, gebaarde Cooper naar de muur. 'Maar misschien zou je je goeie daad voor vandaag willen doen en me een rol verband geven uit die trommel daar.'

Walsh keek naar de trommel. 'Waarom zou ik dat doen?'

'Ik denk dat Stone mijn pols heeft gekneusd toen hij me tegen de muur drukte. Het begint aardig pijn te doen.'

Walsh grijnsde en keek Cooper achterdochtig aan. 'Luister, Cooper, ik ben niet van gisteren. Ik wil geen gesodemieter tijdens mijn wacht, oké? Stone zei dat ik je er onder geen enkele omstandigheid uit mocht laten, dus als die cel in de hens vliegt, ziet het er niet best voor je uit.'

'Ik vraag ook niet of ik eruit mag. Geef me nou alleen maar een rol verband, dan verbind ik mijn pols zelf wel. Zodra Stone terug is zien we wel verder. Schiet een beetje op, wil je? Het begint verrekte pijn te doen.'

Walsh fronste zijn wenkbrauwen. 'Ik weet het niet…'

'Denk je nou echt dat ik zo stom zou zijn om een ontsnappingspoging te wagen? Ik heb al genoeg slechte aantekeningen in mijn boekje.'

'Ja, nou, dan had je maar niet zo stom moeten zijn om Moran te helpen,' zei Walsh.

'Achteraf kijk je een koe in de kont. Ik heb een grote fout gemaakt. Kom op, Walsh. Ik zit opgesloten; ik kan nergens heen. Geef me in jezusnaam een rol verband. Wat denk je dat ik ermee wil, mezelf verhangen?'

Walsh keek Cooper scherp aan alsof hij wilde zien of hij soms loog, maar liep toen naar de eerstehulptrommel en haalde hem van de muur. Hij maakte hem open en haalde er een rol verbandgaas uit. 'Hier zul je het mee moeten doen.'

'Bedankt.'

Walsh stak de rol door de tralies en Cooper verbond zijn pols. 'Er zit vast wel een schaar in die trommel, Walsh. Doe me een lol en knip dat gaas even door. Ik kan het met één hand niet afscheuren.'

Walsh was op zijn hoede. 'Een schaar – denk je soms dat ik niet helemaal lekker ben?'

'Vergeet die schaar dan maar en scheur dat kleregaas gewoon af,' zei Cooper geërgerd.

Toen Walsh bezig was het gaas af te scheuren, schoot Coopers hand plotseling tussen de tralies door. Hij greep hem bij de keel en nam hem in een pijnlijke houdgreep.

'Je wurgt me, godverdomme!' wist Walsh met moeite uit te brengen.

Cooper wrong Walsh' pistool uit de heupholster en zocht in Walsh' zakken tot hij de sleutels van de cel had gevonden. Walsh worstelde om los te komen, maar het was nutteloos. Zijn stem was niet meer dan een hees gefluister. 'Je bent hartstikke gek, Cooper. Als Stone hier achter komt kun je het schudden…'

'Hebben je kinderen jou ooit verteld dat je een prachtige imitatie van Kermit de Kikker doet, Walsh?'

Precies op dat moment ging de deur open en kwam Stone binnen, met Norton op zijn hielen. Stone schatte de situatie snel in, trok zijn Glock, richtte die op Cooper en zei grimmig: 'Waar denk jij godverdomme dat je mee bezig bent, Cooper? Gooi dat pistool op de grond en laat Walsh los.'

Cooper gaf geen krimp. 'Ik zit er toch al tot over mijn oren in, dus waarom zou ik, Stone?'

'Omdat ik je mijn verontschuldigingen moet aanbieden.'

162

Angel Bay, Virginia

Ik staarde naar Gamal. Het was een angstaanjagend gezicht zoals hij daar stond, gekleed in een zwarte, golvende toga en met zijn armen uitgestrekt. Het koude zweet brak me uit.

Patricks straalde. 'Hé, zo te zien ben je bang, Moran.'

Ik was als versteend. *Gamal gaat wraak nemen.* De gedachte aan wat Frank en mij te wachten stond maakte me misselijk. Ik zou graag ter plaatse dood zijn gebleven als ik daarmee aan Gamals martelingen had kunnen ontkomen.

Patrick wendde zich naar Gamal. Zijn stem galmde door het keldergewelf: 'Zal ik dat kreng vertellen wat we met haar gaan doen, Constantine? Wat vind je ervan? Jij mag het zeggen, partner.'

Maar voordat Gamal kon antwoorden, begon Patrick te lachen. 'Hé, Moran? Misschien gaan we ook wel voor de volledige show en maken we er een grote, smerige orgie van seks en geweld van. Eerst naaien we je tot je smeekt om genade en als grote finale slachten we je levend af. Wat dacht je daarvan? Heb je daar zin in, Katie, liever?'

Ik strompelde achteruit tot ik met mijn rug tegen de muur stond, maar ik kon geen kant uit. Patrick stond nu vlak voor me, zodat ik zijn zurige adem kon ruiken.

'Ik raak opgewonden als een vrouw smeekt, maar als je dat niet doet wordt het nog veel en veel erger. Waar of niet, Constantine?'

Het zweet droop van mijn gezicht. Gamal zei nog altijd niets; hij staarde alleen maar strak voor zich uit alsof hij overwoog wat hij zou gaan doen.

Patrick zei: 'Vertel jij haar hoe erg het gaat worden, Constantine? Of zal ik dat doen?'

Toen drong het tot me door. Opeens herkende ik de walgelijke lucht achter de geur van de aromatische kaarsen. Ik keek naar de vloer rondom Gamals voeten, maar behalve de kaarsen was daar niets te zien. Ik bleef naar Gamals onbewogen gezicht staren. In het flakkerende kaarslicht had zijn huid de kleur van verbleekt perkament. Het stonk doordringend naar rottend vlees. *Geen wonder dat Gamal op geen enkele vraag antwoord heeft gegeven.*

Ik gaapte Patrick aan en stamelde: 'Hij… hij is dood…'

Patrick grijnsde en haalde weer een schakelaar over. Er ging een halogeenlamp aan die Gamals levenloze lichaam bescheen. Toen liep Patrick naar de tafel en pakte een angstaanjagend uitziend slagersmes. 'Je hebt het dus eindelijk begrepen, Kate. Dan is het spelletje nu afgelopen en begint het echte plezier.'

163

'Wat is er in godsnaam aan de hand, Stone?' Josh tuurde gespannen door de voorruit, terwijl de Taurus over het platteland van Virginia stoof. 'Zeg op, man!'

Ze hadden hem in een lift gefrommeld en haastig naar de autopool gebracht en nu waren ze met gillende sirene op pad met Stone aan het stuur. Norton zat met Walsh achterin. Tegelijk met hen waren er nog zes auto's vertrokken, die twee aan twee verschillende richtingen uit waren gegaan.

'De mensen die ik naar het kerkhof had gestuurd hebben het graf gezien,' gaf Stone toe terwijl hij de Eisenhower Freeway verliet.

'Ik *zei* het toch, Stone,' zei Josh kwaad. 'Waarom heb je niet meteen naar me geluisterd?'

Stone zuchtte en streek met zijn vinger langs de binnenkant van zijn brace. 'Omdat ik een stomme klootzak ben, daarom. En er is nog iets dat je moet weten. Over dat slachtoffer uit de camper, Otis Fleist. Die heeft vroeger voor de familie Bryce gewerkt.'

'Dat meen je niet.'

'David Bryce nam hem vijf jaar geleden, direct na het overlijden van zijn ouders, aan om de tuinen rondom het grote huis te onderhouden. Dat ging allemaal prima – todat Fleist na een poosje heel lelijke dingen begon te beweren.'

'Waarover?'

Stone trapte het gaspedaal nog verder in en de motor brulde. 'Voordat ik je dat vertel moet je nog iets anders weten. David Bryce had een oudere broer, Patrick.'

Josh fronste zijn voorhoofd. 'Wat heeft die ermee te maken?'

'Alles. Patrick had een lange voorgeschiedenis van psychiatrische problemen en was een patiënt van Bellevue. Ik heb hem een keer ontmoet, toen Lou en ik hem moesten gaan vertellen dat zijn broer en nichtje vermoord waren. Ik weet nog dat ik hem toen zelfs naar Kate heb gevraagd, om uit te vissen wat hij wist over haar relatie met zijn broer. Maar Patrick leek toen helemaal kapot van verdriet te zijn en zat zwaar onder de kalmerende middelen.' Stone knipperde met zijn grote licht naar een auto voor hem. *'Ga uit de weg, man.'*

'Ik luister, Stone.'

'Nu vraag ik me af of dat allemaal spel was. Hoe het ook zij, het gaat om die beschuldigingen die Fleist uitte. Patrick had andere medicijnen gekregen en leek goed vooruit te gaan, reden waarom David Bryce de ontslagpapieren voor zijn broer tekende en officieel zijn voogd werd, in de hoop dat de verbetering permanent zou blijken te zijn.'

Josh knikte. 'Ik begrijp het.'

'Dat was dus niet zo. Ongeveer een maand later deed Fleist bij de plaatselijke politie aangifte van een poging tot aanranding van zijn tien jaar oude dochter door Patrick Bryce. Het kind zou door het gebeurde aardig getraumatiseerd zijn en psychiatrische behandeling nodig hebben. Op bevel van de rechter moest David Bryce Patrick opnieuw in Bellevue laten opnemen tot de zaak voor zou komen. Fleist dreigde met een civiele procedure, omdat zijn dochter psychische schade opgelopen had. Zijn advocaat kwam met David als Patricks voogd tot een voor Fleist heel gunstige schikking, waarop die de aanklacht introk en de zaak niet voorkwam. Dat verklaart waarom Kimberly Fleist bijna nooit uit die camper kwam.'

'Hoe ben je dit allemaal aan de weet gekomen, Stone?'

'Moran had een verzoek om inlichtingen over Otis Fleist laten uitgaan. Een paar dagen geleden werd er gebeld door een van de agenten van de plaatselijke politie in Angel Bay die vijf jaar geleden betrokken was geweest bij die aanrandingszaak van Fleist. We waren pas vanmiddag zover dat we Morans telefoontjes gingen natrekken; de agent die had gebeld vertelde ons wat er destijds was gebeurd.'

'Heb je soms nog meer te vertellen?'

'Ja, want nu wordt het pas echt vreemd. Die agent vertelde dat hij een paar weken geleden 's nachts surveilleerde en toen een man had aangesproken die vlak bij Morans cottage geparkeerd stond. Die beweerde dat hij bij Moran op bezoek was geweest en nu even was gestopt om te telefoneren. De agent zei dat het pas de volgende dag tot hem doordrong dat die vent sprekend op Patrick Bryce leek. Hij was er zelfs van overtuigd dat het Patrick ook inderdaad wás.'

'Meen je dat nou?'

'Ik weet dat dat verdomde vreemd klinkt als je in aanmerking neemt dat die gozer verdronken zou zijn, maar zijn lijk was nooit gevonden.'

Josh fronste zijn wenkbrauwen. 'Wat heeft dit allemaal te betekenen?'

'Als ik dat wist, was ik nu directeur van de FBI,' zei Stone. 'Maar ik neem aan dat Patrick daar bij dat winkelcentrum was en achter Moran aan zat. Hij nam zelfs even de tijd om Lou te vermoorden en mij een klap op mijn kop te geven en mijn pistool te stelen. We hebben beelden van hem van de bewakingscamera's. Een van de beveiligingsmensen heeft ons de band gegeven. Hij zei dat de vent die achter Moran aan zat beweerde dat hij van de FBI was. Laat hem de foto's zien, Gus.'

Norton haalde een envelop uit zijn binnenzak en gaf Cooper een stapeltje foto's. Hij bekeek ze: een man van een jaar of veertig die een spijkerbroek, een donkerblauw windjack en sportschoenen droeg.

'Hoe kun je er zo zeker van zijn dat dit Patrick is?'

'Dat ben ik niet,' antwoordde Stone. 'Ik vertrouw op mijn instinct.'

'Je instinct heeft het al eerder bij het verkeerde eind gehad.'

'Dat is zo, Cooper. Alleen durf ik er deze keer mijn pensioen om te verwedden.'

Josh gaf de foto's terug en keek naar het landschap van Virginia dat langs hen heen flitste. 'Kun je me soms vertellen waar we precies heen gaan? En die andere auto's die tegelijk met ons zijn vertrokken?'

Stone wierp Norton in de achteruitkijkspiegel een veelbetekenende blik toe. 'Vertel jij hem de rest, Gus.'

164

Angel Bay, Virginia

Ik staarde naar het door de felle halogeenlamp verlichte lijk van Gamal. De stank was overweldigend. Zijn huid was aangevreten door maden. Patrick grijnsde en ik wist dat hij genoot van mijn ellende. Ik wilde de enige vraag stellen die ik kon bedenken, maar hij was me voor.

'Je vraagt je af waarom, is het niet, Kate? Je wilt weten waarom ik Gamals lijk heb opgegraven, waarom ik dit allemaal heb gedaan?'

'J... ja.'

'Omdat het allemaal deel uitmaakte van het plan, Katie, schatje.'

'Wélk plan?'

Patrick negeerde mijn vraag. 'Ga eens wat dichter naar hem toe. Ik wil jullie oog in oog zien staan.'

Ik wilde zeggen: *Je bent totaal gestoord.* Ik verroerde me niet.

Plotseling gaf Patrick me een harde klap in mijn gezicht en richtte het pistool op mijn hoofd. 'Hoor je godverdomme niet wat ik zeg? Ga dichter naar hem toe, tot vlak voor zijn gezicht. Ik wil dat jullie elkaar weer leren kennen, net als vroeger.'

Ik proefde bloed op mijn lippen en dwong mezelf om dichter naar Gamals lijk toe te gaan. De geur van wierook kon de allesoverheersende stank van rottend vlees niet maskeren en ik kokhalsde.

Patrick lachte. 'Raak hem aan. Ik wil je de hand van de Discipel van de Duivel zien schudden.'

Ik kon mezelf er niet toe brengen om ook maar een vinger te bewegen; ik deinsde terug. Maar Patrick bracht het pistool in zijn gestrekte hand omhoog. 'Neem een besluit, schat.'

Ik wist dat zijn dreigementen alleen maar een vertoon van macht waren: moordenaars als Patrick genoten ervan anderen te zien lijden.

'Doe godverdomme wat ik zeg. Schud hem de hand, *bitch*.'

Patrick duwde de loop van zijn pistool zo hard tegen mijn slaap dat het pijn deed. Ik sloot mijn ogen, vermande me en raakte Gamals rechterhand aan. Het moment had iets surrealistisch; het was afschuwelijk – Gamals dode, in staat van ontbinding verkerende vlees.

Weer lachte Patrick. 'Schud zijn hand! Misschien wil je tegen hem zeggen dat je spijt hebt van wat je hem hebt aangedaan.'

Het was zo bizar dat ik mijn ogen stijf dichthield terwijl ik de verrotte hand schudde. Die bewoog niet. Ik deed mijn ogen open. Toen pas zag ik dat er een dikke spijker door Gamals handpalm was geslagen. Ik keek naar de andere hand en nu drong de weerzinwekkende waarheid tot me door. Gamals beide handen waren aan een zwarthouten kruis genageld dat hem overeind hield; de spijkers waren verborgen onder de mouwen van zijn gewaad.

Patrick zag mijn reactie en grinnikte. 'Vind je dat niet leuk, Moran? Dat zwarte kruis vond ik een aardig detail.'

Patrick gaf me een klap in mijn gezicht met het pistool en ik strompelde achteruit, verblind door pijn. Ik voelde dat hij iets om mijn linkerpols sloot. *Hij doet me handboeien om.* Het duurde even voordat ik me hersteld had, maar ondanks dat ik tegenstribbelde pakte Patrick ook mijn rechterpols en boeide mijn beide handen voor me.

Mijn kaak deed brandend pijn van de klap terwijl Patrick me ruw bij mijn haren greep en me recht aankeek. 'Je wilde weten *waarom*, Katie? Misschien is het nu dan tijd om je het hele verhaal te vertellen.'

165

Patrick stak het pistool in zijn broeksband. 'Ik heb ze niet vermoord. Dat heeft Constantine gedaan.'

'Wat?'

'Hij was het en niemand anders. Hij heeft David en Megan op de ochtend van Thanksgiving uit de cottage ontvoerd. Hij is de cottage binnengedrongen terwijl David en zijn dochter bezig waren het eten klaar te maken. Hij heeft ze beiden met een naald verdoofd, ze met Davids auto naar de mijn gebracht en ze daar vermoord. Zijn lastminutebekentenis was een leugen, een onderdeel van ons plan. Wat is er, Moran?'

Ik was verbluft. 'Op de plaats delict waren verschillen die ik nooit heb begrepen. De manier waarop het crucifix aan Megans voeten lag. En David was doodgeschoten...'

Patrick glimlachte. 'Ik weet alleen wat Constantine me heeft verteld, Moran. Toen hij David de mijn binnensleepte, kwam hij bij en begon zich te verzetten, waarop Constantine hem twee keer in zijn hoofd schoot. Wat maakt dat crucifix nou uit? Misschien heeft een dier hem verplaatst, of Constantine had haast en heeft hem daar gewoon neergegooid. Hoe het ook zij, je begreep het best.'

'En hoe zit het dan met die moorden in de metro van Chinatown die Gamal bekend heeft?'

'Die heeft hij ook gepleegd. Constantine vertelde me dat hij na David en Megan helemaal high was. Hij wist hoe jou dat zou raken en wilde nog meer moorden. Later die middag heeft hij die zwarte kerel en zijn dochter vermoord als een mooi besluit van de dag.'

Ik hoorde de kille wreedheid in Patricks stem en voelde een golf van walging. 'Hoe kon je zo harteloos zijn?'

Ik zag dat hij iets van de tafel pakte en achter zijn rug verborg. Het ging zo vlug dat ik niet kon zien wat het was, maar mijn onrust vererger-de. *Heeft hij een mes uitgezocht?* Mijn knieën werden slap.

Patrick staarde me aan. 'Denk je nou echt dat het mij iets kan schelen wat jij voelt? Het punt is namelijk dat het allemaal een kwestie van het lot was. David en Megan zouden sowieso gestorven zijn.'

'Wat bedoel je?'

'Voordat Constantine ze te pakken nam, was ikzelf al van plan om ze te vermoorden. Mijn ouders hadden David tot erfgenaam benoemd. Als ik hem en Megan doodde, zou ik alles krijgen wat ik altijd had gewild: geld, vrouwen, een lekker leven. Ik had mijn ontsnappingsroute uit Bellevue zelfs al geregeld, via een grote afvoerpijp voor regenwater die buiten het terrein uitkwam. Ik had ze kunnen vermoorden en terug kunnen zijn in Bellevue zonder dat iemand ook maar iets had gemerkt. Ik had het zelfs zo kunnen doen dat het had geleken of het Constantines werk was. Toen je vriendjes Stone en Raines me in Bellevue kwamen op-zoeken om me te vertellen dat David en Megan waren vermoord, heb-ben ze zich geen moment afgevraagd of ik het soms kon hebben gedaan. Maar zal ik je eens wat vertellen? Ik herinner me die dag nog heel goed. Je vriend Stone stelde een hoop vragen over jou, alsof hij er niet hele-maal van overtuigd was dat Gamal het had gedaan. Ik hield me van de domme en deed net of ik het verschrikkelijk vond en helemaal kapot was van het nieuws. En dat terwijl ik al jaren van plan was om mijn broer te vermoorden, zelfs al voordat jij op het toneel verscheen. Kate de geldwolf.'

Ik zag het pure venijn op Patricks gezicht en zei: 'Ik heb Davids geld nooit gewild. Dat was niet de reden waarom ik met hem wilde trouwen.'

Patrick pakte een vette lap van de tafel. 'O nee? Je hebt het anders toch maar mooi aangepakt, Kate.'

'Ik heb er geen cent van gebruikt,' voerde ik aan.

Patrick haalde een gekarteld mes achter zijn rug vandaan en begon het op te wrijven. 'Omdat je geen tijd had. Weet je wat mijn grote fout was? Ik had mijn huiswerk moeten maken. Nadat Constantine David en die meid had vermoord, kwam de familieadvocaat me opzoeken. En wat hoor ik? Dat *jij* alles had gekregen, dat David jou alles had nagelaten. En ik? Ik ben psychiatrisch patiënt, dus ik kan het testament niet aanvechten. Keurig gedaan, Kate. Werkelijk keurig. Maar dat was Constantines fout niet, maar de jouwe.'

Ik ging bijna van mijn stokje toen ik naar dat gekartelde mes in Patricks handen keek. 'David heeft zijn eigen testament opgesteld, daar had ik niets mee te maken. Ik zweer...'

Weer gaf Patrick me een klap in mijn gezicht en ik tuimelde achterover tegen de muur. 'Lieg toch niet. Zal ik je nog eens wat vertellen? Als ik de erfenis niet kan krijgen, krijgt niemand hem. Ik had dat geld verdiend na alle shit die ik van mijn ouwe heer heb moeten pikken.'

Ik was geboeid en kon niet ontsnappen, maar ik probeerde het moment waarop hij die slagersmessen zou gaan gebruiken uit te stellen. Ik veranderde van onderwerp. 'W... waar heb je Gamal leren kennen?'

'Hij behandelde me in Bellevue. Ik voelde dat Constantine me begreep, dat hij precies begreep wat ik had moeten doormaken in die klerefamilie waar niemand ook maar ene moer om me gaf. Maar ik wist pas hoeveel we gemeen hadden nadat jij hem gepakt had. Toen las ik alles over hem in de kranten. Dat was godverdomme een openbaring voor me. Als *ik* me als kind had misdragen, sloeg mijn vader me ook eerst verrot voordat hij me in de kelder opsloot. Geen wonder dat ik zoveel verwantschap met Constantine voelde. Klotevaders en broers en zusters die het allemaal geen reet kon schelen.'

'Het kon David wél schelen...' zei ik.

'Rot toch op,' zei Patrick woedend. 'Nee, dan Gamal, dat was een heel ander verhaal. Je hebt een briljante man gedood, Kate, iemand die het lef had te doen wat ik altijd wilde doen – de familie die zijn leven had verziekt, uitroeien. Het is jouw schuld dat de man die ik verafgoodde in de dodencel belandde. Daarom beloofde ik Gamal dat ik zijn dood zou wreken.' Hij keek naar Gamal met een uitdrukking van eerbied op zijn gezicht – compleet gestoord was hij.

'Hoe... hoe kon je dat dan doen? Je zat in Bellevue!'

Patrick begon het mes weer te poetsen. 'Directeur Clay van Greensville was een oude vriend van de familie. Nadat ik opnieuw in Bellevue was opgenomen, kreeg ik een brief van hem waarin hij aanbod me op te nemen in een programma voor zedendelinquenten dat geleid werd door de gevangenispsychiater. Hij zei dat de resultaten heel goed waren, maar ik heb toen niet geantwoord. Dat veranderde toen ik hoorde dat Constantine naar Greensville was overgebracht. Ik wilde hem graag weer ontmoeten en dus schreef ik een brief aan Clay waarin ik zei dat, als zijn aanbod nog steeds geldig was, ik er graag gebruik van zou willen maken. Nou, dat werkte. Maar het enige wat ik wilde, was Constantine ontmoeten.

'Dus Clay hielp je?' vroeg ik.

Patrick knikte. 'Die stomme lul wist precies hoe hij dat moest aanpakken. Hij zorgde dat ik tijdelijk werd overgeplaatst naar de psychiatrische afdeling van Greensville, waar Constantine ook zat. Tijdens het luchten worden de gevangenen apart van elkaar in speciale buitenkooien opgesloten, maar ik kon hem daar briefjes tussen het gaas door toespelen. Ik zei dat ik hem wilde helpen. Dat wekte zijn interesse.'

'Op welke manier helpen?'

Patrick grijnsde. 'Proberen hem te laten ontsnappen. Dat was mijn plan, maar dat werkte niet. Als je die tekeningen van Greensville hebt bekeken, dan weet je dat het onmogelijk is om zonder hulp van binnenuit te ontsnappen. En dus stelden we een ander plan op, deze keer om jou na de executie te pakken te nemen. Mijn zelfmoord en de copycatmoorden waren allemaal onderdeel van dat plan.' Patrick lachte.

Ik zei: 'Wat is er zo grappig?'

'Clay. Begrijp je dat dan niet? Hij helpt me om opgenomen te worden in zo'n kloteprogramma en vervolgens maak ik mezelf van kant. Ik durf te wedden dat die idioot zichzelf daar nog steeds de schuld van geeft.'

Ik vroeg me af of schuld iets te maken had met Clays tegenzin om te praten. En ik maakte me zorgen over Frank, die misschien pijn had en dood lag te bloeden, maar ik moest die gedachten van me af zetten, anders werd ik gek.

'Waar haalde je daarna het geld vandaan om van te leven?'

'Constantine had geld verborgen in een oude mijn net buiten Fredericksburg. Een paar honderdduizend voor het geval hij er onverwacht vandoor zou moeten gaan. Daar kon ik van gebruiken wat ik nodig had. En hij gaf me de naam van een vent in DC die in valse paspoorten en creditcards doet. Dus ik creëerde een nieuwe identiteit voor mezelf, huurde een appartement in Alexandria en hield me rustig terwijl ik mijn plannen uitwerkte. Constantine en ik namen aan dat de copycatmoorden je helemaal van de wijs zouden brengen en dat je zou gaan denken dat hij nog leefde en achter je aan kwam. Tijd om de prijs te betalen. En het werkte. Je was doodsbenauwd, of niet soms?'

'Wiens idee was het om het lijk op te graven?'

Patrick grijnsde weer. 'We dachten dat je dan helemaal gek zou worden. Vooral als je de overblijfselen van een dode ram vond in plaats van hem. En het heeft gewerkt, of niet soms?'

Patrick legde het opgepoetste mes weer op de tafel. 'Na de executie ben ik de lijkauto gevolgd, van de gevangenis naar het Bureau van de Lijkschouwer in Richmond, om er zeker van te zijn dat ze hem daarnaartoe brachten. De volgende morgen heb ik het kantoor gebeld en gezegd dat ik van de begrafenisondernemer was en graag de tijd wilde bevestigen waarop ze het lichaam opgehaald wilden hebben. Slim, hè? Daarna hoefde ik alleen de lijkwagen maar te volgen naar Sunset Memorial Park. Diezelfde nacht heb ik Constantine opgegraven. Netjes toch?'

Ik wilde nog meer antwoorden hebben. 'Bij de mijn waren geen voetafdrukken te zien. Hoe heb je dat voor elkaar gekregen? Heb je ze uitgeveegd of weggebrand?'

'Op weg naar buiten heb ik ze met een soldeerlamp heel voorzichtig weggebrand. Ga me nou niet vertellen dat je daar nu pas achter komt, *stommeling*. Ben jij nou een rechercheur?'

Patrick pakte een ander voorwerp van de tafel. Ik kon niet zien wat het was omdat hij het achter zijn rug hield. Had hij een ander mes uitgezocht?

Hij zei: 'Ik durf te wedden dat je ook niet weet hoe dat met Fleist zat. Vijf jaar geleden werkte hij voor David, totdat hij beweerde dat ik zijn dochter had aangerand. Dat was ook zo en daarom nam ik ze op in het plan; zo kon ik weer een vijand opruimen. Slim, hè?'

'Dus jij hebt die valse bewijzen achtergelaten; de spullen in de camper, de tekeningen van Greensville en de zwarte cape.'

Patrick knikte. 'Allemaal bedoeld om jou van de wijs te brengen, Moran. En je onderzoek een andere kant uit te sturen.'

'Je hebt zelfs net gedaan of ik het was die ruzie met Fleist maakte,' zei ik.

'Kijk, je begint het eindelijk te begrijpen. Ik nam aan dat je nog verder in de shit zou raken als collega's zouden denken dat jij de moordenaar was. Was dat niet slim?'

'En die nachtelijke telefoontjes? Deed je dat vanuit de cottage?'

Patrick keek me stomverbaasd aan. 'Waar heb je het in godsnaam over?' Hij keek ongeduldig op zijn horloge. 'Het is tijd. We gaan lekker snijden, Katie, lieve kind. Jij eerst en daarna komt Frank aan de beurt.'

Zijn antwoord had me van de wijs gebracht, maar ik had geen tijd om erover na te denken. Patrick sprong op me af. Ik strompelde achteruit, maar hij nam me in een houdgreep en stak een injectienaald in mijn arm. Ik voelde de prik en direct daarop kreeg ik een vreemd gevoel in mijn hele lichaam. De kelder begon te draaien, de felle halogeenlampen doofden en alles werd zwart.

Toen ik bijkwam, lag ik vastgebonden op de houten tafel bij de muur. Ik voelde me suf. Hoe lang ik buiten bewustzijn was geweest, wist ik niet. Ik probeerde me te bewegen, maar mijn armen en benen waren met banden vastgesnoerd.

'Welkom terug, Kate. Ik geloof dat we zover zijn en dat de voorstelling kan beginnen.'

Ik draaide mijn hoofd om en zag dat Patrick bezig was de medische instrumenten op de tafel te rangschikken. Ik kromp ineen. *Dit is geen benauwde droom. Ik ga sterven.*

Hij droeg de slagersgordel met daarin een collectie angstaanjagende messen. Ik voelde me heel zwak toen Patrick een roestvrijstalen mes pakte en met zijn vinger langs de gekartelde rand streek. 'Vind je het ook niet keurig zoals het nu allemaal eindigt? De manier waarop ik je terugbetaal voor zowel Constantine als mezelf? Ik was eerst van plan om messen te gebruiken, maar weet je wat? Ik geloof dat ik maar eens iets zal gebruiken dat net een tikje interessanter is.'

Patrick stak het mes terug in de gordel en pakte een kleine elektrische zaag met een rond blad. Hij drukte op de knop en de zaag begon met een hoog, jankend geluid te draaien. 'Deze heeft zelfs een zaagblad met een randje van diamant om botten door te zagen. Ben je klaar voor de ultieme ervaring om aan stukken te worden gesneden, Kate?'

166

'Wáár gaan we heen?' vroeg Josh.

'Angel Bay,' zei Norton. 'We denken dat Patrick mogelijk naar het oude huis zal gaan.'

'Waarom denken jullie dat?'

Deze keer was het Stone die antwoordde. 'Dat is bekend terrein voor hem. Moordenaars als Patrick zijn het liefst op eigen terrein als ze onder druk staan. Het geeft ze een gevoel van veiligheid. En ik denk dat hij op dit moment aardig onder druk staat. Hij weet dat hij nog maar weinig tijd heeft nu we hem op het spoor zijn.'

'Wat nou als je het mis hebt?' vroeg Cooper bezorgd. 'Wat als hij niet naar het huis is?'

'Je hebt gelijk,' zei Stone. 'Misschien is hij daar niet. Vandaar dat we onze kansen gespreid hebben en zes auto's naar de verschillende ondergrondse plaatsen hebben gestuurd die Gamal in het verleden heeft gebruikt, voor het geval Patrick daarheen probeert te gaan om zijn pleziertje met Moran te hebben voordat hij haar vermoordt. We nemen aan dat dit zijn eindspel is. Het zal erop uitdraaien dat hij haar wil vermoorden, maar eerst spelletjes met haar wil spelen. God mag weten waarom. Ik heb geen idee.'

'Het is steeds een groot spel geweest,' zei Cooper kwaad. 'Het heeft alleen lang geduurd voordat jij dat doorkreeg. Je had naar Kate moeten luisteren.'

'Ja, nou, ik ben kerel genoeg om mijn fouten toe te geven,' bekende Stone.

'Behalve dan dat jouw fouten haar het leven al gekost kunnen hebben.'

'Dat weet ik, dus dat hoef je me niet nog eens in te wrijven,' zei Stone grimmig. 'En vergis je niet: ik ben net zo bezorgd als jij.'

'Heb je de plaatselijke politie gewaarschuwd?' vroeg Cooper.

Stone knikte. 'Op alle plaatsen. Ze hebben opdracht om de locatie in afwachting van onze komst met onopvallende auto's in de gaten te houden, maar alleen actie te ondernemen als wij dat zeggen, tenzij het een noodgeval is.'

'En Gamal? Er is absoluut geen kans dat hij nog in leven is?'

'Onmogelijk,' zei Norton. 'Wat er ook met zijn lijk gebeurd mag zijn, dat is echt niet uit zijn graf komen kruipen. Hij is op de avond van de terechtstelling overleden, dat staat vast. Ik heb met die jonge patholoog gesproken die de lijkschouwing heeft gedaan en die zei dat Gamal hartstikke dood was, geen twijfel aan. We nemen dus aan dat Patrick die moorden heeft gepleegd, maar zoals Vance al zei, we hebben geen flauw idee waarom. Patrick is vroeger bij Gamal onder behandeling geweest, maar dat is dan ook het enige verband dat we hebben kunnen vinden.'

De Taurus minderde vaart. Even verderop zag Cooper de cottage. Binnen brandde licht en langs de weg stond een auto met gedoofde lichten. Pas toen ze dichterbij kwamen zag Cooper dat er twee mensen in de auto zaten, zo te zien een vrijend paartje, maar toen Stone stopte, kwamen ze uit de auto. Stone gaf Cooper zijn wapen terug. 'Pak aan, Cooper. Hij is geladen. Misschien heb je hem nodig.'

Cooper nam het pistool aan en controleerde het magazijn terwijl Stone uitstapte. Het was koud en windstil. Het stel uit de auto kwam op hen toe en Stone stelde zich voor. 'En, iets gezien?'

'Ik wilde jullie juist bellen,' zei de man van het koppel, een agent in burger van de plaatselijke politie. 'We zagen niets tot ik besloot om eens aan de achterkant van het huis te gaan kijken. Daar staat een auto.'

'Wat voor een?' vroeg Stone.

'Een donkergroene Nissan. Zo te zien is hij bij een ongeluk betrokken geweest, want hij heeft schade aan de rechterkant en een deuk voor. Ik heb het kenteken laten natrekken voordat ik jullie wilde bellen. De wagen is ruim een week geleden gehuurd bij Herz in DC door een zekere Patrick Swan.'

Stone trok een wenkbrauw op. 'Hij heeft in elk geval zijn eigen voornaam gehouden. Ik denk niet dat het de enige auto is die hij gehuurd of gestolen heeft. Heb je nog iemand gezien?'

De agent schudde zijn hoofd. 'Nee, en we hebben ook niets gehoord. Maar er staat achter wel een deur open die zo te zien naar de kelder voert. Het leek me beter om terug te gaan en te melden wat ik gezien had in plaats van daar in mijn eentje naar binnen te gaan.'

Stone trok zijn pistool. 'Jij en je partner kunnen beter hier blijven om ons in de rug te dekken.'

'Je zegt het maar,' zei de politieman.

'Dus, wat is het plan?' vroeg Cooper.

'Het slechte nieuws is dat we niet echt een plan hebben,' gaf Stone toe terwijl hij iedereen een zaklamp gaf die hij uit de auto had gehaald. 'Het is een kwestie van aftasten en zien wat er gebeurt.'

'Wat doen we: twee man voor en twee man achter?' vroeg Cooper.

Stone knikte. 'Jij gaat met Gus naar de achterkant, naar die kelderdeur; Walsh, jij gaat met mij mee. Radio's alleen gebruiken als het echt moet. En doe in godsnaam rustig aan en maak geen geluid. Als die schoft daar inderdaad binnen is, mag hij niet weten dat we eraan komen, anders doodt hij Kate meteen – als hij dat nog niet heeft gedaan.'

167

Patrick lachte. Ik kreeg een klap in mijn gezicht. 'Wakker worden. Wakker worden, godverdomme!'

Hij gaf me nog een klap, deze keer met zijn vuist. Het angstaanjagende gegier van de elektrische zaag echode door de kelder en Patrick had een waanzinnige uitdrukking op zijn gezicht. Er was geen ontsnapping meer mogelijk, ik kon geen kant uit. *Alstublieft, God, als ik moet sterven, laat het dan snel afgelopen zijn. Laat me het bewustzijn verliezen zodat ik niets meer voel.*

Maar toen gebeurde er iets: ik berustte zo in de gedachte dat ik moest sterven dat mijn angst wegebde. Direct daarop zag ik de grijns van Patricks gezicht verdwijnen. Hij zette de zaag af en het gegier hield op.

Ik begreep wat er gebeurde. *De angst op mijn gezicht maakt hem geil.* Hij moest hebben gevoeld dat ik me neerlegde bij mijn dood – maar als hij wilde dat het genot voortduurde, moest hij die angst weer opwekken. Als om dat te bewijzen, legde hij de elektrische zaag weer op tafel en zocht met veel vertoon een groot hakmes met een vlijmscherpe snede uit.

Patrick keek in mijn ogen en zocht naar het enige dat hem een adrenalinekick kon geven – mijn doodsangst. Ik voelde de angst in volle hevigheid terugkomen toen hij de punt van het hakmes tegen het zachte vlees van mijn arm drukte en me sneed. Ik kromp ineen van de pijn.

'Hé, doet dat pijn?'

Ik zei niets. Er droop bloed langs mijn hand. Zo te zien genoot Patrick van elke seconde, maar toen keek hij de kelder rond. 'Vind je het hier leuk? Het is een waar doolhof van tunnels. Als ik als kind stout was geweest, sloot mijn vader me hier op, net als Gamals vader deed. Op den duur begon ik het zelfs leuk te vinden omdat ik hier kon doen wat ik wilde. Ik ving dieren in het bos, nam die mee hierheen en sneed ze aan stukken. Net zoals ik die anderen aan stukken heb gesneden. Net zoals ik jou aan stukken ga snijden.' Hij begon met zijn vrije hand aan de knopen van mijn blouse te frunniken.

'*Nee...!*'

'Je kunt zo hard schreeuwen als je wilt, maar niemand hoort je.' Patrick scheurde mijn blouse open, schoof het hakmes onder het midden van mijn beha en sneed die door zodat mijn borsten ontbloot werden. Hij boog zich over me heen en likte aan mijn linkertepel. 'Vind je dat lekker, Katie? Word je daar geil van? Zeg dan, schatje.'

Van angst kon ik geen woord uitbrengen terwijl zijn vingers langzaam naar mijn broek gingen. *Laat dit alsjeblieft vlug afgelopen zijn.*

Patrick trok ruw mijn broek naar beneden. Hij grijnsde en bewoog zijn tong als een slang heen en weer. 'Het feest gaat beginnen.'

168

Cooper rende naar de achterkant van het huis. Hij had zijn pistool getrokken en doorgeladen en Norton kwam achter hem aan met zijn pistool in beide handen. Ze kwamen bij een stenen trap die naar beneden voerde. Toen Cooper met zijn zaklamp naar beneden scheen, zag hij een vermolmde houten deur die half uit de scharnieren hing.

'Laten we het hier proberen,' zei Cooper. 'Ik ga als eerste naar binnen.'

'Ik zal er niet om strijden,' fluisterde Norton.

Cooper daalde voorzichtig de trap af en deed zo nu en dan de zaklamp aan. Hij bereikte de deur, scheen met zijn zaklamp naar binnen en zag weer een trap. Hij luisterde scherp, maar hoorde niets en draaide zich om naar Norton die hem boven aan de trap dekte. Cooper wenkte hem, waarop Norton voorzichtig naar beneden kwam. Hij trok zijn neus op. 'Jezus, ruik je dat? Dat lijken wel geurkaarsen. Maar ik ruik nog iets.'

Cooper snoof. 'Ik ruik het. Dek me.' Hij ging de deur binnen en de volgende trap af. Beneden gekomen liet hij de bundel van zijn Maglite in het rond dwalen en zag een aantal tunnels die verschillende richtingen uitgingen.

Norton was vlak achter hem. Hij bescheen de wanden en fluisterde: 'Als je dat huis ziet, moet het een allejezus grote kelder zijn. Hé, hoor je dat?'

'Wat?' zei Cooper gespannen.

'Luister. Ik geloof dat ik iemand hoor praten,' antwoordde Norton.

Cooper luisterde, hoorde iets wat op gefluister leek en hij bleef stokstijf staan. 'Er is iemand beneden.'

'Laat mij een beetje dichterbij komen, ik probeer te horen wat ze zeggen.'

Terwijl Norton langs Cooper liep, schopte hij tegen iets aan dat met veel gekletter omviel.

'Godverdomme!' siste Norton kwaad. Hij richtte zijn lantaarn naar de grond en zag dat hij tegen een roestige emmer had geschopt.

'Jezus, Norton,' fluisterde Cooper verschrikt. 'Wat doe je nou?'

Precies op dat moment hoorden ze een kreet die door de kelder galmde.

'Verdomme,' zei Norton tussen zijn opeengeklemde tanden door. 'Dat moet Moran zijn!'

Cooper gaf niet eens antwoord. Hij rende een van de gangen in, met zijn pistool in de aanslag. Zijn hart ging wild tekeer.

169

Ik kon geen woord uitbrengen toen Patricks vingers over mijn broek streken. Ik haatte hem, om de manier waarop hij me vernederde. *Laat dit snel afgelopen zijn.*

'Vind je dit lekker, Kate?'

Hij tastte met zijn vingers tussen mijn benen en ik moest bijna overgeven. Ik wilde zeggen: *Alsjeblieft, niet doen.* Maar ik wist dat het hem alleen nog maar meer zou aansporen als hij me hoorde smeken.

Zijn gezicht straalde van plezier. Hij genoot ervan om me te vernederen. Had Gamal zich ook zo gedragen toen hij David en Megan had gemarteld? Had hij Megan ontmaagd voordat hij haar vermoordde? Of, nog erger, had hij haar voor de ogen van haar vader ontmaagd? Het was een marteling om er alleen maar aan te denken wat er met hen gebeurd kon zijn. Ik vocht woedend tegen de leren banden, maar het was nutteloos, ze zaten veel te strak.

Met het hakmes in zijn hand boog Patrick zich over me heen. 'Nu weet je hoe Gamal zich moet hebben gevoeld toen hij op die brancard vastgesnoerd lag. Dat zet alles in een heel ander perspectief, vind je ook niet, Moran?'

Ik kon zijn hoon niet langer verdragen. 'Loop toch naar de hel!'

Patrick keek me geamuseerd aan. 'Hé, jij bent degene die naar de hel gaat, schat. Ik ben degene die je daarnaartoe gaat sturen, maar pas nadat ik je eerst halfdood heb geneukt.'

Plotseling echode er een geluid door de kelder, een gekletter van metaal dat bijna als een kleine ontploffing klonk. Mijn lichaam was zo gespannen als een veer, maar nu verstarde ik nog meer en mijn verbeelding sloeg op hol. Waar kwam dat geluid vandaan? Was Frank bij kennis gekomen?

Patrick verstijfde. Hij keek achterom. Ergens in de kelder riep iemand boos uit: *'Godverdomme!'*

De stem kwam uit een van de gangen. En het was Frank niet. Ik kon het niet geloven. *Er is daar iemand.* Ik deed het enige wat ik kon bedenken. Ik gilde. Patrick werd woest en gaf me een klap waarvan mijn oren begonnen te fluiten.

'Hou je bek godverdomme, Moran!'

Ik was helemaal duizelig van de klap. Patrick beende door de ruimte, om bij een van de gangen te luisteren. Direct daarop hoorde ik heel duidelijk het geluid van rennende voetstappen. Patrick ging volledig door het lint, furieus dat zijn plezier was verstoord. Hij sprong met het hakmes op me af. 'Jij bent er geweest!'

Toen hij op me toe kwam, nam mijn overlevingsinstinct het over: *Denk! Doe iets!*

Mijn lichaam reageerde instinctmatig: ik draaide met mijn lichaam en wrong en worstelde met zoveel geweld tegen de boeien dat de hele schragentafel kantelde. Ik viel, vastgesnoerd en wel; de tafel kwam met het blad op mijn zij terecht. Direct daarop gaf Patrick een schop tegen het tafelblad, waardoor ik op mijn rug kwam te liggen. Hij stond boven me, zijn gezicht vertrokken van haat en met het hakmes in zijn hand. *Ik ben dood. Er is geen ontsnapping meer.*

Patrick hief het hakmes op en zwaaide ermee door de lucht. Ik wrong me weer opzij, maar ik kreeg een klap en voelde een felle pijn in mijn arm. Patrick lachte triomfantelijk, maar toen zijn hand opnieuw omhoog ging om me een klap te geven, zei een stem: 'Laat vallen, Bryce, *nu*, of je bent er geweest!'

Josh stond in de opening van een van de gangen, de Glock in zijn beide handen. 'Doe het, Bryce, of ik stuur je regelrecht naar de hel!'

Patrick verroerde zich niet. Heel langzaam verscheen er een grijns op zijn gezicht.

'Laatste kans, Bryce!' bulderde Josh.

Patrick lachte zelfgenoegzaam. 'Hé, je zegt het maar. Ik geloof dat je me te pakken hebt.' Hij boog door zijn knieën om het hakmes neer te leggen, maar terwijl zijn ene arm omlaag ging, ging zijn andere hand omhoog en haalde de schakelaar aan de wand over, waardoor het in één klap pikdonker was geworden.

Er volgde een daverende explosie toen Josh' pistool afging. Heel even kleurde het mondingsvuur alles zilverwit, maar direct daarop was de kelder opnieuw in diepe duisternis gedompeld.

170

Een paar seconden lang gebeurde er niets. Mijn hart ging in het donker tekeer als een stoomhamer. Toen knipte Josh een zaklamp aan en zag ik Patrick in een van de gangen verdwijnen.

'Laat hem niet ontkomen!' riep ik.

Josh rende naar de gang, scheen er met zijn lamp in en draaide zich om. 'Verdomme, hij is weg.'

'We *moeten* hem pakken, Josh.' Ik was helemaal uitzinnig. 'Frank is gewond, hij ligt daar ergens in een van die gangen...'

Josh knielde naast me neer en begon de leren riemen los te maken. 'Ik weet het. Hij begon net bij te komen toen we bijna over hem struikelden. Norton is bij hem en probeert om medische hulp te bellen. Stone en Walsh zijn buiten met een paar mensen van de plaatselijke politie; Patrick kan geen kant uit.' Hij maakte mijn handen los en zag toen dat mijn blouse open was en dat ik een snee in mijn arm had. 'Gaat het een beetje? Heeft hij je pijn gedaan?'

Ik hielp mee om de banden om mijn benen los te maken, bracht mijn gescheurde blouse een beetje in orde en knoopt mijn jeans dicht. 'Alleen mijn arm, maar ik heb doodsangsten uitgestaan. Josh, het is hier een wirwar van gangen en tunnels en Patrick kent elk hoekje en gaatje van het huis. Die vindt heus wel een uitweg.'

'Rustig maar, Kate. We hebben de zaak onder controle.' Josh bekeek de snee in mijn arm en hielp me overeind. 'Dat lijkt mee te vallen.'

'Geef me je pistool,' zei ik, mijn evenwicht hervindend.

'Wat?'

'Hij is voor mij. Ik wil die schoft hebben,' antwoordde ik.

Josh haalde een radio uit zijn zak. 'Kate, doe niet zo stom. We gaan de kelder doorzoeken. Samen met de anderen vinden we hem wel.' Hij bracht de portofoon naar zijn mond. 'Stone, ben je daar?'

'Ja, ik ben hier,' werd er onmiddellijk geantwoord.

Terwijl Josh door de radio werd afgeleid, greep ik zijn pistool.

'Hela! Kate, doe niet zo dom!' Hij leek verbijsterd door mijn felheid.

Ik leek wel bezeten zoals ik Josh' arm in een klem nam. 'Geef op dat ding...!'

Hij verzette zich. Daarbij liet hij zijn radio en zaklamp vallen. We konden maar nauwelijks iets zien. Stone kakelde op de achtergrond: 'Ben je daar, Coop? Wat is daar in vredesnaam aan de hand?'

Ik hield zijn arm in de klem terwijl Josh hevig protesteerde. 'Kate, *verdomme*, wees nou toch redelijk... als je niet uitkijkt gaat dat pistool af!'

Maar ik wilde helemaal niet redelijk zijn. Het enige wat ik wilde was Patrick doodmaken voor al het kwaad dat hij had aangericht. 'Laat dat pistool los!' schreeuwde ik.

'Kate, ben je gek geworden? Wil je soms vermoord worden...?'

'Kan me niet verdommen, geef me dat pistool!' Patrick grijpen was op dat moment het enige wat telde. Uiteindelijk zag ik kans om Josh de Glock uit handen te wringen, hoewel ik eerder de indruk had dat hij hem liever losliet dan het risico te lopen dat het ding afging en een van ons gedood zou worden.

'Kate!' protesteerde hij. *'Luister in godsnaam naar me...'*

Maar het was tegen dovemansoren gezegd. Ik greep de zaklamp en rende de tunnel in, Patrick achterna.

171

Mijn claustrofobie was verdwenen. Mijn hoofd was glashelder en ik had maar één doel: Patrick vinden. Het was alsof Gamal weer leefde en hij en Patrick twee kanten van dezelfde munt waren. Ik liep snel door de tunnel, met de Glock in mijn ene hand en de zaklamp waarmee ik in elke hoek en elke nis scheen, in de andere. Een meter of tien achter me hoorde ik Josh. 'Kate... wil je nou alsjeblieft even luisteren? Je kunt dit gewoon niet doen...'

'Ik heb het je gezegd, hij is van mij.'

Josh zei: 'Hij kan toch wel van jou zijn, maar daarom hoef je je nog niet te laten vermoorden. Wees nou toch verstandig en geef me mijn pistool terug. Het is nu juist zaak om kalm en weloverwogen op te treden en je kop niet kwijt te raken.'

Ik vertraagde mijn pas. De drang om Patrick te doden was sterker dan wat dan ook en het kon me niet schelen als die me mijn eigen leven zou kosten. Hij had David en Megan niet gedood, maar hij vormde onderdeel van een pact van het kwaad dat zoveel levens had verwoest. Daar wilde ik hem voor laten boeten.

Maar ik wist dat Josh gelijk had. Ik mocht niet toelaten dat mijn woede bezit van me nam, ik moest kalmeren. Mijn hart ging nog steeds wild tekeer en ik trachtte wat op adem te komen.

'Voel je je alweer wat beter?' vroeg Josh.

'Een beetje.' Maar was dat wel zo?

We hoorden het beiden tegelijkertijd: het kraken van schoenleer en het geluid van verdwijnende voetspapen. Ik richtte mijn zaklamp in de richting vanwaaruit het geluid gekomen was. Het was een smalle inham ongeveer tien meter verderop. We zagen een zwartgeverfde, ijzeren deur die naar een volgend deel van de kelder leek te voeren. De voetstappen werden zachter; even later werd het helemaal stil.

'Daar gaat hij, Josh!'

'Kate, wacht nou even, anders worden we straks allebei doodgeschoten!'

Maar ik rende al naar de deur.

172

Ik bleef bij de deur staan en hield de Glock gereed. Ik scheen met de zaklamp naar binnen. Daar was een enorme ruimte. Oude, houten kisten waren opgestapeld in de hoeken; de meeste waren vermolmd. Het leek een opslagruimte. Ik zag geen andere uitgang. Ik veegde het zweet weg dat langs mijn gezicht droop.

'Kate,' fluisterde Josh terwijl hij achter me naar binnen kwam, 'wacht op assistentie, Stone kan elk moment hier zijn...'

Ik legde mijn vinger op mijn lippen om hem te beduiden dat hij stil moest zijn. Ik kon Patricks aanwezigheid bijna *voelen*.

Toen hoorde ik een geluid alsof iemand zwaar ademhaalde. Ik scheen in het rond en zag een vers bloedspoor. Rode vlekken, sommige zo groot als een stuiver.

'Je moet hem hebben geraakt, hij is hier ergens,' fluisterde ik tegen Josh.

Voordat Josh kon antwoorden hoorde ik een zacht gejammer. Ik scheen in de richting van het geluid en zag nog meer bloed op de grond. Ik volgde het spoor met de lichtbundel en zag Patrick ineengedoken in een hoek staan. Het bloedspoor eindigde in een klein plasje bij zijn voeten. Hij was links in zijn borst geraakt. Ik was razend; Patrick moest voor zijn daden boeten. Toen zag ik zijn gezicht, badend in het zweet. Er stond een gekwelde, afwezige blik in zijn bloeddoorlopen ogen. Hij leek ons niet te herkennen en hij keek me aan als een bang, klein jongetje.

'Alsjeblieft… niet slaan. Doe me geen pijn, pappa. Ik zal voortaan een brave jongen zijn, dat beloof ik, echt,' smeekte hij. 'Ik… ik zal doen wat u zegt, maar sla me alstublieft niet met de stok.'

Wat is dit? Komt hij in een soort regressie als hij bedreigd wordt? Is dit het berghok waar zijn vader hem sloeg en opsloot?

'Alsjeblieft, pappa…' Patrick sloeg zijn handen voor zijn gezicht. 'Alsjeblieft, sla me niet meer.' Hij huilde nu als een kind en de tranen stroomden over zijn wangen.

Hij zag er zielig uit, maar mijn natuurlijke voorzichtigheid zei: *Is dit echt of doet hij alsof?*

'Het lijk wel of hij in trance is,' zei Josh.

'Josh, ik ben er nog niet zo zeker van,' fluisterde ik.

'Ik ook niet,' zei Josh weifelend. 'We kunnen maar beter voorzichtig zijn en het heel rustig aan doen. Patrick, hoor je me? We zullen voor medische hulp zorgen.'

Patrick reageerde niet; hij bleef jammeren. Zijn handen waren nog steeds voor zijn gezicht. Hij had als een bang kind zijn duim in zijn mond gestoken en leek ergens doodsbang voor te zijn. De wond in zijn borst ging steeds erger bloeden.

'Straks raakt hij nog in shock,' zei Josh. 'Hij heeft zoveel bloed verloren. Ik zal hem voorzichtig fouilleren.'

Tegen Patrick zei hij: 'Zet je handen tegen de muur zodat ik ze kan zien en spreid je voeten.' En tegen mij over zijn schouder. 'Hou hem onder schot.'

Maar Josh was te haastig; hij gunde me geen tijd om hem met de Glock te dekken.

Ik schreeuwde: 'Josh, ga uit mijn schootslijn…!'

Hij moest zijn fout hebben ingezien, maar het was al te laat. Patrick sprong naar voren, een mes in zijn hand. Hij greep Josh bij zijn haren en zette hem het mes tegen de keel.

Patrick grijnsde. 'Stomme klootzak die je bent. Weet je dan niet dat je de vijand nooit moet vertrouwen?' Hij drukte het mes in Josh' hals. 'Achteruit en gooi dat pistool weg als je wilt dat je vriend blijft leven, Moran. Of het wordt een bloedbad.'

Ik ging twee passen achteruit. Patricks gezicht en lichaam zaten te dicht tegen Josh aan om een goed schot af te kunnen vuren. Het schot zelf zou een risico zijn en als ik miste, zou Patrick Josh de keel afsnijden voordat ik een tweede keer kon schieten. Patrick beklopte Josh met zijn vrije hand, op zoek naar een wapen, maar vond alleen een legitimatie en een portefeuille. Hij deed de portefeuille open en liet me een foto van Neal zien voordat hij de portefeuille weggooide.

'Je vriend zijn zoontje? Als je dat pistool niet onmiddellijk weggooit, heeft dit kind geen vader meer. Begrijp je wat ik zeg, Moran? Of heb je soms liever dat ik je vriend aan repen snij – zoals Constantine met David en Megan heeft gedaan?'

Ik voelde een kille woede.

Josh keek me doordringend aan en wierp een blik naar rechts, terwijl hij tegelijkertijd met zijn rechterhand een gebaar in diezelfde richting maakte. Wat probeerde hij me te vertellen? Hij herhaalde zijn gebaren nog twee keer en ik dacht: *Dit is dezelfde situatie als met Laval in de Parijse catacomben. Josh maakt me duidelijk dat hij iets gaat ondernemen.*

Als hij naar rechts ging, zou Patrick mogelijk net genoeg achter hem vandaan komen om mij de kans te geven een schot af te vuren, maar hij liep nog steeds het risico dat zijn keel werd doorgesneden. Hij keek me aan alsof hij wilde vragen: *Heb je me begrepen?*

Ik knikte heel kort.

Patrick gilde: 'Luister je godverdomme naar me, Moran?'

'Ja, ik luister.'

'Gooi dat pistool dan neer of ik vermoord hem!'

Ik maakte heel langzaam aanstalten om het pistool op de grond te leggen. Precies op dat moment draaide Josh zijn lichaam met een ruk rechtsom. Het ging zo snel dat Patrick totaal werd overrompeld. Hij haalde uit met het mes en probeerde weer achter Josh te komen, maar heel even was de rechterkant van zijn hoofd onbeschut.

Ik mikte en bad: *Alstublieft, God, laat me niet missen.* Toen haalde ik de trekker over. De Glock knalde. De kogel trof Patrick aan de zijkant van zijn hoofd en scheurde een stuk van zijn oor af. Hij gilde het uit, drukte zijn hand tegen de wond. Josh wrong zich los, greep Patricks andere hand vast en draaide die achter zijn rug.

'Vuil klerewijf!' gilde Patrick, met zijn hand tegen de zijkant van zijn hoofd gedrukt terwijl het bloed uit zijn aan flarden geschoten oor stroomde. 'Ik vermoord je, Moran!'

Maar Josh nam hem in een houdgreep en op hetzelfde moment stormden Stone en Walsh met getrokken wapens binnen en was het een en al geschreeuw en licht van zaklampen. Walsh hielp Josh om Patrick de handboeien aan te doen. De arrestant vocht en grauwde als een wild dier.

'Ik ben nog niet klaar met jou, Moran! Let maar eens op! Je gaat hier godverdomme voor betalen!'

In plaats van te antwoorden gaf ik Patrick een harde klap in zijn gezicht. Zijn hoofd vloog opzij en zijn lip begon te bloeden en ik keek hem strak aan.

'Dat is een aanbetaling op wat ik je schuldig ben. Jij bent degene die gaat betalen. Ik hoop dat je het leuk vindt om de rest van je leven in een cel te zitten, vuile rotschoft.'

Toen grepen Stone en Walsh hem stevig bij de armen en sleepten Patrick weg.

173

Mijn arm werd in het Mary Washington-ziekenhuis verbonden. Even na elven was ik thuis. Frank had minder geluk. Zijn hoofd moest gehecht worden en ze wilden hem in het ziekenhuis houden omdat hij mogelijk een hersenschudding had, maar de dokters waren optimistisch. Ik had naast zijn bed gezeten en zijn hand vastgehouden; we hadden gepraat over wat er was gebeurd. Ik was zo dankbaar dat hij nog leefde dat ik telkens weer zei hoeveel ik van hem hield.

Frank lag in zijn kussen en glimlachte alleen maar. 'Hé, ik ga niet dood of zo, zus. Hou nou maar op, anders begin ik nog te huilen. We praten er later nog wel over, maar nu moet je eerst gaan slapen. Wil je een goeie raad van me hebben?'

'Wat dan?'

'Blijf vannacht bij Josh,' zei hij bezorgd. 'Of neem een hotel, maar ga niet in je eentje terug naar de cottage. Daar leven herinneringen die je op dit moment niet kunt gebruiken.'

'Ik zal erover denken,' zei ik ernstig.

'Dat betekent dat je er al over hebt nagedacht. Niet doen, Kate. Je kwelt jezelf er alleen maar mee.'

'Ik red me best. Doe jij nu maar wat de dokters zeggen, oké?'

Ik wist dat ik terug moest gaan. Daar had ik mijn redenen voor. Ik kneep Frank in zijn hand en we gaven elkaar een knuffel: even later reed Josh me naar huis.

Het was koud en het begon weer te sneeuwen toen Josh me hielp uitstappen. Ik was doodop. Eenmaal binnen had ik het gevoel of ik elk moment in elkaar kon storten.

'Zou ik niet liever een poosje bij je blijven tot je een beetje rustig bent geworden en in slaap valt?' vroeg Josh.

'Nee, ik red me best. Jij moet naar Neal.' Ik wilde niets liever dan dat hij bleef en ik wilde hem ook niet de indruk geven dat ik zijn bezorgdheid niet waardeerde, maar ik werd innerlijk zo verscheurd door tegenstrijdige emoties dat ik eerst moest proberen om alles weer helder te krijgen. 'Ik moet echt even alleen zijn. Ik hoop dat je dat begrijpt. Maar het zou fijn zijn om je morgen weer te zien.'

Josh keek me in de ogen en raakte mijn wang aan. 'Je zou met mij mee naar huis kunnen gaan.'

Je hebt geen idee hoe graag ik dat wil. Ik kwam in de verleiding, maar ik wist wat me te doen stond. 'Dat zou ik erg graag willen, maar ik *moet* hier blijven, Josh.'

'Moet?'

'Het is hetzelfde als wanneer een autocoureur crasht. Je weet toch wat die doet om er weer bovenop te komen?'

'Wat dan?'

'Die stapt direct weer in een raceauto. Zo is het ook met Manor Brook. Ik moet mezelf bewijzen dat ik mijn angsten de baas kan. Ik laat me al het goede dat ik hier met David heb beleefd niet door Patrick of Gamal afpakken.'

'Als je maar zeker van jezelf bent.' Josh kuste mijn handpalm.

We omhelsden elkaar en hij fluisterde: 'Als me nodig hebt, één telefoontje en ik ben er. Ik kom tegen de middag langs. Zien hoe het met je is en nog wat praten, goed?' Hij kuste me op de lippen.

Ik liep met hem mee naar de deur. Hij stapte in zijn auto en ik zwaaide nog even. De rode achterlichten verdwenen over het grindpad.

Ik deed de voordeur dicht, liep naar de koelkast en schonk mezelf een groot glas koude chardonnay in. De fles nam ik mee naar de huiskamer. Terwijl ik naar de sneeuwvlokken keek die tegen het raam dwarrelden, keerde het onbehaaglijke gevoel terug – ik dacht aan Patricks verbaasde antwoord toen ik die nachtelijke telefoontjes had genoemd. Ze bleven in mijn hoofd rammelen als stalen kogels in een conservenblikje. *'Waar heb je het in godsnaam over?'*

Ik liep de zitkamer in en keek uit over de baai. De afgelopen twee weken waren de meest krankzinnige van mijn leven geweest en ik dacht terug aan Parijs, aan Istanbul, aan Patrick en bovenal aan David en Megan.

Al die tijd was er een stem in mijn achterhoofd die telkens weer dezelfde mantra herhaalde, alsof dat mijn verdriet moest verzachten. *Het is allemaal voorbij en de schuldigen zijn gestraft.* Ik probeerde mezelf met die woorden gerust te stellen, maar ik wist dat de schuldigen straffen niet genoeg was en ook nooit zou zijn – omdat vergelding de pijn en het bittere leed dat verlies van geliefden met zich meebrengt nooit kan wegnemen.

En de woorden van Patrick achtervolgden me: *'Waar heb je het in godsnaam over?'* Had Patrick gelogen over die telefoontjes? Aan zijn toon te horen had hij de waarheid gesproken. Maar was hij te vertrouwen? Mijn instinct zei van niet. Of had ik het mis? Ik was er nog steeds niet gerust op. En er was nog iets dat me dwarszat: Stone had me nog altijd zijn verontschuldigingen niet aangeboden.

De gordijnen bewogen door een vlaag tocht en ik hoorde een zwak geluid achter me. Mijn hart sloeg over. Met een ruk draaide ik me om. Brogan Lacy stond in de deur van mijn slaapkamer. Ze hield een pistool in haar hand.

174

Ze kwam verder de kamer in. Haar gezicht toonde geen enkele emotie. 'Zet je glas neer,' beval ze.

Ik was verbijsterd. Was het Lacy geweest die me had gebeld? Maar waarom dan? En had zij Patrick op een of andere manier geholpen? Het leek een krankzinnige gedachte. Waarom zou ze de man helpen die haar dochter en ex-man had vermoord?

Lacy hield me scherp in de gaten. Ze gebaarde met het pistool. 'Zet je glas neer en ga daar bij het raam zitten.'

Haar stem klonk dof en toonloos, alsof ze gedrogeerd was. Ik had mijn pistool niet om me te kunnen verdedigen, Josh moest inmiddels halverwege de weg naar huis zijn en mijn telefoon zat in mijn tas. Niet dat ik zou hebben kunnen bellen terwijl er een pistool op mijn hoofd was gericht.

Ik dacht aan mijn reservepistool onder mijn kussen, maar mijn slaapkamer was te ver weg. Mijn hand beefde toen ik het glas neerzette en in de leunstoel ging zitten.

'Hoe ben je binnengekomen?'

Lacy hield een sleuteletui omhoog. 'Dit was vroeger mijn huis, weet je nog?'

Ik hoorde dat mijn stem trilde. 'Hoe... hoe lang was je al in de slaapkamer?'

'Lang genoeg. Maar nu ben je er en kunnen we er eindelijk een eind aan maken.'

Ik staarde haar aan. 'Een eind aan maken? Wat heb ik ooit gedaan waarom je mij zou willen vermoorden, Brogan?'

'Ik dacht dat je dat inmiddels toch wel begrepen zou hebben,' zei ze somber.

'Het enige wat ik begrijp, is dat je een geladen pistool op me richt dat je zo te horen waarschijnlijk gaat gebruiken ook.'

'Niet waarschijnlijk. Heel zeker.'

Mijn mond was droog. 'Mag ik ook weten waarom?'

'Je hebt mijn kind vermoord. Je hebt het enige menselijke wezen dat ooit iets voor me heeft betekend, gedood.'

'*Ik* Megan gedood? *Hoezo*?'

Haar lippen waren dun van woede. 'Je was zo vastbesloten om Gamal te pakken dat je David en Megan in gevaar bracht. Door jouw egoïstische onverzettelijkheid werden *zij* een doelwit. Daar werden *zij* het slachtoffer van.'

Ik keek naar haar ogen. Het waren lege, donkere poelen, alsof ze al niet meer voor rede vatbaar was. 'Brogan, misschien heb je ten dele gelijk. Misschien heb ik ze door mijn vastbeslotenheid om Gamal te pakken in gevaar gebracht. Maar dat is nooit mijn bedoeling geweest. Denk je nu echt dat ik sinds hun dood niet elke dag heb geleden? Denk je nu echt dat ik mezelf niet heb afgevraagd of ik juist gehandeld heb? Maar ik heb geleerd dat ik verder moet met mijn leven. Brogan, er is vandaag iets gebeurd dat ik je moet vertellen. Ik weet dat het absurd zal klinken, maar je moet naar me luisteren... Patrick Bryce leeft nog. Hij heeft helemaal geen zelfmoord gepleegd.'

Er verscheen een uitdrukking van pure haat op haar gezicht. 'Ik weet dat je me probeert af te leiden. Je wilt me in de war brengen. Hou op met die belachelijke leugens. *Jij* hebt Megan vermoord. Zij is vermoord doordat jij in haar leven kwam. Dat is het enige wat telt.'

'Brogan, ik weet dat je getraumatiseerd bent en ik kan helemaal niets doen om je pijn te verzachten, maar je moet echt luisteren naar wat ik te zeggen heb. Waarom denk je dat ik die videoband wilde zien? Er is opnieuw een reeks moorden gepleegd, deze keer door Patrick –'

Ze kwam snel op me toe en richtte het pistool op het midden van mijn voorhoofd. 'Ik hoef helemaal nergens naar te luisteren. Ik weet alles wat ik moet weten. Je vrienden Stone en Raines zijn bij me geweest. Het was duidelijk dat ook zij hun twijfels hadden over jouw rol bij de dood van Megan en David. Na hun bezoek wist ik met absolute zekerheid dat ik van het begin af aan gelijk had gehad.'

'Gelijk waarin?'

'Dat mijn dochters kostbare leven door jouw roekeloosheid verloren was gegaan. Hier een einde aan maken is het enige wat nu nog van belang is. Hou je mond en kniel neer.'

Redelijk praten had geen enkel effect, maar in mijn wanhoop probeerde ik het toch nog een keer. 'Brogan, denk na voordat je iets doet. Wat bereik je door mij te doden?'

'Kniel, of ik schiet je nu direct dood.'

Mijn benen trilden toen ik knielde. *Ze meent het – ze gaat me doodschieten.*

Ze kwam naderbij en drukte de loop van het pistool tegen mijn slaap. Ik voelde het koude staal en zag dat ze tranen in haar ogen kreeg. 'Je hebt geen idee wat het is om je enige kind te verliezen, is het wel?' zei ze.

'Ik heb Megan óók verloren.'

Haar mond verstrakte. 'Jij hebt alleen maar een bekende verloren. Megan was jouw dochter niet. Je hebt geen flauw idee hoe ik me voel.'

Ik sloot mijn ogen en luisterde naar de wind om het huis. Ik wist dat ik helemaal alleen was; niemand kon me redden. Ik moest *iets* doen om te proberen in leven te blijven. Ik probeerde een manier te bedenken om in mijn slaapkamer te komen, bij de Glock.

Ik deed mijn ogen open, keek Brogan Lacy aan en zei oprecht: 'Ik weet dat het geen troost is, maar ik heb geprobeerd me voor te stellen wat het voor jou geweest moet zijn. Hoe vreselijk je geleden moet hebben. Maar, geloof me, het is waar wat ik over Patrick zei...'

'Leugenaar. Het lukt je toch niet om me af te leiden. Je moet niet proberen om me te bedriegen of te bevoogden. Je bent gewoon zielig.'

'Jij hebt me hier gebeld, is het niet? Maar ik hoorde Davids stem. Hoe kon dat?'

Ik zag dat Lacy's vinger zich om de trekker spande. Haar ogen vulden zich met tranen en ze zei: 'Weet je wat ik elke avond doe voordat ik ga slapen? Ik speel een videoband af die ik hier in Angel Bay van David en Megan heb gemaakt. Het was een heerlijke tijd, in de zomer, nu zeven jaar geleden, voordat David en ik uit elkaar begonnen te raken. Ik speel die band af om mezelf eraan te herinneren hoe gelukkig we toen waren en om ze weer te zien en te horen. Het doet elke keer pijn, maar ik doe het toch. Ik moet die pijn voelen omdat ik dan weer weet hoeveel ik van mijn dochter hield en hoeveel ik vroeger ook van David hield.'

Lacy's afwezige blik veranderde in een uitdrukking van minachting. 'Ik wilde dat jij die pijn ook zou voelen. Daarom ben ik hier naar het atelier gegaan en heb die band over de telefoon afgespeeld, het gedeelte met Davids stem. Aanvankelijk dacht ik dat ik je niet zou kunnen doden. Ik wilde je alleen maar laten lijden voor wat je had gedaan. Ik wilde je kwellen. Ik ben hier twee keer geweest om je Megans muziek en Davids stem te laten horen, maar ik had nog altijd de moed niet om je te vernietigen. Nu weet ik dat ik wil dat je sterft. Dat lijkt me een meer passende straf.'

'Een leven voor een leven?' vroeg ik schor.

Lacy knikte en haalde diep adem, alsof ze aan het eind van haar uiteenzetting was gekomen. 'Begrijp je het dan niet? Het is voor mij de enige manier om verlossing te vinden, door de persoon die uiteindelijk verantwoordelijk was voor Megans dood voor haar zonde te laten boeten.'

Dat was het moment waarop het me duidelijk werd dat Brogan Lacy voor geen enkele rede meer vatbaar was. Een stem in mijn achterhoofd zei: *Misschien heb je dit verdiend. Misschien verdien je het om je bij David en Megan te voegen.*

Maar opeens werd ik kwaad. Ik hád David en Megan niet gedood. Ik had niets verkeerds gedaan. 'Hoe kan mij doden Megan terugbrengen? *Hoe?*'

Ik hoorde de wind om het huis gieren en zag het gordijn bewegen. Brogan draaide zich om en keek naar de andere kant van de kamer. Dat was mijn kans. Ik sprong op haar af, maar ze draaide zich om en schoot. Ik voelde een felle pijn in mijn arm voordat ik met mijn volle gewicht in Lacy's maag klapte. Ik hoorde hoe de adem uit haar werd geslagen terwijl ik boven op haar terechtkwam en de salontafel met de wijnfles omver wierp. Het pistool werd uit haar hand geslagen en gleed over de vloer. Ik wist dat ik gewond was en krabbelde overeind. Waar was Lacy's pistool? Ik zag het nergens en daarom sprong ik naar mijn slaapkamer. Ik was nog maar net binnen toen ze boven op me sprong en we opnieuw op de vloer belandden.

Ze lag boven op me en ik kon geen kant uit toen ze haar hand om mijn keel klemde. Ze was veel sterker dan ik had gedacht en ik kwam in grote ademnood. Ik was vlak bij het bed en zwaaide met mijn armen om te proberen de verborgen Glock te grijpen, maar opeens kwam Lacy's linkerarm vanuit het niets met de wijnfles in haar hand geklemd. Voordat ik besefte wat er gebeurde, haalde ze uit en gaf ze me een klap op mijn hoofd. Ik voelde een stekende pijn, Lacy's gezicht vervaagde en alles werd zwart.

Het volgende wat ik gewaar werd was dat iemand me in mijn gezicht sloeg. Ik lag op de vloer van mijn slaapkamer en Lacy stond boven me met haar pistool in de hand.

'Waarom heb je me niet gewoon doodgeschoten?' vroeg ik.

Met tranen in haar ogen richtte ze het pistool op mijn hoofd. 'Omdat ik wil dat je pijn hebt, zoals Megan pijn moet hebben gehad. Ik wil dat je lijdt zoals zij moet hebben geleden. En dat gaat gebeuren, dat beloof ik je.'

Lacy's schot had mijn arm geschampt; er droop wat bloed op het tapijt en ik voelde me zwak. De Glock was maar een meter bij me vandaan, maar ik wist dat Lacy zou schieten als ik me bewoog.

Weer bewogen de gordijnen door een windvlaag. Deze keer liet Lacy zich niet door het geluid afleiden, maar direct daarop hoorden we allebei het geluid van een deur in de hal. Ze wierp een blik in de richting van de slaapkamerdeur.

Ik reageerde bijna zonder nadenken. Mijn linkerhand gleed onder het kussen; ik trok de Glock uit de holster. In een fractie van een seconde had ik de haan gespannen en richtte ik het pistool op Lacy's gezicht. Ze keek naar me zoals ik daar op de vloer lag, zag het pistool in mijn hand, maar ze bleef haar wapen op me gericht houden. In haar ogen zag ik berusting.

'Leg dat pistool neer, Brogan. *Alsjeblieft.*'

'Dit verandert niets,' zei ze toonloos. 'Behalve misschien dat we nu allebei sterven.'

Dat was het moment waarop ik de stem aan de andere kant van de kamer hoorde: 'Doe wat ze zegt, Brogan, en leg je wapen neer.'

Lacy keek verrast op. Stone stond in de deuropening. Hij wierp nauwelijks een blik op mij, maar had zijn volledige aandacht op Lacy geconcentreerd.

'Brogan, wees verstandig en leg dat pistool neer. Het heeft geen enkele zin om Kate te doden.'

Ik kon de ironie van Stones aanwezigheid nauwelijks geloven, maar Lacy gaf geen krimp en hield haar wapen op me gericht. 'Dat heb je helemaal mis. Ik denk ook niet dat je me ervan kunt weerhouden om haar te doden.'

Stone schudde zijn hoofd. 'Geloof me, ik ben een veel betere schutter. Als je dat probeert, schiet ik als eerste. En wat heb je dan gewonnen? Leg dat pistool maar neer, Brogan. *Alsjeblieft*. Ik wil je niet neerschieten. Leg het pistool neer. *Nu*.'

Brogan Lacy aarzelde, maar toen verscheen er een blik in haar ogen die aan waanzin grensde en ze sloot haar vinger om de trekker. 'Daar is het nu te laat voor. Dat zijn we al lang gepasseerd...'

'Nee!' gilde ik en hoorde de knal van het schot.

175

Geen nacht zou zo donker mogen zijn, geen winter zo koud. Even voor middernacht ging ik naar buiten, op de veranda zitten. Ik had mijn overjas aan en keek uit over Angel Bay, naar de vallende sneeuw en naar de blauwe zwaailichten van de politiewagens in het donker, terwijl de lichten aan de overkant van de baai als een miljoen ongevoelige ogen naar mij keken.

Het afgelopen uur was een grote, vage vlek en ik was nog steeds niet helemaal helder. Ik herinnerde me dat Stone met zijn mobiele telefoon het alarmnummer had gebeld terwijl ik het bloed uit Lacy's borst trachtte te stelpen en haar met een beddenlaken verbond tot er hulp zou komen. Even later werd ik me ervan bewust dat iemand bezig was mijn arm te verbinden terwijl de ambulance Lacy naar het ziekenhuis bracht. Ik was zo verdoofd dat ik niet goed meer wist wat er daarna was gebeurd.

Toen hoorde ik voetstappen; Stone kwam het huis uit. Hij ging wat moeizaam en kreunend naast me zitten. 'Mijn botten doen pijn. Hoe gaat het met jou, Moran?'

'Ik heb me wel eens slechter gevoeld. Denk je dat ze het redt?'

Stone haalde zijn schouders op. 'Misschien. De echte vraag is of ze zich gelukkig zal voelen als ze blijft leven. Ik denk van niet. Maar dat zou jij ook niet zijn als je je enige kind had verloren.' Hij keek me aan. 'Ik bedoel niet dat Megans dood jou niet geraakt heeft, maar jij was haar moeder niet...'

'Ik weet wat je bedoelt. Het geeft niet.'

Stone zuchtte en streek met een vermoeid gebaar met zijn hand over zijn gezicht. 'Ik had geen keus, ik moest haar neerschieten.'

'Ook dat weet ik,' antwoordde ik.

Stone haalde een pakje sigaretten uit zijn zak, stak er een op en blies een rookwolk de koude lucht in. 'En je had gelijk. Ik heb mijn gezonde verstand laten vertroebelen door mijn bitterheid.'

'Ik vergeef het je. Dat heb je verdiend nadat je mijn leven hebt gered.'

Stone glimlachte zowaar. 'Tjee, bedankt, Moran. Dat maakt mijn hele avond goed. Maar misschien vind je me nog steeds een klootzak?'

'Misschien zal ik mijn mening in de toekomst bijstellen. Maar waarom kwam je eigenlijk? Je kunt niet hebben geweten dat Lacy van plan was mij te vermoorden.'

Stone schudde zijn hoofd. 'Ik moest vanavond twee dingen doen. Ik moest naar Lacy om haar van Patrick te vertellen. Ik vond dat ze het hele verhaal moest horen. En ik wilde jou opzoeken om je mijn verontschuldigingen aan te bieden. Dat werd wel tijd. Ik ging eerst naar Lacy, maar ze was niet thuis en nam haar mobiel niet op. Daarom besloot ik dat dat tot morgen kon wachten en reed hierheen. Toen ik hier aankwam, hoorde ik het eerste schot. Ik rende gelijk naar binnen. Maar zal ik je eens wat vertellen? Nu ik er nog eens goed over nadenk, had ik van het begin af aan het gevoel dat er met Lacy iets niet in orde was.'

'Wat bedoel je?' vroeg ik.

'Toen ik haar aan de telefoon had voordat ik met Lou naar haar toe ging, kreeg ik het gevoel dat ze op instorten stond. Gisteren belde ik haar op om te vragen of alles in orde was en ze zei dat ze zich uitstekend voelde, maar zo klonk het niet. Ze klonk vreselijk gespannen, alsof ze ernstige problemen had en zware medicijnen gebruikte. Daarom vroeg ik aan Norton of hij eens heel discreet wilde informeren bij een vriendje van hem op het Bureau van de Lijkschouwer. Nu blijkt dat Lacy in het afgelopen jaar verschillende keren opgenomen is geweest op de psychiatrische afdeling van een ziekenhuis. Ze heeft het verschrikkelijk moeilijk gehad en zit volgens mij volledig in de knoop.'

Ik keek Stone eens aan. 'Zie ik hier een geheel nieuwe, bezorgde agent Stone? Je weet toch dat dat je reputatie geen goed zal doen?'

'Zeg, wil je even ophouden, Moran?'

'Ik ben nog steeds in shock. Beloof je dat je me nooit meer lastig zult vallen? Nooit meer aan mijn woorden zult twijfelen?'

Stone hief zijn hoofd op. 'Nou vraag je wel erg veel. Maar ik zal in elk geval luisteren.'

'Dan is er nog hoop voor je.'

Hij raakte de brace om zijn nek aan en grijnsde. 'Wacht eerst maar eens tot ik met mijn advocaat heb gesproken. Wie weet adviseert hij me om een schadevergoeding van je te eisen. Maar zou je niet liever eerst eens naar het ziekenhuis gaan om die arm goed te laten behandelen?'

Ik schudde mijn hoofd. 'Dat kan nog wel een paar uur wachten. Als het zo erg was geweest, hadden de ambulancebroeders me wel meegenomen. Ik moet eerst slapen, want dat is ongeveer twee dagen geleden.'

Stone stond op en raakte mijn schouder even aan. 'Ik denk niet dat je de komende tijd veel slaap zult krijgen.'

'Hoe dat zo?'

Hij klopte zijn broek af en keek me strak aan. 'Omdat ik Cooper heb gebeld en die komt eraan. Hij wil je persoonlijk naar het ziekenhuis brengen.'

'Waarom heb je dat gedaan?'

Stone knipoogde. 'Hé, we hebben allemaal vrienden nodig om ons te troosten. Nou, tot ziens, Moran.'

'Dank je, Vance.'

'Ja, pas maar op. Straks breng je me nog koffie,' zei Stone.

'Dat heb je verdiend. Twee klontjes?'

'Zes, maar niet roeren,' zei Stone en tikte bij wijze van afscheid met twee vingers tegen zijn slaap.

Ik had drie dagen nodig om op verhaal te komen. Drie dagen om te herstellen en Frank te bezoeken, drie dagen voor zelfonderzoek en mezelf de vraag te stellen wanneer ik de moed zou hebben om Brogan Lacy te bezoeken. Ik had gehoord dat haar toestand niet langer kritiek was. Ze had wel tien uur op de operatietafel gelegen en het maar nauwelijks gered; nu zou ze nog heel lang in het ziekenhuis moeten blijven. Maar afgezien van haar lichamelijke conditie vroeg ik me af of haar ziel ooit zou helen. Ik betwijfelde het. Hoe kon je ooit weer de oude worden nadat je je enige kind had verloren? Ik kon alleen maar voor haar bidden.

Frank zeurde dat ze hem veel te lang vasthielden in het ziekenhuis, maar hij was aan de beterende hand en ik was verrast toen ik thuiskwam en een boodschap van Paul op mijn antwoordapparaat vond, deze keer om zich te verontschuldigingen:

'Ik heb gehoord wat er gebeurd is, Kate. Ik hoop dat alles goed met je is. Luister, het spijt me dat ik me zo rot heb gedragen. Je had gelijk toen je zei dat ik hulp nodig had. Daar ben ik de afgelopen dagen mee bezig geweest. Ik heb me hier in Phoenix in een kliniek laten opnemen. Ik doe mijn best om verder te gaan met mijn leven, maar ik hoop wel dat we weer vrienden kunnen worden.'

Diezelfde middag kwam er een grote bos bloemen van Paul met een kaartje waarop alleen maar stond: 'Ik probeer je niet terug te winnen, maar wil je alleen bedanken voor de al het goede dat we samen hebben gehad.'

Ik kreeg tranen in mijn ogen toen ik dat las. Ik was er vrijwel zeker van dat Paul over een dag of wat weer helemaal de oude zou zijn en me het leven opnieuw zuur zou maken, maar op dat moment was ik toch geroerd.

Die avond nam Josh me mee uit eten in de Starlights Bistro aan de baai en daarna bracht hij me thuis en bleven we een poosje in zijn oude BMW zitten vrijen. Ik had een gevoel alsof ik weer zeventien was. Ik vroeg of hij mee naar binnen ging en schonk ons een glas rode wijn in. Even na middernacht gingen we naar mijn slaapkamer.

Het was anders dan met David. Anders, maar goed. Geen Norah Jones zachtjes op de achtergrond, die nacht geen wind over de baai, maar een rustige nacht met een maantje. In plaats van Norah hoorde ik Josh fluisteren hoe graag hij me beter wilde leren kennen en hoe heerlijk hij het vond om met me te vrijen en ik zei hetzelfde tegen hem. *Ik mag die vent graag. Ik mag hem heel graag, zelfs meer dan ik kan zeggen.* Het viel me in dat hij gelijk had: we waren allemaal gekwetst en getekend door wonden die nooit zouden helen. En ik wist nog iets waar hij gelijk in had: de kunst van overleven is gewoon doorgaan. Dat is het enige wat we kunnen doen als we het willen redden. Hopen dat het morgen beter zal gaan. *Hopen en dromen is het enige wat ons in leven houdt.*

Toen vielen we in slaap. Toen ik wakker werd, begon het juist licht te worden. Ik keek naar Josh zoals hij daar lag te slapen en streek met mijn vinger langs zijn vriendelijke gezicht, keek hoe hij daar lag in het witgouden licht dat door de gordijnen viel en ging toen de slaapkamer uit, trok mijn kleren aan en ging naar buiten, het grasveld op.

Het was koud en ik keek over de haven. Toen deed ik waar ik zo bang voor was geweest, maar wat ik had beloofd te doen. Ik haalde Davids ring van mijn vinger. Mijn ogen werden vochtig toen ik mijn hand ophief. Ik dacht aan de zachte plons en zag de kringen in het maanverlichte water al voor me. Dit waren de woorden die ik zou uitspreken: *Nu is het echt voorbij.* Maar iets weerhield me. Ik was er nog niet klaar voor. Ik was nog niet zover dat ik hem helemaal kon loslaten. En ook dat voelde goed.

Terwijl ik de ring weer aan mijn vinger schoof, hoorde ik voetstappen: Josh kwam naar me toe. Hij ging achter me staan, sloeg zijn armen om mijn middel en kuste me slaperig in mijn hals. 'Wat heeft je hierheen gebracht?'

'Een belofte.'

'Wat voor belofte?'

Ik wilde het hem vertellen, maar de tijd was nog niet rijp. *Als we close genoeg zijn. Als mijn hart geheeld is en ik het je kan vertellen. Als ik je al mijn geheimen kan vertellen, alles waar ik van droom en waar ik op hoop. Net zoals ik wil dat jij mij dat vertelt.*

'Wil je het me vertellen?' vroeg Josh.

Ik gaf geen antwoord.

Toen hij iets wilde zeggen, draaide ik me om, legde mijn vinger op zijn lippen en fluisterde: 'Over een poosje, als ik je beter heb leren kennen.'

Hij zei niets en vroeg niet verder; en dat vond ik fijn. Ik vond het fijn dat hij geduld met me had – dat was een goed teken. Ik sloeg mijn armen om zijn hals. Hij kuste me en pakte toen mijn hand en nam me mee terug naar de cottage.

We vielen weer in slaap, luisterend naar het geluid van het water. Het laatste wat ik hoorde voordat ik in vredige vergetelheid verzonk, was een vlucht winterganzen boven de Potomac. Hun eeuwige muziek klonk over de koude, zilte moerasgronden van Angel Bay, tot ze in de verte verdwenen en alles weer stil werd.

Ik betwijfelde of dit het werk van David was, een teken van zijn goedkeuring. Maar ergens wilde ik dat wel graag geloven.